C000170588

ISBN 978-1-334-39274-0
PIBN 10571595

HANDBUCH DER PHARMAKOGNOSIE

VON

A. TSCHIRCH

ERSTE ABTEILUNG

LEIPZIG 1909 · CHR. HERM. TAUCHNITZ

3 9153 00831252 4

HANDBUCH DER PHARMAKOGNOSIE

VON

A. TSCHIRCH

ERSTER BAND

ALLGEMEINE PHARMAKOGNOSIE

LEIPZIG 1909
VERLAG VON CHR. HERM. TAUCHNITZ

HANDBUCH DER PHARMAKOGNOSIE

VON

A. TSCHIRCH

ERSTE ABTEILUNG

MIT 324 ABBILDUNGEN IM TEXT
UND AUF EINGEHEFTETEN TAFELN, SOWIE 3 KARTEN
UND 3 BEILAGEN

LEIPZIG 1909
VERLAG VON CHR. HERM. TAUCHNITZ

Vorwort.

Während an Lehrbüchern der Pharmakognosie, besonders solchen, die auf botanischer Grundlage ruhen, kein Mangel ist, fehlt in der Literatur ein modernes illustriertes Handbuch der Pharmakognosie, in dem gleicherweise die botanischen (systematischen, morphologischen, anatomischen, physiologischen und pathalogischen) wie die chemischen, handelstechnischen und handelsgeographischen, sowie endlich auch die historischen Verhältnisse und die bei der Kultur, Einsammlung und Erntebereitung der Drogen üblichen Methoden unter kritischer Benutzung auch der älteren Literatur und auf Grund eigener Beobachtungen des Verfassers geschildert werden.

In dem vorliegenden Werke mache ich nun den Versuch, nach neuen Gesichtspunkten und auf breitester Basis ein modernes Handbuch der Pharmakognosie zu schaffen. Seit 25 Jahren vorwiegend mit pharmakognostischen Fragen — und zwar sowohl auf pharmakobotanischem wie auf pharmakochemischem Gebiete – beschäftigt, trage ich als akademischer Lehrer seit Jahrzehnten Pharmakognosie nach neuer Lehrmethode vor, und habe in einem modern eingerichteten, mit einem grossen Drogenmuseum verbundenen Institute zahlreiche Schüler aus aller Herren Länder in dem Fache ausgebildet. Diese von mir befolgte und in der Praxis des Lehramtes erprobte Methode wurzelt in der Erkenntnis, dass die Pharmakognosie nicht nur ein Zweig oder Anhängsel der Botanik ist, sondern eine selbständige Wissenschaft, zu der auch in sehr hervorragendem Masse die Chemie, speziell die physiologische und Pharmako-Chemie, als Hilfswissenschaft gehört, zu der Sprachen- und Länderkunde, Geschichte und Handelsgeographie ihr Scherflein beitragen und die nicht nur eine Sammlung von nebeneinander gestellten Tatsachen ist, sondern die lebensvolle Verknüpfung derselben unter höheren Gesichtspunkten erstrebt. Ich versuche zu zeigen, dass zahlreiche Fragen der Pharmakognosie experimenteller Behandlung zugänglich sind und dass ganz besonders die Einführung der Pharmakophysiologie in das Arbeitsprogramm der Pharmakognosie zu einer wissenschaftlichen Vertiefung der Pharmakognosie führt und sie aus einer rein deskriptiven zu einer experimentellen naturwissenschaftlichen Disziplin erhebt.

Um mir ein eigenes Urteil zu bilden, habe ich aber nicht nur in Gemeinschaft mit meinen Schülern einzelne Gebiete der Pharmakognosie, wie das der Harze, der Abführmittel, der Samendrogen usw., chemisch und botanisch durchgearbeitet, sondern auch die wichtigsten Einfuhrhäfen Europas und ihre Dockhallen besucht und bin ein Jahr nach Indien gegangen, um die Indischen Heil- und Nutzpflanzen an Ort und Stelle zu studieren. Ich habe sie in einem besonderen Werke geschildert. In langjährigen Laboratoriumsarbeiten sind dann die dort und bei Reisen durch die Länder Europas gesammelten Materialien bearbeitet worden.

Der „Anatomische Atlas", den ich mit Professor Oesterle herausgegeben habe und bei dem die entwicklungsgeschichtliche Methode auf pharmakognostisches Gebiet verpflanzt wurde, war eine der Früchte dieser Studien. Er beschränkt sich auf Pharmako-Morphologie und Pharmako-Anatomie. Das Handbuch geht weiter und zieht auch alle anderen Hilfswissenschaften mit herbei. So werden hier zum ersten Male eingehend die Arzneipflanzenkulturen und die zahlreichen Methoden der Erntebereitung (Fermentieren, Rollen usw.), die pharmakogeographischen Drogenreiche, die Verhältnisse des Grossdrogenhandels und die Handelswege, die Behandlung der Droge im Einfuhrhafen und die Handelssorten und Packungen unter Beifügung von Karten und zahlreichen, z. T. von mir selbst auf meinen Reisen aufgenommenen Abbildungen eingehend und auf Grund eigener Erfahrungen und Erkundigungen bei zuverlässigen Gewährsmännern behandelt. Dann aber ist auch ganz besonders der in den modernen Lehrbüchern der Pharmakognosie stark vernachlässigten Chemie der Drogen, die ja in den letzten 15 Jahren die grösste Wandlung erfahren hat, Aufmerksamkeit gewidmet worden.

Einen breiten Raum nimmt die Geschichte der Pharmakognosie ein, die im allgemeinen Teile behandelt wird. Hier kam es mir besonders darauf an, den Leser zu den Quellen zu führen und alles Wesentliche aus denselben aufzuführen, so dass dieser Teil eine ganze Bibliothek ersetzen wird. So werden z. B. alle Pflanzen des Dioscurides, des Theophrast, der Hildegard, vollständige Listen der Drogen des Cordus, die Alphita, Circa instans, die Tabula des Simon Januensis, die Liste des Serapion u. a. m. in extenso mitgeteilt.

Zum ersten Male wird auch hier der Versuch gemacht, die Entwicklung der Pharmakognosie, gestützt auf Quellenstudien, in ausführlicher Weise zu schildern.

Ein Gebiet, das in den Lehrbüchern in der Regel ebenfalls vernachlässigt wird, das ethnologische (Betelkauen, Opiumrauchen, Matetrinken, Pfeilgifte usw.), findet ebenfalls Berücksichtigung und auch die Linguistik und Etymologie ist dort, wo es nötig erschien, mit herangezogen. Sodann sind auch der Bibliographie einige Kapitel gewidmet, fehlt doch bisher eine Bibliographie der Pharmakognosie ganz. — Und wenn endlich auch dem Unterrichte in der Pharmakognosie die Aufmerksamkeit zugewendet wird, so dürfte dies gerade heute, wo über die Frage: was ist Pharmakognosie und wie soll man sie treiben? — vielfach noch Unklarheit herrscht, vielen willkommen sein und zur Klärung der Anschauungen beitragen.

Dass überall den Fragen der Angewandten Pharmakognosie (Verfälschungen, Prüfung auf Reinheit und Gehalt, mikroskopische und chemische Analyse, Aufbewahrung usw.) gebührende Beachtung geschenkt wird, ist selbstverständlich.

So entrollt sich in dem Werke, das das Resultat der auf alle Gebiete der Drogenkunde ausgedehnten Lebensarbeit des Verfassers darstellt, ein Gesamtbild der Pharmakognosie im weitesten Sinne. Wir sehen, zu wie zahlreichen Disziplinen die Drogenkunde, die nunmehr sich zu einer Drogenwissenschaft ausgewachsen hat, — gebend und empfangend — in Beziehung steht und wie wichtig sie nicht nur für den Apotheker, sondern auch für den Arzt, den Medizinalbeamten, den Chemiker, den Drogisten, kurz alle die, welche mit Arzneidrogen in Berührung kommen, ist, die alle ohne Ausnahme aus ihrem Borne schöpfen werden. Das Buch wird vielen die Augen darüber öffnen, ein wie ungeheuer reiches und interessantes Gebiet die Pharmakognosie ist, wie viele grosse Ausbeute versprechende Bezirke desselben noch unerschlossen sind und wie sehr gerade diese. in ihrer Anwendung auf die pharmazeutische Praxis so eminent wichtige Disziplin wissenschaftlicher Behandlung und Vertiefung zugänglich ist.

Pharmazeutisches Institut der Universität Bern. TSCHIRCH.

Inhaltsverzeichnis

zur ersten Abteilung.

Erster Teil.

Allgemeine Pharmakognosie.

PFAFF nennt die Pharmakognosie «physiographische Arzneimittellehre» und rechnet sie zur Pharmakologie, GÖBEL «pharmazeutische Warenkunde», FRISTEDT «organische Pharmakologie», FLÜCKIGER und HANBURY «Pharmacographia», die Engländer «materia medica», die Franzosen «matière médicale». Auch der Ausdruck «Drogenkunde», «Histoire des drogues», ist gebräuchlich. Der von HUMPHREY (1902) vorgeschlagene Ausdruck Pharmacopaedia (παιδεία = Wissenschaft) hat sich noch nicht eingebürgert, obwohl gerade in ihm der wissenschaftliche Charakter der reinen Pharmakognosie gut zum Ausdruck kommt. Ich hätte ihn gern als Titel benutzt, wollte aber nicht den eingebürgerten Ausdruck Pharmakognosie unterdrücken.

Die Pharmakognosie ist, wie alle pharmazeutischen Wissenschaften, aus der Medizin, speziell der Arzneimittellehre (Pharmakologie), hervorgegangen und wurde erst seit dem ersten Drittel des XIX. Jahrh. von dieser ganz abgetrennt.

Fig. 1.

Von einem thebanischen Grabe des XV. Jahrhunderts v. Chr. Thot, der ibisköpfige Ärztegott (als Lotse vorn in der Barke des Tum), hier (links oben) als Ph-ar-maki bezeichnet = „achtgebend auf die Barke", also: Beschützer. Die ersten 6 Zeichen sind zu lesen: ar(t) mʿki(t). ph ist der hier fehlende Artikel, die beiden letzten Zeichen sind Determinative (Oefele). Aus Dümichen, Die Flotte einer ägyptischen Königin.

Eigentlich hat schon DODART in seinen «Mémoires pour servir à l'histoire des plantes» (Pariser Akademie 1676) die Aufgaben der Pharmakognosie vorausschauend ganz richtig erkannt, wenn er auch der von ihm in ihren Zielen klar vorgezeichneten Wissenschaft nicht diesen Namen, ja überhaupt keinen Namen gab. Er fordert folgendes: 1. Beschreibung der Pflanze, 2. Abbildung derselben, 3. Kulturregeln, 4. Festsetzung der Heilkräfte, 5. Feststellung der chemischen Natur. Das ist ungefähr auch der Umfang der heutigen Pharmakognosie mit Einschluß eines Teiles der Pharmakologie, die wir jetzt abtrennen.

Die von MARTIUS gegebene Umgrenzung (s. oben) hat sich im Laufe von 75 Jahren in doppelter Weise verschoben. Zunächst wurden die Vertreter des «Dritten Reiches» ausgeschieden und der sich selbständig entwickelnden pharmazeutischen Chemie überwiesen und die Pharmakognosie auf Pflanzen und Tiere beschränkt. So entstanden die drei pharmazeutischen Disziplinen: Pharmakognosie, Pharmazie und pharmazeutische Chemie, wie sie noch heute bestehen. Dann aber entwickelte sich die Pharmakognosie, speziell die des Pflanzenreiches, immer mehr zu einer umfassenden selbständigen Wissenschaft mit zahlreichen Hilfswissenschaften. Der Begriff Pharmakognosie, wie wir ihn heute meist verstehen, ist von FLÜCKIGER (in der «Pharmakognosie des Pflanzenreiches», I. Aufl. 1867, II. Aufl. 1883, III. Aufl. 1891) geschaffen und von FLÜCKIGER und mir (in den «Grundlagen der Pharmakognosie», II. Aufl. 1885) näher erläutert worden, also besonders von dem Gelehrten, der die Pharmakognosie, die im Begriffe stand, zu einer seichten Warenkunde zu versimpeln oder im Schlepptau der

Botanik zu segeln und ein bescheidenes Dasein als Anhängsel derselben zu fristen, ganz auf eigene Füße stellte und mit wahrhaft wissenschaftlichem Geiste erfüllte, die Drogenkunde also zu einer Drogenwissenschaft, die Pharmakognosie zu einer Pharmakopädie machte. FLÜCKIGER betonte, daß die Pharmakognosie eine selbständige Wissenschaft und keine rein botanische Disziplin ist, und daß als Hilfswissenschaften außer Botanik in erster Linie die Chemie, dann aber auch die Geographie und die Geschichte herbeigezogen werden müssen. Ich habe dann diesen Gedanken weiter gesponnen (In dem Aufsatze «Die Pharmakognosie als Wissenschaft», Pharm. Zeit. 1881). Die Bedeutung der Chemie als einer gleichberechtigten Hilfswissenschaft neben der Botanik hob übrigens auch BUCHHEIM (1879) hervor. Die Anatomie war schon seit SCHLEIDENS berühmt gewordener Untersuchung über die *Sarsaparille*, und BERGS Atlas als notwendige Hilfswissenschaft erkannt worden. Die Entwicklungsgeschichte ist dann von mir (im «Anatom. Atlas») hinzugefügt worden, indem ich den Satz vertrat, daß die richtige Deutung pharmakoanatomischer Tatsachen oft nur durch das Studium der Entwicklungsgeschichte möglich ist. Die moderne Morphologie war schon vorher durch ARTHUR MEYER (in der «Wissenschaftl. Drogenkunde») zur Lösung pharmakognostischer Fragen herbeigezogen worden, die Mikrochemie noch früher durch A. VOGL. Die Geschichte der Drogen fand außer durch FLÜCKIGER besonders durch SCHÄR und HARTWICH, die Ethnologie der Drogen durch HARTWICH Förderung. Pharmakophysiologische Fragen habe ich mit meinen Schülern mit Vorliebe studiert. Der Gefahr, daß die in bester Entwicklung begriffene neue Wissenschaft, die sich einen Platz neben der Geographie und Pharmakologie erobert hatte, wieder dadurch verflache, daß sich botanisch oder chemisch ungenügend geschulte Kräfte mit pharmakognostischen Fragen beschäftigten, bin ich bei jeder Gelegenheit entgegengetreten und habe deshalb als Motto auf den Anatomischen Atlas, den ich mit OESTERLE herausgab, die Worte gesetzt: «Die Pharmakognosie hat keine anderen Methoden wie die der reinen Botanik und reinen Chemie, wohl aber eine andere Fragestellung, andere Aufgaben und Ziele». In neuerer Zeit haben sich denn auch viele gut geschulte Chemiker (z. B. JAHNS, HESSE, E. SCHMIDT, BOURQUELOT, SCHLAGDENHAUFFEN) mit pharmakochemischen, gut geschulte Botaniker (GUIGNARD, PERROT und ihre Schule) mit pharmakobotanischen Fragen beschäftigt.

So zerfällt denn die moderne wissenschaftliche Pharmakognosie (wissenschaftliche Drogenkunde) in sehr zahlreiche (15) Zweige, die selbständig betrieben werden können, aber von dem Lehrer der Pharmakognosie in ihren Grundzügen beherrscht werden müssen. Es sind dies nach meiner Definition (vgl. TSCHIRCH, Was ist eigentlich Pharmakognosie? Zeitschr. des österr. Apoth.-Vereins, 1896 und Pharm. Zentralh. 1907, S. 283):

1. Pharmakoërgasie (von ἐργασία = Kultur), Kultur, Einsammlung, Erntebereitung.
2. Pharmakoëmporia (von ἐμπορία = Großhandel), Handelswege, Ausfuhr und Einfuhrhäfen, Behandlung der Droge im Einfuhrhafen.
3. Pharmakodiakosmie (von διακοσμεῖν = Sortieren), Handelssorten, Verpackungen.
4. Pharmakobotanik, Systematik, Morphologie, Anatomie, Physiologie, Pathologie.
5. Pharmakozoologie. — 6. Pharmakochemie. — 7. Pharmakophysik.

8. Pharmakogeographie. — 9. Pharmakohistoria.
10. Pharmakoëthnologie. — 11. Pharmakoëtymologie.

Der Begriff Pharmakognosie hat sich also vertieft und erweitert. Und wir können die Definition jetzt so fassen: «Unter dem Namen Pharmakognosie begreift man die Wissenschaft, deren Aufgabe es ist, die Drogen pflanzlichen und tierischen Ursprungs nach allen Richtungen hin — mit Ausnahme der physiologischen Wirkung — wissenschaftlich kennen zu lernen, korrekt zu beschreiben und unter allgemeinen Gesichtspunkten miteinander zu verknüpfen». Es soll «die Pharmakognosie bis zu einem gewissen Grade alles umfassen, was zu einer monographischen Kenntnis der Arzneistoffe gehört» (FLÜCKIGER-TSCHIRCH, Grundlagen), aber darüber hinaus nicht nur ein Mosaik ohne inneren Zusammenhang schaffen, sondern eine lebensvolle Verknüpfung der Drogen auf Grund ihrer Bestandteile erstreben. «La science ne consiste pas en faits, mais dans les conséquences que l'on en tire» (CLAUDE BERNARD). Ich betrachte also, und damit gehe ich über FLÜCKIGER und alle anderen Pharmakognosten hinaus, die Aufgabe der wissenschaftlichen Pharmakognosie nicht durch eine monographische Beschreibung der Drogen, auch wenn dieselbe noch so umfassend und ins Einzelne eindringend ist, als erschöpft, wennschon dies natürlich ihre nächste Aufgabe ist. Ich fasse ihre Aufgaben weiter, stecke ihre Ziele höher. Letztes Ziel der Pharmakognosie ist die wissenschaftliche Verknüpfung der zusammengehörigen Drogen auf Grund ihrer wichtigsten Bestandteile. Denn nicht die botanische Beschreibung trifft das Wesen der Droge als Heilmittel. Die chemischen Bestandteile sind es, wegen deren wir die Droge als Heilmittel benutzen. Sie sind also das wichtigste. Oberste Aufgabe der Pharmakognosie wird es daher sein, die Drogen nach ihren Bestandteilen in Beziehung zueinander zu bringen, das Zusammengehörige zu vereinigen und so allmählich zu einem pharmakochemischen Systeme der Drogen zu gelangen, das zur Pharmakologie hinüberleitet. Erst hierdurch wird die Drogenkunde zur Drogenwissenschaft, werden die Drogengeschichten zu einer Drogengeschichte.

HUSEMANNS Vorschlag (in der Realenzyklop. d. ges. Pharmazie, I. Aufl.), die wissenschaftlichen Grundlagen der Pharmakognosie «allgemeine», die Einzelbehandlung der Drogen als «spezielle Pharmakognosie» zu bezeichnen, entspricht der üblichen Terminologie.

Dieser **wissenschaftlichen oder reinen Pharmakognosie** steht nun die **angewandte Pharmakognosie** zur Seite, die wesentlich praktisch-diagnostisch ist. Sie ist weniger eine Wissenschaft wie «eine Kunst für praktische Zwecke» (WIGAND) und für den Apotheker von größter Bedeutung. Der Name «Angewandte Pharmakognosie» ist zuerst von mir gebraucht worden (TSCHIRCH, Anwendung der vergleichenden Anatomie zur Lösung von Fragen der angewandten Pharmakognosie. Schweiz. Wochenschr. f. Chem. u. Pharm. 1897).

In den «Grundlagen» (1885) ist diese Abtrennung noch nicht gemacht. «Ganz besonders müssen wieder», heißt es dort, «aus diesem reichen Inhalte (des Gesamtbildes der Drogen) diejenigen Züge hervortreten, welche zu einer raschen, annähernden Wertbestimmung, zunächst ohne wirkliche chemische Analyse, führen können, wo dies nur irgend angeht.» Und auch WIGAND sagt: «Der praktische Zweck steht obenan, ohne ihn würde die Pharmakognosie gar nicht existieren.» Dasselbe oder etwas ähnliches finden wir in ARTHUR MEYERS Definition (1907), «die

Pharmakognosie ist eine Disziplin, welche die Drogen in einer den Bedürfnissen der pharmazeutischen Praxis entsprechenden Weise wissenschaftlich zu bearbeiten hat.» Diese praktische Seite fällt jetzt zum Teil wenigstens der angewandten Pharmakognosie zu.

Aufgabe der angewandten Pharmakognosie, deren Begriff sich etwa mit dem deckt, was MARTIUS unter Pharmakognosie verstanden wissen wollte, ist es, die Ergebnisse der wissenschaftlichen Pharmakognosie für die Praxis des Apothekers zu verwerten. Die Ergebnisse der Pharmakobotanik dienen durch Vergleich der morphologischen Merkmale zur Feststellung der Identität der Heilpflanze und zur Feststellung etwa vorkommender Verwechslungen oder Verfälschungen. Die anatomische Untersuchung führt zu dem gleichen Ziel und läßt noch am Pulver Identität und Reinheit feststellen. Die Ergebnisse der Pharmakoergasie und der Pharmakophysiologie führen zu einer praktischen Verbesserung des Anbaus der Heilpflanzen. Die Ergebnisse der Pharmakochemie dienen dazu, zunächst durch qualitative Reaktionen die Identität festzustellen, dann aber durch quantitative Methoden zu einer Wertbestimmung zu gelangen.

Ausschließlich der wissenschaftlichen Pharmakognosie gehören an: Geographie, Geschichte, Ethnologie und Etymologie.

Die Beschäftigung mit wissenschaftlicher Pharmakognosie ist Sache der Fachgelehrten (resp. ausreichend vorgebildeter Praktiker), die angewandte Pharmakognosie dagegen Sache der praktischen Apotheker.

In der Lehrzeit soll der Eleve die Elemente der Pharmakognosie an der Hand von Drogen und frischen, sowie Herbarpflanzen praktisch erlernen und namentlich so weit gebracht werden, daß er — eventuell unter Zuhilfenahme der Lupe — rasch die Identität einer Droge feststellen kann, also die Droge und Heilpflanze «kennt». Es ist dies zugleich ein vorzügliches Mittel beobachten zu lernen — das Ziel jedes naturwissenschaftlichen Unterrichts.

Auf der Universität soll er die Grundzüge der wissenschaftlichen Pharmakognosie (in ihrer obigen weitesten Fassung) kennen lernen: durch allgemeine Vorlesungen über das Gesamtgebiet und Spezialvorlesungen über einzelne Teile der Pharmakognosie, mikroskopische und pharmakochemische, besonders auf die Wertbestimmungen gerichtete Übungen. Hierbei ist dann auch der Analyse pflanzlicher Pulver die gebührende Beachtung zu schenken. So ausgerüstet tritt dann der Apotheker in die Praxis, um hier die angewandte Pharmakognosie zu üben, und sich vor Betrug zu schützen. Denn die Drogen, ja sogar ihre Pulver lassen sich, und zwar meist mit der gleichen Schärfe wie die chemischen Präparate, auf Identität, Reinheit und Gehalt prüfen.

Die Aufgaben der reinen Pharmakognosie sind rein wissenschaftliche.

Die Aufgaben der reinen Pharmakobotanik sind nur zu lösen, wenn die systematische Botanik, die Morphologie, die Anatomie (und Entwicklungsgeschichte), sowie die Physiologie der Pflanzen als Hilfswissenschaften herangezogen werden. Die Feststellung der Stammpflanze, des morphologischen Aufbaues des als Droge benutzten Organs und des anatomischen Baues desselben sind selbstverständliche Elemente der Pharmakobotanik, nicht nur der deskriptiven, sondern auch der diagnostischen (z. B. bei der anatomischen Wertbestimmung eines Pulvers), aber auch die Physiologie, ja sogar die Pathologie der Pflanzen müssen oft herangezogen werden, z. B. bei dem Harzfluß, bei der Feststellung der besten Einsammlungszeit, bei der Beurteilung des Fermentierungsprozesses, dem viele Drogen unterworfen werden. Hier spielen bisweilen sogar bakteriologische Fragen mit hinein. Die chemische Physiologie ist von größter Wichtigkeit. Viele Fragen der Pharmakophysiologie sind experimenteller Behandlung zugänglich und gerade durch sie wird die Pharmakognosie aus einer rein beschreibenden zu einer experimentellen naturwissenschaftlichen Disziplin. Die Einführung der Pharmakophysiologie in das Arbeitsprogramm der Pharmakognosie bedeutet also eine wissenschaftliche Vertiefung und Erweiterung der Aufgaben unserer Wissenschaft und eröffnet ganz neue und weite Perspektiven.

Man muß geschulter Botaniker sein, um Pharmakobotanik wissenschaftlich betreiben zu können. Doch sei betont, daß die Pharmakognosie keine botanische Disziplin, sondern die Botanik nur eine der Hilfswissenschaften ist. Schon 1879 sagte BUCHHEIM: «Solange der Unterricht der Pharmazeuten in der Drogenkunde von einem botanischen Standpunkte ausgeht und vorzugsweise in den Händen von Fachbotanikern liegt, ist ein erheblicher Fortschritt dieser Disziplin nicht zu erwarten.»

Die Pharmakozoologie spielt bei der geringen Zahl tierischer Drogen nur eine untergeordnete Rolle. Viele Lehrbücher ignorieren sie daher. Neuerdings (1895) hat SAYRE die Aufmerksamkeit auf die tierischen Schädlinge der Drogen gelenkt. Ich werde im folgenden auch die Krankheiten der Arzneipflanzen behandeln, die ebenfalls hierher oder in das Gebiet der Pharmakopathologie gehören.

Sehr wichtig ist die Pharmakochemie, die als Zweig der Phytochemie mit der rapiden Entwicklung der Chemie zwar nicht gleichen Schritt gehalten, aber doch gerade in den letzten 20 Jahren bedeutende Fortschritte gemacht hat. Sie bietet noch ein ganz ungeheueres Feld für die Forschung dar. Nur ein verschwindend kleiner Teil der Drogen ist bis jetzt chemisch durchforscht, bei den untersuchten sind oft nur einige wenige oder gar nur ein Bestandteil gut studiert. Darauf kommt es aber bei der Pharmakochemie (im Gegensatz zur Phytochemie) nicht an. Sie muß — und so faßten ihre Aufgabe schon die älteren Pharmakochemiker, wie TROMMSDORFF, PELLETIER, JOHN auf — das Ensemble möglichst aller Bestandteile kennen lehren, denn die Wirkung der Droge ist nur selten das Korrelat eines Bestandteils, und meist eine Mischwirkung. Deshalb ist auch die Arbeitsweise bei pharmakochemischen Arbeiten eine andere, wie bei gewöhnlichen phytochemischen. Der Abbau des Drogenauszuges wird zur Hauptsache, das genaue rein chemische Studium eines isolierten Körpers und die Ermittelung seiner Konstitution Nebensache. Das sind dann Aufgaben, die eher der reinen Chemie zufallen, aber natürlich auch vom Pharmakochemiker gelöst werden können und gelöst werden sollen, wenn er die nötige Schulung besitzt. Denn auch in der Pharmakochemie ist man längst von der Reaktionschemie abgekommen und begnügt sich nur dort mit Reaktionen, wo ein anderer Weg noch nicht gangbar ist. Oft ist es schon jetzt möglich geworden, die Ergebnisse rein theoretischer pharmakochemischer Forschung auch praktisch zu verwerten. Zunächst ist ja das chemische Studium einer Droge oder eines ihrer Bestandteile reine Wissenschaft, es führt aber zur angewandten, beispielsweise durch Verwertung der Resultate zur chemischen Wertbestimmung und weiter zur Beurteilung der Einsammlungszeit u. dergl. m. Zahlreiche Drogen stehen ja schon jetzt unter ständiger chemischer Kontrolle. Man muß geschulter Chemiker sein, um Pharmakochemie wissenschaftlich treiben zu können, denn besondere Methoden gibt es in der Pharmakochemie nicht. Es muß dies deshalb betont werden, weil sich vielfach in den Kreisen der Chemiker die Ansicht breit macht, es gäbe eine besondere — natürlich minderwertige — «Apothekerchemie», und Botaniker bisweilen in wegwerfender Weise von einer «Apothekerbotanik» sprechen. Diese irrige Ansicht, die auf den Erfahrungen einer vergangenen Zeit beruht, wird dadurch am besten bekämpft, daß der Dilettantismus in der Pharmakobotanik und Pharmakochemie dauernd überwunden und nur botanisch und chemisch vollwertige Arbeit in der Pharmakognosie geleistet wird. FLÜCKIGER ging nicht ganz so weit wie ich hier gehe. Er meinte, die Pharmakognosie solle nur die chemischen Bestandteile aufzählen, die Lücken andeuten und zu ihrer Ausfüllung beitragen oder anregen, die erschöpfende Behandlung der chemischen Bestandteile wies er der Chemie zu. Der Mikrochemie sollte noch mehr Beachtung geschenkt werden als seither geschehen ist, denn es eröffnet sich hier die Möglichkeit, den Sitz der sog. wirksamen Bestandteile zu ermitteln.

Physikalische Methoden werden nur selten in der Pharmakognosie benutzt. Immerhin sind das Kolorimeter, der Polarisations- und der Spektralapparat schon oft sowohl in der reinen wie in der angewandten Pharmakognosie mit Erfolg herangezogen worden.

Von großer Bedeutung ist die Geographie für die Pharmakognosie. Sie sollte auch in den Vorlesungen viel mehr als bisher berücksichtigt werden. Die Kenntnis der Produktionsländer, der Ausfuhrhäfen und der Handelswege gehört zu einer erschöpfenden Behandlung der Droge. Und auch die Kulturen der Heil- und Nutzpflanzen sind ohne pflanzengeographische und klimatologische Kenntnisse nicht verständlich.

Sehr schwierige Gebiete sind Geschichte und Linguistik der Drogen, z. B. die Etymologie der Namen. Um sie als Forscher treiben zu können, muß man außer Pharmakognost (und Botaniker) auch geschulter Historiker und Sprachforscher sein. Das dürfte sich selten zusammenfinden, und so gibt es denn auf diesem Gebiete die meisten Irrtümer (denn auch ein Historiker und Linguist, der nicht Pharmakognost ist, irrt oft auf diesem Boden) und das meiste ist noch zu tun. Merkwürdig ist es, daß jeder Pharmakognost, fast ohne es zu wollen, ganz unwillkürlich zu historischen Studien geführt wird. Kein Gebiet ladet ja so sehr dazu ein wie gerade das uralte der Heilpflanzen und Drogen.

Fast ganz vernachlässigt wurde bisher das Studium der Verpackungen der Drogen. Der erste Versuch, sie zu sammeln, zu beschreiben und übersichtlich zu gruppieren, wurde 1893 im pharmazeutischen Institute in Bern gemacht. Zum vollständigen Bilde einer Droge gehören auch sie.

Da ich den «praktischen Zweck», von dem WIGAND spricht, aus den Aufgaben der reinen Pharmakognosie ausschalte, könnte man fragen, ob denn überhaupt die Pharmakognosie als selbständige reine Wissenschaft Existenzberechtigung hat, da ja ihr botanischer Teil von Botanikern, ihr chemischer von Chemikern, ihr handelsstatistischer von Kaufleuten, ihr handelsgeographischer von Geographen, ihr historischer von Historikern betrieben werden könne. Und es hat ja auch nicht an Befürwortern gefehlt, die diese Teilung anstreben möchten. Aber die Selbständigkeit der Pharmakognosie als reine Wissenschaft hat die gleiche Berechtigung wie die Selbständigkeit der Pharmakologie und der Geographie. Die Pharmakologie setzt sich auch aus heterogenen Elementen (Chemie, Physik, Physiologie, Anatomie) zusammen, und verfolgt zunächst auch nur rein wissenschaftliche Ziele. Sie ist als eine «angewandte Physiologie» bezeichnet worden und doch wird jetzt keiner mehr ihr den Charakter einer selbständigen reinen Wissenschaft absprechen. Auch der Arzt hört auf der Universität reine Pharmakologie und treibt in der Praxis angewandte. Ebenso stecken in der Geographie ein ganzes Bündel von Wissenschaften (Geologie, Botanik, Zoologie, Meteorologie) und doch ist ihr selbständiger Charakter jetzt allgemein anerkannt.

Bei der Pharmakognosie sammeln sich alle Hilfswissenschaften in dem Brennpunkte der Pharmazie. Die ganze Ausbildung des Apothekers prädestiniert

Fig. 2.
Dioscurides und die Heuresis mit der *Mandragora*, zu deren Füssen ein sich in Schmerzen krümmender Hund. Aus dem Wiener Codex Constantinopolitan. des Dioscurides (512 n. Chr.) verkleinert.

ihn zum Pharmakognosten, wie den Arzt zum Pharmakologen, und es sollten sich daher die Pharmakognosten nur aus Apothekern rekrutieren, da nur diese in allen, oder doch wenigstens in den hauptsächlichsten Hilfswissenschaften der Pharmakognosie gleichmäßig ausgebildet werden. Ich verkenne ja keineswegs die große Bedeutung der angewandten Pharmakognosie. Aber genau so wie der Mediziner reine Anatomie und Physiologie des Menschen hören muß, bevor er sie praktisch anwendet, genau so muß der Apotheker reine Pharmakognosie hören, bevor er in der Praxis angewandte treibt. Es muß also auch Vertreter der reinen Pharmakognosie, muß eine wissenschaftliche Pharmakognosie geben, wie es eine reine Anatomie und Physiologie geben muß. Sie darf nicht von vornherein eine angewandte Wissenschaft sein. Das hieße das Pferd am Schwanze aufzäumen. Kein Chemiker wird doch mit der angewandten Chemie beginnen. Die angewandte pharmazeutische Chemie war solange eine rein empirische Pröbelei, als sie sich nicht auf die reine Chemie stützte und sie zur Voraussetzung hatte. Und so ist ein wahrer Fortschritt in der angewandten Pharmakognosie nur möglich, wenn die reine Pharmakognosie als reine Wissenschaft betrieben wird. Die Ziele der reinen Pharmakognosie aber sind einfach und klar vorgezeichnet und so wissenschaftliche, wie die aller anderen naturwissenschaftlichen Disziplinen.

Fig. 3.
Valerius Cordus (1515—1544).

Von allen drei Disziplinen: Pharmazie, Pharmakognosie und pharmazeutische Chemie ist die Pharmakognosie die älteste, die pharmazeutische Chemie die jüngste. Die Rhizotomen waren die ersten Pharmakognosten, die ersten berufsmäßigen Kenner, Sammler und Beschreiber von Arzneipflanzen (*Rhizotomica*) und DIOSKURIDES der erste hervorragende Lehrer der Pharmakognosie, da er zum Zwecke der Lehre Heilpflanzen beschrieb. Neue Impulse erhielt dann die Lehre von den Arzneipflanzen durch die Araber, die als die Schöpfer der Pharmazie in unserem Sinne, der dritten Schwester, betrachtet werden können, obwohl die pharmazeutische Kunst sehr viel älter ist, und wie uns die Tempelinschriften, die Papyri und die Keilschrifttafeln lehren, schon 3000 v. Chr. geübt wurde. IBN BAITARS Kitāb aldschāmi al-kabīr (liber magnae collectionis) ist das bedeutendste Werk der arabischen Pharmakognosie, aber doch viel zu sehr auf fremde Autorität und zu wenig auf eigene Beobachtung aufgebaut. Die Pharmakognosie blieb lange eine «philologische» Wissenschaft. Als die eigentlichen Patres pharmacognosiae müssen wir MONARDES, CLUSIUS und CORDUS betrachten. Sie stellten die eigene Beobachtung in die erste Reihe. Bei ihnen finden wir die ersten gedruckten, nach der

Fig. 4.
Nicolaus Monardes (1493—1578).

Natur gezeichneten Abbildungen von Drogen und Heilpflanzen. Es war die Entdeckung Amerikas und des Seeweges nach Ostindien, die der Pharmakognosie neues Leben eingehaucht, ja sie eigentlich erst geschaffen hat. Aus dieser Zeit stammt denn auch die Errichtung des ersten Lehrstuhls der Pharmakognosie «lectura simplicium» 1533, in Padua, den Buonafede innehatte, der also der erste Professor der Pharmakognosie war. Dann blieb sie lange stehen, bis auf Pomet, Nicolaus Lémery und Etienne François Geoffroy, denen wir die ersten Lehrbücher der Pharmakognosie verdanken. Die beiden letztgenannten waren aus dem Apothekerstande hervorgegangene Ärzte, und bis in unsere Zeit haben sich zahlreiche Ärzte als Pharmakognosten erfolgreich betätigt (Pereira, Dierbach, Schroff, Phoebus, Vogl, Moeller). Pereiras «Elements of materia medica» (1839) ist das beste Erzeugnis dieser Periode. Eine neue Epoche bezeichnet dann Guibourt, der die Pharmakognosie, ganz losgelöst von der Medizin, als eine eigene, eine pharmazeutische Disziplin auffaßte, aber ohne ihren ganzen Gehalt auszuschöpfen. Dann trat die Pharmakognosie in ihre botanische Periode. An ihrem Anfang stehen die Namen Nees von Esenbeck und Jussieu, und in ihrem Verlaufe waren es Schleiden und Berg, Wigand und Oudemans, Fristedt und Hanbury, die am Ausbau der Pharmakognosie als botanische Disziplin mit großem Erfolge arbeiteten. Durch sie erhielt die Pharmakobotanik erst ihre eigentliche Gestaltung. Die Pharmakognosie verdankt ihnen außerordentlich viel. Die Einführung der Lupe und des Mikroskopes eröffnete neue Gebiete. Aber die Pharmakochemie kam zu kurz dabei. Es darf wohl auf den Einfluß, den die mächtig vorwärtsdrängende Chemie auf alle Gebiete der Naturforschung in der zweiten Hälfte des XIX. Jahrh. übte, zurückzuführen sein, daß sich auch auf dem Gebiete der Pharmakognosie chemische Aspirationen bemerklich machten. Es ist Flückigers Verdienst der Pharmakochemie als gleichberechtigter Hilfswissenschaft neben der Pharmakobotanik zu der ihr zukommenden Bedeutung verholfen, gleichzeitig aber auch das Gesamtgebiet der Pharmakognosie durch Heranziehung von Geographie und Geschichte, Handelswissenschaft und Linguistik erweitert zu haben. Die wissenschaftliche Pharmakognosie im modernen Sinne datiert von ihm und seinem «Lehrbuch der Pharmakognosie», das zum ersten Male alle Teile des Faches gleichmäßig behandelt. Es war nun nur noch nötig, die Einzelfächer weiter zu vertiefen, in die Pharmakochemie die Methoden der modernen Chemie,

Fig. 5.
Carolus Clusius (1526—1609).

in die Pharmakobotanik die Methoden der modernen Botanik (z. B. die Entwicklungsgeschichte) einzuführen und die Einzelbeschreibungen unter allgemeinen Gesichtspunkten zusammenzufassen, also von der Analyse zur Synthese vorzuschreiten, um die Pharmakognosie auf die Höhe einer mit den anderen Naturwissenschaften ganz gleichwertigen Wissenschaft zu erheben.

Fig. 6.
Lectura simplicium im XVI. Jahrh. Holzschnitt aus dem Ortus sanitatis.

So ist die moderne wissenschaftliche Pharmakognosie, nicht nur wegen der engen Beziehungen zur Heilkunde und der großen praktischen Bedeutung der angewandten Pharmakognosie für das öffentliche Leben die wertvollste — nennt sie doch A. P. de Candolle «die unmittelbar nützlichste unter den menschlichen Kenntnissen» — wegen der Zahl ihrer Hilfswissenschaften, die umfassendste, und wegen des wissenschaftlichen Wertes der letzteren, die tiefgründigste, sondern auch die bei weitem interessanteste der drei pharmazeutischen Disziplinen — allerdings auch die am schwierigsten zu bewältigende. Eine wahre scientia regia! — und historisch betrachtet, wie Schleiden sagt, «die Mutter aller naturwissenschaftlichen Disziplinen».

Jetzt steht sie freilich noch wenig beachtet im Winkel, aber es wird schon wieder eine Zeit kommen, in der man den Arzneidrogen und Heilpflanzen, deren Verwendung so alt ist wie das Menschengeschlecht, mehr Beachtung schenkt wie heute. Und wenn sich die Drogenkunde erst voll zur Drogenwissenschaft ausgewachsen hat, dann wird ihr auch der ihr zukommende Platz neben der Chemie und Botanik und nicht unter ihnen angewiesen werden.

«Vielleicht grünet, das jetzt herfürkeimet mit der Zeit» (Paracelsus).

«Je niedriger die Kulturstufe eines Volkes ist, desto kleiner ist die Zahl der Pflanzen, die für die praktischen Bedürfnisse der Menschen verwendet werden.»

BJÖRKMAN.

II. Die Objekte der Pharmakognosie.

1. Die Droge.

In der oben (S. 6) gegebenen Definition des Begriffes und der Aufgaben der Pharmakognosie sind die Objekte der Behandlung kurzweg „Drogen" genannt worden. Der Ausdruck ist in seiner Ableitung nicht ganz klar.

Im Französischen schreibt man drogue, droguiste, im Italienischen: droga, drogheria, im Spanischen: droga, drogueria, im Holländischen: droge, drogist, im Englischen: drug, druggist. Welcher Stamm aber dem Worte Droge zugrunde liegt, ist unsicher. Die einen (FRISCH, DIEZ) leiten das Wort von dem deutschen drog, droge, droêge, drög = trocken ab (im Niederdeutschen: droog, sächsisch: drêge, berndeutsch: troche, alt-bayrisch-österreichisch (Buch d. Natur): trucken, trücken, altenglisch: dréze, holländisch: trook, in der heutigen Niederlausitzer Volkssprache: tre oder trëe); andere von dem keltischen droch = schlecht, noch andere von dem illyrischen drug = kostbar oder dem persischen (?) drogua = Betrug.

Es erscheint, wie FLÜCKIGER bemerkt, nicht sehr wahrscheinlich, daß die romanischen Sprachen das Wort aus den germanischen herübergenommen haben. Denn es waren zuerst romanische Völker (Italiener, Portugiesen, Spanier), die die Drogen nach Deutschland, Holland und England brachten. Doch ist es nicht ohne Beispiel, daß eine Bezeichnung von den Empfängern gegeben und von den Liefernden übernommen wurde.

Nur in England ist das Wort sicher bis in den Anfang des XIV. Jahrh. zurück zu verfolgen. In Close Roll I Edw. III. 1. mem. 32 (einem Jahrbuch aus der Regierung Eduard III.) aus dem Jahre 1327 findet sich die Stelle: «Novem balas de drogges de spicerie», dann 1386 oder 1388 (bei CHAUCER CANTERBURY Tales Prol. 426 Apothecaries): «to send him drogges» und 1398 (in TREVISAS Übersetz. d. Bartholomaeus de proprietatibus rerum, gedr. 1495): «of stronge drouges». Dann auch 1513 (in DOUGLAS, Aeneis): «huilsum of small as ony spicery, Tryakle, droggis or electuary», und 1655 in THOMAS GAGE, New survey of the West-Indias XVII: «drugs for Chocolatte, also Apothecary drugs as Zarzaparilla». (Hier werden also bereits die «Arzneidrogen» von den anderen unterschieden!) Außer diesen Formen findet sich im Englischen noch: drogis, drougges, droigis, drugges, drougs, druggs, drogs, drugge, ja sogar später auch die Formen drogue und drogues! Das Wort war also im XIV. Jahrh. schon in England gebräuchlich und zwar in der ältesten Form ohne u.

Bei den lateinisch schreibenden Schriftstellern läßt sich das Wort Drogue bestimmt nicht weiter als bis ins XV. Jahrh. verfolgen. Es findet sich im Dispensatorium ad aromatarios des PSEUDO-NICOLAI, eines unbekannten Verfassers (Lugd. 1536) einer Kompitation aus dem XV. (?) Jahrh. (in einzelnen Teilen aber wohl älter). Dort heißt es: «Et voco droguas medicinas magni precii quae ad nos deferentur a longinquis partibus», und der Verfasser zählt folgende «Drogen» auf: *Ambra, Amomum, Balsamus, Bombax, Ben album* und *rubrum, Blacte bisaucie, Carpobalsamum,*

Camphora, Cassia lignea, Calamus aromaticus, Cardamomum, Cinnamomum, Cubebae, Celtica, Crocus, Doronicum, Folia, Galanga, Gariofili, Lapdanum, Lign. Aloes, Macis, Muscus, Malabatrum, Nux indica, Nux muscata, Piper, Ribes, Spica Nardi, Spongia, Spuma maris, Unicornum, Zinziber, Zedoaria, Zuccara.

Das sind, wie FLÜCKIGER (Arch. d. Pharm. 1881) bemerkt, in der Mehrzahl Aromata und auch GARCIA DA ORTA betrachtet diese Eigenschaft als wesentlich für den Begriff Droge: «aromaticum voco non odoratum — quod vulgo droguam vocant» (in der CLUSIUSschen Übersetzung, im spanischen Original steht droga, nicht drogua).

Es würde also ursprünglich das Wort Drogua oder Droga für einen wertvollen Arzneirohstoff, vorwiegend aus der Gruppe der Aromata gebraucht worden sein, wie das noch heute in dem illyrischen Worte für Droge dragomiris (drug = kostbar, miris = wohlriechend) zum Ausdrucke kommt. Doch scheint man auch schon im XVI. Jahrh. das «trocken» als wesentlich für den Begriff Droge betrachtet zu haben, da MARCO GUAZZO, wo er davon spricht, daß die «Drogherie» der Drogensammlung (Spetieria) des BUONAFEDE in Padua durch die Schiffe der Venetianer geliefert werden müssen, ausdrücklich von «cose secche di levante» spricht.

HUSEMANN meint, daß die oben genannte Stelle im Dispensatorium des PSEUDO-NICOLAUS der Ort sei, wo das Wort zuerst auftritt und von dem Verfasser wohl erfunden sei («et voco»). Der Verfasser ist unbekannt, könnte aber nach Lage der Sache ein im Orient lebender Kompilator sein oder ein aus orientalischen Quellen schöpfender, so daß der orientalische Ursprung des Wortes doch nicht ganz unmöglich wäre. (Sein Werk muß jedenfalls höher hinauf als ins XV. Jahrh. gesetzt werden, wohin es CHOULANT verweist.) Doch fehlt das Wort sowohl in den arabischen, spanisch-arabischen, algerischen und ägyptischen, persischen und türkischen Lexicis (HESS).

In Italien scheint schon im XV. Jahrh. der Ausdruck droga ganz gebräuchlich gewesen zu sein. In Convent. Saonae (1526) findet sich die Stelle: «pro quibuscunque generibus specierum s. aromatum et drogariarum», und Drogaria wird in CANGES Glossar. mediae et infimae latinitatis definiert: «aroma quodvis materia ex qua medicamenta et aliae compositiones conficiuntur».

In Frankreich findet sich das Wort «drogue» mit u (Provenc.: drogua) zuerst im XIV. Jahrh. in Nat. à l'alch. err.: «dissoudre et distiller Tes drogues pour les congeler Par alambics (LITTRÉ). Dann im XV. Jahrh. bei BASSELIN: «il n'y a chez l'apothicaire De drogue», auch 1484 in einer Verordnung über das Meisterstück der Apotheker, wo verlangt werden: «cognoissances de drogues». Im XVII. Jahrh. ist es allgemein gebräuchlich und wird z. B. auf den Titeln der Werke POMETS und LÉMERYS benutzt.

LITTRÉ denkt bei der Ableitung auch an drwg (kelt. kimry), droug, drouk (breton.) und droch (irländ.), was soviel wie eine schlecht schmeckende Substanz (tout ce qui est mauvais) bedeutet, und von ihm auf den gewöhnlich schlechten Geschmack der Arznei bezogen wird (?). Merkwürdigerweise wird der Ausdruck drogue in Frankreich auch für ein eingekerbtes Holzstück benutzt, das dem Verlierer bei einem gewissen Spiele auf die Nase geklemmt wird!

In Deutschland scheint die Bezeichnung Drogist oder Trochist älter zu sein wie Droge. — Droge kommt im Altdeutschen und Mittelhochdeutschen nicht vor, auch nicht in den Arzneibüchern des XVI. Jahrh. und wird erst im XVII. Jahrh. gebräuchlich, so daß HÖRNIG noch 1646 den Trochisten von den Trochisci viperini, die er einzuführen habe, ableiten konnte, was aber offenbar falsch ist (HUSEMANN).

Ziehen wir aus Vorstehendem die Schlüsse, so müssen wir zugeben, daß die Herkunft des Wortes Droge, das wir in deutschen Texten am besten wohl ohne u schreiben werden, unsicher ist. Es war schon im Anfang des XIV. Jahrh. in der Form drogge in England und zu gleicher Zeit in der Form drogue in Frankreich ganz gebräuchlich, dürfte daher kaum von dem Kompilator des Dispensatorium ad aromatarios erfunden sein, bei dem sich die Worte «et voco» wohl nur auf die Form «drogua» beziehen.

Die alten Griechen sprachen von ὕλη, d. h. Rohstoff (ursprünglich Holz) und nannten einen arzneilichen Rohstoff ὕλη ἰατρική — so z. B. auf dem Titel von DIOSKURIDES Arzneimittellehre. GALEN braucht diese Worte als identisch mit materia medica. Die Lateiner des Mittelalters nannten die arzneilichen Rohstoffe Simplicia, im Gegensatz zu den zusammengesetzten Arzneimitteln (Composita), dieser Ausdruck findet sich, wie es scheint, noch nicht im IV. Jahrh. — APULEJUS BARBARUS schreibt z. B. de medicaminibus herbarum, PLACITUS PAPYRIENSIS de medicamentis ex animalibus — aber noch auf zahlreichen Schriften «de simplicibus» im XV. und XVI. Jahrh. und verschwindet allmählich erst im XVIII. Jahrh. Immerhin nennt noch 1730 NEUMANN die Drogen Simplicia, VALENTINI gab 1716 eine Historia simplicium reformata und MONTI 1724 Exoticorum simplicium varii indices heraus.

In Holland ist bei den Apothekern der Ausdruck Simplicia für Drogen noch heute in Anwendung und auch in Frankreich nennt man sie «médicaments simples».

Berühmt ist des MATTHÄUS PLATEARIUS liber de simplici medicina (Circa instans) aus dem XII. Jahrh., und auch bei CONSTANTINUS AFRICANUS (XI. Jahrh.) findet sich ein Abschnitt de gradibus simplicium. Der MACER FLORIDUS aus dem X. Jahrh. schreibt aber noch de viribus oder de virtutibus herbarum.

Im Dispensatorium Nicolai (XII. Jahrh.) beginnt das erste Kapitel: «Medicina alia est simplex, alia composita. Simplex est quae talis qualis eam natura produxit vel quae artificio paratur sine alterius admistione talis autem est sicut piper, scammonea et multae in hunc modum».

In diesen Worten liegt eine Definition des Wortes Simplicia und damit auch des Wortes Droge, die an Klarheit nichts zu wünschen übrig läßt.

Da in dem jetzigen Sprachgebrauch das Wort «Droge» für alle Rohstoffe, mit Ausnahme der mineralischen, angewendet wird — und zwar für trockene, im Gegensatz zu frischen Pflanzen und Tieren — empfiehlt es sich, die technischen Rohstoffe als **technische Drogen** von den arzneilichen Rohstoffen, den **Arzneidrogen**, abzutrennen. Die Pharmakognosie beschäftigt sich, wie schon ihr Name sagt, nur mit den letzteren. Doch fasse ich den Begriff ziemlich weit und werde im Folgenden z. B. auch die Genußmittel (z. B. die Purindrogen), die ja auch gelegentlich Heilmittel sind und auch manches andere, z. B. einige Klebemittel, Farbstoffe usw. mit hineinziehen, da sich ja ganz scharfe Grenzen auch hier nicht ziehen lassen, und die Lehre von den technischen Rohstoffen auch vielfach auf pharmakognostisches Gebiet übergreift. Aber ich möchte doch nicht unterlassen zu betonen, daß die Verwendung des *Pfeffer* als Gewürz, der *Quebracho-* und *Eichenrinde* als Gerbemittel, von *Catechu*, *Rhabarber*, *Kamala*, *Indigo*, *Tournesol* in der Färberei, des *Meccabalsam*, *Perubalsam* und *Weihrauch* zu rituellen Zwecken, des *Mohn* zum Bestreuen von Backwerk, des *Sandelholz* zu kunstgewerblichen Gegenständen, der *Hopfendrüsen* in der Brauerei, eigentlich schon außerhalb der Pharmakognosie liegt. Endlich werden auch die Drogen noch eingehend behandelt werden, die zwar selbst mehr und mehr aus dem Handel verschwinden, die aber Ausgangsmaterialien für die Darstellung wichtiger chemischer Heilmittel bilden (*Cina, Podophyllum, Fol. cocae*).

«Freilich muß zugestanden werden, daß erhebliche Willkür in der Abgrenzung und Behandlung des pharmakognostischen Lehrstoffes nicht auszuschließen ist. Die Pharmakognosie ist keineswegs ein scharf begrenzter Wissenszweig, und darin liegt eben das Wesen und wohl auch ein besonderer Reiz des Faches, daß er die Hilfsmittel verschiedener Disziplinen zu dem einen Zwecke gründlicher Kenntnis der Rohstoffe des Arzneischatzes oder sonst vom Standpunkte der Pharmazie aus wichtiger Pflanzenteile oder Produkte verwertet» (FLÜCKIGER-TSCHIRCH, Grundlagen).

Zu den Arzneidrogen gehören nun aber sowohl die Pflanzendrogen wie die Tierdrogen, die arzneilich angewendet werden; also wenn man alle jemals arzneilich angewendeten Vertreter beider Reiche herbeizieht, ein ungeheueres Material. DIOSCURIDES führt bereits gegen 500 Heilpflanzen auf, bei PLINIUS finden sich gegen 1000, bei KASPAR BAUHIN ca. 6000 Pflanzennamen, überwiegend auch Heilpflanzen, die Alphita (XIII. Jahrhundert) verzeichnet 645, bei CORDUS finden sich rund 800. In SCHRÖDERS Pharmacopoea medico-chymica (1641), die ca. 6000 Simplicia enthält, figurieren noch 150 Arzneistoffe aus dem Tierreiche. Noch BERG und WITTSTEIN behandeln eine recht stattliche Anzahl. Diese nach Hunderten zählenden Arzneidrogen in der oben charakterisierten Weise wissenschaftlich abzuhandeln, nach allen Richtungen genau zu beschreiben, ist für einen Einzelnen ein Ding der Unmöglichkeit, da die überwiegende Zahl noch gar nicht genauer untersucht ist. Es ist aber auch gar nicht nötig, da die Zahl der noch heute wirklich arzneilich angewendeten Drogen relativ gering ist. Während die Gesamtzahl der seit dem Altertum jemals auf der Erde arzneilich benutzten Pflanzendrogen nach der DRAGENDORFFschen Liste (in den «Heilpflanzen», 1898) über 12700 beträgt — PICKERING führt gar in seiner allerdings unkritischen History of plants (Boston 1879) ca. 15000 Arznei- und Nutzpflanzen auf — werden jetzt in Deutschland, wie aus den Preislisten der Großdrogenhäuser hervorgeht, nur etwa 800 benutzt, und die Pharmakopoeen enthalten noch sehr viel weniger, das deutsche Arzneibuch IV 166 (dazu kommen im Ergänzungsbuch noch 171), die Edit. quarta der Pharmac. helvet. 218 Heilpflanzen und Drogen. Da es der modernen Heilkunde widerstrebt, Arzneidrogen zu benutzen, deren Zusammensetzung unbekannt oder ungenügend bekannt ist, hat sich die Zahl der von den Ärzten angewendeten Arzneidrogen seit der Mitte des XIX. Jahrh. fortdauernd verringert. Nur das Volk benutzt noch zahlreiche Pflanzen, die es teils selbst sammelt, teils kauft. In diese Verhältnisse erhält man erst einen Einblick, wenn man sich die Verkaufsziffern sog. obsoleter Drogen von einer größeren Drogenfirma verschafft. Man ist erstaunt, aus denselben zu ersehen, daß oft von den obsoletesten noch viele Zentner jährlich abgesetzt werden und doch kauft das Volk nur einen Teil beim Drogisten, viele werden in den Bauerngärten für den Hausgebrauch gebaut und die wildwachsenden selbst gesammelt. Einen Teil der «obsoleten» Drogen verwendet übrigens die Spezialitätenfabrikation.

Ich werde mich in diesem Handbuche auf die wichtigsten Drogen beschränken, diese aber eingehender behandeln.

Ausgeschlossen sind jetzt von der Pharmakognosie die Mineralien, die «lapides» der früheren Autoren, von denen die oben erwähnte SCHRÖDERsche Pharmakopoee noch 30 enthielt und alle chemischen Präparate und chemischen Rohstoffe, die der pharmazeutischen Chemie zuzuweisen sind.

In den «Grundlagen» haben wir uns dahin ausgesprochen, daß die Substanzen auszuschließen seien, von denen die Chemie schon allein imstande ist, eine erschöpfende Schilderung zu gewähren, wie die Fette, Wachse, ätherischen Öle, Zuckerarten u. dergl. Ich möchte sie jedoch, soweit sie medizinische Anwendung finden, einschließen und nur die technischen Produkte der chemischen Rohstofflehre überweisen. Übrigens will ja auch FLÜCKIGER Ausnahmen zulassen.

Ganz ausgeschlossen werden die Bauhölzer und das Papier, während die Gespinstfasern wegen ihrer vielen Beziehungen zur Medizin — die Baumwolle steht ja sogar in den Pharmakopoeen — wenigstens teilweise behandelt werden müssen.

Einige Drogen sind beides, technische und Arzneidrogen. Von Arzneidrogen, die gleichzeitig z. B. auch als Farbdrogen zu betrachten sind, sei der *Rhabarber*, die

Hydrastis und die *Calumbawurzel* genannt. Der (europäische) *Rhabarber* ist in der Lyoner Seidenfärberei noch bis heute in Benutzung.

So spinnen sich zwischen der technischen und der medizinischen Rohstofflehre Fäden hinüber und herüber und es verwischen sich die Grenzen. Keinesfalls erscheint es aber zulässig, daß die technischen Rohstoffe einfach kurzweg als «Rohstoffe» bezeichnet werden, wie dies auf dem Titel von WIESNERS Buche: Die Rohstoffe geschieht. Zu den Rohstoffen gehören unbedingt auch die Arzneidrogen, die ja schon von DIOSCURIDES «arzneiliche Rohstoffe» genannt wurden.

Die Stellung der Arzneidrogen im Systeme der Arzneimittel überhaupt geht aus folgender Übersicht hervor, die ich für die schweizerische Pharmacopoee (Edit. IV, 1907) entworfen habe.

Arzneimittel (Arzneistoffe, Arzneisubstanzen, Arzneien, Medikamente) sind Substanzen oder Substanzgemenge, welche zur Verhütung oder Beseitigung abnormer Zustände oder Vorgänge im menschlichen oder tierischen Organismus oder zur Beschwichtigung störender, unangenehmer oder gefährlicher Erscheinungen in Anwendung gezogen werden. Sie zerfallen in folgende Kategorien:

I. In solche, die nicht in eine Arzneiform gebracht worden sind (Arzneiwaren).
   a) Chemikalien mit Einschluß der anorganischen und organischen chemischen Präparate.
   b) Pflanzliche und tierische Rohstoffe oder Arzneidrogen.

II. In solche, die in eine Arzneiform gebracht worden sind.
   a) Einfache Arzneimittel.
      1. Die einfachen pharmazeutischen oder galenischen Präparate.
      2. Die organotherapeutischen, serumtherapeutischen, bakteriotherapeutischen und verwandten Präparate.
   b) Zusammengesetzte Arzneimittel, aus mehreren Substanzen oder einfachen Arzneimitteln oder beiden zusammengesetzte Mischungen.

2. Paralleldrogen und Quid pro quo.

Die Organisation der menschlichen Rassen ist so wenig verschieden, daß auf der ganzen Erde bei allen Menschen ungefähr die gleichen Bedürfnisse nach bestimmten Genuß- und Heilmitteln bestehen. Da jedoch die Flora der Erde, die diese Genuß- und Heilmittel liefert, nicht überall dieselbe ist, so findet man auch nicht überall die gleichen Heilpflanzen. Das bestehende Bedürfnis kann nun auf doppelte Weise befriedigt werden, entweder durch Einfuhr der Droge von außen oder durch Aufsuchen von Paralleldrogen in der Heimat.

Die Einfuhr der Droge setzt das Bestehen von Handelsbeziehungen voraus. So gelangten viele wertvolle Drogen und Gewürze schon im Altertum aus Indien und Afrika in die Mittelmeerländer. Der *Costus*, der *Weihrauch*, die *Myrrha*, die *Asa foetida*, der *Zimt* sind im Mittelmeergebiet nicht heimisch. Aber oft genug haben ganz isoliert wohnende Völker, von einem natürlichen Instinkte geleitet, von sich aus Heil- und Nutzpflanzen in der Flora ihrer Heimat aufgefunden, die in der Wirkung im allgemeinen mit denen übereinstimmten, die andere ebenso isoliert wohnende in ihrer Heimat auffanden. So entstanden, aus demselben Bedürfnisse geboren, die **Paralleldrogen.** Das klassische Beispiel bilden die Glieder der Gruppe der Purindrogen, die sämtlich, wie wir jetzt wissen, ihre Wirkung Purinkörpern verdanken. Das wußten aber die Völker nicht und wissen es auch heute nicht. Der Abyssinier hat die *Kaffeepflanze*, der Assamit den *Teestrauch*, der Zentralafrikaner die *Kolanuß*, der Bewohner des Amazonasgebietes die *Guarana*, der Zentralamerikaner den *Kakao*, der Brasilianer den *Mate* aufgefunden und in Benutzung genommen, ohne davon eine Ahnung zu haben, daß anderwärts Drogen mit ähnlichen Bestandteilen und ähnlicher Wirkung in ähnlicher Weise benutzt werden. Es bestand ein Bedürfnis nach Anregungsmitteln und dies wurde aus der Flora des eigenen Landes gedeckt. Ein natürlicher Instinkt leitete das Volk und eine lange, einzelne Erfahrungstatsachen allmählich summierende Erfahrung tat das übrige. Ähnlich ist es mit den Bandwurmmitteln der Filixgruppe. Hier sehen wir in Europa *Aspidium Filix Mas*, in Finland und Schweden *Aspidium spinulosum*, in Südafrika *Aspidium athamanticum* (die *Panna*), in Nordamerika *Aspidium marginale* und *goldieanum* dem gleichen Zwecke dienen, ohne daß das eine Volk vom anderen und seinen Bandwurmmitteln etwas wußte. Ähnlich verhält es sich mit den *Terpentinen*, dem amerikanischen, französischen und Tiroler (Lärchen-) *Terpentin*; mit dem kleinasiatischen, dem amerikanischen und Formosa-*Styrax*; mit *Podophyllum Emodi* in Indien und *Podophyllum peltatum* in Amerika; mit *Cort. frangulae* und *Cascara Sagrada*; mit der *Rhiz. veratri alb.* Europas und der *Rhiz. veratri virid.* in Amerika. Die genannten sind **Paralleldrogen**, ein Ausdruck, der, soviel ich weiß, zuerst von HARTWICH in dem Buche «Die neuen Arzneidrogen» (Berlin 1897) benutzt wurde. Der Ausdruck **Ersatzdrogen**, den HARTWICH auch benutzt, ist weniger glücklich gewählt, da er voraussetzt, daß die eine die Hauptdroge, die andere das Ersatzmittel, gewissermaßen also nur ein Surrogat ist.

Die oben erwähnten Beispiele stellen also nur eine besondere Form der Paralleldrogen dar. Sie wurden gewissermaßen unbewußt gefunden. Man ging nicht etwa darauf aus, ein Bandwurmmittel oder ein Anregungsmittel zu suchen und musterte die ganze Flora daraufhin durch, sondern man beobachtete wohl einmal bei einem ganz gelegentlichen Genusse die eigenartige Wirkung, verfolgte die Sache weiter und kam so in den Besitz des Mittels.

Diesen aus dem Volke heraus geborenen Paralleldrogen stehen nun die bewußt gesuchten gegenüber. Dieselben datieren aus neuerer Zeit, sind aber zahlreicher als die vom Volke gefundenen, allerdings dafür auch in ihrem Werte umstrittener. Zu den Genußmitteln und Taeniciden traten die Herzmittel, die einen Ersatz der *Digitalis* oder eine verbesserte Auflage derselben bilden sollten, die Abführmittel «ohne schädliche Nebenwirkung», die *Stomachica*, die *Diuretica* u. a. m. Aber nur wenige derselben haben sich bisher behauptet und sind als ein bleibender Erwerb des Arzneischatzes zu betrachten. Immerhin soll auch ihnen im Folgenden Aufmerksamkeit gewidmet werden. Bestrebungen, die erst der neuesten Zeit angehören, sind die, welche darauf abzielen, für natürliche Pflanzenstoffe **künstliche Ersatzmittel** synthetisch darzustellen. So hat man für *Chinin*, *Emodin* u. and. Ersatzmittel darzustellen versucht, ist aber meist zu ganz neuen pharmakologischen Individuen gelangt mit neuen Eigenschaften. Diese Bestrebungen liegen schon außerhalb des Rahmens der Pharmakognosie.

Der Heilpflanzenschatz des Volkes ist noch lange nicht ausgeschöpft und für die Heilkunde wirklich nutzbar gemacht. Wenn die wissenschaftliche Medizin wieder mehr als heute zu den Drogen zurückgekehrt sein und die lange Liste, die DRAGENDORFF in seinen Heilpflanzen mitteilt, vorurteilslos durchmustern wird, dürfte sie manch eine finden, an der man jetzt während der Jagd nach neuen chemischen Heilmitteln achtlos vorübergeht. Dann werden sich nicht nur Paralleldrogen, sondern ganz neue pharmakologische Individuen finden, die aller Beachtung wert sind. Denn auch die Paralleldrogen sind doch niemals miteinander ganz identisch, sind nur ähnlich und jede zeigt wieder ihre besonderen Eigenheiten. *Kaffee*, *Tee*, *Kakao*, *Guarana*, *Kola* und *Mate* enthalten zwar alle Körper der Puringruppe, aber die begleitenden anderen Substanzen modifizieren so außerordentlich die Wirkung, daß keines dem anderen gleicht.

Nicht nur bei uns aber finden sich noch brauchbare, wenig beachtete Heilpflanzen, auch in den übrigen Weltteilen hat das Volk vieles entdeckt, was der wissenschaftlichen Heilkunde von Nutzen sein kann. Es gab aber auch wenigstens ehedem Leute, die die z. B. aus der Entdeckung Amerikas und der Auffindung des Seeweges nach Ostindien herrührende Vergrößerung des Arzneischatzes mit kritischen Augen ansahen und sich nichts Gutes davon versprachen, daß die Bewohner gemäßigter Klimate mit tropischen Heilmitteln behandelt wurden.

Auch PARACELSUS bemerkt: «Wie kann man Krankheiten, die in Deutschland auftreten, durch Arzneimittel heilen, die Gott am Nil wachsen läßt».

Die uns heute so merkwürdig anmutende Idee, daß die Heilmittel der Völker, die in gemäßigten Klimaten wohnen, nur im gemäßigten Klima gesucht werden dürfen, und daß die Pflanzen der Tropen nur Heilmittel für tropische Völker sein können, war im Beginn des XVI. Jahrh. weit verbreitet.

«Dieu et nature ont donné à chascune province ce que est nécessaire pour la vie de celle region: car Dieu et nature ne abondent en choses superflues ne délaissent en choses nécessaires et utiles aux vivans», sagt z. B. SYMPHORIEN CHAMPIER, der Verfasser des Myrouel des Appothiquaires, Lyon 1532 (oder 1533).

Dies merkwürdige Buch — eine spätere Auflage trägt den Titel «Le Mirouer des Apothiquaires» — ist von dem Lyoner Arzte CHAMPIER (Campese, Champerius, Camperius, Campegius, Campesius) (*1471, † 1540) verfaßt und uns durch DORVEAUX (Paris, Welter 1895) zugänglich geworden. Er hält dem Apotheker (Apothecarius, Pharmacopola) einen Spiegel (Myrouel = miroir) vor und weist, kräftig polemisch, auf zahlreiche wirkliche oder vermeintliche Irrtümer in der materia medica hin. Aber nicht nur in diesem, mehr noch in anderen Werken: Castigationes (Lyon 1532), Hortus gallicus (Lugdun. 1533), De gallica theriaca (Lugdun. 1533) vertritt CHAMPIER die Ansicht, daß man die Heilmittel für Frankreichs Söhne in Frankreich suchen müsse. Er macht auch die verschiedensten Vorschläge. In den beiden letztgenannten Werken finden sich Kapitel «Analogia Medicinarum Judarum et Gallicarum» — «Simplicia quae maxime valent contra veniem et quae in Gallia reperiuntur». *Lärchenschwamm* soll den *Rhabarber*, *Flieder* die *Aloe*, *Helleborus* das *Scammonium*, die *Pflaumen* die *Tamarinde* ersetzen.

Das war nun freilich auch im XVI. Jahrh. nichts Neues mehr. Denn bekanntlich besitzen wir schon von GALEN ein (übrigens wahrscheinlich unechtes, d. h. ihm nicht zuzuschreibendes) Werk, περὶ ἀντεμβαλλομένων, und auch die Araber (wie z. B. AVICENNA und ABUL MUNA in seinem Minhag ed dukkân) und die ganze Salernitaner Schule lehrten, daß die Verwendung der naturgemäß meist (aber nicht immer) der heimischen Flora entnommenen Succedanea quid pro quo oder Antiballomena zulässig sei. Dem Antidotarium NICOLAI war gewöhnlich ein Tractatus quid pro quo angehängt, ebenso dem Ricettario fiorentino und dem Dispensatorium des CORDUS, in dem z. B. (Autor: SYLVIUS) als erlaubt bezeichnet wird *bittere Mandeln* durch *Absinth*, *Coloquinten* durch *Ricinus*, *Ingwer* durch *Pyrethrum*, *Zedoaria* durch *Aristolochia* zu ersetzen. Und auch in dem Compendium aromatariorum des SALADIN VON ASCOLO (XV. Jahrh.), «dem ersten wirklichen Apothekerbuche in unserem modernen Sinne», ist als vierter Abschnitt ein quid pro quo eingefügt. Anfänge eines quid pro quo finden wir übrigens schon in einem griechischen Zauberpapyrus, den LEEMANN und DIETERICH bekannt machten. In ihm finden sich auch Arzneidoppelbenennungen. Die Umnennung von Arzneistoffen in Rezepten ist also schon altägyptisch (OEFELE).

Auch noch in späterer Zeit sind Bestrebungen aufgetaucht, die ausländischen Drogen durch heimische zu ersetzen. TABERNAEMONTANUS vertrat in seinem Kräuterbuch diese Idee in Deutschland, BARTHOLINUS in der Epistola de simplicibus medicamentis Hafu. 1669 in Dänemark, BEVEROVICIUS in Holland, JEAN PRAEVOTIUS in Italien. Aus der Schweiz stammt ein Schriftchen von JAC. CONSTANT DE REBECQUE «Essay de la Pharmacopée des Suisses: En laquelle l'on prétend faire voir que les Médicaments qui naissent en Suisse ou d'eux mêmes ou par artifice, sont suffisans pour composer une Pharmacopée entière et pour la guerison de toutes les maladies du Corps humain, Berne 1709», und aus Belgien: FRANCOIS XAVIER BURTIN'S «Mémoire sur la question: Quels sont les végétaux indigènes que l'on pourrait substituer dans les Pays-Bas aux végétaux exotiques relativement aux différens usages de la vie? Bruxelles 1784», sowie PIERRE ENGELBERT WAUTERS gekrönte Preisschrift «Repertorium remediorum indigenorum exoticis in medicina substituendorum, Gaud. 1810», und «de plantis belgicis in locum exoticarum sufficiendis Gaud. 1785».

Besonders aber in Frankreich fand die Lehre von der Ersetzbarkeit der ausländischen Simplicia durch einheimische auch dann noch Vertreter, als Frankreich selbst schon Kolonien besaß; ja bis in die allerneueste Zeit. Außer CHAMPIER (s. oben) traten besonders dafür ein ANTOINE CONSTANTIN GARIDEL (Histoire des plantes, Aix 1715), sowie COSTE und WILLEMET (Matière médicale indigène ou traité d. plant. nation. substit. avec succès à des végét. exot., Nancy 1793), ferner P. H. H. BODART (Cours d. bot. méd. comparée ou exposé des substances végétales exotiques comp. aux plant. indigènes, Paris 1810) und J. L. A. LOISELEUR-DESLONGCHAMPS (Flora gallica 1806, Hist. médic. des succédanées 1830 und Herbier général de l'amateur 1816, 1832 und 1839), sowie in neuester Zeit F. J. CAZIN in seinem Traité pratique et raisonné de l'emploi des plantes médicinales indigènes (Paris 1850. Fünfte Auflage 1886) und GRIBAULT und BOUYSSONS in den Plantes médicinales indigènes (Paris 1905). Und der Apotheker MOUCHON hat 1856 ein Schriftchen verfaßt: Monographie des principaux fébrifuges indigènes considérés comme succédanés du quinquina, in dem er eine ganze Reihe von Ersatzmitteln der *Chinarinde* aufführt, die aber alle nicht im entferntesten dies Standard-Heilmittel ersetzen können.

Dem Aufsuchen eines heimischen Ersatzmittels für den teuren indischen Zucker aus Zuckerrohr verdankt ja auch die Rübenzuckerindustrie ihre Entstehung. MARGGRAFF fand 1747 dieselbe Zuckerart (Rohrzucker) in vielen heimischen Pflanzen.

Das Bestreben, den Arzneibedarf des Landes im Lande selbst zu decken, tritt auch in unserer Zeit vielfach hervor. «Schutzzoll!» «Schutz für die heimische Industrie» sind Schlagworte geworden. Und so tönt denn auch da und dort auch der

Ruf: «Fort mit den ausländischen Arzneipflanzen! Decken wir den eigenen Bedarf im eigenen Lande!» Solche Bestrebungen treten z. B. neuerdings in Nordamerika hervor. In Frankreich in dem erweiterten Sinne, daß die These: «Alles aus Frankreich und seinen Kolonien!» auch in allerneuester Zeit von vielen, z. B. von HECKEL, verfochten wird. Der Chinese verwendet seit Jahrhunderten fast nur chinesische Drogen, wenigstens nur solche, die in China gebaut werden. Der Drogenschatz Chinas hat seit Jahrhunderten keine Bereicherung von außen her erfahren.

Der Sache liegt ja ein brauchbarer Gedanke zugrunde, indem bei uns besonders in der letzten Zeit die fremden Drogen gegenüber den einheimischen über Gebühr bevorzugt wurden — man verfiel eben in das entgegengesetzte Extrem — und sicher auch die heimische Flora manch brauchbares Arzneimittel liefern kann. Ich erinnere nur an das ganz obsolet gewordene *Equisetum*, das ein ganz ausgezeichnetes Diureticum ist. Aber wer wollte heutzutage auf *Rhabarber* und *Aloe*, *China* und *Ipecacuanha*, *Calabarbohnen* und *Coca*, *Strophanthus* und *Cubeben*, *Hydrastis* und *Senna*, die sicher alle den alten Ehrentitel der «medicinae benedictae» verdienen, verzichten? Gewiß kann man in manchen Fällen *Cascara Sagrada* durch *Rhamnus Frangula* ersetzen und auch an den Anbau von *Rheum palmatum* in einigen Gebirgen Europas denken — wozu schon CONSTANT 1709 riet —, aber die einheimischen Pflanzendrogen sind doch nicht eigentlich Ersatzmittel der ausländischen, sondern besondere, in vielen Fällen gewiß sehr der Beachtung werte pharmakologische Individuen und die tropischen Heilpflanzen lassen sich nie und nimmermehr bei uns kultivieren.

Bei einem Heilmittel frägt man heutzutage nicht mehr woher es kommt, sondern ob es wirksam ist.

Eine sehr originelle Bestimmung hat das Indian and Colonial Addendum der British Pharmacopoeia. Es führt **offizielle Ersatzmittel** einiger in der britischen Pharmacopoee enthaltenen Drogen auf, die aber nur in den jeweils näher bezeichneten Teilen des britischen Weltreiches als Ersatz dispensiert werden dürfen. Das Addendum stellt folgende Zonen auf:

1. Indien, 2. Afrikanische Kolonien, 3. Australische Kolonien, 4. Östliche Kolonien, 5. Mittelmeer-Kolonien, 6. Nordamerikanische Kolonien, 7. Westindische Kolonien.

So darf z. B. *Cort. quercus* in 1, 3 und 4 durch *Cort. Acaciae*, *Rad. senegae* in 1 und 4 durch das Kraut von *Acalypha indica*, *Chirata* in 1 und 4 durch *Andrographis paniculata*, *Rhiz. serpentariae* in 1 und 4 durch Stengel und Wurzel von *Aristolochia indica*, *Rhiz. Arnicae* in 6 durch *Flores Arnicae*, *Cort. fructus aurantii* in 1 und 4 durch die Fruchtschale indischer *Citrusarten*, *Lignum quassiae* in 1 und 4 durch die Rinde von *Melia azadirachta*, *Malabar-Kino* in 1 und 4 durch das Kino von *Butea frondosa*, in 3 durch *Eucalyptus-Kino*, *Santonin* in 1 und 4 durch *Buteasamen*, *Gambier* in 1, 4 und 6 durch *Cutch*, *Rad. Pareirae* in 1 und 4 durch die Wurzel von *Cissampelos Pareira*, *Rad. calumbae* in 1 und 4 durch die Stengel von *Coscinium fenestratum*, *Folia elladonnae* in 1, 4 und 7 durch die Blätter von *Datura fastuosa var. alba* NEES und *D. Metel* L., *Kusso* und *Filix* in 1 und 4 durch *Embeliafrüchte*, *Secale cornutum* in 1, 4, 6 und 7 durch die Wurzel von *Gossypium herbaceum*, *Gummi arabicum* in 1 und 4 durch *Indisches Gummi* von *Anogeissus latifolia*, *Sem. lini* durch *Plantago ovata*, *Tub. jalapae* in 1 und 4 durch die Samen von *Ipomoea hederacea*, *Gallae* in 1 und 4 durch *Myrobalanen*, *Ol. olivarum* in 1, 2, 3 und 4 durch *Ol. arachidis*, *Rad. sassafras* in 3 durch die Rinde von *Cinnamomum Oliveri* BAILEY, *Rhiz. podophylli* in 1 und 4 durch das Rhizom von *Podophyllum Emodi* WALLICH, *Lignum Campechianum* in 1 und 4 durch das Holz von *Caesalpinia Sappan* L., *Rad. calumbae* durch die Stengel von *Tinospora cordifolia*, *Cortex cuspariae* durch die Wurzel von *Toddalia aculeata*, *Tubera Jalapae* in 1, 4 und 6 durch *Rad. Turpethi*, *Rad. Ipecacuanhae* in 1 und 4 durch die Blätter von *Tylophora asthmatica*, *Bulbus Scillae* in 1 und 4 durch die Zwiebeln von *Urginea indica*, *Rad. valerianae* in 1 und 4 durch das Rhizom von *Valeriana Wallichii* DC. ersetzt werden.

Diese Liste stellt also ein ganz modernes, aus dem XX. Jahrh. stammendes Quid pro quo dar, das allerdings durch die enorme Ausdehnung des britischen Reiches bedingt ist und gerechtfertigt werden kann, letzteres allerdings wohl nicht in allen Punkten.

Die Antiballomena oder Succedanea quid pro quo waren ursprünglich nicht pharmakologischen Bestrebungen entsprungen, sondern einer Notlage, die daher kam, daß es für den Apotheker in damaliger Zeit, besonders bei den unvollkommenen Verkehrsverhältnissen, nicht immer leicht war, die in den Dispensatorien vorgeschriebenen vielen Hunderte von Heilpflanzen und Drogen zu beschaffen, die ihm zudem meist nur durch den Namen, den sie trugen, nicht durch eine klare und sichere Beschreibung bekannt waren, deren Namen zudem so wechselnd und in ihrer Synonymie so schwankend waren, daß die Beaufsichtiger der Apotheken im XV. und XVI. Jahrh. jedem Apotheker die Anschaffung eines Synonymariums oder Glossariums zur Pflicht machen mußten. Heutzutage ist die Verwendung der Succedanea mit Recht verboten, da ja bei der geringen Zahl und leichten Beschaffbarkeit, sowie der scharfen Charakterisierung der Drogen ein Notstand nicht besteht. Aber wir können uns doch den in den oben zitierten Werken liegenden fruchtbaren Gedanken zunutze machen und mehr als bisher in der heimischen Flora nach brauchbaren Heilpflanzen suchen. Dort werden sich nicht nur Paralleldrogen und Succedanea längst auch von der Schulmedizin anerkannter Arzneipflanzen, sondern auch neue pharmakologische Individuen finden. Um sie aufzusuchen, brauchen wir nur einmal ein solches altes Verzeichnis der Succedanea, wie es den Antidotarien angehängt zu werden pflegte (s. oben), zur Hand zu nehmen. Da findet sich mancher Fingerzeig.

Auch der andere fruchtbare Gedanke, es mit der Kultur ausländischer Pflanzen bei uns zu versuchen, ist, wennschon, wie erwähnt, nur in beschränktem Maße, diskutabel.

Außer von Paralleldrogen spricht HARTWICH noch von **Erweiterungsdrogen.** «Sie schließen sich den alten an, übertreffen sie aber in irgend einer Richtung, sei es, daß sie kräftiger und sicherer wirken, sei es, daß ihnen schädliche Nebenwirkungen beim Gebrauche abgehen.» Dahin gehören: *Hydrastis, Cascara Sagrada, Condurango, Strophanthus.* Die Grenze zwischen den Paralleldrogen und den Erweiterungsdrogen ist vielfach verwischt. *Guarana* rechnet z. B. HARTWICH zu den Erweiterungsdrogen, ich zähle sie zu den Paralleldrogen. Das gleiche gilt von der *Sagrada.*

Als *Strophanthus* und *Hydrastis* bekannt wurden, begann man überall lebhaft nach neuen Pflanzendrogen zu suchen und in der zweiten Hälfte des XIX. Jahrh. wurden gegen 1500 neue Drogen aus aller Herren Länder angeboten — meist solche, die in der Volksmedizin der betreffenden Länder in Anwendung waren.

3. Entwicklungsgeschichte des Arzneidrogenschatzes.

Die Entwicklungsgeschichte des Arzneidrogenschatzes vollzog sich in folgenden großen Zügen (das Detail im historischen Teile). Die von den Ägyptern, Babyloniern und Juden im Altertum benutzten Drogen (*Mastix, Ladanum, Lein, Mohn, Sesam, Ricinus, Coriander, Faenum graecum, Gummi, Myrrha, Weihrauch, Galbanum, Curcuma*), zu denen China den *Zimt*, Vorderasien noch den *Safran*, das *Olivenöl* und *Aloeholz*, die Phönizier durch ihre Handelsbeziehungen *Aloe* und *Ingwer*, sowie den *Costus* beisteuerten, kamen auf die Griechen, die den Arzneischatz nicht sehr vermehrten; die Züge Alexanders brachten ihnen aber z. B. den *Pfeffer*. HIPPOKRATES kannte nur etwa 60 pflanzliche Simplicia (darunter *Scilla, Nieswurz, Mandragora* und *Opium* - durch Pressen gewonnen), durch die Weltherrschaft der Römer, die sie mit fast allen bekannten Völkern in Berührung brachte, stieg der Bestand des

Arzneischatzes rasch und DIOSCURIDES kannte schon ca. 800 Arzneipflanzen (darunter *Absinth, Agaricum, Kalmus, Bdellium, Cardamomen, Iris, Levisticum, Salep*). Auch das *Süßholz, Cort. granati, Euphorbium, Castoreum, Sandarac, Scammonium, Terebinthina, Traganth, Succus liquiritiae, Styrax* und *Rhiz. filicis* wurden damals bekannt. Diesen fügten dann die Araber *Tamarinden, Fruct. Sennae, Rhabarber, Myrobalanen, Sem. strychni, Cubeben, Nelken, Narde, Galgant, Campher* hinzu. Im späteren Mittelalter trat dann noch *Cina* dazu und nun kamen auch die zahllosen heimischen Arzneipflanzen zu Ehren (*Pimpinella, Anis, Althaea, Mentha, Petroselinum, Rosmarinus, Ruta, Salvia, Sinapis, Inula, Thymus, Valeriana, Aconitum, Conium, Daphne, Angelica*), einige derselben als Ersatz orientalischer Drogen, also vom Charakter der Paralleldrogen (z. B. *Carum carvi* für *Cyminum*). Die Schule von Salerno brachte die schon früher bekannte *Asa foetida* und *Ammoniacum* zu Ehren und fügte *Benzoe, Fol. Sennae, Macis* und *Sanguis draconis* hinzu, die Kreuzzüge die *Agrumi* (*Citrus*arten), *Zuckerrohr, Baumwolle* und *Datteln*. Die Entdeckung des Seeweges nach Ostindien führte dem Arzneischatz *Sternanis, Tee* (1638), *Colombowurzel, Coccelskörner* und *Gutti* zu.

Die wertvollste Bereicherung brachte die Entdeckung Amerikas, durch welche Europa viele neue Drogen erhielt (*Chinarinde, Ipecacuanha, Jaborandi, Cacao, Tabak, Peru-, Tolu-* und *Copaivabalsam, Jalape, Vanille, Sabadilla, Guajac, Cascarilla, Elemi, Capsicum, Piment, Campeche* und *Fernambuc, Sassafras, Sarsaparille, Serpentaria, Orlean, Rhiz. podophylli*).

Da zu den altüberlieferten und amerikanischen nun auch noch immer mehr einheimische Arzneidrogen traten, erreichte der pflanzliche Arzneischatz Europas im XVII. und XVIII. Jahrh. seinen Höhepunkt (s. oben S. 17). Im XIX. Jahrh. trat ein Rückschlag ein, der zunächst zu einem Zustande des Drogen-Nihilismus, dann aber, als wertvolle neue Drogen gefunden wurden, zu einer Gegenreaktion führte. Die Drogen kommen jetzt wieder zu Ehren. Die Entdeckung Australiens brachte das *Acaroid*, die Neu-Seelands das *Kauriharz*.

Das XVIII. Jahrh. fügte von wertvollen Drogen *Lignum quassiae* (1730 resp. 1742), *Rad. Senegae* (1738 TENNENT), *Rad. ratanhia* (1746 REIF), *Capaloe* (1773), *Herb. menth. pip.* (1705 DALE, 1724 RAY), *Ol. cacao* (1719 DE QUELUS), *Rhiz. podophylli* (1731 CATESBY), *Ol. cajeputi* (1731), *Cort. simarubae* (1718), *Spigelia marylandica* (1739), *Kino* (1757), *Cort. salicis* (1763 als *Chinaersatz*), *Rad. calumbae* (1771), *Ol. jecoris* (1782), *Cort. Geoffroyae* und *Angosturae* (1788), *Ol. menthae pip.* dem Arzneischatze ein.

Das XIX. Jahrh.: *Rad. ratanhiae* (1816), *Cubebae* (1818), *Herb. lobeliae* (1813 CUTLER, 1830 in Deutschland), *Malabarkino* (1811), *Glandulae lupuli* (1813), *Ol. crotonis* (1819 CONWELL, 1830), *Kusso* (1822 BREYER, 1834), *Bucco* (1821), *Spilanthes* (1823), *Fol. Matico* (1827 in Amerika, 1839 in Europa eingeführt), *Quassiabecher* (1835), *Copalchi* (1817), *Sem. Calabar* (1863 FRASER), *Coca* (1860), *Dammar* (1820, resp. 1827), *Guttapercha* (1845 resp. 1847), *Kautschuk* (1840) und *Balata* (1860), *Quebracho* (1879), *Condurango* (1871), *Coto, Boldo, Damiana, Rad. Gelsemii* (1830), *Eucalyptus* (1866), *Guarana* (1817 CADET GASSICOURT), *Penghawar Djambi, Cascara Sagrada* (1877, resp. 1883), *Kamala* (1841), *Japanwachs* (1846), *Herb. cannab. ind.* und *Rad. sumbul* (1847), *Piscidia erythrina* (1835), *Ol. sinapis* (1836), *Styrax* (1865), *Carrageen* (1831 resp. 1834), *Laminaria* (1834), *Sem. strophanthi* (1860), *Cort. adstringens, Araroba* (1874), *Palmöl* (1827), *Patchouli* (1825, resp. 1844), *Rad. ozizabae* (1833), *Tampicojalape* (1863), *Tupeloholz* (1879), *Balsamum Dipterocarpi* (1842), *Cera japonica* (1834), *Gallae chinenses* (1845), *Fol. jaborandi* (1871), *Chrysarobin* (1874), *Cort. quillajae* (1857), *Rhiz. hydrastidis* (1833 in Amerika, 1884 in Europa), *Sem. arecae* (1863), *Carnaubawachs* (1846), *Anacahuit* (1860).

Fig. 7.
Die Erdteile bringen der thronenden Medizin ihre Gaben an Arzneipflanzen und Tieren dar. Verkleinertes Titelblatt der Pharmacopoea regia des Charas (1684).

Neuesten Datums sind: *Cort. quillayae, Cort. Simarubae* (erneut aufgekommen), *Cort. winteranus, Cort. piscidiae erythrinae* (*Dogwood Bark*), *Cort. gossypii radicis* (*Cotton Root Bark*), *Agar-Agar* (1885), *Fol. Boldo, Fol. liatris, Mate, Sem. Colae* (1880), *Rhiz. podophylli, Syzigium Jambolanum, Cort. hamamelidis* (*Witch Hazel Bark*) und *Fol. hamamelidis, Cort. monesiae, Cort. rhois aromaticae, Cort. Yohimbéhé, Herb.*

grindel. robust., Herb. capillor. canad., Yerba Santa, Rad. Kawa Kawa, Rad. Manaca, Ustilago Maidis.

Noch wenig studiert ist die Abhängigkeit der Entwicklung des Arzneidrogengebrauches von Klima und Boden. Nur bezüglich der Fiebermittel wissen wir Einiges.

Eine sehr bemerkenswerte Erscheinung ist die, daß **altbekannte Drogen oft lange Zeit vergessen waren, dann aber von neuem entdeckt und wieder zu Ehren gezogen wurden.**

So kamen z. B. *Conium, Aconit, Hyoscyamus, Stramonium, Datura* und *Veratrum*, die lange vernachlässigt wurden, 1760 wieder durch STÖRCK zu Ehren, das schon den Ägyptern bekannte, dann lange vergessene *Ricinusöl* 1764 durch CAUVANE, die schon CELSUS bekannte *Cort. granati* 1805 durch BUCHANAN, der von den Arabern längst benutzte *indische Hanf* 1839 durch O'SHANGHNESSY, die schon seit Jahrhunderten bekannte *Digitalis* erst 1785 durch WITHERING, die *Fructus quercus* und das *Ledum palustre* erst 1774, die schon 1671 von REDI beschriebene, dann vergessene *Colombowurzel* 1773 durch PERCIVAL, die schon von TABERNAEMONTANUS angewandte *Viola tricolor* erst 1782 durch STRACK von neuem zu Ehren. Auch das schon den Alten (und auch in China) bekannte, dann von LONICERUS (1582), THALIUS (1588) und CAMERARIUS (1709) angewendete *Mutterkorn* wurde eigentlich erst im XIX. Jahrh. Arzneimittel, der *Giftlattich* und das *Lactucarium* waren schon den Alten bekannt, gerieten dann in Vergessenheit und wurden erst Anfang des XIX. Jahrh. wieder arzneilich benutzt. *Styrax* war lange vergessen und wurde erst wieder seit der Mitte des XIX. Jahrh. medizinisch beachtet. Auch die schon den Alten wohlbekannte *Herbstzeitlose* ist erst in neuester Zeit wieder — als Gichtmittel — zu Ehren gekommen, trotzdem der Samen schon 1820 (die Knollen 1763) empfohlen wurden.

Das den Alten auch bezüglich seiner taeniciden Wirkung wohlbekannte *Filix*-rhizom wurde jahrhundertelang wenig beachtet und erlangte erst seit Einführung des *Extr. filicis aethereum* (1825) wieder Bedeutung, wie das *Mutterkorn* durch die Darstellung der *Ergotin Bonjean* (1842).

Vom *Aconit*, der den Alten wohlbekannt, dann lange vernachlässigt war, werden die Blätter seit 1762, die Knollen erst in unserer Zeit als Arzneimittel benutzt.

Die *Cubeben*, im Mittelalter als Gewürz beliebt, wurden dann vergessen und kamen erst 1818 wieder zu Ansehu, und zwar als Arzneimittel.

Das *Opium*, den Alten bekannt und gut von dem *μηκώνειον*, dem Extrakte der ganzen Mohnpflanze, unterschieden, ist während des ganzen Mittelalters vernachlässigt worden und erst in neuerer Zeit, seit SERTÜRNER in ihm (1811) das Morphin entdeckt hatte, mehr beachtet und dann bald als eines der wichtigsten Heilmittel erkannt worden. Es gehört jetzt zu den **sex principes simplicium**: *Rhabarber, Ipecacuanha, Chinarinde, Opium, Digitalis, Secale cornutum.*

Oft hat übrigens ein **Wechsel in der Benutzung der Organe einer Arzneipflanze** im Laufe der Jahrhunderte stattgefunden. So wurde im Altertum das Öl der Samen von *Hyoscyamus*, nicht der Same, im Mittelalter vorwiegend die Blätter, Samen und Wurzeln von *Verbascum*, nicht die Blüten und von der *Malve* die Samen und die Wurzel, nicht die Blüten und Blätter verwendet (vgl. die CORDUS-Liste im historischen Teil).

Auch sonst ist bei den Drogen bisweilen ein **Wechsel in der botanischen Herkunft** zu konstatieren. So wurde ursprünglich (vom VI. Jahrh. an) der *Borneo-(Dryobalanops-)Campher*, später (vom XVII. Jahrh. an) der *Laurineen-Campher* in Europa benutzt. Das Drachenblut der Alten stammte von *Dracaena cinnabari*, das jetzt im Handel befindliche stammt von *Daemonorops Draco*. Wahrscheinlich wurde auch die *Aloe* der Alten von einer anderen *Aloe* bereitet als die heutige. Die im Altertum benutzten *Cardamomen* waren nicht die von uns gebrauchten von *Elettaria Cardamomum*, sondern die anderer Arten. Unter *Styrax* verstand man im phönizischen Altertum das feste Harz von *Styrax officinalis*, erst seit dem VI. Jahrh. den flüssigen Balsam von *Liquidambar orientalis*. Das Altertum verwendete als Bilsenkraut hauptsächlich *Hyoscyamus albus*, als Stechapfel besonders *Datura Metel*.

Natürlich hat auch **die Wertschätzung einzelner Drogen** im Laufe der Zeit so abgenommen, daß sie jetzt als obsolet zu betrachten sind oder doch nur noch in geringem Ansehn bei der Schulmedizin stehen. Der im Altertum und Mittelalter hochgeschätzte *Meccabalsam*, das ehedem mit Gold aufgewogene *Silphium*, der *Costus*, die edle *Narde*, die ewige Jugend bringende *Soma*, die heilige *Mistel*, die *Myrobalanen* und die vielgepriesene *Mandragora* sind jetzt ganz oder fast ganz vergessen, und auch *Guajac*, *Sarsaparille* und *Tubera chinae*, an die sich im XVI. Jahrh. so außerordentliche Hoffnungen für die Behandlung der Syphilis knüpften, sind durch das Quecksilber entthront. Nur das Volk, das zäh an seinen Gewohnheiten festhält, und die Naturheilkünstler benutzen noch die zahllosen Kräuter unserer Flora, die im XV. bis XVIII. Jahrh. so hoch gepriesen und auch von der damaligen Schulmedizin so viel angewendet wurden; übrigens zweifellos mehr Wirksames enthalten, wie man heute gewöhnlich meint.

Auch vom Arzneischatze kann man sagen: *πάντα ῥεῖ*. Es ist alles im Fluß. Altes versinkt, neues taucht auf und wird durch neuestes verdrängt, bis man wieder zum Alten greift und Vergessenes zu neuen Ehren bringt. Es ist ein ständiges auf und ab. Ein Allheilmittel, ein wahres *Opopanax* (von *ὀπός* Saft, *πᾶν* und *ἄκη* Heilmittel), ein Saft, der alle Krankheiten heilt, ist noch nicht gefunden und kann nie gefunden werden.

Contra vim mortis nulla herba in hortis! steht schon im Regimen sanitatis.

Der Herr läßt die Arznei aus der Erde wachsen und ein Vernünftiger verachtet sie nicht. Sirach 38, 4.

III. Pharmakoërgasie.

Kultur, Einsammlung und Erntebereitung.

1. Kultur der Arzneipflanzen.

Die Pharmakoërgasia (von φάρμακον und ἐργασία = Kultur) oder Arzneipflanzenkultur ist kein neuer Zweig der Pharmakognosie, sondern sehr alt. Wir müssen hier zunächst die zum Zwecke wissenschaftlichen Studiums unternommene, also gewissermaßen theoretisch-wissenschaftliche Kultur von Arzneipflanzen ausscheiden. Diese wird weiter unten besprochen (im Kapitel Pharmakobotanik). Hier interessiert uns nur der Anbau zwecks Gewinnung von Drogen, also der gewissermaßen praktisch-geschäftliche Drogenanbau. Ganz scharf läßt sich beides allerdings nicht auseinanderhalten, wenigstens nicht in alter Zeit, wo es z. B. vielfach vorkam, daß ein Arzt für seinen Privatbedarf Arzneipflanzen zog und sie dabei natürlich auch studierte.

Der griechischen Sage nach war Iberien und Colchis die Heimat der Heilpflanzen und es hatte bereits HEKATE (φαρμακίς, s. S. 3) in Phasis einen von hohen Mauern umschlossenen, von Artemis bewachten Heilpflanzengarten, in dem *Asphodelos*, *Adiantos*, *Mandragora*, *Dictamnos*, *Megon*, *Smilax*, *Panakes*, *Stoechas*, *Eurycimon*, *Aconiton* und andere Heilkräuter gezogen wurden.

Der Versuch, Pflanzen außerhalb ihrer Heimat zu kultivieren, ist uralt. Jahrtausende vor unserer Zeitrechnung schon legte die Königin HATSCHEPSUT ein Treibhaus für Heilpflanzen an und ließ lebende *Weihrauch*pflanzen mit den Wurzelballen nach Ägypten bringen, um sie dort zu kultivieren.

Uralt ist die Kultur des *Lein*. *Linum usitatissimum* ist eins der allerältesten Kulturgewächse des Orients, z. B. Ägyptens (IV. Jahrtausend v. Chr.), wie *Linum angustifolium* (die Urform des *Lein*) des Nordens. Letzteres wurde z. B., wie Pfahlbaufunde zeigen, in der jüngeren Steinzeit in der Schweiz gebaut. *Ricinus* wurde im alten Ägypten angebaut, wie Gräberfunde von Samen schon aus der Zeit der XII. Dynastie zeigen. Uralt ist die Kultur der *Indigo*pflanze in Indien und Ägypten. *Indigo* läßt sich bereits an Mumien aus dem Jahre 1580 v. Chr. nachweisen. Sehr alt sind auch die *Mohn*kulturen, denn schon in den Pfahlbauten (c. 2000 v. Chr.) finden sich *Mohnsamen*. Auch eine *Mohn*kultur zwecks *Opium*gewinnung scheint in den Ländern südlich vom Schwarzen Meer ziemlich frühzeitig geblüht zu haben. Die griechische Stadt Sicyon heißt bei HESIOD Mekone, «Mohnstadt». Daß *Pfefferminze* oder wenigstens eine nahe verwandte *Mentha*art im alten Ägypten kultiviert wurde, ist durch einen Grabfund aus der Zeit zwischen 1200 bis 600 v. Chr. und durch Inschriften bezeugt. Noch älter sind die Zeugnisse für das Vorhandensein einer *Coriander*kultur daselbst, sowie der Kultur der *Feige* (XII. Dynastie).

Die Kultur der *Dattel* schildert bereits THEOPHRAST. Vielleicht bestand auch bei den Israeliten so etwas wie eine Heilpflanzen-kultur oder doch -pflege, da wiederholt in der Bibel von Würzbergen, Weihrauchhügeln, Myrrhenbergen die Rede ist (SCHELENZ). Daß bei Jericho zur Zeit des Herodes «Balsamgärten» bestanden, ist erwiesen.

PLINIUS gibt zahlreiche Kulturvorschriften. Das ganze 17. Kap. z. B. handelt von angepflanzten Bäumen und das 19. Kap. von der Kultur der Gartengewächse. Er gibt auch an, wann einige derselben zuerst nach Italien gebracht wurden.

Bei Beginn unserer Zeitrechnung muß in Ägypten eine ziemlich umfangreiche Arzneipflanzenkultur bestanden haben, denn oft wird bei Drogen (z. B. *Anis*) eine ägyptische Sorte erwähnt.

Auch Kulturen der *Mastix-Pistacie* bestanden schon im frühen Altertum.

Die *Mandel* (*nuces* oder *avellanae graecae*) wurde im Altertum besonders in Griechenland kultiviert. Der *Weinstock* wurde durch die Phönizier zuerst nach den Inseln des Archipelagus und von dort durch eine Kolonie von Phokiern nach Marseille gebracht. Nach den ersten griechischen Feldzügen dehnte sich der Weinbau über ganz Süditalien aus und schon im V. Jahrh. v. Chr. war Italien das Hauptweinland. *Citrus medica*, die schon THEOPHRAST beschreibt, wurde im I. Jahrh. n. Chr. in Italien akklimatisiert, *Pomeranze* und *Zitrone* kamen aber erst zur Zeit der Kreuzzüge nach Italien. (Der Apfel des Paris, die Äpfel der Hesperiden waren *Quitten*.) Die Kultur der *Orangen* (*Hesperides*), der ersten und lange Zeit einzigen Gewächshauspflanze, besang JOVIANUS PONTANUS in dem Werke Hesperidum libri II, Flor. 1514. Dieser Kultur gedenkt auch MONARDES (1565).

Der Anbau der *Feige* in Italien scheint in die Zeiten der griechischen Kolonisation zurückzureichen. Der erste Anbau der *Feige* in Griechenland fällt in die späthomerische Zeit (HEHN). Die *Mandel* ist wohl zur Zeit CATOS eingeführt worden. Den Anbau des *Ölbaums* lernten die Römer von den Griechen zur Zeit der TARQUINIER kennen. Der *Granatbaum* war in Italien seit CATOS Zeiten allgemein verbreitet. Aber erst die Araber brachten das *Zuckerrohr*, die *Mannaesche* (?) und die *Baumwollstaude* nach Sizilien (WENRICH).

Im Altertum war Kreta ein bekanntes und zeitweise berühmtes Zentrum der Arzneipflanzenkultur, gegen dessen Arzneipflanzenmonopol in späterer Zeit vielfach angekämpft wurde mit der Begründung, daß auch außerhalb Kretas sicher ebensogute Arzneipflanzen gezogen werden können (s. Geschichte).

Von den Rhizotomen und wohl auch den Pharmakopolen der Griechen dürfen wir annehmen, daß sie einige der Pflanzen, die sie den Ärzten lieferten, anbauten. Daß dies bei den Römern geschah, ist sicher. Das ersehen wir schon aus den Werken der römischen Schriftsteller über Landwirtschaft, CATO, VARRO, VERGIL, COLUMELLA, PALLADIUS u. a., von denen im historischen Teile die Rede sein wird. Bei PALLADIUS z. B. wird bereits die Kultur von *Anis, Coriander, Cydonia, Malve, Serpyllum, Inula, Foeniculum* direkt erwähnt. Während sich zur Zeit des TARQUINIUS (571 v. Chr.)

noch kein *Ölbaum* in Italien befand, scheint Marseille schon um 600 v. Chr. solche besessen zu haben, die wohl von den Phöniziern dahin gebracht wurden. Unter APPIUS CLAUDIUS waren aber die Ölbaumkulturen in Italien schon so zahlreich, daß 249 v. Chr. 12 Pfund Öl nur 8 Pfennige kosteten und unter POMPEJUS schon Öl exportiert werden konnte. Die Gewinnung des *Olivenöls* schildert PLINIUS ausführlich.

Und auch im Orient stoßen wir schon in sehr früher Zeit auf Anfänge einer Heilpflanzenkultur. Die *Crocus*kultur z. B. läßt sich in Persien bis ins X. Jahrh. verfolgen (EDRISI und ISTACHRI). Der Kalender des HARIB berichtet von Arzneipflanzenkulturen in Spanien im X. Jahrh. Es wurde dort *Melisse, Majoran, Reis, Crocus, Zuckerrohr, Mohn, Senf* gebaut, und HARIB gibt an, wann diese zu pflanzen oder zu säen und wann sie zu ernten sind.

Sehr alt ist jedenfalls auch die Tabakkultur in Südamerika, die sich schon vor der Entdeckung Amerikas auch nach Nordamerika bis nach Canada hin verbreitet hatte. Das alte Mexiko besaß nicht nur die berühmten königlichen Gärten von Hoaxtepec (bei Mexiko), über die schon CORTÉS 1522 an Kaiser Karl V. berichtete und in denen z. B. der *Perubalsambaum* (Huitziloxitl) gezogen wurde, sondern auch zahlreiche andere, vorwiegend der Arzneipflanzenkultur dienende botanische Gärten. FERNANDEZ berichtet (1514—1523) von Cacaogärten in Mexiko.

Den Garten der Königin ULTROGOTHO in Paris (um 560) kennen wir aus FORTUNATUS Gedichten.

Die Teekultur in China — die Teepflanze stammt aus Assam — ist alt. Sie scheint bis ins IV. Jahrh. zurückzureichen (?), doch erst im IX. Jahrh. größeren Umfang angenommen zu haben. In Japan begann umfangreichere Teekultur erst im XV. Jahrh.

Jedenfalls uralt ist die Kultur der *Hennah* (*Lawsonia alba*), die schon in sehr früher Zeit sich von Persien über Indien und Nordafrika verbreitete. Sehr alt sind wohl auch die Kulturen der als Zuspeise benutzten *Angelica* in Island und Norwegen.

Der Anbau des *Krapp*, der ebenfalls schon im Altertum kultiviert wurde, wurde von KARL DEM GROSSEN empfohlen, verbreitete sich aber in Frankreich erst einige Jahrhunderte später, erlosch dann und war im XVI. Jahrh. fast nur auf Holland beschränkt. Im XVIII. Jahrh. blühte der Krappbau in Frankreich und wurde von dort aus auch nach dem Elsaß übertragen. In Böhmen und Schlesien blühte er seit dem XIV. Jahrh. Den größten Aufschwung nahm der Krappbau im XIX. Jahrh. durch die Einführung der roten Hosen beim französischen Militär. Jetzt ist er durch die Entdeckung der künstlichen Darstellung des Alizarins bis auf kleine Reste vernichtet.

«Der große Wohlstand, der in den letzten Jahrhunderten des Mittelalters in Deutschland herrschte, wurde nicht zum geringsten durch den Anbau von Farbpflanzen bedingt» (LAUTERBACH). Es wurden in erster Linie *Waid* (*Isatis tinctoria*), dann *Krapp* (*Rubia tinctorum*), seltener *Wau* (*Reseda luteola*), *Scharte* (*Serratula tinctoria*) und Färbe-*Ginster* (*Genista tinctoria*), aber auch *Safran* und *Saflor* für Färbezwecke gebaut, und Deutschland versorgte besonders mit den zuerst genannten auch das Ausland.

Waid, die wichtigste Färbepflanze des Mittelalters, muß aber schon von den Briten und Galliern um Christi Geburt gebaut worden sein, von den Slaven wohl schon vor ihrer Unterwerfung unter die Deutschen. Doch dätiert die älteste deutsche Urkunde über größere Waidkulturen erst aus dem Jahre 1236. Am Ende des XIII. Jahrh. bestand ein umfangreicher Waidbau besonders in Thüringen, dann bei Magdeburg, in Sachsen, Braunschweig, Schlesien, am Niederrhein, bei Nürnberg und in Österreich. Die Dörfer, die *Waid* bauten, mußten ein bestimmtes Waidgeld entrichten. Die Erfurter «Waidaristokratie» war so reich, daß sie 1392 die Mittel für Gründung und später auch für Erhaltung der ehedem berühmten Universität Erfurt aufbringen konnte, die also gewissermaßen aus den Erträgnissen der Waidkultur errichtet wurde. Die Einführung des *Indigo*, die selbst durch die strengsten Gegenverordnungen aus dem XVI. und XVII. Jahrh. nicht aufgehalten werden konnte, führte zum Untergange der einst so ertragreichen Waidanpflanzungen.

Außer *Waid* wurde *Krapp* in Deutschland seit den ältesten Zeiten gebaut und seine Kultur, die besonders im XIV. Jahrh. blühte, hielt sich am längsten. Die Kultur des *Wau* scheint dagegen keinen größeren Umfang erlangt zu haben.

Der *Hanf* ist sehr wahrscheinlich noch vor der Auswanderung der Angelsachsen nach Nord-Europa gelangt. Die *Hopfen*kultur wurde aber erst im Laufe des Mittelalters in Nord-Europa eingeführt (HOOPS).

Berühmt und eine der größten Sehenswürdigkeiten des Orients war im Mittelalter der künstlich angelegte, durch den heiligen Quell aufs beste bewässerte und sorgfältig bewachte Balsamgarten von Matarea, eine Stunde von Kairo, am Rande der Wüste, in dem die besten Balsamsträucher der Erde (eine Varietät von *Balsamodendron gileadense* Kunth) gezogen wurden, die den Sultanen von Ägypten den kostbaren «Balsam» (*Meccabalsam*) lieferten (Fig. 8).

Fig. 8.

Der Balsamgarten von Matarea mit der Bethalle und (links) dem Bewässerungswerk. Rechts die Gewinnung des Balsams. Aus Pomet, Hist. gen. des drogues 1694. Verkleinert.

Im Mittelalter, währenddessen sich ja fast das ganze geistige Leben in die Klöster zurückgezogen hatte, waren in Europa die Klostergärten (auf die ich im historischen Teile noch zu sprechen komme) Hort und Hüter, und da die Klöster untereinander in Verbindung standen, auch Verbreiter der Arzneipflanzenkultur. Daß diese auch außerhalb derselben blühte, ist wohl das Verdienst des Capitulare de villis et cortis imperialibus KARLS DES GROSSEN, dessen Pflanzen noch heute in den Bauerngärten Frankreichs, Deutschlands, Österreichs und der Schweiz den Stamm der dort kultivierten Gewächse bilden. Im Mittelalter waren auch sog. (schon in Pompeji bekannte) **Viridarien**, die den Bedarf einer Stadt oder einer Apotheke an Drogen zu decken hatten, häufig und noch im XV. Jahrh. gehörten sie zu einer wohleingerichteten Apotheke in Italien und Deutschland. Zweifellos ist der zur Westgotenzeit auf dem Monte Casino gestiftete Benediktinerorden als gemeinsame Quelle der altdeutschen Gartenkultur und damit auch der der volkstümlichen Heilkräuter anzusehen. Er war es, der die Heilpflanzenkultur im Mittelalter über die Alpen brachte und in den Klostergärten heimisch machte. Sie ist also ein Erbteil der Römer, die man als die eigentlichen Schöpfer des Gartenbaues überhaupt betrachten muß (s. d. historischen Teil). In dem um 1240 geschriebenen Werke De vegetabilibus libri VII gedenkt der Benediktiner ALBERTUS MAGNUS in dem Kapitel de plantatione viridariorum auch der Arzneipflanzenkultur.

Daß *Crocus* und *Melisse* im X. Jahrh. in Spanien, *Isatis tinctoria* schon 1290 um Erfurt, und *Süßholz* (ursprünglich auf Befehl der Kaiserin Kunigunde, «culturam liquiritiae saeculi primum XI initio in agro Bambergensi instituit S. Cuningundis imperatrix» sagt WALAFRIDUS STRABO) im XV. Jahrh. bei Bamberg gebaut wurde, ist sicher. Aber noch früher, wohl schon im XIV. Jahrh., wurde Süßholz in Italien kultiviert (CRESCENTI) und auch die spanischen Kulturen sind sicher sehr alt. Im XV. Jahrh. brachten es die Benediktiner nach Bamberg, und schon zu CORDUS Zeiten hatte die Kultur dort großen Umfang angenommen. Auch in WALTER RYFF Reformierte deutsche Apotheke, Straßburg 1573, finden sich einige Angaben über Arzneipflanzenkulturen, z. B. von *Süßholz* bei Bamberg. Arzneipflanzenkulturen bestanden im XVI. Jahrh. in Deutschland vielfach. So berichtet BOCK über solche des *Coriander* (er nennt ihn fälschlich *Anis*) bei Metz und Trier, solche des *Anis* bei Straßburg und Speier, solche der *Mandel* in der Pfalz. Auch *Melisse* wurde damals viel kultiviert. SEBITZ scheint 1591 den *Kalmus* bei Straßburg verbreitet zu haben. (SEBITZIUS, de alimentorum facultatibus lib. V. Argent. 1650). JOHANN BAUHIN (Histor. plant. II 1650) verpflanzte den *Kalmus* aus süddeutschen Gärten nach Montbéliard. Eingeführt und durch Mitteleuropa verbreitet wurde der *Kalmus* um 1564 durch CLUSIUS, dem um die Arzneipflanzenkultur viel verdienten pater pharmacognosiae. *Amygdalus* wurde in Straßburg, Breslau und Torgau angebaut, *Angelica* bei Stettin, im Harz, in Sachsen und in Steiermark. Auch *Cardobenedicten* wurde vielfach gebaut. *Kümmel*, der sicher aus Kulturen stammte, traf ANGUILLARA als Großhandelsartikel auf der Rialtobrücke. *Römische Kamille* ward bei Stolberg, Torgau, Basel, Straßburg gebaut. R. CYSAT kultivierte in seinem Garten in Luzern *Kirschlorbeer*.

Auch über Kulturen von *Angelica* bei Freiburg besitzen wir Nachrichten aus der ersten Hälfte des XVI. Jahrh. Sie sind längst eingegangen. *Anis* und *Fenchel* wurde schon im XII. Jahrh. in Castilien und Icon gebaut, *Iris* im XIII. Jahrh. in der Umgegend von Florenz. Letzteres berichtet CRESCENTI, in dessen landwirtschaftlichem Werke Opus ruralium commodorum aus dem Jahre 1305 wir überhaupt viele Angaben über Arznei- und Nutzpflanzenkulturen finden. In Meddygon Myddfai (XIII. Jahrh., s. Geschichte) findet sich die Angabe, daß jeder Arzt für seinen Gebrauch *Aconit* anbauen solle.

Ein Zentrum der Arzneipflanzenkultur in Italien war in früherer Zeit Aquila in der Provinz Abruzzo ulteriore secondo, dem Vestinerland, wo man z. B. *Crocus* («Safran vom Adler») viel kultivierte, der auch in England (zwischen Saffron Walden und Cambridge), in der Schweiz (Wallis, Basel), in Deutschland (Altenburg, Landau, Worms), in Niederösterreich (Meissau, Ravelsbach, Krems, Melk, Hürm, Loosdorf, Tullnerfelde), in Ungarn (Neutra und Premsin), in Frankreich (Agen, Narbonne) ehedem gebaut wurde. Die Aufführung zahlreicher Sorten *Safran* in PAXIS Tariffa (1540) deutet auf eine ausgebreitete *Crocus*kultur in Italien im XVI. Jahrh. In Italien wurde *Cassia obovata* im XVI. Jahrh. bei Florenz gebaut. Sie hieß «toskanische Senna» und wurde auch in Südfrankreich und Spanien kultiviert. *Cassia acutifolia* hatte AN-

GUILLARA 1561 in seinem Garten. *Indigo*pflanzungen befanden sich gar schon 1239 bei Palermo in Sizilien. Alle diese Kulturen sind jetzt eingegangen.

Im XV. Jahrh. scheint *Indigo* auch in Spanien gewonnen worden zu sein (HÄBLER). Das Zuckerrohr kam im XII. Jahrh. aus Indien zuerst in das Mittelmeergebiet (Malta oder Melite — *Saccharum meliteum* —, Candia — *S. candum* —, Sizilien), dann (Anfang des XV. Jahrh.) auf die Azoren und Canaren — *Canarizucker* — und bereits im XVI. oder Ende des XV. Jahrh. nach Südamerika und Westindien, wo es sich rasch akklimatisierte. Über die Einführung der Kultur des Zuckerrohres nach Frankreich im XVI. Jahrh. berichtet FOURNIER (Bull. de Géogr. histor. 1903).

CONRAD GESNER berichtet in seinen Horti germanici über Arzneipflanzenkulturen Mitte des XVI. Jahrh. bei sich selbst in Zürich, durch den Arzt OCCO, in Straßburg durch den Arzt MASSARIUS, in Freiburg im Garten der Mönche, in Rom von SCIPIO im Garten von St. Apostoli, dann in Florenz in den Gärten der Herzöge, in San Gervasio (Venedig) durch den Venezianer PETRUS MICHAELIS und durch den Kaufmann JOAN. SCHMIDLAPPIUS in Schorndorf (Württemberg), und teilt die Liste der von diesen dreien kultivierten Pflanzen mit. PETRUS MICHAELIS in Vico S. Gervasio

Fig. 9.
Kräutergarten und Destillierherd. Holzschnitt (um 1530) vom Meister des Trostspiegels.

in Venedig kultivierte über 70 Arzneipflanzen, darunter: *Sementina ex Oriente*, *Canella seu Cinnamomum*, *Eugenia caryophyllata*, *Aristolochia*, *Asphodelus*, *Carus*, *Daucus creticus*, «*Ficus Aegyptica*», *Faenumgraecum*, «*Hyoscyamus aegypticus*», *Hyssopus*, *Nardus montana vera*, *Mandragora*, *Smilax lenis ex Creta*, *Rhaponticum*, «*Panaces Chironium*», *Spina cervina*, *Verbascum viscosum ex Creta* u. a. In den Gärten der Herzöge von Florenz fanden sich: *Myrtus laurea*, *Laurocerasus*, *Solanum somniferum verum*, *Thapsia*, *Ferula*, *Smilax laevis vera* und einige andere. In SCHMIDLAPPS Garten waren 114 Arzneipflanzen, darunter: *Absinthium rom.*, *Alcea hortens.*, *Calendula*, *Caryophyllus turcicus*, *Centaurium majus*, *Coriandrum venetum*, *Digitalis Fuchsii major*, *Elleborus alb.* und *nig.*, *Gentiana*, *Hyoscyamus alb.*, *Iris sylvatica*, *Malva crispa*, *Melilotus italica*, *Melissa major*, *Papaver crispum*, *Piper indicum*, *Pyrethrum odoratum*, *Solanum indicum* u. a. Wie wir durch BOCK und FUCHS wissen, wurde zur selben Zeit der nordafrikanische *Anacyclus Pyrethrum* in deutschen und (nach DODONAEUS) auch in holländischen Gärten gezogen. RAUWOLF erwähnt (1583) einen Garten von Simplicien des Apothekers SEBASTIAN VOLMAR, Hortulanus des Herzogs von Württemberg in Eßlingen.

Sehr frühzeitig sind amerikanische Drogen, Nahrungs- und Genußmittel nach Europa und Asien übergeführt worden, so früh, daß man für einige, wie z. B. den *Mais*, die *Ananas*, *Capsicum* und *Guajac* früher sogar asiatischen Ursprung annahm oder sie als an beiden Orten heimisch betrachtete.

Ananas muß schon 1599 in Java kultiviert worden sein, und um die gleiche Zeit *Mais* in China. Und auch in Europa wurden frühzeitig amerikanische Pflanzen angebaut, so z. B. im Hortus Eystettensis schon Mitte des XVI. Jahrh. *Capsicum*, *Helianthus*, *Nicotiana*, *Lycopersicum*, *Canna*, *Aloe*.

Den *Tolubalsambaum* zog der Direktor des Chelseagartens bei London, PH. MILLER, aus Samen, die er 1736 aus Cartagena erhalten.

Die ersten Samen der *Nicotiana Tabacum* brachte der Franziskaner ANDRÉ THEVET 1558 nach Europa. JAQUES GOHORY kultivierte *Nicotiana Tabacum* bereits 1572 in Paris.

Wie aus den Küchenausgaben des Piaristen-Konvents in Szeged vom Jahre 1750 hervorgeht, wurde aber erst zu dieser Zeit *Paprika* in Ungarn in Klostergärten gebaut (nicht schon 1585!). In ungarischen Wörterbüchern findet er sich schon 1604. Die Ungarn erhielten den Paprika von den Südslaven (Bulgaren), wo er «Piperka» genannt wird, diese von den Griechen (AUGUSTIN).

Sassafrasbäume wurden schon 1597 und 1633 (JOHNSON) in England kultiviert.

Berühmt war seinerzeit der Garten von JOHN GERARDE (1545—1607). Er war Wundarzt in London und besaß einen botanischen Garten, über dessen reiche Schätze er einen Catalogus arborum, fruticum ac plantarum tam indigenarum quam exoticarum in horto Gerardi nascentium (London 1596, II. Edit. 1599) herausgab. Aus diesem und seinem reich illustrierten Werke: The herball or generall historie of plantes (London 1597) erfahren wir viel über damals neu eingeführte oder bekannte, in England kultivierte Pflanzen und Drogen. So z. B. über *Sarsaparille* (Ende des XVI. Jahrh. reichlich eingeführt), über *Cocculus indicus* (schon 1597 in England bekannt), *Arnica* (*Calendula alpina*), *Cochlearia Armoracia*, *Herb. Scopariae*, in Italien kultivierte *Senna*, *Rosa canina*, *Capsicum longum* (*Ginnie Pepper*, vor 1597 gut bekannt), *Mentha viridis* (*Mentha romana vel sarracenica, Common Garden Mint*), *M. Pulegium*, *Ricinus commun.*, *Aschantipfeffer*, *Orchisknollen*, *Veratrum album*, *Tub. colchici* (*Mede Saffron*). Vor 1597 wurden in England kultiviert: *Kirschlorbeer*, *Datura Stramonium*, *Thymus vulgar.*, *Sassafras officin.*, *Hopfen*, *Iris germ.* und *florentin.*

PETER COUDENBERG, ein belgischer Apotheker, «le père de la Pharmacie belge», wie ihn BROECKX nennt, kultivierte um die Mitte des XVI. Jahrh. *Guajacum* in seinem Garten. Am besten werden wir über das, was um Amsterdam im XVII. Jahrh. kultiviert wurde, orientiert durch das von FREDERIC. RUYSCHIUS und FRANCISC. KIGGELARIUS herausgegebene posthume Werk des JOH. COMMELINUS, Horti medici Amstelodamensis Rariorum tam orientalis quam occidentalis, aliarumque peregrinarum plantarum descript. et. icones., Amsterd. 1697.

Aus dem XVI. Jahrh. sei noch erwähnt: GIAMBATTISTA PORTAS Villae libr. XII, domus, sylva caedua, sylva glandaria, cultus et insitio, pomarium, olivetum, vinea, arbustum, hortus coronarius, hortus olitorius, seges, pratum. Frankf. 1592, ein wichtiges Werk über Land- und Forstwirtschaft, Gartenbau und Verwandtes, in dem alle erdenklichen Nutz- und Heilpflanzen und deren Kultur erwähnt werden, z. B. die Korkeiche, die Stockrose (*Alcea rosea*) u. a. m.

Campherbäume wurden 1724 in Leipzig, 1757 in Dresden kultiviert. Berühmt

Fig. 10.

Afiun Karahissar. Eines der Zentren der kleinasiatischen Opiumgewinnung. Aus Tchihatchef Asie mineure.

ist der riesige alte Campherbaum auf der Isola bella. Auch sonst trifft man Campherbäume allenthalben in Italien, meist in sehr alten Exemplaren.

Im XVII. Jahrh. erhielt PROSPER ALPIN in Baden von Bulgarien durch den Arzt F. GRASSUS in Ragusa *Rheum Rhaponticum* und kultivierte es. Auf diese Kulturen ist wahrscheinlich der Rhaponticbau in Westeuropa zurückzuführen (HARTWICH).

Im XVII. Jahrh. gab es in Rußland zahlreiche «Apothekengärten», in denen Heilpflanzen für die Apotheke kultiviert wurden (LACHTIN).

Im XVII. und XVIII. Jahrh. bestanden durch die Jesuiten angelegte, jetzt eingegangene Kulturen der *Mate*pflanze in Südamerika.

In neuerer Zeit sind durch den 1907 gestorbenen Deutschen FR. NEUMANN in Paraguay *Yerba-Mate*kulturen angelegt worden, ebenso in Argentinien durch MAR-

Fig. 11.

Ansicht von Grasse, dem Zentrum der französischen Industrie ätherischer Öle, links ein alter Olivenbaum. [Roure Bertrand fils phot.]

TIN & CO. Bei dem Raubbau, dem die *Ilex*wälder unterworfen sind und ihrer weiten Entfernung von bewohnten Gegenden dürften diese eine große Zukunft haben.

Vanille wird in Mexiko seit der Mitte des XVIII. Jahrh. kultiviert.

Anleitungen zur Kultur einzelner Arzneipflanzen finden sich in beschränkter Zahl schon bei den Alten. Die erste ausführliche Anleitung gab aber erst PIERRE BELON in seinen Remonstrances sur le défaut du labour et culture des plantes, et de la connoissance d'icelles, contenant la manière d'affranchir les arbres sauvages, Paris 1558 (von CLUSIUS ins Lateinische übersetzt und den Exotica angehängt, s. Geschichte). BELON, der den Orient kannte, kultivierte selbst einige Heilpflanzen.

Für die **Akklimatisation außereuropäischer Heilpflanzen** und ihre weitere Verbreitung wirkten natürlich die botanischen Gärten außerordentlich nützlich. Gar oft gelangten Samen oder junge Pflanzen aus der ursprünglichen Heimat zunächst in einen botanischen Garten Europas und wurden von diesem dann weiter verbreitet. Eignete sich die Pflanze zur Kultur in Europa, so wurde sie hier angebaut, war es ein tropisches Gewächs, so wurde sie in eine der Kolonien des Landes gesandt, dem der Garten gehörte. So bildeten lange Zeit die holländischen botanischen Gärten die Vermittelung zwischen Amerika und Niederländisch-Indien. Für die portugiesischen Besitzungen war der botanische Garten in Coimbra wichtig. Und jetzt versorgt der

Fig. 12.
Kina-Etablissement und Chinaplantage in Riung-Gunung (Java) am Rande des Urwaldes.
[Aus Verslag der Gouvernements Kina-Onderneming Java.]

Pariser und Marseiller Garten die französischen, der Garten in Kew die englischen, der Garten in Berlin die deutschen Kolonien.

Die Kataloge der botanischen Gärten (Verzeichnis in PRITZEL, Thesaurus) enthalten daher manche Angaben über Akklimatisationsversuche. So erfahren wir, um nur ein Beispiel anzuführen, aus einem solchen, daß *Kirschlorbeer* schon 1654 in Königsberg kultiviert wurde.

Berühmt ist ja die Rolle, die die botanischen Gärten Hollands, besonders die von Lüttich und Leiden, in der Geschichte der Akklimatisation der *Cinchonen* und der *Vanille* in Java gespielt haben. In dem Garten in Lüttich hat MORREN 1836 die künstliche Befruchtung der *Vanille* erfolgreich ausgeführt. Durch diese Versuche wurde die Überführung der *Vanille* in ein Land, dem die die Befruchtung vermittelnden Insekten fehlen, erst möglich. (Vgl. auch das Kap. Pharmakosystematik.)

Tausende von WARDschen Kisten mit lebenden Pflanzen (— WARD publizierte sein Verfahren 1842 —) gehen jetzt alljährlich von den botanischen Gärten Europas in die Kolonien, und Tausende von Samensendungen der tropischen botanischen Gärten, besonders des Buitenzorger Gartens bewirken die Verteilung tropischer Gewächse innerhalb der Tropenzone. Die botanischen Gärten sind die wichtigsten Vermittler der Kultur von Heil- und Nutzpflanzen geworden. In zahlreichen tropischen Gärten, wie im Kultur-Tuin in Buitenzorg, in Peradenija (Ceylon), in Trinidat, in Amani (Ostafrika) u. a. werden fortdauernd Kulturversuche mit den verschiedensten Arzneipflanzen (*Coca, Kola, Calumba, Ipecacuanha, Cardamomen, Jalape, Cinnamomum, Myroxylon* u. a.) gemacht. Die «Reports» berichten regelmäßig über die Erfolge.

Fig. 13.
Blick auf den Tankubanprahu (Mitteljava) und die ihn bedeckenden Chinakulturen von Lembang aus. Rechts Reisfelder.
[Tschirch phot.]

Denn die größte Aufgabe, vor die die Pharmakoërgasie gestellt wurde und fortdauernd noch wird, ist ja die Akklimatisation wertvoller Heil- und Nutzpflanzen außerhalb ihrer Heimat.

Das klassische Beispiel bilden die *Cinchonen*, die durch MARKHAM und SPRUCE in den sechziger Jahren des XIX. Jahrh. aus Amerika nach Vorderindien, und schon 1854 durch HASSKARL nach Java gebracht worden waren und an beiden Orten sich vortrefflich akklimatisierten — dank der Einsicht und Energie der leitenden Beamten und der eigenartigen Verbindung botanischer Kenntnisse, gärtnerischer Geschicklichkeit und der Sorgfalt chemischer Kontrolle.

«Überblicken wir das ganze Bild der Einführung der Kultur der *Chinabäume*, so sehen wir, daß sie nicht das Werk eines Mannes, ja auch nicht einmal eines Landes ist, sondern daß gar viele anregend, fördernd, selbst mit angreifend, dabei beteiligt waren. Schon CONDAMINE hatte 1744 junge Cinchonenpflänzchen nach Europa bringen wollen. Sie gingen zugrunde wie die Pflanzen von JUSSIEU. Dann regten ROYLE (1839), FALCONER (1850), FÉE (1842) und in Holland KORTHALS (1829), BLUME (1830), MULDER (1838), VROLIK (1839), MIQUEL (1846), FROMBERG (1848) immer von neuem zur Kultur der *China* an. Dann brachte — der erste Erfolg — WEDDELL 1848 *Calisaya*samen in Paris zum Keimen und erzielte in den Gärten von THIBAUT und KETELEER exportfähige Pflanzen. Einige derselben wurden im April 1852 in Java gelandet. Dann kamen zuerst (1854) HASSKARLS, dann (1865) LEDGERS Samen nach Indien. Es folgte (1860) MARKHAMS und SPRUCES erfolgreiche Expedition, die unter Mithilfe von CROSS und TAYLOR Samen und Pflänzchen, besonders von *Succirubra*, die neben *Ledgeriana* heute wichtigste aller Arten, sammelten und nach Britisch Indien sandten. Dabei half auch WILLIAM HOOKER mit durch Rat und Tat. MARKHAMS Feuereifer hat dann die indischen Kultivateure entzündet und die Fabrikation billiger Febrifuge durchgesetzt, bei deren Darstellung wieder DE VRIJ half.» (TSCHIRCH, Die Chinologen des XIX. Jahrh. Schweiz. Wochenschr. f. Chem. u. Pharm. 1900).

Jetzt stehen in Java c. 9 Millionen Cinchonen allein in den Regierungsplantagen und wohl zehnmal mehr in den Privatpflanzungen.

Die ersten Versuche, *Cinchonen* in Afrika anzupflanzen, erfolgten in Algier (1849). Dorthin gelangten Samen direkt von Bogotá. Die Versuche scheiterten — natürlich — ebenso wie ihre Wiederholung (1866). Auch die 1814 begonnene Cinchonenkultur hatte zunächst keinen Erfolg, größer war derselbe 1868. Jetzt ist die Kultur zurückgegangen, wie auch auf Teneriffa. In Réunion, wohin *Cinchonen* 1865 gebracht wurden, gelang die Kultur. 1894 zählte man dort schon 80000 Bäume. Mißlungen ist die Kultur auf Mauritius, Madagaskar, den Kapverden, in Angola und Abyssinien.

Gut geglückt ist sie besonders auf S. Thomé, wo schon 1891 250000 *Chinabäume* standen. Nach Kamerun kamen *Cinchonen* 1900 und 1902 aus Java.

Schon 1685 sah übrigens TEMPLE im Botanischen Garten in Chelsea bei London lebende *Cinchonen*, die WATTS «Keeper of the Apothecaries garden of simples at Chelsea» aus Samen gezogen hatte.

Den ersten — allerdings gescheiterten — Versuch, lebende *Cinchonen* nach Europa zu bringen, machte DE LA CONDAMINE, den ersten Versuch, *Cinchonen* in ihrer Heimat zu kultivieren, MUTIS in Bogotá — doch sei daran erinnert, daß noch früher die Jesuitenpatres den Cascarilleros das Versprechen abnahmen, für jeden gefällten Chinabaum 5 Stecklinge in Kreuzesform ·:· zu pflanzen.

Die *Vanille* wurde besonders auf MORRENS Betreiben 1841 nach Java überführt. Schon 1820 war sie durch PERROTTET nach Réunion gebracht worden. 1839 wurde dort mit der künstlichen Befruchtung begonnen. Die erste *Vanille* von Réunion erschien 1862 im Großhandel. «Vanilleries» finden sich aber dort schon seit 1841. *Vanilla* gelangte im ersten Drittel des XVIII. Jahrh. nach England und wurde zuerst in den Warmhäusern von PH. MILLER kultiviert, zur Blüte gelangte sie 1800 in den Gärten GREVILLES in Paddington. Von hier kam sie (1812) nach Amsterdam, Paris, Brüssel, Löwen, Gent, Lüttich und (1819) nach Buitenzorg. Es waren von GREVILLE erhaltene Pflanzen, an denen MORREN sein berühmtes Befruchtungsexperiment (1836) in Lüttich vornahm.

Jetzt gibt es keine wertvolle amerikanische Heil- und Nutzpflanze, die nicht z. B. im Kultur-Tuin des botanischen Gartens in Buitenzorg kultiviert würde, *Coca* und *Myroxylon*, *Hevea* und *Manihot*, *Cacao*, *Bixa Orellana*, *Ipecacuanha* und viele andere werden dort gezogen und auch für die in Indien heimischen Pflanzen ist der Garten eine Pflegstätte geworden. Daß wir der allmählichen Ausrottung der wilden Guttaperchabäume ohne große Besorgnis entgegensehen können, verdanken wir besonders den daselbst und in Tjipetir schon vor vielen Jahren in weitsichtiger Weise angelegten *Palaquium*- und *Payena*-Kulturen.

Aber nicht nur die Verbreitung der amerikanischen Heilpflanzen über andere tropische Gebiete, zunächst Asiens, dann Afrikas ist versucht und erfolgreich durchgeführt worden, auch unter sich tauschten die Länder Asiens ihre Produkte aus. So gelangte der Teestrauch von Assam nach China und in neuerer Zeit auch nach Vorderindien und Java. Die Verbreitung der *Gewürznelken* und der *Muskatnuß* füllt ein ganzes Kapitel, das in seinem ersten Teile, wo von der Verhinderung der Verbreitung seitens der holländisch-ostindischen Kompagnie die Rede ist, nicht in die Ehrentafeln der Kulturgeschichte der Menschheit gehört. Das *Muskat*monopol der genannten Kompagnie, das durch die berüchtigten Hongitogten geschützt wurde, bestand von 1621—1796. Aber schon 1750 (bezw. 1754) brachte trotz aller Wachsamkeit der Holländer der französische Gouverneur von Isle de France und Bourbon, POIVRE, die ersten *Muskatnüsse* und *Nelken* nach Isle de France. Eine zweite Expedition brachte 1769 450 *Muskat-* und 70 *Nelken*pflänzchen, 10000 *Muskat*nüsse und eine Kiste *Nelken*samen dorthin und die Kultur hatte Erfolg. Nach Penang wurde die *Muskat-*

Fig. 14.
Rubber-Plantage von *Hevea brasiliensis* (Para rubber tree) in Heneratgoda (Ceylon).
[Kew Museum.]

nuß durch CHR. SMITH (c. 1797) überführt, nach Sumatra brachte sie HUGH MOORE 1798. Die ersten *Nelken* gelangten schon 1793 nach Cayenne und bald darauf (1800) von Mauritius nach Sansibar. Zur Zeit, da England die Gewürzinseln besetzt hielt (1796—1802), brachte ROXBURGH den *Muskatbaum* nach Bengkulen und Penang.

Die heutigen *Ceylonzimt*-Plantagen (Cinnamom gardens) wurden 1770 von DE KOKE gegründet und von dem Gouverneur J. W. FALCK 1785 konsolidiert. Die Kultur des Zimtes in Ceylon reicht übrigens bis in das XIV. Jahrh. zurück; sie nahm zuerst unter den Portugiesen (1505—1656), dann unter den Holländern (1656—1797), die beide die Insel besaßen, einen großen Aufschwung. Die englisch-ostindische Kompagnie monopolisierte dann den *Zimt* (bis 1833).

Mitte der siebziger Jahre des XIX. Jahrh. wurde die wichtigste *Kautschuk*pflanze, die im Amazonasgebiet heimische *Hevea brasiliensis*, nach Indien, speziell Ceylon, gebracht. Die Anpflanzung von *Kautschuk*pflanzen in Ceylon hat in kurzer Zeit enorm zugenommen. Während 1890 nur 300, 1900 1750 acres damit bepflanzt waren, waren 1905 schon 40000, 1907 bereits 120000 acres (1 acre = 4000 qm) mit *Hevea brasiliensis* bepflanzt (Fig. 14). Auf der malayischen Halbinsel gab es 1906 schon 6 Millionen *Hevea*bäume.

Ein solches rasches Ansteigen nennt man in Englisch-Indien einen «rush». Es gab seinerzeit auch einen «rush into coffee» und einen «rush into tea». Solche rushes sind in Niederländisch-Indien unbekannt Der bedächtige Holländer meidet solche Sprünge.

Die *Teepflanze* kam 1826 durch SIEBOLD nach Java. Schon 1827 besaß Buitenzorg eine Pflanzung von 800 Bäumchen und 1839 waren schon 8 Millionen Teesträucher auf Java. Die ersten Versuche, *Tee* in Vorderindien zu pflanzen, wurden schon Ende des XVIII. Jahrh. von KYD in Kalkutta gemacht, im größeren Stil aber erst 1834 bezw. 1839. 1852 brachte FORTUNE 20000 lebende Teepflanzen aus China in die Himalayagegenden. 1842 kam die Teepflanze nach Ceylon. Lebende Teepflanzen erhielt LINNÉ 1763 für den Garten in Upsala.

Fig. 15.
Ein Wald von *Pinus Laricio* in Niederösterreich mit geharzten Stämmen.
[Mitlacher phot.]

Die *Kaffeepflanze* gelangte im VI. Jahrh. nach Arabien, im IX. Jahrh. nach Persien, 1696 nach Java, aber erst im Anfang des XVIII. Jahrh. nach Amerika. *Theobroma Cacao* kam schon in der Mitte des XVI. Jahrh. nach Celebes, aber erst im XVIII. Jahrh. von dort nach Java. Die Holländer brachten dann die Pflanze auch nach Ceylon. *Nicotiana Tabacum* gelangte 1558 nach Frankreich und Italien, 1605 nach Japan. Der *Ölbaum* kam um 1560 nach Peru, wenig später nach Chile und Kalifornien, auch die *Tamarinde* wurde um diese Zeit nach Amerika gebracht; der *Ingwer* gelangte zu Beginn des XVI. Jahrh. oder schon Ende des XV. Jahrh. durch die Spanier (FRANCISCO MENDOCA) nach Westindien. Die *Tapiokapflanze* (*Manihot utilissima*) wurde von den Portugiesen aus Brasilien nach Indien gebracht. 1786 kam sie von Mauritius nach Ceylon, 1794 aus Südamerika nach Kalkutta und Serampur. *Aloe vera* (*A. vulg.*) ist im XVI. Jahrh. nach den Antillen (Barbados) gekommen. 1650 war sie in Barbados schon ganz heimisch.

Bemerkenswert ist die Tatsache, daß auch vielfach, und zwar natürlich erfolgreich, der Versuch gemacht worden ist, **tropische Heil- und Nutzpflanzen in ihrer Heimat selbst zu kultivieren.** Dies geschieht z. B. mit der *Cinchona Calisaya* in Bolivien, mit *Castilloa* in Nicaragua und Mexico, mit *Vanille* in Mexico, mit *Ipecacuanha* in Brasilien, mit den *Balsambäumen* in San Salvador, mit *Mate* in Südamerika (s. oben).

Von Kulturen europäischer Heilpflanzen seien nur einige erwähnt. (Im übrigen verweise ich auf die Tabellen weiter hinten.)

Die Kultur der *Lactuca virosa* zur *Lactucarium*gewinnung im Moselgebiet wurde besonders durch den Apotheker ALOIS GOERIS in Zell an der Mosel 1847 in Gang gebracht.

Fig. 16.
Junge Plantage von *Myroxylon Pereirae* im Kultur-Tuin in Tjikeumeu bei Buitenzorg (Java).
[Tschirch phot.]

*Mohn*kulturen zwecks *Opium*gewinnung fanden sich 1828—1830 bei Erfurt, 1860 bei Bern, 1870 in Süddeutschland und Schlesien; noch in der zweiten Hälfte des XIX. Jahrh. bei Clermont Ferrand (Frankreich). *Mohn*, zum Teil zur *Opium*gewinnung, wird übrigens auch seit 1788 in den Vereinigten Staaten östlich vom Missisippi gebaut.

Im allgemeinen besteht ein **Vorurteil gegen kultivierte Arzneipflanzen.** Dasselbe gründet sich darauf, daß in einer Anzahl von Fällen kultivierte *Digitalis purpurea, Aconitum Napellus, Artemisia Absinthium, Atropa Belladonna, Hyoscyamus niger* und *Datura Stramonium* bisweilen eine geringe Verminderung ihres Alkaloid- bezw. Glukosidgehaltes gegenüber den wildwachsenden Pflanzen zeigten. (Trotzdem verlangt übrigens Pharm. nederl. ausdrücklich kultivierte *Atropa, Digitalis, Conium, Hyoscyamus.*)

Fig. 17.

Mannaeschen-Hain bei Castelbuono (Sizilien). [Benedicenti phot.]

Fig. 18.

Kinatuin (Chinaplantage) von *Cinchona Succirubra* in Lembang (Java).
[Aus Verslag der Gouvernements Kina-Onderneming Java.]

Das kommt nun aber nicht daher, daß die Kultur überhaupt den Alkaloidgehalt vermindert. Die *Cinchonen* sind ja ein flagrantes Beispiel dafür, daß man durch Kultur sogar den Alkaloidgehalt erhöhen kann — sondern daher, daß die obengenannten Arzneipflanzen in ungeeigneter Weise kultiviert wurden. Wenn man eine Schattenpflanze in der Sonne, eine Sonnenpflanze im Schatten, eine an Sandboden akkomodierte Pflanze in fetten Böden mit starker Düngung, eine an nährstoffreiche Böden angepaßte in armen Böden kultiviert, so wird die natürliche Folge die sein, daß sich ihre Bestandteile ändern. Es kommt also nur darauf an, die Arzneipflanzen in geeigneten Böden und unter dem natürlichen Standorte nahekommenden Beschattungsverhältnissen anzubauen und man wird nicht nur gleichwertige, sondern unter Umständen sogar höherwertige Produkte erzielen. Nicht die Kultur an sich beeinflußt also den Gehalt der Arzneipflanzen an wirksamen Bestandteilen ungünstig, sondern die ungeeignete Kultur. Alle Erfahrungen sprechen dafür, daß dies richtig ist. Die *Cinchonen* sind schon oben erwähnt. Auch alle unsere Nutzpflanzen, die *Obstsorten*, der *Wein*, das *Getreide*, die *Feige* sind gegenüber den wilden Mutterpflanzen wertvoller geworden und haben erst durch die Kultur ihre Bedeutung für uns erlangt. Die *Dattelpalme* ist zum Fruchtbaum erst durch die Veredelung geworden, die ihr in ihrer Heimat, den Ebenen des Euphrat und Tigris zuteil geworden ist; von hier aus hat sich der Baum dann nach Palästina, Phönizien und Afrika, besonders Ägypten und Kyrene weiter verbreitet. Fortdauernd vollziehen noch heute die Gärtner die «Veredelung» durch Auslese und geeignete Kultur. Warum in aller Welt sollen allein die Arzneipflanzen von dem Gesetze, daß Kultur veredeln kann, eine Ausnahme bilden? Es kommt also nur darauf an, die Verhältnisse bei jeder Pflanze genau zu studieren und die Kulturen richtig zu leiten. Das kann aber nur geschehen, wenn wir, von physiologischen Gesichtspunkten ausgehend und mit physiologischen Methoden arbeitend, nicht nur die Ernährungsbedingungen der Arzneipflanzen, die zu einem kräftigen Wachstum führen, sondern auch den Stoffwechsel innerhalb der Pflanze und die Bedingungen,

Fig. 19.
Cocospalmen-Hain, Java. [Tschirch phot.]

unter denen Alkaloide, Glukoside und andere für die Arzneiwirkung wertvolle Substanzen in vermehrter Menge entstehen, kennen lernen. Gerade in diesen physiologischen Studien liegt eine der Hauptaufgaben der künftigen Arzneipflanzenkunde (vgl. S. 7). Einige Anfänge sind schon gemacht (vgl. meinen Artikel «Arzneipflanzen» in der Realenzyklopädie der gesamten Pharmazie und das Kapitel Pharmakophysiologie).

Wenn wir die Bedeutung der einzelnen Stoffe für die Pflanze selbst erkannt haben, so werden wir auch Mittel und Wege finden, hier hemmend, dort fördernd einzutreten und durch geeignete Kultur die Stoffe, auf die wir namentlich Wert legen, in größerer Menge zu erzielen. Auf rein empirischem Wege ist man hier schon zu

Fig. 20.
Am Rande einer Muskatnussplantage (Perk). Rechts zwei Muskatnussbäume (Java).
[Tschirch phot.]

einigen Resultaten gelangt. Man hat durch Schälen bei den *Cinchonen* eine alkaloidreichere Rinde (renewed bark), bei der *Korkeiche* einen besseren *Kork* erzielt. Auch das Studium der einzelnen Bestandteile zueinander führte schon zu einigen Resultaten. Wir wissen beispielsweise, daß zwischen dem Stärkegehalte und dem Gehalte an mydriatischen Alkaloiden bei der *Belladonnawurzel*, zwischen dem Gehalte an Stärke und dem an Harz bei dem *Galgantrhizom* Beziehungen bestehen.

Wir wissen, daß der Boden von großem Einfluß für die Bildung gewisser Stoffe ist, daß z. B. trockener Boden die Bildung ätherischer Öle und Schleimstoffe begünstigt. Auf trockenem Boden erzogene *Althaea* ist schleimreicher als auf feuchtem gewachsene, auf trockenem Boden gebauter *Baldrian* ist ölreicher und kein Boden erzeugt so aromatischen *Ceylonzimt* wie der trockene weiße Quarzsand der Cinnamom Gardens an der Küste Ceylons. «Bei *Taraxacum* zeigt die Wurzel in chemischer Hinsicht große Unterschiede, je nach ihrem Standorte und der Jahreszeit» (Grundlagen).

Fig. 21.
Plantage von *Cinchona Ledgeriana*, davor eine Pepinière von *Cinchona Succirubra* in Lembang (Java). [Tschirch phot.]

Fig. 22.
Tabakpflanzung in Sumatra. [Abbild. im Kew Museum]

Das sind Verhältnisse, die in das Kapitel Pharmakophysiologie gehören und die von physiologischen Gesichtspunkten betrachtet werden müssen.

Der Fall, daß Arzneipflanzen in der Kultur — aber einer Kultur jedenfalls am unrechten Orte — degenerieren, kommt allerdings vor. Die Rhizome der in Europa kultivierten *Rheum officinale* und *palmatum* z. B. gleichen nicht mehr dem echten *Rhabarber* und sind chemisch minderwertig geworden. Daß aber ein *Rhabarber*, der bei uns in der Ebene gebaut wird, degeneriert, ist leicht begreiflich, da er in den Gebirgen von Szetchuan am besten zwischen 8000 und 12000′ gedeiht und bis auf 14000′ steigt.

Fig. 23.
Balsamal in San Salvador. Kultivierte (und wilde) Pflanzen von *Myroxylon Pereirae*. [Nach Preuss.]

Der günstige Einfluß einer richtigen und der ungünstige einer falschen Kultur wird vortrefflich durch das Beispiel der *Chinarinden* illustriert. Während die von wildwachsenden Pflanzen gesammelten *Chinarinden* Südamerikas c. 2% Alkaloid enthalten, bringen es die einer geregelten Kultur entstammenden Rinden Javas auf 10—16% Alkaloid; die in europäischen Gewächshäusern — also unter ungünstigen Bedingungen erzeugten — Rinden enthalten dagegen gar kein Chinin (A. Vogel, 1886).

Daß Klima und Standort von Einfluß sind, zeigt auch die Beobachtung Rochleders, daß der in Schottland wachsende *Schierling* nicht giftig ist (war der untersuchte aber auch wirklich echter *Schierling* oder nicht vielmehr eine physiologische Varietät?) — zeigten die ersten verunglückten Kulturversuche der *Cinchonen* in Java. Jetzt wissen wir, daß man *Cocos* und *Cacao* nicht in den Bergen, *Tee*, *Kaffee* und *Cinchonen* nicht im tropischen Tiefland kultivieren darf. Bevor man heutzutage eine Kultur in Angriff nimmt, werden nicht nur die klimatischen Bedingungen (Meereshöhe, Regenmenge, mittlere Jahrestemperatur) der alten Heimat der Arzneipflanze, sondern auch die der neuen aufs sorgfältigste studiert. Bisweilen ist der Erfolg, d. h. die Erzielung vollwertiger Droge, von scheinbar ganz nebensächlichen Dingen bedingt, wie Anpflanzung an Südhängen, Schutz gegen Wind u. a. m.

Daß vernünftige Kultur den Gehalt der Indigopflanze an Indican bedeutend zu steigern vermag, zeigten neuere Versuche in Indien und die in Shenandoah Valley (Virginia) unter vernünftigen Bedingungen kultivierte *Belladonna* lieferte Blätter mit 0,32—0,68% Alkaloid (REPPETOE), also vollwertige Droge.

Auch für das «Harzen» der Coniferen gilt das gleiche: Nur unvernünftiges und irrationelles Harzen schädigt den Baum.

Fig. 24.
Terassiertes Reisfeld (Savah) in Mitteljava.
[Tschirch phot.]

Natürlich sind die chemischen und physikalischen Eigenschaften des Bodens, Drainage oder Wasserzufuhr von größter Wichtigkeit für das Gelingen der Kultur der Arzneipflanzen. Für jede Pflanze müssen die Bedingungen ihrer Kultur besonders ermittelt werden. Hier können die Großkulturen in den Tropen als mustergültige Vorbilder betrachtet werden, bei denen diese Bedingungen oft bis ins kleinste ermittelt wurden.

Der erste, der den Einfluß verschiedener Bodenarten auf die Entwicklung der Arzneipflanzen studierte, war der erste Direktor des botanischen Gartens in Montpellier, P. R. DE BELLEVAL (1593).

GORDON machte Kulturversuche mit *Belladonna*, *Hyoscyamus* und *Carthamus* auf verschiedenen Böden (Am. Journ. pharm. 1900). Den Einfluß der Kalidüngung studierten FELBER und WALTA (Die Kalidüngung in den Tropen und Subtropen,

Fig. 25.
Musa paradisiaca (Pisang, Banane) in Plantagenkultur auf Java. [Tschirch phot.]

Fig. 26.
Links: *Indigofera*-, rechts: *Lemongras*-Kultur. Im Hintergrunde ein Dorfwäldchen mit *Mango*, *Areca Catechu*, *Musa* u. a.
[Tschirch phot.]

Halle 1907); die Elektrokultur LEMSTRÖM (Elektrokultur, Erhöhung der Ernteerträge aller Kulturpflanzen durch elektrische Behandlung, übers. v. O. PRINGSHEIM, Berlin 1902).

Neuerdings (1905) wurde von A. POEHL mitgeteilt, daß ein Radiumgehalt des Bodens die Arzneipflanzenkultur günstig beeinflußt (?).

Besonders wichtig ist für die Kultivateure die **ertragreichste und das beste Produkt liefernde Art** zu finden. So hat man *Coffea arabica* vielfach durch die fruchtreiche, großfrüchtige und kräftigere *Coffea liberica*, die kleinblätterige *Thea sinensis* durch die großblätterige *Thea assamica* ersetzt und statt *Theobroma Cacao* wird jetzt vielfach (z. B. in Ecuador) *Theobroma bicolor*, die fettreichere Samen liefert, kultiviert. (Über physiologische Varietäten vgl. das Kapitel Pharmakophysiologie.)

Fig. 27.
Citrus-Kulturen am Gardasee.
Liefern jährlich c. 15 Millionen *Citronen*.

Daß die Besitzer einträglicher Kulturen den Wunsch hegen, sich ein **Monopol** für dieselben zu sichern, ist natürlich. Heutzutage ist dies aber kaum mehr möglich, da Samen aller Gewächse jetzt erhältlich sind. Früher ist der Versuch aber öfter gemacht worden und die 1602 gestiftete holländisch-ostindische Kompagnie hat bekanntlich durch künstliche Einschränkung der Muskatnuß- und Nelkenkultur auf wenige Inseln, Einführung einer **Zwangskultur** und strenge Überwachung der Kulturen durch die Hongitogten (Hongifahrten) viele Jahre sich das Monopol gesichert. Das Monopol erlosch ganz erst 1873.

Die *Nelke* wurde auf Amboina beschränkt und auf Ternate, Loho und Cambello ausgerottet, die *Muskatnuß* wurde auf Banda und Amboina beschränkt und auf Kelang und Nila (südlich von Ceram) ausgerottet.

Die holländisch-ostindische Kompagnie handhabte auch das Zimtmonopol mit großer Strenge und eine künstliche Einschränkung der Kulturen ordnete auch zur Zeit der Herrschaft der englisch-ostindischen Kompagnie der englische Gouverneur NORTH 1802 bei den Cinnamom Gardens auf Ceylon an.

Die in Rußland noch heute bisweilen an einzelne Unternehmer erteilten Handelskonzessionen für gewisse Drogen machen die Konzessionäre zu Monopolisten. So besitzt z. B. eine Kapitalistengruppe das alleinige Ausbeutungsrecht für *Flor. Cinae* in Turkestan.

Fig. 28.
Citronen-Kultur am Gardasee in Limone.
[Nach O. Zieher.]

Die Phönizier hatten lange Zeit den Handel mit Farbdrogen (*Purpur, Safran, Granatblüten*) monopolisiert und ebenso Kreta zur Zeit der Römer die Kultur und den Handel mit Arzneikräutern.

Die Kulturen der *Mastix-Pistacie*, die schon im Altertum bestanden und vom XIII.—XVII. Jahrh. von genuesischen Kaufleuten ausgebeutet wurden, waren später türkisches Staatsmonopol.

Die *Krapp*kulturen bei Braunschweig und Speyer waren im XIV. Jahrh. durch strenge Gesetze eingeschränkt, um sie ertragreich zu erhalten.

In Java bestand ehedem (seit 1850) **Zwangskultur** für *Kaffee, Zucker, Indigo, Pfeffer, Tee, Tabak, Zimt* und *Cochenille*. Dieselbe war aber für die meisten schon 1865 eingegangen, für *Zucker* erlosch sie 1890 (GRESHOFF).

Ich habe auf Grund der Erfahrungen, die ich 1888—1891 sowohl in Indien wie bei Reisen in die Gebiete der Arzneipflanzenkultur in Europa sammelte, vier **Typen von Arzneipflanzenkulturen** aufgestellt:

1. die Plantagen- oder Feldkultur, Kultur im Großen,
2. die Kampong- oder Gartenkultur, Kultur im Kleinen,
3. die Alleekultur,
4. die Mischkultur.

1. Die Plantagen- oder Feldkultur ist die Kultur im Großen. Bei ihr werden größere Areale mit der betreffenden Pflanze bestellt. In Plantagenkultur befinden sich auf Java und Ceylon z. B.: *China* (Fig. 12, 13, 18, 21), *Kaffee* (Taf. I), *Cacao, Tee* (Taf. II), *Banane* (*Pisang*, Fig. 25), *Reis* (Fig. 24) und die *Kautschuk-* und *Guttapercha-*

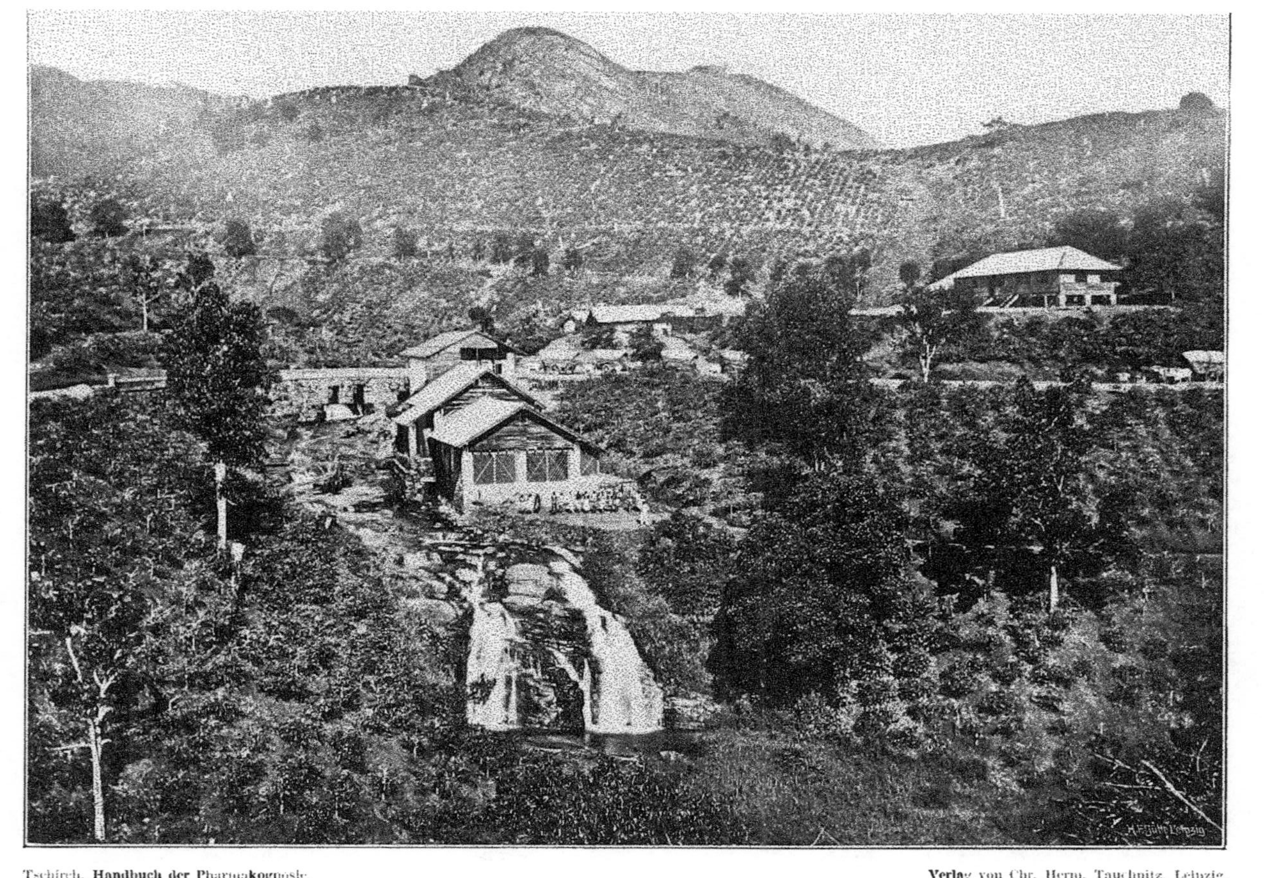

Tschirch, Handbuch der Pharmakognosie. Verlag von Chr. Herm. Tauchnitz, Leipzig.

Kaffeep antage ohne Schattenbäume) n Ceylon mit Pulping Mill und rech s oben Assis en enwohnung.

Tschirch, Handbuch der Pharmakognosie. Verlag von Chr. Herm. Tauchnitz, Leipzi

Teep antagen m Hoch ande von Cey on ohne Schattenbäume

Verlag von Chr. Herm. Tauchnitz, Leipzig.

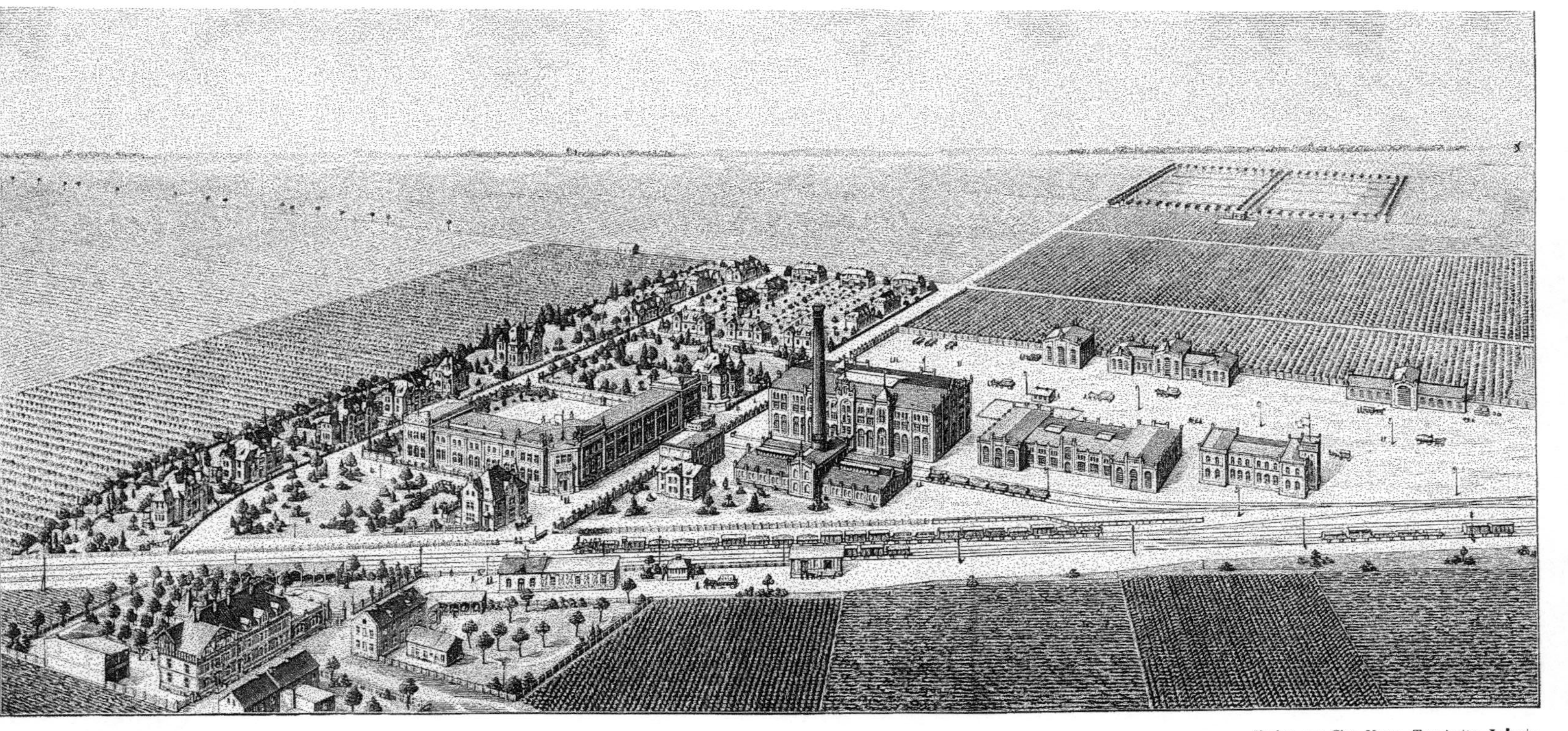

D e großen Kulturen von *Rosa, Mentha* usw. be Miltitz Le pzig). Inmitten der Felder d e Fabrik ätherischer Ö e von Schimme & Co.

Fig. 29.

Tee-Plantage in Ceylon. Eine Singhalesin beim Pflücken. [Tschirch phot.]

Fig. 30.

Junge *Ceylonzimt*-Plantage in Cinnamon gardens bei Colombo auf Ceylon. [Tschirch phot.]

Fig. 31.
Die großen *Citrus*kulturen im Redlands-Tal in Kalifornien am Fuße des San Bernardino-Gebirges. [Aus d. Prometheus.]

Fig. 32.
Typische Dorfwäldchen, d. h. Baum- und Strauchvegetation aus allen möglichen Nutzpflanzen gemischt.
Rechts *Cocos*hain. (Buitenzorg Java.) [Tschirch phot.]

Tschirch, Handbuch der Pharmakognosie. Verlag von Chr. Herm. Tauchnitz, Leipzig

Saccharum, *Eriodendro* *Cocos*, *Musa*, *Coffea* Dorfwäldchen n Ceylon.
Der Singha ese hält Bananen (Pisangs) feil.

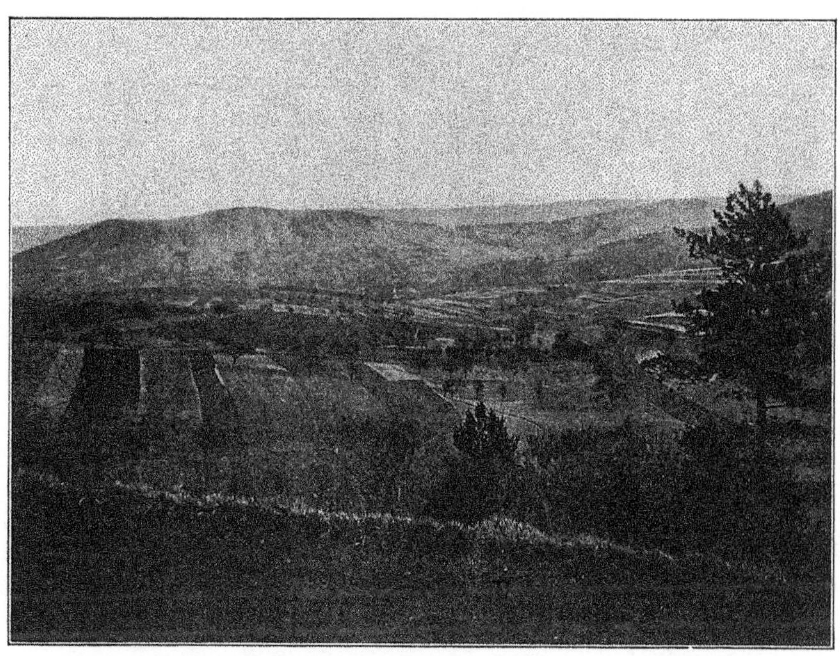

Fig. 33.
Jenalöbnitz b. Jena, der Typus der Kleinkultur.
Im Hintergrunde der Gleissberg (Mönchsberg), an dessen Hängen sich vornehmlich die Arzneipflanzenkulturen befinden — meist nur wenige qm für jede Art. Auf dem Gipfel wird Seifenwurzel gebaut. [Tunmann phot.]

Fig. 34.
Tamarinde in Alleekultur in Batavia. [Tschirch phot.]

Tschirch, Hau buch d Pharmakognosie. Verlag von Chr. Herm. Tauchnitz, Leip g.

Korke chen in Alleekultur bei Bayonne Frankre ch
[Oesterle phot.]

Tschirch, Handbuch der Pharmakognosie.

Verlag von Chr. Herm. Tauchnitz, Leipzig.

Cinchona Succirubra n Alleeku tur.

Fig. 35.
Dammara alba in Alleekultur bei Batu-Tulis auf Java. [Tschirch phot.]

Fig. 36.
Plantage von *Liberia-Kaffee* mit *Albizzia moluccana* als Schattenpflanze. [Tschirch phot.]

Tschirch, Handbuch der Pharmakognosie.

Verlag von Chr. Herm. Tauchnitz, Leipzig.

Fig. 37.

*Kaffee*pflanzung mi Urwaldbäumen und Bananen als Schattenpflanzen in Nicaragua. Aus Preuß Zentral und Südamerika

Fig. 38.
Junge *Guttapercha*plantage (*Payena Leerii*) auf Java mit *Albizzia moluccana* als Schattenpflanze.
[Tschirch phot.]

Fig. 39.
Die erste *Guttapercha*plantage auf Java von *Palaquium Gutta* ohne Schattenbäume, Kulturtuin in Tjikeumeu.
[Tschirch phot.]

Verlag von Chr. Herm. Tauchnitz, Leipzig.

Tschirch, Handbuch der Pharmakognosie. Verlag von Chr. Herm. Tauchnitz, Leipzig

Tabakkultur in Portorico

un er dr me rere Hektare große F ächen straffgespannten lei hten Stoffen. D es neue Verfahren gibt Schatten, schütz gegen Insek en raß und erzeug e ne gleichmäßig hohe Tempera ur und hohe F u htigkeit.

Pflanzen (Fig. 14), auf Sumatra: *Tabak* (Fig. 22), auf Ceylon: der *Ceylonzimt* (Fig. 30), bei Mitcham: die *Pfefferminze*, in Deutschland, bei Cölleda z. B.: *Angelica*, *Mentha*, *Alant*, in Miltitz bei Leipzig: *Rosa* (s. Taf. III), bei Nürnberg und Schweinfurt: *Althaea* und andere *Malvaceen*, in Rußland: *Anis*, in Holland: *Kümmel*, in England: *Rhabarber*, in Grasse (Fig. 11): die Pflanzen mit ätherischem Öl, in Frankreich: die *Seestrandfichte* (zur Terpentingewinnung), in Österreich: *Pinus Laricio* (Fig. 15), in der Schweiz: *Absinth*.

In großem Stil werden in Frankreich die «*Absinthkräuter*», d. h. die Kräuter gebaut, die zur Herstellung des Absinthlikörs gebraucht werden. Es sind dies in erster Linie der große *Absinth* (*Artemisia Absynth.*), dann die aromagebenden Beisätze: der kleine *Absinth* (*A. pontica*), der *Ysop* (*Hyssopus offic.*) und die *Melisse*. Die *Absinth*kulturen der Schweiz gehen ihrem Ende entgegen, da der Absinthlikör jetzt verboten wird.

Lichte Haine bildet die *Mannaesche* in Sizilien (Fig. 17) und die *Cocospalme* in Südasien (Fig. 19), Wälder die *Cinchonen* (Fig. 18), große Waldbestände die *Seestrandfichte* in dem Departement des Landes in Frankreich.

Ganz eigenartig ist die Kultur des *Reis* auf den Sawahs (Fig. 24). Hier

Fig. 4 Teefelder in Südchina. [Aus Illustr. Welt.]

wird in terassierten, gestreckt viereckigen, durch niedrige Wälle rings umschlossenen Abteilungen, die periodisch unter Wasser gesetzt werden, die junge Reisflanze in den Schlammboden gesetzt und bis zur Reife im Wasser erhalten. Erst dann wird das Wasser abgelassen.

Höchst eigenartig sind auch die großen *Citrus*kulturen am Gardasee (Fig. 27 u. 28), wo besonders die *Citrone* im großen Stil kultiviert wird. Es sind terrassenartig übereinanderliegende «Orangerien», die so eingerichtet sind, daß sie oben und an der Vorderseite nötigenfalls gedeckt, resp. verschlossen werden können. Mit ihren weißen Pfeilern bieten sie ein sehr eigenartiges Bild.

Ganz anders sind die großen *Citrus*kulturen in Kalifornien angelegt (Fig. 31), wo das außerordentlich günstige Klima offene ungeschützte Anpflanzungen erlaubt. Hier wird der Boden entweder terrassiert oder man wählt sanft abgedachte Hänge, in beiden Fällen um eine möglichst ausgiebige Bewässerung zu ermöglichen, die bei dem ziemlich trockenen und heißen Klima unbedingt erforderlich ist.

In Plantagenkultur findet sich auch der *Mohn* in Kleinasien, Persien, Indien und China.

2. Die Kampong- oder Gartenkultur ist die Kultur im Kleinen. Kampong ist der malaiische Name für das Dorfwäldchen. In Indien wird *Cocos*, etwas *Kaffee*, vielfach auch *Myristica* und *Vanille* sowie *Betel* in Dorfwäldchen kultiviert (Taf. IV, Fig. 22 u. 32), in China steht der *Tee* bei den Bauern vielfach in Kleinkultur, in Abyssinien *Kusso*.

Fig. 41.
Canarium commune in Alleekultur. Die berühmte „Kanarie Laan" des slands plantentuin in Buitenzorg (Java). [Tschirch phot.]

In Deutschland ist Jenalöbnitz (Fig. 33) der Typus für die Kultur im Kleinen. Hier werden die Arzneipflanzen in kleinen Parzellen gebaut. Dann sind hier auch die Bauerngärten, die ihren Überschuß an die Apotheken abgeben, und die allerdings immer seltener werdenden Apothekengärten zu nennen, in denen *Königskerze* und *Malven*, *Calendula* und *Kamille*, *Estragon*, *Absinth* und *Melisse* blühen, und von der Frau Apothekerin geerntet werden. Besonders die Bauerngärten liefern, wie mich Erkundigungen in etwa 100 Drogerien und Apotheken lehrten, mehr als man glauben sollte. In den deutschen und schweizerischen Bauerngärten werden jetzt noch folgende Arzneipflanzen regelmäßig kultiviert: *Calendula*, *Chamomilla*, *Paeonia*, *Monarda*, *Rosa*,

Tanacetum, *Verbascum*, *Malva arborea*, *Althaea*, *Absinthium*, *Majorana*, *Petroselinum*, *Cerefolium*, *Levisticum*, *Armoracia*, *Carum Carvi*, *Melisse*, *Salvia*, *Rosmarin*, *Thymus*, *Mentha crispa*, *Anethum*, *Sambucus*. Viele davon stehen schon in CARLS Capitulare. Die Bauern bringen ihre kleine Ernte dem Apotheker.

3. Die Alleekultur, die bei unseren Obstbäumen so viel benutzt wird, fand ich in Indien bei *Dammara* (Fig. 35) und in beschränktem Maße — jetzt verlassen — auch bei *Cinchona* (Taf. VI) und *Vanilla*. In Alleekultur findet man auch in Südfrankreich die *Korkeiche* (Taf. V), in Indien die *Tamarinde* (Fig. 34). Die Lindenalleen liefern den großen Bedarf an *Lindenblüten*. Als Heckenpflanze wurde in Java *Ananas* und *Bixa orellana* gepflanzt.

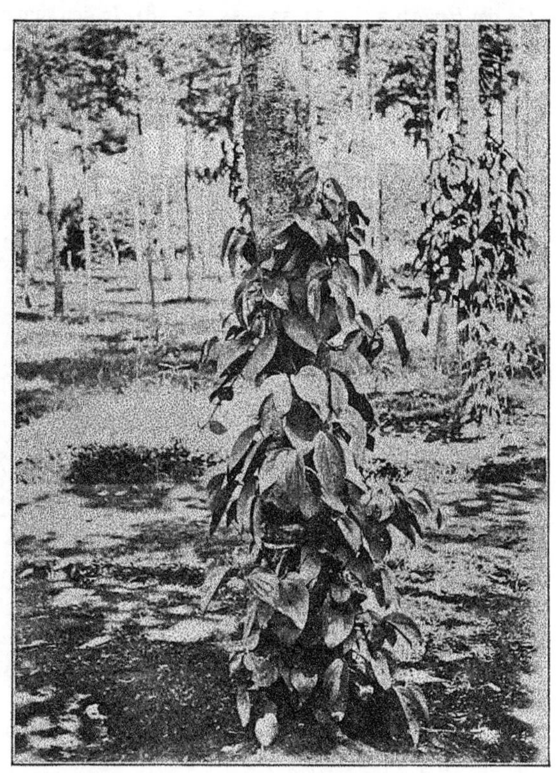

Fig. 42.
Piper Cubeba an dem Stützbaum kletternd (Java). [Tschirch phot.]

4. Mischkultur. Sie hat viel Ähnlichkeit mit der Kampongkultur im «Dorfwäldchen». Während aber bei dieser alle möglichen Pflanzen durcheinander gepflanzt werden, besteht die Mischkultur meist nur aus zwei Arten, die durcheinander gepflanzt werden. In Mischkultur befindet sich z. B. *Cacao* und *Kaffee* auf Ceylon und in Südamerika, *Uncaria Gambier* und *Pfeffer* auf dem Rioux-Lingga-Archipel (besonders Rioux und Bintang), *Süßholz* und *Weizen* in Calabrien, *Süßholz* und *Erbsen* bezw. *Mais* in Teramo usw.

Die Holländer nennen die Chinapflanzung Kina tuin (d. h. Chinagarten), die Muskatnußpflanzung Noten tuin (d. h. Nußgarten). Die großen Muskatplantagen auf den Bandainseln werden Perk (d. h. Park) genannt, die sie besorgenden Männer Perkeniere. Die Engländer sprechen von China plantation, Tea plantation, Koffee estate. Die Vanillepflanzungen heißen bei den Spaniern Bainillales, bei den Franzosen Vanilleries. Ein Garten von Balsambäumen in San Salvador wird Balsamal genannt (Fig. 23). Die Matewälder in Südamerika heißen Yerbales, die Cacaogärten Huertas.

In Cölleda a. d. Unstrut nennt man die Arzneipflanzen-Kultivateure Botaníker (mit dem Ton auf dem i) und die Arzneipflanzenkultur Botanisie.

Nicht alle tropischen Pflanzen können in freier Sonne kultiviert werden. Einige verlangen **Schattenpflanzen**, d. h. Schatten spendende. Die erste Pflanze, welche als

Schattenpflanze angewendet wurde, war *Erythrina Corallodendron*, die «madre del Cacao» oder «Arbol madre» in den Cacaopflanzungen Südamerikas. In Java wird beim *Kaffee* und den *Guttapercha*pflanzen jetzt meist die rasch wachsende *Albizzia moluccana* (Fig. 36 u. 38) oder — seltener — *Hypophorus subumbrans*, *Cassia florida* oder *Sponia velutina*, in Südamerika beim *Kaffee* wohl auch *Castilloa* benutzt. In Ceylon wird der *Kaffee* ohne Schattenpflanze kultiviert (Taf. I), wie auch der *Tee* (Taf. II), ebenso der *Tabak* in Sumatra (Fig. 22).

Schattendächer verwendet man auch bei den Nurserys der *Cinchonen* in Java, des *Kaffee*, der *Hevea* u. a. (Fig. 21, 53—55, 57, 58). In den sumatranischen Tabakspflanzungen werden die jungen Pflänzchen durch breite «Schattenhölzchen»; die man neben die Pflanze in den Boden steckt und später entfernt, gegen die Strahlen der Sonne geschützt (Fig. 59). Bei den jungen Sämlingen der Korkeiche dient in Portugal der *Wein* als Schattenpflanze.

Fig. 43.

*Pfeffer*plantage in Java. Stützbaum: *Eriodendron anfractuos.* (Kapok). [Tschirch phot.]

In Indien werden junge *Cacao*pflanzen mit *Musa* (besonders *M. textilis*) beschattet, ältere mit *Albizzia moluccana* oder *Erythrina lithosperma* (Dadap). In Ceylon sah ich *Erythrina*arten dem Zwecke dienen (*E. indica* und *lithosperma*), sowie *Artocarpus integrifolia* (Djaktree). Auch in Venezuela werden *Erythrinen* dazu benutzt (*E. Corallodendron, velutica, umbrosa*), für junge Anlagen an Stelle der *Bananen* auch *Yuccas*.

In Venezuela wird der *Kaffee* stets mit Schattenbäumen gepflanzt — der Schattenbaum heißt «Koffiemama» — und zwar werden in der Tierra caliente und templada *Erythrina glauca* und *micropteryx* (Bucares), *Pithecolobium Saman* und *Inga*arten (Guamos), in der Tierra fria mehrere *Inga*arten (*Inga longituba*, *Hartii*, *marginata*, *edulis* usw.) dazu benutzt. Beim *Cacao* werden in Trinidat *Erythrina*arten (*E. amasisa, micropteryx, glauca*) oder *Pithecolobium Saman*, in Surinam *Erythrina glauca* oder *umbrosa* — «Kakaomama» — als Schattenbäume gepflanzt. *Hura crepitans* und *Artocarpus incisa* haben sich nicht bewährt. In Grenada pflanzt man *Cacao* ohne Schattenbaum. In Guatemala dienen als Schattenpflanzen entweder stehen-

Fig. 44.
*Vanille*plantage von Combani (Mayotte) auf Réunion. Stützbäume. [Lecomte phot. durch Roure-Bertrand.]

Fig. 45.
Vanilla planifolia in Spalierkultur in Java, links im Laub ein Fruchtbündel. [Tschirch phot.]

gebliebene Urwaldbäume (besonders Leguminosen, Fig. 37) oder gepflanzte *Inga*arten, *Gliricidia sepium* — hier die «Madre del Cacao» —, *Trema micrantha* und *Erythrina*arten (z. B. *E. amasisa*). In San Andres-Osuna dient *Cinchona Succirubra*, in San Isidro *Castilloa elastica*, bei Guatemala sogar eine *Cypresse* als Schattenbaum des *Kaffee* (PREUSS). *Manihot* wird auf Sansibar als Schattenbaum der *Vanille* gepflanzt. In Portorico werden neuerdings die *Tabak*felder auf weite Strecken mit leichten Stoffen überspannt (Taf. VII).

Auch das **Zurückschneiden** (topping, pruning) ist eine bei vielen in Plantagenkultur befindlichen Arzneipflanzen wichtige Operation. So werden die *Tee*- und *Ceylonzimt*bäumchen stets so stark zurückgeschnitten, daß sie Strauchform annehmen (Fig. 29, 30, 40 u. Taf. II). Bei dem *Cacao*baum kappt man den Gipfeltrieb und läßt, um den Baum breiter und niedriger zu halten, nur zwei oder drei gleichwertige Basaltriebe sich entwickeln, so daß man in der Plantage meist zwei- oder dreigabelige Stämmchen findet.

Fig. 46.
Dioscorea alata an dem Stützbaum kletternd (Java). [Tschirch phot.]

Eine besondere Rolle spielen die dem Rande der Plantage entlang gepflanzten **Windbrecher** (windbrekers), die dem Windschutz dienen. Bei *Cacao*pflanzungen fand ich in Java oft *Bixa Orellana* als Windbrecher gepflanzt (Fig. 56), bei *Kaffee*pflanzungen auch *Morus indica* und *Hibiscus elatus*.

In Südamerika wird *Cedrela odorata* zu gleichem Zwecke benutzt.

Eine besondere Gruppe bilden die Pflanzen, die nur mit einer Stütze wachsen können, also zur Klasse der **Klimmpflanzen** (climbing plants) gehören. Sie werden entweder an **Spalieren** gezogen (Fig. 45) oder an in einiger Entfernung voneinander gepflanzten **Stützbäumen** (Fig. 42—44) oder an beiden, d. h. an zwischen Stützbäumen angebrachten Spalieren. Alle drei Methoden werden bei der *Vanille* benutzt. Nur an Stützbäumen werden der *Pfeffer* (Fig. 43) und die *Cubebe* (Fig. 42) gezogen.

Als Stützbäume des *Pfeffers* sind folgende Arten benutzt worden: *Erythrina indica* (Dadap), *Eriodendron anfractuosum* (Kapok), *Areca Catechu* (Pinang), *Artocarpus integrifol. Hyperanthera Moringa, Morinda citrifolia, Mangifera indica.* Sie dienen gleichzeitig als Schattenbäume. An Bäumen gerankt wird die *Vanille* auf den Seychellen, was sich dort mehr bewährt als die Spalierkultur.

Der eigentlichen Kultur im engeren Sinne steht **die forstwirtschaftliche Pflege** gegenüber, die darin beruht, daß man vorhandene Bestände möglichst schonend ausbeutet und eventuell wieder aufforstet, wo Lücken eintreten. In solcher forstwirtschaftlicher Pflege steht bei uns z. B. die *Eiche*, in China der *Zimtbaum* und neuerdings, seit die japanische Forstverwaltung eingegriffen hat, in Formosa der *Campherbaum*, ferner in Amerika und in Frankreich (Departement des Landes) die Harz liefernden *Coniferen*. In forstlicher Pflege befinden sich auch die *Korkeichen*wälder in Algerien, Tunis und Marokko.

Übrigens hatte schon MUTIS und dann auch die Jesuiten vorgeschlagen, die *Cinchonen* in Bolivien und Peru in forstliche Pflege zu nehmen, um der drohenden Ausrottung zu begegnen.

Bei den «*Yerbales*», den *Matebaum*wäldern in Südamerika kann von «forstlicher Pflege» wohl kaum die Rede sein, ebensowenig bei den *Quebracho*wäldern Argentiniens.

Fig. 47.
Vanilla planifolia an einem Stützbaum kultiviert (Ceylon).
[Tschirch phot.]

Bisweilen werden die **Ernteprodukte sogleich am Orte der Kultur weiter verarbeitet.** So destilliert man z. B. in Cölleda das *Pfefferminzöl*, in den Rosendistrikten Bulgariens und in den Öldistrikten Südfrankreichs wandert man mit den Destillierblasen durch die Kulturen und destilliert die ätherischen Öle an Ort und Stelle und mitten in den Rosenfeldern von Miltitz haben SCHIMMEL & Co. ihre Fabrik errichtet (Taf. III).

Bei der Anpflanzung spielt die richtige **Pflanzweite** eine große Rolle. Sie wird durch Versuche festgestellt. Die *Tee*pflanzen z. B. werden in Java 2—4 Fuß voneinander gesetzt in 3—4 Fuß voneinander entfernten Reihen, die *Cacao*pflanzen 10—20 (meist 15) Fuß voneinander, die *Cinchonen* sehr verschieden, jetzt meist 4 Fuß voneinander.

Auch beim *Safran* wird eine ganz bestimmte Pflanzweite innegehalten. Die Knollen werden hier in Abständen von 8—10 cm in Reihen gesetzt, die 20 cm voneinander entfernt sind. Daher kommt es, daß für den Anbau ziemlich große Flächen gebraucht werden.

Bei tropischen Kulturen (*Cacao, Tee*) werden auch oft zwischen den Pflanzreihen

Tschirch, Handbuch der Pharmakognosie. Verlag von Chr. Herm. Tauchnitz, Leipzig

T p scher Urwa d an den Abhängen des Gedé (Java

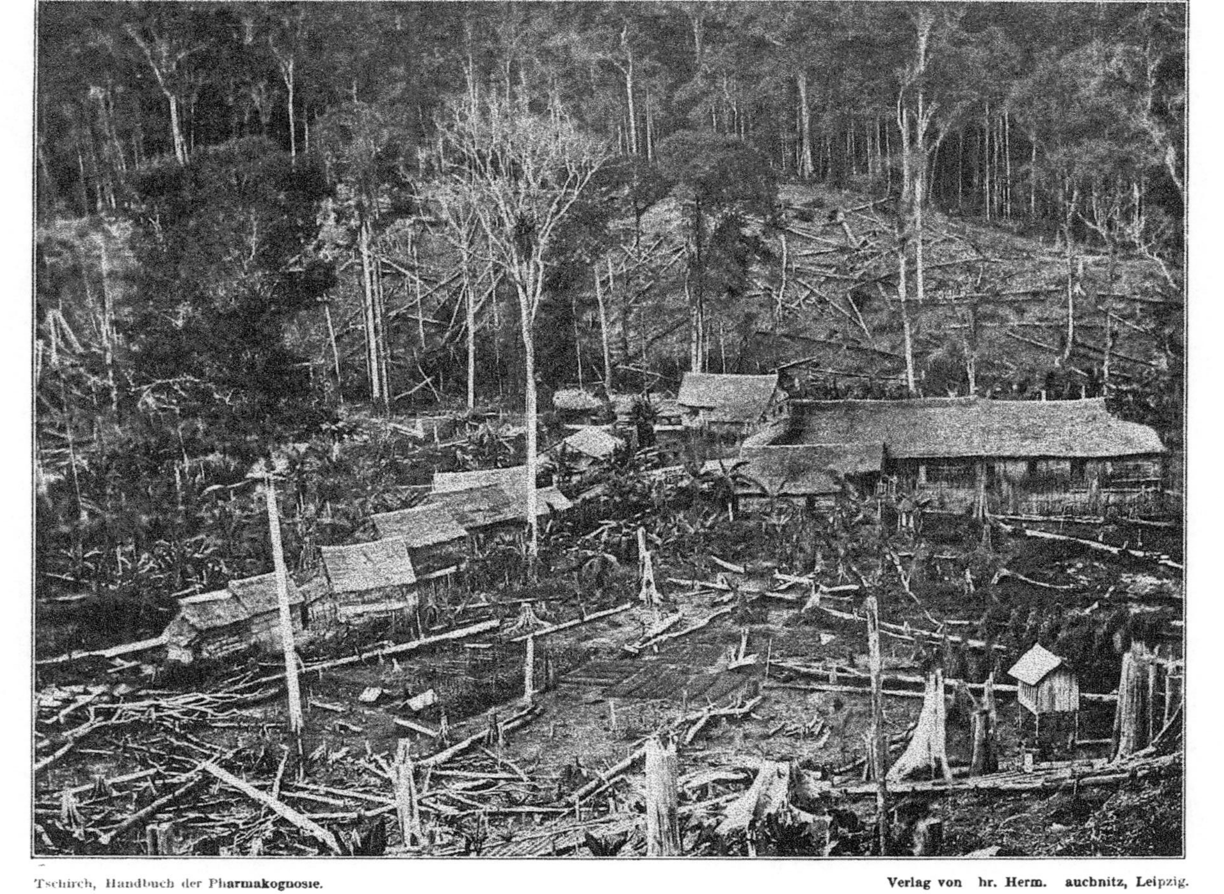

Tschirch, Handbuch der Pharmakognosie. Verlag von Chr. Herm. Tauchnitz, Leipzig.

Beginn der Anlage einer Plantage in Sumatra. Fällen des Urwaldes. Im Vordergrunde einige Keimbeete.

Fig. 48.
Cacaofarm der westafrikanischen Pflanzungsgesellschaft Bibundi in Kamerun.

Fig. 49.
Anlage einer *Tabak*plantage auf Sumatra. Der Wald ist gefällt, die Wege angelegt.
[Kolon. Mus. Haarlem.]

Fig. 50.
Der niedergelegte Urwald. Beginn der Anlage einer *China*plantage in Mitteljava.
[Aus Verslag der Gouvernements Kina-Onderneming Java.]

Fig. 51.
Anlage einer Teeplantage auf einer niedergelegten Urwaldspartie in Ceylon.
[Aus Tschirch, Indische Heil- und Nutzpflanzen.]

Gräben zur Drainage gezogen. Die Einzelheiten sind in meinem Buche: «Indische Heil- und Nutzpflanzen und deren Kultur» (Berlin 1892) nachzusehen.

Schon PLINIUS empfiehlt alternierende Reihen als beste Anpflanzungsart, d. h. eine Anordnung:

▪ ▪ ▪ ▪

▪ ▪ ▪ ▪

Die sog. Quincunx, weil drei Bäume jedesmal eine römische V bilden.

Fig. 52.
Ausheben der Pflanzlöcher in einer neuangelegten *Kautschuk*plantage in Indien. [F. O. Koch phot.]

Nur bei einigen der Kulturen im großen Stil (Plantagenkulturen) — *Tee, Cacao, Kaffee, China,* Riechstoffpflanzen — sind auch Versuche mit **Kreuzungen** (Hybridenbildung), **Pfropfungen** u. dergl. gemacht worden und nur bei ihnen hat man auch den Einfluß der Düngung, der Bodenbeschaffenheit, der Beschattung, der Drainage, der Meereshöhe und Regenmenge systematisch studiert. Hier bleibt noch ein großes

Feld für weitere wissenschaftliche Arbeit im Dienste der Praxis. Denn nur bei den *Cinchonen* sind die Versuche bisher nach allen Richtungen hin durchgeführt worden, haben aber hier zu sehr bemerkenswerten Resultaten geführt. So liefert z. B. gerade die Hybride zwischen *Cinchona Succirubra* und *C. officinalis* eine sehr wertvolle Rinde.

Besondere in den Kulturen geübte Verfahren sind das «Erneuern der Rinde» bei den *Cinchonen*, das zur Entstehung der hochwertigen «Renewed barks» führt und

Fig. 53.
Neue Saatbeete einer *Kautschuk*pflanzung in Indien. Im Hintergrunde der Urwald. [F. O. Koch phot.]

das ähnliche Verfahren bei der *Korkeiche*, wo der sog. «männliche» Kork abgeschält wird und sich aus dem Korkcambium der viel wertvollere «weibliche» Kork entwickelt (s. Einsammlung).

In den alten berühmten Arzneikulturorten Clermont Ferrand (Frankreich), Puglia und Acquila (Italien) und den vielen Orten, die uns aus den Namen der Safransorten des Mittelalters bekannt sind (vgl. Pharmakodiakosmie) — noch erinnern einige Ortsnamen (Capo Zaffarano bei Palermo, Zaffarana bei Marsala) daran — sind jetzt die Kulturen von Arzneipflanzen ganz zurückgegangen. Auch die *Crocus*kultur Frankreichs ist jetzt ganz auf Gâtinais, wo im XVII. Jahrh. mit der Kultur begonnen wurde, beschränkt und von 1143 Hektar (1869) auf 477 (1902) zurückgegangen. Vorwärts gehen die Kulturen eigentlich nur in Amerika, wo das zielbewußte Vorgehen des Agriculture Department einen Fortschritt anbahnt, in Spanien bezüglich des *Safran* und besonders in Rußland, dessen riesige unbebaute Landflächen billiges Land und dessen arme Bevölkerung billige Arbeitskräfte darbietet, das also für die Arzneipflanzenkultur prädestiniert ist. Schon 1886 habe ich der damals entsandten russischen Studienkommission die Arzneipflanzenkultur warm empfohlen. Auch Ungarn produziert steigende Mengen.

In Deutschland gehen allenthalben die Arzneipflanzenkulturen zurück. Ich wiederhole, was ich schon in meinem Aufsatze: «Der Anbau der Arzneigewächse in Deutschland» 1890 sagte: «Es wird Sache der großen Drogenfirmen sein, die dabei zunächst interessiert sind und allein eine genaue Übersicht über den wirklichen Bedarf, über die Nachfrage haben, auf Erhaltung und Hebung der heimischen Arzneipflanzenkultur durch sachgemäßen, den Kultivateuren erteilten Rat hinzuwirken.»

Fig. 54.
Cinchona-Nursery unter Schutzdächern auf Java. [Schröter phot.]

Gut rentabel wird die Arzneipflanzenkultur in Mitteleuropa nur bei billigen Bodenpreisen und niedrigen Löhnen. Die *Mohn*kultur (zwecks *Opium*gewinnung) und die *Safran*kultur wurden in Deutschland verlassen, da sie zu viel teure Arbeitskräfte verlangten. Doch ist überall dort, wo Böden frei werden, z. B. in von der *Phylloxera* verwüsteten Weinbergen (vgl. die Lit.) oder wo der Boden eine Fruchtfolge verlangt durch Anbau von Arzneipflanzen eine Rendite zu erzielen und der Apothekergarten lohnt auch heute noch die darauf verwendete Mühe. Der Anbau von *Mohn* zur *Opium*gewinnung ist meines Erachtens auch in Europa noch heute lohnend, da die Samen als Nebenprodukt gewonnen werden können.

Einjährige Pflanzen werden aus Samen erzogen, mehrjährige (*Mentha*) am besten aus Setzlingen (Stecklingen). Der Boden, die Bewässerung, die Beschattung sind für jede Art auszuprobieren. Alle die, welche sich mit Arzneipflanzenkultur beschäftigen wollen, verweise ich auf die unten angegebene Spezialliteratur (besonders auf Löbe und Schöller). Die Hauptsache tut aber die eigene Erfahrung.

In starker Progression wachsen die **tropischen Arzneipflanzenkulturen**, die durch Einführung der landwirtschaftlichen Maschinen neue Impulse empfingen.

Von Boden und Klima begünstigt, werfen sie, rationell betrieben, guten Nutzen ab. So haben besonders die *Cinchona*pflanzungen auf Java und in Vorderindien, die *Tee-* und *Kaffee*pflanzungen in Java, die Kulturen der *Kautschuk*bäume (besonders *Hevea*) in Sumatra, Malacca, Ceylon, Mysore, Travancore, Assam, Birma, Neu-Guinea, Samoa, der *Guttapercha*bäume auf Java, die *Kaffee*pflanzungen in Brasilien, die *Vanille*kulturen auf Bourbon, den Seychellen, Comoren und Madagaskar und auf Tahiti, die *Pfeffer*kulturen im Malaiischen Archipel bedeutende Dimensionen angenommen und auch in den deutschen Kolonien schreitet man kräftig vorwärts und versucht es mit allen möglichen Heil- und Nutzpflanzen (*Cacao, Tabak, Kautschuk, Kaffee, Cinchonen*), wirksam unterstützt von der heimischen Versuchsstation in Berlin und der Station in Amani (D. O. A.). Diese tropischen Kulturen, bei deren Anlage alle Faktoren (Meereshöhe, Regenmenge, Temperatur) berücksichtigt werden, werden jetzt mit allen modernen Hilfsmitteln betrieben. In der Estate (Fig. 48) wohnt der europäische Direktor oder Assistentdirektor und seine Assistenten, in einiger Entfernung liegen die Hütten der unter besonderen Chefs (Mantri besar in Java) stehenden Eingeborenen (Fig. 12). Zunächst wird der tropische Urwald (Taf. VIII) niedergelegt (Taf. IX, Fig. 49—51), die Bäume entweder verbrannt oder verrotten gelassen oder nutzbar gemacht. Dann stellt man mit eisernen Stöcken Pflanzlöcher her (Fig. 51 u. 52). In Keimbeeten (Saatbeeten, Fig. 55 u. 57) werden die Samen zum Keimen gebracht, in Nurserys (Pepinièren, Fig. 59—61) die jungen Pflänzchen bis zur Höhe einiger Dezimeter gezogen, dann in die sorgfältig drainierte und reingehaltene, wohl auch rationell gedüngte Plantage überpflanzt und auch hier noch dauernd überwacht, wie ich dies in meinen Indischen Heil- und Nutzpflanzen ausführlich geschildert habe. Auch dem Trocknen und (event.) Fermentieren wird die größte Sorgfalt gewidmet. Nicht selten wird dann sogar das Endprodukt einer chemischen Kontrolle unterworfen. So gleicht eine solche Pflanzung einem in jeder Hinsicht wohlorganisierten Staate.

Fig. 55.
Saatbeete für keimende *Cinchona*samen auf Java.
[Schröter phot.]

In Java bestehen sowohl Gouvernements Kina Ondernemingen (seit 1854) wie Particuliere Kina Ondernemingen (ungefähr seit 1870), d. h. sowohl Regierungs- wie Privatchinaplantagen. Letztere sind viel umfangreicher als erstere. So kamen 1906 aus den Gouvernementskulturen 777 660 kg, aus den Particulierekulturen 8016820 kg *Chinarinde* nach Amsterdam. Auch in Ostindien bestehen beide nebeneinander.

Sehr umfangreich sind in extratropischen Gegenden die *Oliven-* und *Agrumen*kulturen in Italien und Südfrankreich, die immer noch in aufsteigender Richtung sich

Fig. 56.
Bixa Orellana (in Blüte) als „Windbrecher" am Rande einer *Cacao*plantage in Java gepflanzt.
[Tschirch phot.]

Fig. 57
Gedeckte Keimbeete (Kweekereij) in der Regierungschinaplantage in Tjibouroum (Java).
[Aus Verslag der Gouvernements Kina-Onderneming Java.]

Fig. 58.
Kaffee-Saatbeet in Surinam mit Schattendach. [Aus Preuß, Zentral- und Südamerika.]

Fig. 59.
Pepinièren einer sumatranischen *Tabak*pflanzung, die jungen Pflänzchen durch Schattenhölzer geschützt.
[Nach Haarsma, Tabakbau in Deli.]

bewegenden *Rosen*kulturen in Bulgarien, die *Pfefferminz*kulturen in den Vereinigten Staaten von Nordamerika und Japan, die *Anis*kulturen in Rußland (1906: 5000 Desjätinen), die *Kümmel*kulturen in Holland, die *Süßholz*kulturen in Südrußland.

Einen besonderen Zweig der Kulturen bilden die Kulturen von Pflanzen mit Riechstoffen (Miltitz b. Leipzig, Grasse, Rumelien). Hier gelangen die kultivierten Pflanzen nicht in den Handel, sondern direkt in die Fabriken der ätherischen Öle, Riechstoffe und Parfüms, wo sie sofort verarbeitet werden.

Über die **Verbreitung der Arzneipflanzenkultur** orientieren folgende Tabellen (S. 61 u. flgd.).

Bisweilen hat der Versuch, eine außereuropäische Arzneipflanze in Europa zu kultivieren, zwar nicht zu einem gleichwertigen Produkte geführt, aber eine Kultur hervorgerufen, die sich doch als ganz lukrativ erwieß. Der Versuch, *Rheum palmatum* und *Rheum officinale* in Frankreich und England so zu akklimatisieren, daß ein dem chinesischen *Rhabarber* gleichwertiges Produkt erhalten wird, darf als vorläufig gescheitert betrachtet werden. Es scheint, daß diese Gebirgspflanzen in der Ebene degenerieren (s. oben). Aber die Rhizome sind doch als «*europäischer Rhabarber*» (neben der *Rhapontic*) verkäuflich, allerdings minderwertig.

Fig. 60.
Etwas ältere (einjährige) *Cinchona*pflänzchen vor der Überführung in die Tuins auf Java. [Schröter phot.]

1889 wurden auf Anregung des Vereins zur Beförderung des Gartenbaues in den königl. preussischen Staaten auf den Rieselfeldern bei Blankenburg (bei Berlin) systematische Versuche mit dem Anbau von *Mentha*, *Datura*, *Hyoscyamus*, *Salvia*, *Hyssopus*, *Aconitum* und *Pyrethrum* gemacht und zum Trocknen eine MAYFARTHsche Darre benutzt. Über diese Versuche habe ich (Arch. d. Pharm. 1896) berichtet.

Bisweilen mischt sich der Aberglaube — wie überall hinein — auch in die Arzneipflanzenkulturen. So berichtet USTERI (Beobacht. über tropische Märkte und ihre vegetabil. Prod. Atti soc. elvet. sc. natur. 1903), daß auf Negros die Eingeborenen die Kulturen von *Piper Betle* aufs Sorgfältigste gegen Eindringlinge schützen, da sie glauben, daß die Pflanzen zum Absterben gebracht werden, wenn drei Personen gleichzeitig den Garten betreten, wenn ein Weib zu den Pflanzen tritt oder jemand Salz an eine seiner Pflanzen wirft.

Die **deutschen Arzneipflanzenkulturen**, die ich in der folgenden Tabelle spezialisiert zusammengestellt habe, sind an bestimmte **Zentren** gebunden. Seit alter Zeit bauen Sachsen, Thüringen und Franken Arzneipflanzen. Die Kulturen des Thüringer Hügellandes betreffen besonders: *Coriander*, *Alant*, *Liepstock*, *Angelica*, *Baldrian*, *Verbascum*, die Cölledas (an der Unstrut): *Angelica* und *Mentha piperita*, und so heißt denn die Bahn, welche von Cölleda nach Großheeringen führt, die «Pfefferminzbahn». Dann finden sich bei Jena (Jenalöbnitz) Kulturen zahlreicher Arzneipflanzen, und zwischen Leipzig und Halle, Borna, Altenburg, Lützen, Weißenfels Kulturen z. B. der *römischen Kamille*, von *Kümmel*, *Fenchel*, *Mentha*, *Malven*, *Angelica*, *Majoran*, *Anis*, *Calendula*. In Franken blühen die *Malvaceen*kulturen (Schweinfurt).

Auch **außerhalb Deutschlands** gibt es besonders bevorzugte Zentren der Arzneipflanzenkultur, so in England: Bedfordshire, Suffolk, Surrey, in Frankreich:

Fig. 61.
Tee-Nursery auf Ceylon. [Aus Tschirch, Indische Heil- und Nutzpflanzen.]

Languedoc, in Rußland: die Gouvernements Moskau, Poltawa, Jaroslaw. Holland diktiert jetzt den Marktpreis für *Kümmel* und *Senf*, Rußland den für *Anis*. Der Spezialmarkt für *Anis* ist Krasnoje, das inmitten des größten Anisbaubezirkes liegt, der für *Canthariden* Poltawa. Auf die Märkte von Nischnij Nowgorod und Irbit werden auch Drogen gebracht. Zentren der *Citrus*kulturen für die sog. «Messinaer und Calabreser Essenzen», d. h. die *Citrusöle*, sind Sizilien und Calabrien mit den Exporthäfen Messina, Palermo und Reggio, Zentren der *Veilchenwurzel*kultur sind: Florenz und Verona, der *Rosen*kultur für türkisches *Rosenöl*: Kezanlik, für *Crocus*: Spanien, für amerikanische *Mentha*: Michigan und Indiana, für amerikanische *Colophonium*-Nadelhölzer: Alleghany, für *Mohnkultur* zur *Opium*gewinnung: das nördliche und das südwestliche Kleinasien, für *Chinarinde*: Java u. a. m.

Die Angaben in den folgenden Tabellen beruhen auf Erkundigungen im Lande selbst, bezw. auf eigenen Erfahrungen. In Deutschland und der Schweiz erhielt ich Auskünfte bei den Drogenfirmen, dann in Nürnberg, Cölleda, Jena (Jenalöbnitz) bei mit der Sache Vertrauten, für Rußland erhielt ich Angaben von W. FERREIN und GAUCHMANN, für Frankreich von L. PLANCHON und COLLIN, für Belgien von RANVEZ, für Holland von VAN ITALLIE, für England von GREENISH und HOLMES, für Österreich von FRITZ & Co., für Ungarn von AUGUSTIN und WEBER. Für Nordamerika benutzte ich die Berichte des Department of Agriculture und KRAEMERS Angaben.

Verzeichnis der in Deutschland kultivierten Arzneipflanzen.

Name der Pflanze	Benutzter Teil	Ort der Kultur
Lilium candidum L.	Blüten	Jenalöbnitz.
Acorus Calamus L.	Rhizom	Danzig, Neustäderwald und Praust bei Danzig, Stettin, Liebenwerda (Thüring.).
Cannabis sativa L.	Frucht	Schwarzwald, Württemberg, Baden, im Donau- und Illergebiet.
Saponaria officinalis L.	Wurzel	Jenalöbnitz, Heldrungen.
Adonis vernalis L.	Kraut und Blüte	Jenalöbnitz, Greußen i. Thür.
Nigella sativa L.	Samen	Bei Erfurt, Söflingen b. Ulm.
Aconitum Napellus L.	Kraut und Knollen	Mittenwald a. Isar (Ober-Bayern), Jenalöbnitz, Ebingen (Württemberg), Blankenburg b. Berlin.
Paeonia officinalis L.	Blüten (Korolle) und Samen	Jenalöbnitz (bes. auf dem Mönchsberg).
Papaver somniferum L.	Samen (und Frucht)	Angermünde, Magdeburg, Gotha.
Papaver Rhoeas L.	Blüten (Korolle)	Jenalöbnitz, Schweinfurt, Nürnberg.
Cheiranthus Cheiri L	Blüten	Jenalöbnitz.
Sinapis alba L.	Samen	Aken a. Elbe, Klosterzimmern (östl. Ries.).
Brassica nigra Koch	Samen	Elsaß.
Cochlearia officinalis L.	Kraut	Jenalöbnitz, Eisfeld b. Hildburghausen, Saarunion.
Malvaceen	—	Umgegend von Nürnberg (Großreuth, Kleinreuth, Lohe, Almoshof, Kraftshof, Thon, Buch, Wetzendorf, Rohnhof, Poppenreuth, Sack, einiges auch in Ziegelstein, Maiach, Erlenstegen, Leih, Bislohe, Schnepfenreuth), Umgegend von Schweinfurt (Sennfeld, Gochsheim, Schwebheim, Räthlein, Prichsenstädt), Jenalöbnitz, ferner Groß- u. Klein-Langheim, Gerolzhofen, Castell, Rüdenhausen (Bez.-Amt Kitzingen), Schlauraf. Eingegangen sind die Kulturen in Aken, Ringleben, Haßleben und Klosterzimmern (östl. Ries.), Bauerngärten.
Malva vulgaris Fries } Malva silvestris L. }	Kraut	Dorndorf i. Thür.

Name der Pflanze	Benutzter Teil	Ort der Kultur
Althaea officinalis L.	Wurzel und Blätter	Bei Nürnburg, Schweinfurt (Gochsheim, Sennfeld, Schwebheim), Jenalöbnitz, Söflingen b. Ulm.
Althaea rosea Cav.	Blüten	Bei Nürnberg, Jena und Jenalöbnitz, Schweinfurt (Prichsenstädt), Cölleda, Schlauraf, Heldrungen (Hemleben, Gorsleben), Donndorf, Ebingen, Gotha, Bamberg, Blaubeuren, Hegnach (Württemberg) und in Bauern- und Apothekengärten.
Ruta graveolens L.	Kraut	Aken a. Elbe, Gernrode a. Harz, Jenalöbnitz, Ringleben, Haßleben, Nürnberg, Söflingen b. Ulm und in Bauerngärten.
Rhus toxicodendr. Mich.	Blätter	Jenalöbnitz.
Pimpinella Anisum L.	Frucht	Bei Weißenfels, Halle und Erfurt, ferner in Franken und Württemberg.
Carum Carvi L.	Frucht	Erfurt, bei Weißenfels, Halle, Merseburg, Cölleda, Bitburg, Ostseeprovinzen, Hegnach(Württemberg),Söflingen b.Ulm.
Archangelica officinalis Hoffm.	Wurzel	Cölleda, Frohndorf, Neuhausen, Orlishausen, Stödten, Ober-Heldrungen, Schneeberg (Bockau, Lauter, Zschorlau, Sachsenfeld), Schweinfurt (Gochsheim, Schwebheim), Miltitz b. Leipzig.
Levisticum officinale Koch	Wurzel	Cölleda (Frohndorf, Orlishausen, Stödten, Neuhausen), Miltitz b. Leipzig und in Bauerngärten.
Foeniculum capillaceum Gilib.	Frucht	Weißenfels, Leipzig, Halle, Erfurt, Markranstädt-Lützen (b. Merseburg), Cölleda, Aken, Blankenburg b. Berlin, Söflingen b. Ulm, ferner in Franken und Württemberg.
Anethum graveolens L.	Frucht	Magdeburg, Quedlinburg, Kahla (Thüringen), Jena.
Petroselinum sativum Hoffm.	Kraut und Wurzel	Jenalöbnitz, Miltitz b. Leipzig, bei Nürnberg und in vielen Bauern- und Apothekengärten.
	Frucht	Quedlinburg, Jenalöbnitz.
Meum athamanticum Jacq.	Rhizom	Schneeberg (Bockau, Lauter, Zschorlau, Sachsenfeld).
Coriandrum sativum L.	Frucht	Bei Erfurt, Walschleben, Elxleben, Gr. Dachwig, Großrudestedt, Udestedt, Söflingen b. Ulm.
Conium maculatum L.	Kraut	Aken, Eisfeld b. Hildburghausen.
Punica Granatum L.	Blüten	Leipzig u. and.
Rosa gallica L.	Blüten (Korolle)	Vierlanden (b. Hamburg), Jenalöbnitz (Nürnberg).
Rosa centifolia L.	Blüten (Korolle)	Jena, Jenalöbnitz, Greußen i. Thür., Gotha.
Rosa damascena Müller (bulgar. Rose)	Blüten (Korolle)	Miltitz bis Markranstädt (Sachsen).
Trigonella Faenum graecum L.	Samen	Bei Erfurt, Großengottern, Mühlhausen i. Thür., Cölleda, Söflingen b. Ulm, im Vogtland.

Name der Pflanze	Benutzter Teil	Ort der Kultur
Melilotus officinal. Desr. und M. altissimus Thull.	Kraut	Jenalöbnitz, Schweinfurt.
Glycyrrhiza glabra L.	Wurzel	Schweinfurt (Schwebheim).
Menyanthes trifoliata L.	Blätter	Cremmen (Brandenburg), Zehdenick, Leichholz b. Frankfurt a. O., Alt-Ruppin, Ebnath (Bayern), Nürnberg.
Borago officinalis L.	Blüten und Kraut	Jenalöbnitz (Löberschütz, Beutnitz, Golmsdorf, Frauenprießnitz).
Cynoglossum officinal. L.	Kraut	Jenalöbnitz.
Hyoscyamus niger L.	Blätter und Samen	Blankenburg b. Berlin, Gernrode, Schweinfurt (Schwebheim), Jenalöbnitz, Hegnach (Württemberg), Aken, Eisfeld b. Hildburghausen, Oberhausen und in einigen Apothekengärten.
Atropa Belladonna L.	Blätter	Blankenburg b. Berlin, Blankenburg am Harz, im Rhein- und Ruhrgebiet und in einigen Apothekengärten.
Datura Stramonium L.	Blätter, Samen	Blankenburg b. Berlin, Aken, Gernrode.
Verbascum Thapsus L., V. thapsiforme, V. phlomoid. L.	Blüten (Korolle)	Neudorf (Bruchsal), Schweinfurt (Schwebheim, Räthlein), Aken, Ballenstedt a. Harz, Blaubeuren, Schwarzenfeld (Nabburg), Sonderburg (Alsen) und in vielen Bauern- und Apothekengärten.
Veronica officinalis L.	Kraut	Leichholz b. Frankfurt a. O., Kemnath (Bayern), Jenalöbnitz.
Mentha piperita L.	Kraut	Cölleda, Aken a. Elbe, Neudorf (Bruchsal), Lustaedt, Weingarten (Rheinpfalz), Ringleben (Thüring.), Gebesee a. Gera, Heldrungen, Jenalöbnitz, Schweinfurt (Gochsheim), Blankenburg b. Berlin, Saarunion, Söflingen b. Ulm, Nürnberg, Hegnach (Württemberg), Sonderburg (Alsen), Gnadenfrei (Schlesien), Wallmerod, Miltitz b. Leipzig und in vielen Apothekengärten.
Mentha crispa L.	Kraut	Aken a. Elbe, Cölleda, Ringleben, Gebesee, Jenalöbnitz, bei Nürnberg, Söflingen b. Ulm, Hegnach, Blankenburg b. Berlin, Neudorf (Bruchsal) und in Bauerngärten.
Pulegium vulgare Mill.	Kraut	Jenalöbnitz.
Salvia officinalis L.	Blätter	Gernrode, Jenalöbnitz, Aken, Greussen, bei Leipzig, Blankenburg b. Berlin, Heldrungen, Cölleda, Saarunion (Els.), Söflingen b. Ulm, Zanow, Hegnach (Württemberg), Miltitz b. Leipzig und in vielen Bauern- und Apothekengärten.
Salvia Sclarea L.	Blüten und Kraut	Jenalöbnitz.
Rosmarinus officinal. L.	Kraut	Söflingen b. Ulm und in Bauerngärten.
Glechoma hederacea L.	Kraut	Nürnberg, Jenalöbnitz.
Melissa officinalis L.	Blätter	Aken a. Elbe, Heiligenstadt (Thür.), Gotha, Jenalöbnitz, Saarunion (Els.), Heldrungen (Hemleben, Gorsleben), Cölleda, Ringleben, Haßleben, Wernigerode,

Name der Pflanze	Benutzter Teil	Ort der Kultur
		Sonderburg (Alsen), Söflingen b. Ulm, Hegnach (Württemb.), ferner in Baden und im Schwarzwald und in zahlreichen Bauern- und Apothekengärten.
Hyssopus officinalis L	Kraut	Aken, Quedlinburg, Nürnberg, Jenalöbnitz, Blankenburg b. Berlin, Söflingen b. Ulm, Miltitz b. Leipzig und in Bauerngärten.
Thymus vulgaris L.	Kraut	Quedlinburg, Greußen, Schweinfurt, Jenalöbnitz, Zanow, Miltitz b. Leipzig und in Bauern- und Apothekengärten.
Lavendula vera DC.	Blüten	Blankenburg b. Berlin, Söflingen b. Ulm, Miltitz b. Leipzig.
Lamium album L.	Blüten (Korolle)	Elbing, Memel, Jenalöbnitz.
Origanum Majorana L	Kraut	Döbris i. Thüringen, Heldrungen, Wuschlaub b. Leipzig, Schweinfurt, Blankenburg b. Berlin, Zanow und in der sächsischen Lausitz, sowie in zahlreichen Bauern- und Apothekengärten.
Ocimum Basilicum L.	Kraut	Jenalöbnitz, Quedlinburg, ferner in Württemberg, Baden und dem Schwarzwald.
Satureja hortensis L.	Kraut	Jenalöbnitz, Gernrode.
Teucrium Scordium L.	Kraut	Praust b. Danzig, Greußen.
Bryonia vulgaris L. u. B. dioica Jacqu.	Wurzel	Jenalöbnitz.
Asperula odorata L.	Kraut	Rodigast i. Thür.
Sambucus nigra L.	Blütenstand	Franken und allenthalben.
Valeriana officinalis L.	Rhizom	Gebesee, Cölleda, Neuhausen, Frohndorf Orlishausen, Stödten, Büchel, Schneeberg (Bockau, Lauter, Zschorlau, Sachsenfeld), Ringleben, Aschersleben, Pansfelde (Harz), Ballenstedt, Jenalöbnitz Schweinfurt (Schwebheim).
Artemisia Absynthium L.	Kraut	Aken a. Elbe, Steinkirchen (Spreewald), Cölleda, Heldrungen (Hemleben, Gorsleben), Leichholz (Neumark), Gernrode (Harz), Salzwedel (Thüringen), Krausnick (Brandenb.), Neudorf (Bruchsal), Jenalöbnitz, Miltitz b. Leipzig, ferner in Württemberg, Baden und im Schwarzwald und in Bauerngärten.
Artemisia Abrotanum L.	Kraut	Jenalöbnitz, Jena, Söflingen b. Ulm.
Artemisia Dracunculus L.	Kraut	Bei Erfurt, Blankenburg b. Berlin, Ringleben, Haßleben, Jenalöbnitz, Miltitz b. Leipzig und in Bauerngärten.
Pyrethrum cinerariaefol. Trev., P. carneum Bieb., P. roseum Bieb.	Blütenstand	Blankenburg b. Berlin.
Anacyclus officinarum Hayne	Wurzel	Magdeburg, Gernrode a. Harz.
Calendula officinalis L.	Blüten	Erlangen, bei Nürnberg, Jenalöbnitz, Bamberg, Gotha, Ebingen, Donndorf.
Spilanthes oleracea Jacq.	Kraut	Jenalöbnitz.
Anthemis nobilis L.	Blütenstand	Zwischen Leipzig und Altenburg (Borna, Kieritzsch-Leuka).

Name der Pflanze	Benutzter Teil	Ort der Kultur
Silybum marian. Gärtn.	Samen	Jenalöbnitz, Jena, Dorndorf.
Lappa major Gärtn. u. andere Lappaarten	Wurzel	Jenalöbnitz.
Lactuca virosa L.	Kraut u. Lactucarium	Jenalöbnitz, Zell (Mosel).
Tanacetum vulgare L.	Blütenstand	Neudorf (Bruchsal).
Inula Helenium L.	Wurzel	Cölleda (Frohndorf, Orlishausen, Stödten), Groß-Neuhausen (Weimar), Schweinfurt (Schwebheim), Nürnberg, Heldrungen, Jenalöbnitz, Söflingen b. Ulm und in Bauerngärten.
Scorzonera hispanica L.	Wurzel	Nürnberg, Jenalöbnitz.
Cnicus benedictus Gärtn.	Kraut	Gernrode a. Harz, Jenalöbnitz, Erfurt, Heldrungen, bei Nürnberg, Eisfeld b. Hildburghausen, Aken a. Elbe, Söflingen b. Ulm, Cölleda, Ringleben, Haßleben u. in einigen Apothekengärten.
Reseda	Blüten	Miltitz b. Leipzig.
Heracleum		Miltitz b. Leipzig.
Pastinak		Miltitz b. Leipzig.
Sellerie		Miltitz b. Leipzig.
Rubia tinctorum	Wurzel	Elsaß.
Cichorium Intybus	Wurzel	Große Anpflanzungen in der Gegend von Mainz, Worms, Mörisheim.

Die Bezirke Deutschlands und die wichtigsten von ihnen gelieferten wilden und kultivierten Arzneipflanzen.

Ostpreußen.

Flores Chamomillae, Herba Millefolii, Radix Artemisiae, R. Consolidae, R. Cynoglossi, R. Taraxaci, Rhiz. Calami.

Schlesien.

Baccae Juniperi, Cortex Frangulae, Flores Chamomillae, Herba Equiseti, Lichen islandicus, Zuckerrübe.

Sächsische Lausitz.

Cortex Frangulae, Herba Majoranae, Rhiz. Calami.

Erzgebirge.

Radix Angelicae, Rad. Levistici, Rad. Pimpinellae.

Hessen.

Herba Pulmonariae arbor., H. Salviae Sclareae, Rad. cichorei, Flor. Verbasci, Baccae Myrtilli.

Franken.

Lupulin, Baccae Myrtilli, Boletus cervinus, Flores Acaciae, Fl. Arnicae, Fl. Chamomillae, Fl. Calendulae, Flor. Cyani, Flor. Lamii alb., Fl. Primulae veris, Fl. Paeoniae, Fl. Anthyllidis, Fl. Tiliae, Fl. Rhoeados, Fl. Sambuci, Herba Absynthii, H. Althaeae, H. Arnicae, H. Centaurii, H. Polygalae, H. Rorellae, H. Violae tricoloris, H. Menyanth., H. Majoranae, H. Millefol., H. Agrimoniae, Radix Althaeae, R. Arnicae, R. Bryoniae, R. Asari, R. Caryophyllatae, R. Tormentillae, R. Carlinae, R. Ononidis, Rhiz. filicis, R. Valerianae, Semen Colchici, S. Phellandrii, Fructus Anisi, Fr. Cynosbati.

Pfalz.

Baccae Myrtilli, Flores Arnicae, Herba Arnicae, H. Farfarae, H. Rorellae, H. Menth. pip., H. Nicotian., H. Melissae, H. Trifolii fibrini, Lichen islandicus, Rhiz. Arnicae, Rad. Cichorei, Rhiz. Calami, R. Tormentillae.

Thüringen.

Boletus cervinus, Cortex Nucum Jugland., C. Quercus, Flores Arnicae, Fl. Verbasci, Fl. Hyperici, Fl. Boraginis, Fl. Tiliae, Folia Juglandis, Herba Absynthii, H. Arnicae, H. Belladonnae, H. Centaurii, H. Cochleariae, H. Digitalis, H. Farfarae, H. Hyssopi, H. Melissae, H. Menthae piperitae, H. Petroselini, H. Polygalae, H. Pulsatillae, H. Rutae, H. Salviae Germ., H. Salviae Sclareae, H. Taraxaci, H. Thymi, H. Saniculae, H. Agrimon., Rhiz. Filicis, Radix Angelicae, R. Bardanae, R. Helenii, R. Levistici, R. Ononidis, R. Pimpinellae, R. Taraxaci, R. Valerianae, Fruct. Anethi, Fr. Coriandri, Fr. Anisi, Sem. Cardui Mariae, S. Faenugraeci.

Schwarzwald, Württemberg und Baden.

Boletus chirurgorum, Herba Absynthii, H. Basilici, H. Belladonnae, H. Cannabis sativae, H. Melissae, H. Pulsatillae, H. Aron., H. Viol. tricolor., H. Stramon., H. Hyoscyam., Flor. Arnicae, Fl. Chamom. vulg., Fl. Acaciae, Fl. Malvae Arboreae, Fl. Verbasci, Rhiz. Meu., R. Iperator., R. Asari, Rhiz. Filicis, Rh. graminis, Rad. Taraxac., R. Caryophyllat., Sem. Urticae Fruct. Junip., Fr. Papav., Hopfen.

Harz.

Fruct. Petroselini, Flor. Arnicae, Fol. Belladonnae, Digitalis, Hyoscyami, Herb. Petroselini, Fol. Salviae, Herb. Thymi, Majoranae, Radix Valerianae, Fruct. Anisi, Coriandri.

Rheinpreußen.

Herba Galeopsidis, H. Salviae Sclareae, Rhiz. Polypodii, Lactuca virosa.

Provinz Sachsen.

Fruct. Papaveris, Herba Cardui benedicti, H. Majoranae, H. Menthae crispae, H. Menthae piperitae, Rhiz. Calami, Rad. Pyrethri Germ., R. Saponariae rubr., R. Valerianae, Semen Erucae, Fruct. Foeniculi, S. Nigellae, S. Papaveris, S. Faenugraeci, Inula Helenium, Zuckerrübe.

Sachsen.

Bei Miltitz b. Leipzig: Rosen (zu Rosenöl, Rosenpomade, Rosengeraniol und Rosenwasser), Pfefferminze, Angelica, Reseda, Ysop, Basilicum, Levisticum, Heracleum, Pastinak, Muskateller Salbei, Thymian, Estragon, Petersilie, Sellerie, Wermut.

Anthemis nobilis (zwischen Leipzig und Altenburg).

Vogtland.

Trigonella faenum graecum.

Elsaß.

Flor. Chamom. vulg., Fl. Malv. arbor., Trigonella faenum graecum, schwarzer u. weißer Senf, Fol. Digitalis, Fol. Nicotian.

Bayern.

Malvaceen, Hopfen.

Kulturen von Arzneipflanzen ausserhalb Deutschlands.

Holland.

Noordwyk (Prov. Zuid-Holland): Quercusarten, Salixarten, Sambucus niger, Althaea officinalis, Calendula, Lavendula vera, Humulus Lupulus, Matricaria Chamomilla, Melilotus officinalis, Tanacetum vulg., Verbascumarten, Aconitum Napellus, Atropa Belladonna, Conium maculatum, Digitalis purpurea, Hyoscyamus niger, Lactuca virosa, Melissa officinalis, Mentha crispa Mentha piperita, Rosmarinus officinalis, Salvia officinalis, Datura Stramon., Anethum vulg., Archangelica officinalis, Cnicus benedictus, Levisticum officinale, Papaver somniferum Petroselinum sativum, Artemisia Abrotanum, vulgaris und Absynthium, Asperula odorata, Cochlearia officinalis, Armoracia rustic., Gratiola officinalis, Origanum Majorana, Ruta graveolens, Sabina officinalis, Saponaria officinalis, Viola odorata, Foeniculum capillaceum, Inula Helenium, Helleborusarten, Rosa centifolia und andere Rosa-Arten.

Wassenaar (Prov. Zuid-Holland): Althaea officinalis, Salvia, Artemisiaarten, Menthaarten, Foeniculum capillac., Origanum Majorana.

Zuid-Holland: Prunus Laurocerasus, Brassica campestris, Senfsamen, Carum carvi, Beta vulgaris, Rubia tinctorum, Linum usitatissimum, Cannabis sativ.

Meppel (Prov. Drenthe): Hyoscyamus niger, Atropa Belladonna, Digitalis purpurea, Aconitum Napellus, Cochlearia offic., Armoracia rustic., Cnicus benedictus, Datura Stramonium.

Prov. Noord-Holland: Prunus Laurocerasus, Inula Helenium (Alkmar), Brassica campestris, Papaver somniferum, Senfsamen, Carum carvi, Beta vulgaris, Linum usitatissimum.

Utrecht: Senfsamen, Carum carvi, Beta vulgaris, Tabak.

Zeeland: Papaver somniferum, Senfsamen, Carum carvi, Beta vulgaris, Cichoriumwurzel, Rubia tinctorum, Linum usitatissimum.

Groningen: Camelina sativa, Senfsamen, Carum Carvi, Beta vulgaris, Cichoriumwurzel, Linum usitatissimum.

Overysel: Camelina sativa, Linum.

Gelderland: Camelina sativa, Beta vulgaris, Humulus Lupulus, Tabak.

Friesland: Papaver somniferum, Senfsamen, Carum carvi, Beta vulgaris, Cichoriumwurzel, Linum.

Noord-Brabant: Senfsamen, Carum carvi, Beta vulgaris, Cichoriumwurzel, Rubia tinctorum, Linum, Cannabis sativ., Humulus Lupulus.

Limburg: Cichoriumwurzel, Humulus Lupulus.

Niederösterreich.

Faenum graecum (Retz), Sinapis nigra und alba, Mentha piperita, Melissa officinalis und Chenopodium ambrosioides (Waidhofen a. d. Th.); Pinus Laricio (für Harz). Die Kulturen von Lactuca und Safran sind eingegangen.

Mähren.

Glycyrrhiza glabra und Rheum Rhaponticum (Auspitz, Austerlitz, Poppitz), Salbei, Anis, Fenchel, Kümmel, Coriander, Faenum graecum (Znain), Tilia.

Böhmen.

Schwarzer Senf, Hopfen (Saaz, Auscha, Pilsen).

Galizien.

Anis, Fenchel, Kümmel, Coriander.

Dalmatien, Montenegro, Herzegowina.

Pyrethrum cinerariaefolium (dalmatische Insektenblüte), Rosmarin (süddalmatische Inseln).

Ungarn.

Juniperus, Capsicum (Paprika aus Szegedin), Verbascum, Flor. Malv. arbor.

Agnelli in Csári bei Sassin (Komit. Neutra) kultivierte: Abrotanum, Absynthium, Aconitum Napellus, A. viros., Adianthum aureum, A. pedatum, Adonis auctumnalis, A. vernalis, Agrimonia, Althaea officinalis, A. rosea nigra, Alkekengi (Baccae), Anchusa officinal., A. tinctor., Anethum, Angelica (Radix), A. silvestris, Anisum, Anthemis nobilis (Flor.), A. Cotula (Flor.) Arachis Hypog., Aristolochia Clemat. (Radix), A. pallida (Radix), A. rotund. (Radix), A. sempervirens (Radix), A. Serpentaria (Radix), Arnica, Arthemisia glacialis, A. pontica, A. vulgaris, Asarum canadens. A. europaeum, Asclepias syriaca, Asparagus officinalis, Asperula odorata, A. tinctoria, Asphodelus albus, Asphodelus luteus, Asphodelus ramos., Astragalus bacticus (Fruct.), Ballota nigra, Bardanna (Radix), Basilicum, Belladonna, Betonica, Borago, Bryonia alb. (Radix), Calamus, Calendula, Cannabis sativ., Capsicum annuum (Fruct.), Carduus benedict., C. marian. (Sem.), Carum carvi, Carthamus tinct. (Flor.), Centaurium min. Cerasus acid. und dulc., Cerefolium, Chelidonium majus., Chenopodium ambr., C. atripl., C. Botryos, C. Quinoa (Fruct), C. rubr., Cichoreum Intyb. (Rad.), C. sativ. (Rad.), Cochlearia, Colchicum (Sem. et Bulb.), Conium maculat., Convallaria maj. (Flor.), Corchor. tect., Coriandr. sat., Corylus avellan. (Fruct.), C. Lambert (Fruct.), Crocus sativus, Cucumis Melo (Sem. et Fruct.), Cucurbita Pepo (Sem.),

Cyanus (Flor.), Cynanch. vincetoxic., Cynoglossum, Daphne Mezereum (Rad. et Cort.), Digitalis purp., Dipsacus full., Dracuncul., Eryngium (Rad. et Herb.), Euphorbia. Foeniculum, Glycyrrhiza, Gratiola, Hedera terrestris, Helianthus annuus (Flor. et Fruct.), H. pip. (Flor. et. Fruct.), Hepatica triloba, Herniaria glabra, Hyoscyamus, Hyssopus, Indigofera tinctoria, Inula bifront., I. Helenium (Rad.), Iris florentina, I. germanica, Isatis tinctoria, Iva moschata, Jalapa mirabilis, Lactuca virosa, Lavendula (Flor.), Levisticum, Lilium alb. (Flor.), Linum (Sem.), Lobelia inflata, Majorana gal. (annua), M. germ. (peren.), Malva silvestris, M. vulgaris, Marrubium alb., Matricaira, Melilotus, Melissa, Mentha aquatica, M. crispa, M. piperita, M. Pulegium, Millefolium, Morus nigra, Orchis fusca, O. Morio, Origanum vulgare, Paeonia, Papaver alb. (Sem. et Capita), P. coer. (Sem. et Capita), Parietaria, Patchouli, Petroselinum, Plantago major, Psyllium, Pulmonaria mac., Pulsatilla, Pyrethrum carneum (Flor.), P. parthenium (Flor. et Herb.), P. roseum (Flor.), Reseda luteola, Rheum Emodi, R. palmat., R. offic., Rhus Toxicodendron, Ribes rubr. (Fol.), Rosa centifolia (Flor.), Rosmarinus offic., Rubia tinct. (Rad.), Ruta hortensis, Salicaria, Salvia horminum, S. officinalis, S. Sclarea, Sambucus Ebulus (Fruct.), S. niger (Flor.), Sang. urb., Saponaria offic., Saracenia purpurea, Satureja gallica, S. hortens. germ, Scolopendrium off., Scordium, Serpyllum, Sideritis, Sinapis alb. (Sem.), S. nig. (Sem.), Solanum nigrum, Spilanthes acmella, S. oleraceus, Stramonium, Symphitum, Tanacetum (Flor.), Thymus gallicus (annuus), T. hortensis (germ.), Urtica dioica, U. urens, Verbascum phlomoides (Flor.), V. thaps. (Flor.), Verbena, Veronica, Viola tricolor, Xanthium spinos., X. strumar.

Nach STRÖCKER und AUGUSTIN werden jetzt (1907) kultiviert: Althaea rosea, Cnicus benedictus, Inula Helenium (in Gärten), Linum usitatissimum (im Kleinen überall, an manchen Stellen [Bölcske, Komitat Tohna] im Großen), Melissa officinalis, Mentha piperita (im Großen in Böös, Kom. Pozsony, neben der äth. Öl-Fabrik Rezió-Laib) und in Csári (Kom. Nyitra bei Pfarrer AGNELLI), Mentha crispa (Kom. Tolna), Origanum majorana (Bauerngärten), Salvia officinalis (in Gärten, Kom. Tolna), Sinapis nigra u. Humulus Lupulus (Kom. Báes-Bodrog).

Besonders kultivieren die Apotheker LAIB und VÁRADY in Böös (Komit. Preßburg) und SZKITSÁK in Privigye (Komit. Neutra). LAIB und VÁRADY cultivierten (1907): Absynth. gallic., Car. Carvi (hollandic.), Cnic. benedict., Calend. off., Chamom. vulg. u. rom., Foenicul. graec. u. roman., Hyssop., Iris Florent., Liquirit., Majoran., Malva arbor., Menth. crisp., Levistic., Ruta, Salvia, Thymus, Satureja, Valeriana. In Mezökövesd, Békéscsaba und Kolozsoár (Klausenburg) bestehen auf Anregung des ungarischen Ackerbauministers errichtete, staatlich subventionierte Anlagen für Arzneipflanzenkultur.

England.

Schwarzer Senf, Sumbul.

Essex: Coriander.

Chesterfield: Kümmel, Baldrian.

Bedfordshire, in Steppingley: Belladonna, Lavendel, Bilsenkraut, Mentha, Fingerhut, Pennyroyal, in Ampthill: Loamy, Moister, Belladonna, Aconit, Mohn, Gurken, Lavendel, Conium, Lactuca virosa, Rosa gallica, Rosmarin, Sadebaum, Pennyroyal, Rhabarber: Rheum rhaponticum und Rh. officinale (Rh. undulat.).

Suffolk, in Long Melford: Pfefferminz, Mangelwurz, Bilsenkraut, Mohn. Zur Öldestillation: Kümmel, Dill, Lavendel, Pfefferminz.

Surrey (bei Carshalton): Pfefferminz, Yssop, Schafgarbe, Beifuß, Wermut, Wurmkraut (Rainfarn), Pennyroyal, Feverfew, Marshmallow (Samtpappel), Gamander (Teucr. chamaedrys), Raute, Lavendel, Melisse, Santolina chamycyp., Solidago, Comfrey (Wallwurz), Chelidon. maj., Artemisia Abrotanum, Chenopod. olidum, Belladonna, Bilsenkraut, Sadebaum, Datura Tatula, Kamille und Lavendula.

Surrey (bei Mitcham): Anthemis nobilis, Rosa gallica, Mentha, Süßholz.

Yorkshire: Süßholz (Pontefract).

Cambridgeshire: Belladonna, Aconitum Napellus (Foxton).

Hertfordshire: Mentha

Oxfordshire: Rosa gallica.

Lincolnshire: Mentha.

Derbyshire: Rosa gallica.

Schottland: Lactuca, Lavendula vera.

Italien.

Süßholz (Teramo und in Sizilien b. Caltanisetta), Mannaesche (Calabrien und Sizilien), Iris (b. Florenz und Verona), Pomeranze (Sizilien) [Fol. aurant., Fr. aurant. immatur., Cort. fruct. aurantii], schwarzer Senf (Puglia), Citrone (Gardasee, z. B. bei Gardone), Ricinus, Mandeln (Sizilien und Apulien), Agrumen, Faenum graecum, Fenchel, Oliven, Feigen, Orangen, Anis (Apulien), Johannisbrot (Puglia), Crocus (Acquila).

Ferner liefert Italien nach dem Norden (nach Siegfried-Zofingen): Rad. Saponariae, Rhiz. Graminis, Rad. Althaeae, Fol. Malvae, Flor. Chamomill., Sem. Psylli, Stip. Dulcamar., Fol. Jugland., Fol. Adianti, Fol. Lauri, Pruct. Lauri, Bacc. Juniperi, Rad. gentian., Bulb. Scillae.

Frankreich.

Mentha piperita, Coriander, Anis, Rheum rhaponticum (Dep. d. l. Drôme, eingeg. in der Bretagne), Lavendula (zur Ölgewinnung in Montpellier, Grasse, Ventoux), andere Pflanzen, die ätherische Öle enthalten (Grasse), Althaea off., Malva u. Verbascum Thapsus (Nordfrankreich), Belladonna (bei Paris), Fenchel (Nimes), Wacholder (Jura u. Südfrankreich), Rosmarin (Südfrankreich), Glycyrrhiza glabra (Südfrankreich), Faenum graecum (Südfrankreich), Safran (Pithiviers en Gâtinois, weniger bei Orleans, Avignon u. Vinaisson), Mandeln, Oliven, Citronen u. Orangen (Südfrankreich) Rosa gallica (Lyon, Champagne, Nizza, Cannes u. Grasse), Eucalyptus u. Pomeranze (Nizza), Jasmin, Tuberose, Cassia, Veilchen u. Orangenblüten (Südfrankreich); Artemisia Absynthium, Artemisia pontica, Hyssopus officinalis u. Melissa officinalis (zur Absinthfabrikation), Krapp (Avignon), Tournesol-Crozophora tinctoria (Grand Gallargues. Dep. Gard), Pinus maritima (im Dep. des Landes für Harz).

Clermont Ferrand (Kulturen früher groß, jetzt unbedeutend): Lactucarium, Angelica (Wurzel), Kirschstiele, Erdbeer- u. Nußblätter.

Languedoc (Meynes, Montfrin, Jonquières): Alant, Mentha, Ysop (der wildwachsende in La Drôme u. La Crau besser), Melisse, Fenchel, Carotte, Salbei, Toute-bonne, Rainfarn.

Houdan (zwischen Chartres u. Versailles, Kulturen von Fouché und Oudin): Hundsgras (Quecke), Kresse, weiße Nessel, Hyoscyamus, Belladonna, Borago offic., Angelica, Artemisia, Absinth, Cochlearia, Rosmarin, Ysop, Melisse, Angelica, Lavendel, Baldrian, Saponaria, Prunus Laurocerasus, Althaea, Anthemis, Gentiana purp., Erythraea Centaurium, Rheum Rhapont., Spartium Scoparium, wilde Stiefmütterchen, Mauerkraut, Mentha, Carduus benedictus, Chamomilla, Erdrauch, Schafgarbe, Raute, Beifuß, Datura Strammonium, Salbei, Rainfarn, Hirtentäschelkraut, Petersilie, Samtpappel, Fenchel, Melilotus, Rhus Toxicodendron.

Belgien.

Hopfen (Alost), Baldrian, Anthemis nobilis. In der Provinz Hainaut (Hennegau) in Lessines, Deux Acren, Flobeeg: Römische Kamille, Mohn (sehr große Mohnfrüchte), Baldrian, Angelica, Bardanna, Malve, Althaea offic. (Blüten), Verbascum Thapsus. Kleine Kultur von Belladonna, Bilsenkraut, Stramonium, Cigue, Inula Helenium, Aconit. Kulturen im Aussterben.

Schweiz.

Levisticum, Faenum graecum, Absynth, Inula Helenium, Hyssop., Juglans, Tilia, Sambucus, Matricaria, Melissa, Mentha, Rosa gallica, Thymus, Salvia, Cochlearia, Datura (Zofingen), Morus, Linum, Crocus (Mundt bei Brig, Sitten, Faido).

Spanien.

Glycyrrhiza glabra (Alicante, Tortosa, Cordova, Barcelona, Elche), Mandeln (Malaga, Valencia, Alicante u. Majorca), Anis (Alicante), Crocus (La Mancha, Albacete, Murcia, Alicante, Mallorca), Kümmel, Capsicum annuum (Alicante), Punica Granatum, Coloquinte (Südspanien), Johannisbrot (im Süden Spaniens), Feigen, Citronen, Pomeranze (Malaga), Kork.

Portugal.

Mandeln (bei Lissabon u. Oporto), Scilla, Quitten, Citronen, Johannisbrot, Kork.

Griechenland.

Mandeln, Feigen, Anis, Coloquinte (Cypern), Johannisbrot (Cypern u. Candia), Scilla (Malta u. Cypern), Pistacia lentiscus (Chios), Korinthen (Jonische Inseln, Golf von Corinth).

Macedonien.

Papaver (für Opium), Capsicum annuum (Salonichi).

Bulgarien.

Rosa (für Rosenöl), Papaver (für Opium).

Schweden.

Im Versuchsgarten in Landskrona: Conium maculatum, Atropa Belladonna, Cnicus benedictus, Hyoscyamus niger, Achillea Millefolium, Trifolium repens, Pimpinella Anisum, Coriandrum sativum, Petroselinum sativum, Foeniculum officinale, Carum Carvi, Matricaria Chamomilla, Datura Stramonium, Salvia officinalis, Nicotiana Tabacum, Melilotus officinalis, Mentha crispa, Melissa officinalis, Allium sativum, Mentha piperita, Viola tricolor, Sinapis nigra, Sinapis alba, Taraxacum officinale, Cynoglossum officinale, Arctostaphyllos Uva Ursi, Digitalis purpurea, Vaccinium Myrtillus, Verbascum Thapsus, Juniperus communis, Lycopodium clavatum, Ledum palustre, Hypericum perforatum, Arnica montana, Lavendula officinalis, Rosa centifolia, Papaver somniferum, Rosa gallica, Carthamus tinctorius, Convallaria majalis, Tanacetum vulgare, Cochlearia officinalis, Solanum Dulcamara, Pontentilla Tormentilla, Iris speciosa, Aconitum Napellus, Pimpinella Saxifraga, Levisticum officinale, Humulus Lupulus, Colchicum autumnale, Linum usita tissimum, Artemisia vulgaris, Althaea officinalis, Inula Helenium, Hyssopus officinalis, Thymus vulgaris, Artemisia Absinthium.

Finland.

Kümmel (nicht bester Qualität).

Ostseeprovinzen.

Lein, Kümmel, Kalmus.

Rußland.

Tee (Kaukasus, Tiflis), Lein (Mittelrußland), Coriander, Anis (Krasnoje ist Anismarkt), Kümmel, Süßholz (auf den Inseln des Wolgadeltas und weiter südlich), Brassica Besseriana (Südrußland, Gouv. Astrachan, Sarepta), Quitten (Südrußland), Pyrethrum coronopifolium Willd. (Kaukasus), Hanf (südl. von Moskau), Krapp (Derbent am Caspimeer), Fruct. Capsici (Gouv. Samara, Saratow, nied. Wolga), Sem. Cinae (Gouv. Orenburg u. Turkestan), Oliven (Krim, Kaukasus), Mentha piperita (Gouv. Tula u. Bezirk Rostow).

Gouv. Jaroslaw: Herba Basilici, Fol. Melissae, Herb. Majoranae, Fruct. anisi vulg. Herb. Hyssopi, Origani vulg., Petroselinum (Rad. Fol. u. Fruct.), Herb. Estragon., Rad. Dauci, Fol. Ribis Nigri, Herb. Rutae graveolens, Cardui benedicti, Herb. u. Flor. Millefolii. Im Njest Rostewski: Menth. pip., Salvia, Majoran.

Gouv. Poltawa: Petroselinum (Flor., Fol. u. Fruct.), Flor. Malvae Arboreae, Flor. Rosae centifoliae (auch Krim), Flor. Acaciae alb. (auch in Loubny), Herb. u. Flor. Millefolii, Flor. Verbasci Rossic. In Lubnij: Althaea, Chamomilla.

Gouv. Moskau: Herb. Estragon, Capita Papaveris, Stroboli Lupuli, Fol. u. Flor. Helianthi annui (auch in Prilouky), Flor. Chamomill. vulg., Fol. Belladonnae, Fol. Cardui benedic., Fol. Cardui Mariae, Fol. Digitalis, Fol. Petroselini, Herb. Tanaceti balsamit., Herb. basilici, Herb. Centaurii minor., Herb. u. Flor. Millefolii.

Gouv. Tambow: Menth. pip.

Gouv. Woronesch: Anis.

Nordkaukasien (Baku, Jelisawetopol, Derbent): Ricinus. Crocus sativus var. α autumnalis und var. B. Pallassii (C. Pallassii Marsch. Bieb.) werden in Rußland bei Elisabethpol, Tiflis, Derbent und Baku, am Kaspischen Meer und in Nordpersien gebaut.

Kleinasien.

Anis (Smyrna), Feigen (Smyrna, bes. Aïdin), Pyrethrum (Armenien), Glycyrrhiza (Smyrna u. Sohia), Papaver für Opium (im Nordwesten bei Karahissar Sahip, Balarhissar, Geiwa u. Bogaditsch, im Süden bei Uschak, Afjunkarahissar u. Hamid), Colocynthis (Palästina), Liquidambar orientalis (kleinasiatische Küste, gegenüber von Kos u. Rhodus), Krapp (Smyrna), Rosinen (Smyrna), Crocus (Zafiran Boli), Rad. Scammonii.

Persien.

Papaver, Feigen, Pyrethrum, Rosa gallica (Schiras), Crocus (Chorassan).

Vorderindien, Ceylon und Straits Settlements.

Senf (Brassica juncea u. and.) (Bengalen), Tee, Baumwolle, Zucker, Kaffee, Myristica Penang), Lein (Bengalen), Pfeffer (Pulopinang, Malakka u. Penang), Hevea brasiliensis für Kautschuk (Malakka u. Ceylon), Areca Catechu (Ceylon), Coca und Ipecacuanha (Ceylon), Chinarinde (Ceylon, British Sikkim u. in den Nilagiris), Tamarinden, Ricinus, Cannabis indica, Rosa (Bengalen u. Ghazipur), Elettaria Cardamomum (Malabar u. Ceylon), Indigo, Fenchel, Zimt, Zingiber (Bengalen u. Cochin), Cocos, Cassia, Coriander, Curcuma (Bengalen), Papaver für Opium (Indien, Bengalen, Malva, in den Holkarländern), Senna (Tinnevelly), Faenum graecum, Citronella (Ceylon), Pfeffer (Malabar in Tilicheri u. Aleppi, Assam), Jalappe (Ipomoea purga in British Ind., Nilagiris), Andropogonarten (Ceylon), Jute (Bengalen).

Java und andere südasiatische Inseln.

Reis, China, Tee, Kaffee, Curcuma, Cubebe, Indigo, Coca, Palaquium u. Payena Zuckerrohr (Java), Tabak (Sumatra), Hevea für Kautschuk (Java u. Sumatra), Gambier, Pfeffer (Sumatra, Rioux Lingga. Lampong auf Java), Andropogon Schoenanthus (Java), Vanille (Tahiti), Areca Catechu (Java), Myristica (Bandainseln), Melaleuca minor (auf den Burruinseln zwischen Celebes u. Ceram), Gewürznelken (Amboina und auf den Ulyasserinseln: Nusalaut, Saparua u. Haraku), Ylang-Ylang (Manila), Cassia Fistula (Java), Cacao (Samoa).

Japan.

Mentha piperita (Prov. Uzen), Laurus Camphora (Formosa), Aralia Ginseng, Papaver für Opium (Osaka), Sikimi.

China.

Papaver für Opium, Ingwer, Galgant (auf Heinan und in China), Elettaria Cardamomum, Tee, Aralia Ginseng, Rheum (Hupeh), Baumwolle, Sternanis, Laurus Camphora, Cinnamom. Cassia.

Afrika.

Faenum graecum (Ägypten u. Marokko, Mazagan), Brassica, Mandeln (Marokko), Lein (Algerien u. Ägypten), Quitten (Cap), Coriander (Marokko), Kümmel (Marokko), Papaver (Ägypten, Algerien), Feige (Nordafrika), Tamarinden (Ägypten), Gewürznelken (Sansibar u. Pemba, Réunion), Rosa (Tunis u. Ägypten), Hagenia abbyssinica (Abyssinien in Dörfern), Scilla (Algerien), Ingwer (Sierra Leone), Baumwolle (Ägypten), Vanille (Bourbon, Mauritius, Madagaskar, D. O.-Afrika u. Seychellen), Anacyclus Pyrethrum (Tunis u. Algerien), China (Sao Thomé, in Deutsch-West- u. Deutsch-Ostafrika, Réunion), Kola (Westafrika), Tee (Mauritius), Zuckerrohr (Mauritius), Henna, Yohimbéhé.

Australien.

Baumwolle (Hawaï), Eukalypten.

Centralamerika nebst Inseln.

Cacao, Brassica juncea, Citrusarten, Anis (Mexiko), Vanille (Vera-Cruz, Guadeloupe, Martinique), Feigen, Tabak (Cuba), Tamarinden (westind. Inseln), Croton (New Providence), Guajac (San Domingo), China (Jamaica: Blue mountains), Aloë (Barbados, Curaçao), Maranta (Bermuden, auf St. Vincent), Myroxylon Pereirae (San Salvador), Citrus vulg. (Curaçao), Piment (Jamaica), Ingwer (Jamaica u. Barbados), Baumwolle u. Ricinus (westind. Inseln), Kola (Jamaica, Trinidat), Indigo (Mexico).

Südamerika.

Paullinia Cupana (Mané, Villa bella und Imperatrix), Kaffee, schwarzer Senf, Anis (Chile), Vanille (Westabhang der Cordilleren), Ipecacuanha, Mate (Uruguay u. Parana), Capsicum baccatum (Cayenne), Coca (Bolivien u. Peru, Cuzko u. Trujillo), Guajac, Cacao, Jaborandi (Ceará, Paraguay), Indigo (Columbien, Venezuela), Tonco (Venezuela), Nelken (Cayenne), Baumwolle (Brasilien), China (Bolivien), Die Cinchonenkulturen Boliviens liegen in den Seitentälern des Beni und am Mapiri.

Vereinigte Staaten von Nordamerika.

Kultivierte Arzneipflanzen: Mentha piperita (Wayne County in New York, St. Joseph County in Michigan, Wisconsin, Indiana, Ohio), Crocus sativ. (Pensylvanien — aufgegeben), Digitalis purpurea (Washington u. Süd-Carolina), Absynth, Salvia und Atropa Belladonna (New Yersey), Cassia acutifolia (Corpus Christi Texas, Washington), Conium maculatum, Matricaria Chamomilla, Calendula officinalis, Inula Helenium, Ricinus communis, Panax quinquefolium, Urtica urens, Baumwolle, Tabak und Zucker (Südstaaten), Cinnamom. Camphora (Florida).

Gartenkräuter für Hausgebrauch: Anis, balm, sweet basil, bene, boneset, borage, caraway, catnip, coltsfoot, coriander, cumin-dill, sweet fenne, hoarhound, lavender, pennyroyal, Rosmarin, Raute, Salbei, summer and winter savory, Majoran, Symphytum, tansy, tarragon, thymian und wormwood.

Erfolgreiche Versuche (Versuchstationen: Bei Washington (D. C.), bei Timmonsville (Süd-Carolina), bei Huntington (Florida), Pierce (Texas); (die Station der Quäker in Massachusetts (Ohio) ohne Bedeutung): Papaver somniferum (ohne großen Erfolg), Cinnamomum Camphora (bis Süd-Carolina u. Oakland), Glycyrrhiza glabra, Hyoscyamus niger, Citrullus Colocynthis, Capsicum fastigiatum, Datura Tatula, Scopolia Carniolica, Cassia angustifolia, Convallaria majalis, Anacyclus Pyrethrum, Chrysanthemum cinerariaefolium, Aristolochia Serpentaria, Althaea officinalis, Hydrastis canadensis (ohne großen Erfolg), Artemisia anthelmintica (wormseed; Florence County in Nord-Carolina), Ginseng (östl. Ver. Staat.; Hauptzentrum New York), Licorice (Versuche in Süd-Carolina), Capsicum (Versuche in Ebenezer, Süd-Carolina, in Potomac Flats bei Washington und Pierce, Texas).

Kultivierte Nutzpflanzen, auch von medizinischem Wert (nach KRAEMER): Aesculus glabra, Aesculus Hippocastanum, Ailanthus glandulosa, Betula lenta, Castanea dentata, Cercis canadensis, Citrus species, Cornus florida, Diospyros virginiana, Eucalyptus Globulus, Eucalyptus rostrata, Fraxinus americana, Juglans cinerea, Juglans nigra, Juniperus communis, Juniperus Sabina, Larix americana, Lindera Benzoin, Liquidambar styraciflua, Liriodendron tulipifera, Magnolia glauca, Melia Azedarach, Ostrya virginiana, Pinus Strobus, Populus candicans, Populus tremuloides, Prunus serotina, Ptelea trifoliata, Sorbus americana, Pyrus malus, Quercus alba, Quercus rubra, Quercus velutina, Salix alba, Salix nigra, Sassafras off., Tsuga canadensis, Ulmus fulva, Xanthoxylum americanum, Alnus serrulata, Berberis vulgaris, Buxus sempervirens, Ceanothus americanus, Chionanthus virginica, Comptonia peregrina, Cornus stolonifera, Crataegus oxyacantha, Daphne Mezereum, Evonymus atropurpureus, Cytisus Scoparius, Hamamelis virginiana, Hydrangea arborescens, Ilex verticillata, Kalmia latifolia, Laurus nobilis, Myrica cerifera, Amygdalus persica, Rhamnus cathartica, Rh. Frangula, Rh. Purshiana, Rhus glabra, Rosa gallica u. centifolia, Rosmarinus off., Sambucus canadensis, S. nigra, Spiraea tomentosa, Thuja occidentalis, Viburnum Opulus, V. prunifolium, Parthenocissus quinquefolia, Celastrus scandens, Gelsemium sempervirens, Humulus Lupulus, Menispermum canadense, Passiflora incarnata, Solanum Dulcamara, Achillea Millefolium, Aconitum Napellus, Acorus Calamus, Aletris farinosa, Allium sativum, Althaea rosea, Anemonearten, Anthemis nobilis, Asclepias tuberosa, Baptista tinctoria, Betonica officinalis, Cassia marylandica, Chamaelirium luteum, Cimicifuga racemosa, Echinacea angustifolia, Eryngium aquaticum, Foeniculum vulgare, Geranium maculatum, Gillenia trifoliata, Lacinaria spicata, Glechoma hederacea, Hepatica triloba, Paeonia off., Panax quinquefolium u. Aralia quinquefolia (Ginseng in New York, Illinois, Wisconsin, Ohio u. Tennessee, westl. vom Missisippi), Polygonatum biflorum, Polemonium reptans, Rudbeckia laciniata, Ruellia ciliosa, Salvia off., Silphium laciniatum, Sanguinaria canadensis, Symphytum off., Trillium erectum, Urginea maritima, Cereus grandiflorus, Lophophora Lewinii, Andropogon arundinac. vulg., Cannabis sativa, Capsicum fastigiatum, Petroselinum sativum, Carum carvi, Citrullus vulgaris, Cucurbita Pepo, Dephinium Consolida, Gossypiumarten, Hyoscyamus niger, Lactuca virosa, Calendula off., Nicotiana Tabacum, Ocimum Basilicum, Origanum Majorana, Papaver somniferum, Roripa Armoracia, Satureja hortensis, Trifolium pratense u. repens, Zea Mais, Sinapis nigra, Linum, Sassafras, Lobelia inflata, Cypripedium parviflorum u. hirsutum, Polypodium vulgare, Adiantum hirsutum, Polianthus tuberosa (für Parfümerie in Florida und Nord-Carolina).

Californien.

Citrusarten (auch in Florida), Viola odorata, Brassica juncea.

Über die **Rentabilität von Arzneipflanzenkulturen** ist viel gestritten worden. Sie ist abhängig von den Bodenpreisen und der Höhe der Arbeitslöhne. Rußland und Ungarn, die noch große Strecken unkultivierten Landes und niedrige Löhne besitzen, haben die günstigsten Bedingungen für eine rentable Kultur der europäischen Arzneipflanzen.

Pfarrer Jos. AGNELLI in Csári bei Saßin in Ungarn, der gegen 200 Arzneipflanzen anbaute, bemerkt (1893): «Im allgemeinen rentieren sich die medizinischen und technischen Pflanzen entschieden viel besser als alle anderen Ökonomiepflanzen.»

Ich füge hinzu: Sie verlangen aber auch ein liebevolleres Eingehen auf die Individualität und dürfen nicht schematisch betrieben werden.

Lit. Flückiger, Pharmakognosie, Flückiger und Tschirch, Grundlagen. Fristedt, Das Alter unserer vegetabilischen Heilmittel in der Medizin. Schw. Wochenschr. 1885. H. Correvon, Le jardin de l'herboriste. Propriétés et culture des plantes médicinales et des simples (112 Fig.) Genève 1896. Tschirch, Der Anbau der Arzneigewächse in Deutschland. Arch. f. Ph. 1890, 663. Diffloth, La culture des plantes médicinales dans le nord de la France. Journ. Pharm. 1901. Holmes, Cultivation of herbs in Surrey. Ph. J. 1900, Cultivat. of medicinal plants in Bedfordshire and Suffolk. Ph. J. 1900, auch ebenda 1905. Göppert, Die offizinellen und technisch wichtigsten Pflanzen der Gärten. Görlitz 1852. Schmidt, Handbuch der medizinischen und Färbekräuter. Gotha 1832. Salomon, Handbuch der höheren Pflanzenkultur. Stuttgart 1880. Schöller, Der Anbau der Arzneigewächse. Nordhausen 1843. Löbe, Die neueren u. neuesten Kulturpflanzen. Nach Arten, Abarten u. Anbau systemat. beschrieben. 1863. Löbe, Anleitung zum rationellen Anbau der Handelsgewächse. Stuttgart 1868 und 1879. Jäger, Der Apothekergarten. Anleitung zur Kultur und Behandlung der in Deutschland zu ziehenden Medizinalpflanzen. Hannover 1890. Schwabe, Der Medizinalkräuterbau in Thüringen. Korrespondenzbl. d. allg. ärztl. Vereins. Thüringen 1876. Trenka, Über den Anbau von Arzneipflanzen. Pharm. Post 1892. P. Agnelli, Über die Kultur der Arzneipflanzen. Ebenda 1893. Petzold und Süß, Zur Frage des Anbaus von Arzneipflanzen in den durch die Phylloxera devastierten Weingärten. Ebenda 1897. Zapfe, Über die Kultur der Arzneipfl., spez. der Pfefferminze. Ebenda 1897. Breitfeld, Der deutsche Drogenhandel. Leipzig 1906. Schweißinger, Alkaloidgeh. narkot. Pfl. bei der Kultivier. Ph. Z. 1891. Oppenau, Der Hanfbau im Elsaß. Seine Geschichte, Bedeutung usw. 2. Aufl. 1897. Bavay, De l'influence de la culture sur l'activité des plantes médicinales. Congr. int. Paris 1900. Paschkiewicz, Kultur von Arzneipflanzen (russisch) 1903. Camus, Die (in Frankreich) einheimischen Medizinalpflanzen. Bull. sc. pharmacol. 1903. Ward, On the growth of plants in glazed cases. London 1842. W. K. Voltz, Der Einfl. d. Menschen auf die Verbreitung d. Haustiere und Kulturpflanzen. Leipzig 1852. Andersson, Plantes cultivées de la Suède. Ann. sc. nat. 1867. Risso et Poiteau, Hist. et cult. des Orangers. Paris 1872 (m. 110 Taf.). Arcuri, Coltivazione de Frassino da Manna. Agricoltura meridionale 1879. Arzneipflanzen-Anbau bei Berlin. Deutsche Gartenzeitung 1886, S. 118 u. 599. Kraemer, Conversation and cultivation of medicinal plants. Am. Journ. pharm. 1903 und Textbook of botany and Pharmacognosie 1907. Post und Lindström, Om odling och insaml. af medicinalväxter 1905 (m. kol. Taf.). Safran-Kultur in Pennsylvanien. Am. Journ. pharm. 1905. A. Poehl, Die Kultur von Medizinalpflanzen auf radiumhaltigen Böden. Pharmatsevtischesky Journal 1905. Stich, Zum Anbau von Medizinalpflanzen. Apotheker-Zeit. 1907, Nr. 89. Waldmann, Einiges über Medizinalkräuter in Ungarn und Frankreich. Pharm. Post. 1908. Béla Páter, Gyógynövények termelése (Heilkräuteranbau). Verl. d. Siebenbürg. Landwirtsch. Ver. u. Ders., Vadontermö Gyógynövények (Wildwachs. Medizinalpfl.). Verl. d. Ungar. Landwirtsch. Ver. Groot, Einfl. d. Düngung auf d. Gehalt d. Arzneipfl. an wirks. Bestandt. Ph. Weekbl. 34 (1898). Louis Planchon, Commerce actuel de l'herboristerie dans une région du Languedoc. Journ. d. pharm. 1896. Louis Planchon, Plantes médicinales et toxiques de Départ. de l'Hérault. Mém. Acad. de Montpellier 1899 (mit ausführl. Tabellen). La Wall, The drug and herb Vendors of the Sidewalks of Philadelphia. Am. Journ. pharm. 1900. Albert Schneider, The native and introduced poisonous and medicinal plants of California with suggestions on drug culture. The Pacific pharmacist 1907. Blomeyer, Kultur der landwirtschaftlichen Nutzpflanzen, 2 B. (herausgeb. v. H. Settegast).

Für tropische Kulturen: Tschirch, Indische Heil- und Nutzpflanzen und deren Kultur. Berlin 1892. Afbeeldingen vom Kolonial-Museum Haarlem herausgegeben. Greshoff, Schetsen van nuttige indische Planten. H. Semler, Die tropische Agrikultur. Ein Handbuch für Pflanzer und Kaufleute. 3. B. Wismar 1886. 2. Aufl. 4. B. von R. Hindorf (mit Warburg und Busemann). Wismar 1897. van Gorkom, De Oostindische Cultures. 2 Vol. Amsterdam 1884. van Someren Brand, De groote cultures der wereld Geschiedenis, teelt, voeding, nuttige toepassing. Amsterdam 1906. Simmonds, Tropical Agriculture. London 1877. E. Mead Wilcox, Glimpses of tropical agriculture. Ohio 1900. Brockmeier, Über den Einfluß der englischen Weltherrschaft auf die Verbreitung wichtiger Kulturgewächse, namentlich in Indien. Diss. Marburg 1884. J. Wohltmann, Handbuch der tropischen Agrikultur für die deutschen Kolonien in Afrika. Leipzig 1892. R. Sadebeck, Die Kulturgewächse der deutschen Kolonien und ihre Erzeugnisse. Jena 1899. Jumelle, Les cultures coloniales. 2 vol. (m. 205 Fig.). Paris 1901. I. Plantes alimentaires, II. Pl. industrielles et médicinales. D'Almada Negreiros, L'agriculture dans les colonies portugaises. Paris 1905. P. Sagot u. E. Raoul, Manuel pratique des cultures tropicales et des plantations des pays chauds. Paris 1893. Rep. of the spice and other cultivation of Zanzibar and Pemba Islands. For. office 1892, Miscell. Ser. Nr. 26. Louis Planchon, La récolte et la conservation des drogues exotiques. Bull. Soc. Languedoc. d. Geogr. 1898. Preuß, Cult. v. Medizinalpfl. im Bot. Gart. Viktoria (Kamerum). Notizbl. Bot. Gart., Berlin 1902. H. Rackow, Tropische Agrikultur. Berlin 1900. R. Sadebeck, Die tropischen Nutzpflanzen Ostafrikas, ihre Anzucht und ihr ev. Plantagenbetrieb. Hamburg 1891. Max Fresca, Der Pflanzenbau in den Tropen und Subtropen. Berlin 1904. A. Stutzer, Die Düngung der wichtigsten tropischen Kulturpflanzen. Bonn 1891. E. Zietlow, Subtropische Agrikultur. Ein Handbuch für Kolonisten und Pflanzer. Leipzig 1904.

Zeitschriften: Der Tropenpflanzer, Zeitschr. für tropische Landwirtschaft. Herausgegeben von O. Warburg und F. Wohltmann, seit 1897. Organ des Kolonialwirtschaftlichen Komitees. — Der Pflanzer, herausgegeben durch die Usambara-Post (Deutsch-Ostafrika), gegr. 1905. — Deutsches Kolonialblatt. — Deutsche Kolonialzeitung. — Koloniale Zeitschrift. — Deutsch-Südwestafrikanische Zeitung. — Ostasiatische Lloyd. — Quinzaine coloniale. — Mitteil. von Forschungsreisenden u. Gelehrten a. d. deutsch. Schutzgebieten. — Dietrich Reimers Mitteilungen für Ansiedler, Farmer, Tropenpflanzer usw. Zwanglose Hefte mit Ankündigungen von einschlägiger Literatur. — Annuaire agricole, commercial et industriel des colonies de la rep. franc. — Journal d'Agriculture tropicale (Paris), gegr. 1901. Red.: Vilbouchevitsch. — l'Agriculture pratique des pays chauds. Paris. — Revue des cultures coloniales, Paris. — Bulletin offic. de l'Etat indépend. de Congo. — The Shamba, Journal of agriculture for Zanzibar. — Tropical agriculturist, Colombo. — Indian forester, Allahabad. — Queensland Agricult. Journ. — De Indische Mercuur, Amsterdam. — Teysmannia, Batavia. — Tijdschrift voor Nyverheid and Landbow, Batavia. — Natuurkundig Tijdschrift voor Ned. Indie., Batavia. — Geneeskundig Tijdschrift voor Ned. Indie., Batavia. — Verslag omtrent den staat van's lands Plantentuin te Buitenzorg (Jahresber.). Mededeelingen uit's lands plantentuin. — Bulletin van het Koloniaal Museum te Haarlem. Bulletin of the Botan. Departm. Jamaica. — Relatione annual do Instituto Agronomico do Estado de S. Paulo (Brazil) em Campinas, Sa. Paulo.

Die reich illustrierten Veröffentlichungen des United States Departement of Agriculture (Bulletins und Yearbook), die den Kulturen der Heil- und Nutzpflanzen große Aufmerksamkeit widmen und sehr liberal verteilt werden, sind wertvoll. Darin: Alice Henkel, wild medicinal plants of the united states 1906. Henkel, Peppermint 1905. Stockberger, the drug known as pinkroot. 1907. Henkel, golden seal, 1904. Henkel, weeds used in medicine 1904. Chesnut, plants poisonous to stock 1898 und Principal poisonous plants of the united states 1898. Steele, can perfumery farming succeed in the united states 1898. Chesnut, thirty poisonous plants of U. St. 1898. True, Cultivation of drug plants in the U. St. und Progress in drug-plant cultivation 1905 u. a. Die Publikationen der Institute sind im Abschnitt Zeitschriften und Institutspublikationen weiter hinten aufgeführt. Vgl. auch: G. Watt, Selection from the Records of the Government of India Revenue and Agric. Dep. by the Reporter on economic products 1888—1890. W. Richter, Kulturpflanzen und ihre Bedeutung für das wirtschaftliche Leben der Völker. Geschichtlich-geograph. Bilder, Hartleben 1890.

Historisch interessant: Joh. Commelin, Horti medici Amstelodamensis rariorum tam orientalis quam occidentalis aliarumque peregrinarum plantarum descriptio et icones ad vivum aeri incisae. Opus posthumum latinitate donatum notisque et observationibus illustr. a Fred. Ruyschio et Franc. Kiggelario. 2 Bde. 224 Kupfertafeln. Amstelod. 1697—1701. Basil. Besler, Hortus Eystettensis sive diligens et accurata omnium plantarum, florum, stirpium, et variis orbis terrae partibus singulari studio collectarum quae in celeberrimis viridariis arcem episcopalem ibidem cingentibus olim conspiciebantur delineatio et at vivum repraesentatio. 3 part. in 2 vol. Mit Kupfertitel von Wolfg. Kilian u. 367 Kupfertafeln. 1713. Dionysius Uticensis, De agricultara libri XX. Jano Cornario medico interprete. Lugd. 1553. Belon, De neglecta cultura stirpium ed. Clusius 1605. J. C. Volckamer, Hesperidum Norimbergensium sive de malorum citreorum, limonum, aurantiorumque cultura et usu libr. IV. 1713. J. C. Volckamer, Nürnbergische Hesperides od. gründl. Beschreibung d. edlen Citronat, Citronen, u. Pomerantzen-Früchte, wie solche in selbiger u. benachbarten Gegend recht mögen eingesetzt, gewartet u. fortgebracht werden. 2 Bde. Mit 249 Kupfertafeln. Nürnb. 1708. P. J. Marperger, Nutz- und Lustreicher Plantagen-Tractat oder gründl. Beweiss, was die Cultur fremder u. auch einheimischer Plantagen an Bäumen, Kräutern und andern Gewächsen unserm Teutschland in seinen Hausshaltungen und Commerciis wie auch dem Aerario selbst für Nutzen bringen könne, wie die Populosität, samt den Manufakturen dadurch könte gemehret, nahrlose Städte wieder in Aufnehmen gebracht, unsere teutsche Exportanda gar merklich dadurch erweitert u. viel Millionen Gelds im Lande erhalten werden. Dresden 1722. G. C. Eimmart, Lust vnd Arzeneygarten des Königlichen Propheten Davids. 150 Blatt mit 300 Kupfern, Nürnb. ca. 1740. Ludwig, Radicum officinalium bonitas ex vegetationis historia dijudicanda. Lips. 1743. Ludwig, De plantarum viribus cultura mutatis. Lips. 1772. J. Ellis, Anweisung wie man Saamen u. Pflanzen aus Ostindien u. andern entlegenen Ländern frisch u. grünend üb. See bringen kann. Nebst einem Verzeichnis von ausländ. Pflanzen, deren Bau in amerikan. Colonien befördert zu werden verdient. 1775. Dietrich, Der Apothekergarten. Berlin 1802. Desfontaines Hist. d. arbres et arbrisseaux qui peuvent être cultivées en plaine terre sur le sol de la france. 2 vol. 1809. Lauterbach, Geschichte der in Deutschl. bei der Färberei angew. Farbst. mit bes. Berücks. d. mittelalterlichen Waidbaues. Leipzig 1905. G. Buschan, Vorgeschichtl. Botanik der Kultur- und Nutzpfl. d. alten Welt auf Grund prähistor. Funde. Breslau 1895 (dort d. Literat.). Joh. Hoops, Waldbäume und Kulturpflanz. im german. Altertum. Straßb. 1905. Graf zu Solms-Laubach, Herkunft, Domestikation und Verbreitung des gewöhnlichen Feigenbaums. Abh. d. K. Ges. d. Wiss., Göttingen 1882. V. Hehn, Kulturpflanzen und Haustiere in ihrem Übergang aus Asien nach Griechenland und Italien, sowie in das übrige Europa. 7. Aufl. (v. Schrader und Engler). Berlin 1902. A. de Candolle, Origine des plantes cultivées. Paris 1896 (4. edit.). Joret, Les plantes dans l'antiquité et au moyen age. Paris 1897. A. Dozy, Le Calendrier de Cardoue de l'année 961 texte arabe et ancienne traduct. latine. Leiden 1873. Thär, Altägyptische Landwirtschaft 1881. F. Woenig, Die Pflanzen im alten Ägypten. Ihre Heimat, Geschichte, Kultur und ihre mannigfaltige Verwendung im sozialen Leben, in Kultus, Sitten, Gebräuchen, Medizin, Kunst. Mit zahlr. Abbildungen. 1886. Linné, Vorlesungen über die Kultur der Pflanzen (Neu: Ups. 1907). Hartwich, Historisches über die Kultur der Arzneipflanzen, Schw. Wochenschr. Kerner, Die Flora der Bauerngärten in Deutschland. Verb. d. Zool. Botan. Ver. Wien 1855. Fischer-Benzon, Altdeutsche Gartenflora 1894. Göppert, Geschichte der Gärten. Schles. Ges. vaterl. Kult. 1865. Steinvorth, Die fränk. Kaisergärten, die Bauerngärten der Niedersachsen u. die Fensterflora. Jahresh. naturw. Ver. Lüneburg 1890. Glaab, Die Pflanzen der salzburgischen Bauerngärten und Bauerngärten im allgemeinen. Deutsch. bot. Monatsschr. 1892 u. 1893. J. W. Weinmann, Phytanthozaiconographie. 4 B. mit 1025 kol. Kupfertaf. Regensburg 1737—45. Scriptores rei rusticae veteres latini (Columella, Cato, Varro, Palladius) ed Geßner 1735 und Ernesti 1773. H. O. Lenz, Botanik d. alten Griechen und Römer. Gotha 1859. Weitere Literatur im Text.

> Sammle Chrysanthemon itzo, das heilige, feucht noch vom Erdtau
> Eh' den unendlichen Kreis der erhabene Helios antritt.
>
> Anonymi carmen graecum de herbis.

2. Einsammlung.

Obwohl das Einsammeln wildwachsender Pflanzen nicht eigentlich in das Kapitel Pharmakoërgasie (Arzneipflanzenkultur) gehört, sei doch auch dieses Zweiges der Drogenkunde an dieser Stelle gedacht, da bei weitem die Mehrzahl der heimischen Drogen von wildwachsenden Pflanzen gesammelt wird. Die Kräutersammler oder Kräutersammlerinnen bringen ihre Ausbeute entweder den Drogisten in den Städten oder den Landapothekern, die ihren Überschuß dann an Grossisten weitergeben. Das Trocknen besorgt meist der Apotheker, bisweilen aber auch der Kräutersammler.

«Übrigens sollte», sagt J. C. EBERMAIER, «billig ein jeder Apotheker diejenigen Vegetabilien, welche in seiner Gegend in zureichender Menge einheimisch sind, selbst sammeln lassen und sie nicht etwa der Bequemlichkeit wegen schon trocken von anderen Orten verschreiben, weil man nicht wissen kann, ob dieselben zu rechter Zeit eingesammelt und gehörig getrocknet wurden und ob sie auch wirklich frisch sind.»

Fig. 62.

Alraungräber nach einer Handzeichnung aus dem XVI. Jahrh. im German. Museum. [Aus Peters, pharm. Vorzeit.]

Bereits PLINIUS SECUNDUS gibt einige ganz verständige Vorschriften für die Einsammlung. Er sagt z. B.: «Der *Thymian* muß während seiner Blütezeit gesammelt und im Schatten getrocknet werden». Er erwähnt auch die merkwürdige Einsammlung des *Ladanum* mittelst der Bärte der Ziegen.

Auch die römischen Schriftsteller der Landwirtschaft aus der ersten Zeit nach Christi Geburt und später, besonders COLUMELLA und PALLADIUS (s. S. 75) gedenken der Kultur und Einsammlung der Heilpflanzen; ebenso der Kalender des HARIB (961), der z. B. vorschreibt, daß *Scilla* im April zu sammeln ist. Auch in dem Minhag ed dukkân des ABUL MUNA aus dem Jahre 1260 (arab. Text 1881 in Bulacq bei Kairo gedruckt) befindet sich ein Kapitel, «zu welcher Zeit und von welchem Orte sie (die simplicia) geerntet und bezogen werden sollen, wie und in welchen Gefäßen man sie aufbewahrt».

In SALADINS Compendium aromatariorum (1488) handelt der fünfte Abschnitt ausführlich und ganz vernünftig von den Regeln beim Einsammeln der einzelnen Vegetabilien. Unvernünftig, aber ganz im Geiste jener Zeit sind dagegen die Vorschriften, die SCHRÖDER in seiner Pharmacopoea medico-physica (1641) im Kapitel «de colligendi tempore secundum constitutionem» gibt, das mit den Worten beginnt: «Macrocosmica constitutio rerum nativarum colligendarum spectatur, partim qualitatibus universalioribus seu manifestioribus, partim influentis stellarum specialioribus seu occultioribus».

Zur «Zeit des pharmakologischen Barok», wie FRISTEDT die Periode der Pharmakognosie nennt, in der der Drogenschatz Europas auf 6000 gestiegen war (XVI. bis XVIII. Jahrh.), wurde der Einsammlung ein großes Gewicht beigelegt und genaue Vorschriften gegeben. Aus dieser Zeit stammt das Werk von HEISTER, de collectione simplicium (Helmstadii 1722) und auch ANTOINE BAUMÉ beschrieb in seinen Elements de pharmacie, Paris 1762, die Einsammlung der Arzneipflanzen.

Besonders enthält aber des ZACUTUS LUSITANUS (1575—1642) Pharmacopoee aus dem Jahre 1641 (vgl. die Besprechung von RICH. LANDAU Janus, 1899) sehr genaue Vorschriften über Einsammlung und Trocknung der Vegetabilien.

Auch die Lehren der chinesischen Pharmakologie, die sonst viel Phantastisches enthalten, betrachten die Wirksamkeit einer Heilpflanze als abhängig vom Boden, von der Einsammlungszeit, der Art des Trocknens. «Man soll die zu Heilzwecken bestimmten Pflanzenteile im Frühjahr früh morgens und im Herbst abends einsammeln. Früchte, Blätter, Blüten und Stengel müssen in ganz reifem, ausgebildetem Zustande geerntet werden.»

Daß man Arzneipflanzen nicht zu jeder beliebigen Zeit einsammeln dürfe, war also schon den Alten bekannt. Die Rhizotomen (s. Geschichte) wußten auf diesem

Fig. 63.

*Orangenblüten*ernte in Bar sur Loup bei Grasse. [Aus Roure-Bertrand fils Berichte.]

Gebiete offenbar gut Bescheid, doch hat THEOPHRAST, der selbst einige Regeln über das Einsammeln der Wurzeln und Früchte gab, sicher Recht, wenn er meint, daß von den Vorschriften der Rhizotomen und Pharmakopolen «einiges zweckmäßig, anderes marktschreierisch», und man kann hinzufügen, noch anderes auf Aberglauben beruhend ist. Die Rhizotomen gaben nämlich nicht nur Vorschriften über die Zeit der Einsammlung — welche Pflanzen bei Nacht, bevor die Sonne darauf scheint, welche bei Tage zu graben sind, sondern erachteten auch manchen Hokuspokus da-

Fig. 64.
Einsammlung der *Veilchen* in einem *Oliven*hain in Grasse.

bei für erforderlich: *Thapsia* solle man mit Öl gesalbt vom Winde abgewandt graben, vor der Einsammlung der *Nießwurz* solle man Lauch essen, beim Graben der *Kentauris* (*Centaurea Centaur.*) müsse man sich vor der Weihe hüten.

«Auch den *Mandragoras* (vgl. Fig. 62) solle man dreimal mit dem Schwerte umziehen und gegen Abend gewandt abschneiden; ein anderer aber solle rings um ihn her tanzen und viel von Liebeswerken reden. Gleicherweise solle man beim *Kümmel*, wenn man ihn sät, Lästerungen reden. Auch um die schwarze *Nießwurz* solle man einen Kreis beschreiben, sich gegen Mittag stellen und beten und sowohl rechts wie links auf den Adler acht geben, denn er bringe dem Grabenden Gefahr; käme er ihnen nahe, so stürben sie in demselben Jahr.» «Das alles», sagt schon THEOPHRAST, «scheint ungereimt zu sein».

Doch spielt das mit geheimnisvollen Zeremonien umgebene Graben und Verarbeiten von Heil- und Giftpflanzen auch im Volksaberglauben der nördlichen Völker noch in viel späterer Zeit eine große Rolle (vgl. z. B. MACBETH).

Durch PARACELSUS ist die Beziehung der Einsammlung zum Stande der Gestirne betont worden und bei SCHRÖDER finden wir ein sehr langes Kapitel, in dem diese Beziehungen auf das ernsthafteste eingehend behandelt werden. Für die Einsammlung gibt nämlich J. CHR. SCHRÖDER in seiner Pharmacopoea medico-physica 1641 (s. oben) auf astrologische Erwägungen gegründete Vorschriften in dem Kapitel, das überschrieben ist: «de colligendi tempore secundum influentias particulares». Für die Einsammlungszeit ist die Stellung der Gestirne, die Nativitätsstellung, maßgebend. «Tempus colligendi nativa influentiarum siderearum ratione censetur aptius, quo Planeta rei colligendae familiaris in suis fuerit fortitudinibus, idque tanto convenientius judicatur, quanto plures fortitudines Planeta idem obtinuerit.» (Ähnlich in CRÜGENER Neu verm. Chymischer Frühling, sambt einer Astrolog. Continuat. d. Gewächse zu samblen, Nürnberg 1654 u. Chymischer Sommer 1656.) Aber bereits SALADIN VON ASCOLO bezeichnet diese astrologische Methode des Einsammelns lange vor SCHRÖDER als eine «doctrina speculativa».

THURNEYSSER, ein Anhänger des PARACELSUS, schreibt in seinem Kräuterbuche Historia und Beschreibung Influentischer, Elementischer und natürlicher Wirkungen aller fremden und heimischen Erdgewächse, auch ihrer Subtilitäten usw., Berlin 1578:

Verbeen, Agrimonia, Medelger, charfreytags graben
hilft dir sehr, daß dir die fraven werden hold,
doch brauch kein eisen, grabs mit goldt!

Außerdem muß es liegen bleiben bis Morgentau darauf fällt, der Sammler muß bis Sonnenaufgang dabei bleiben und dann erst es aufheben. Mit Eisen darf es nicht in Berührung kommen.

Fig. 65.
Sammeln der *Rosenblüten* in Bulgarien.

Aber ganz ist diese Form des Aberglaubens auch heute noch nicht im Volke, selbst von Europa, ausgerottet, wie Gerichtsverhandlungen unserer Tage gelegentlich enthüllen. Und erst recht nicht bei den halbzivilisierten Völkern Asiens. A. G. VORDERMAN zeigte (Planten-animisme op Java, Teysmannia 1896), wie auch auf Java der Volksglaube einer Beseelung der Pflanze zu finden ist und sich oft in naiver

Weise äußert. So wirkt nach javanischem Glauben die Pflanze *Sarcolobus narcoticus* zwar auf Tiger und Wildschweine giftig, nicht aber auf den Menschen. Wer also diese Pflanze als Tigergift sammeln will, muß die Pflanze zu dem Wahne bringen, daß sie von einer wilden Bestie, nicht aber von einem Menschen gepflückt werde, damit *Sarcolobus* seine höchste Giftigkeit auch richtig äußere. Der Sammler nähert sich also der Pflanze nachts, auf allen Vieren kriechend und Tierlaute nachahmend! Ist einmal die als Gift benutzte Rinde eingesammelt, so muß man sich hüten, dieses Gift in die Nähe einer Leiche zu bringen, sonst denkt der *Sarcolobus*, er habe bereits seine Schuldigkeit getan und verliert seine Giftigkeit. GRESHOFF glaubt, daß gerade bei *Sarcolobus* die Idee einer Pflanzenseele so ausgeprägt ist, weil diese auf

Fig. 66.
Einsammlung der *Cassieblüten* bei Grasse.

Java in großem Umfange benutzte Giftpflanze oft ihre Wirksamkeit — auf der Anwesenheit einer harzigen, leicht zersetzlichen, coniinartig wirkenden Substanz Sarcolobid beruhend — bei längerem Aufbewahren einbüßt und man sich mit dieser wohlbekannten Erfahrung abfinden wollte.

Im Mittelalter hatte man die merkwürdigsten Anschauungen über die Einsammlungszeit. In der wohl aus dem IV.—VI. Jahrh. stammenden Schrift HERMETIS TRISMEGISTI περὶ βοτανῶν χυλώσεως werden z. B. die Arzneipflanzen direkt nach den Sternbildern benannt, in deren Zeichen sie zu sammeln sind, um ihre beste Arzneiwirkung zu üben. Eine Pflanze, die im Mai, wenn die Sonne im Zeichen des Stieres steht, gesammelt werden muß, um wirksam zu sein, heißt «Kraut des Stieres», eine, die im November zu sammeln ist, wenn die Sonne in dem Zeichen des Skorpions steht: «Kraut des Skorpions». So ist *Anagallis*: Kraut des Schützen, *Aristo-*

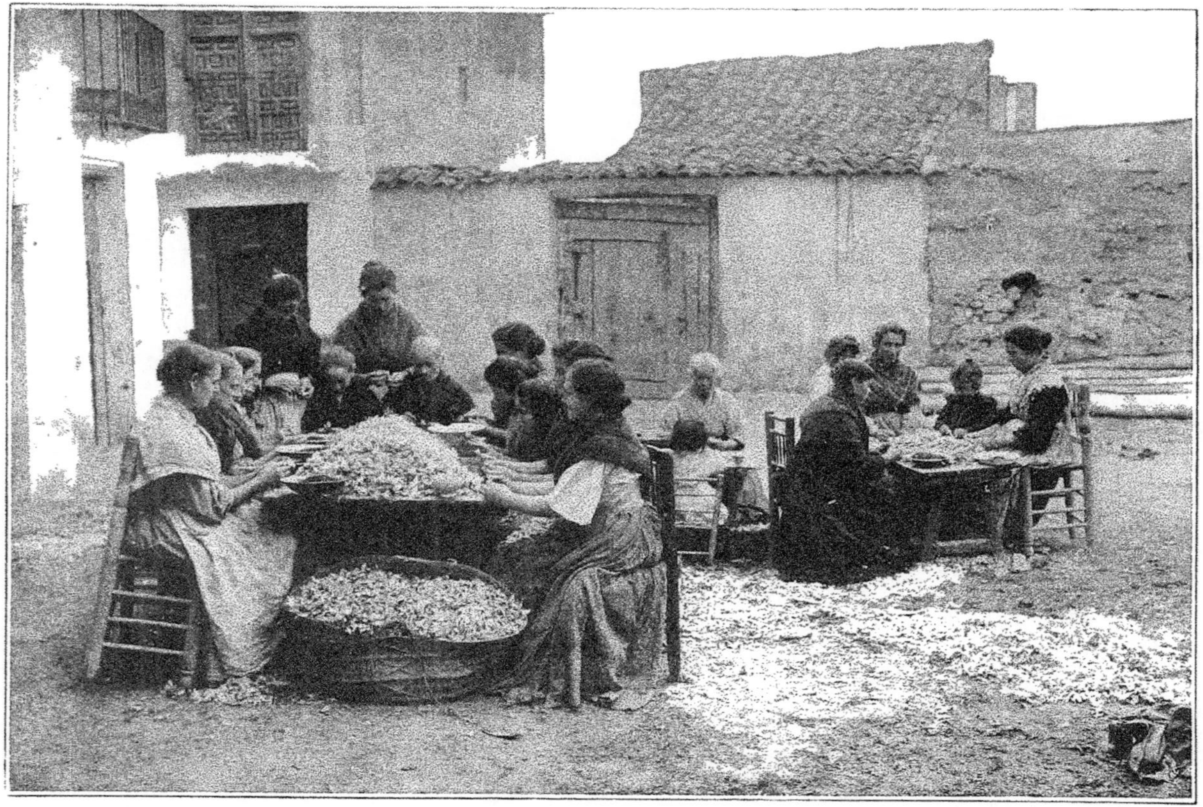

Tschirch, Handbuch der Pharmakognosie.

Verlag von Chr. Herm. Tauchnitz, Leipzig.

Fig. 67.

Safra Ernte. Ablösen der *Safran*narben von den Büten.

lochia: Kraut der Fische, *Calaminthe*: Kraut der Jungfrau, *Cyclaminos*: Kraut des Löwen, *Elelisphacos* (*Salvia*): Kraut des Widder, *Lapathon* (*Rumex*): Kraut des Steinbock, *Marathron*: Kraut des Wassermann, *Peristereon hyptios* (*Verbena supina*): Kraut der Zwillinge, *Scorpiurus*: Kraut der Wage, *Symphytos*: Kraut des Krebses. Dann wird an gleicher Stelle auch ein Kraut des Saturn (*Sempervivum*), ein Kraut des Merkur (*Phlomos* = *Verbascum*), ein Kraut des Mars (*Peucedanus*), ein Kraut der Venus (*Panaces*, *Adiantum*) ein Kraut der Sonne (*Heliotropion*), ein Kraut des Jupiter (*Eupatorium*), ein Kraut des Mondes (*Aglaophotis*) erwähnt.

Fig. 68.
*Safran*ernte. Sammeln der Blüten.

Gegenüber all diesem Aberglauben ist wieder das, was DIOSKURIDES vor fast 2000 Jahren über das Einsammeln sagte, von größter Sachlichkeit, es klingt ganz modern.

«Vor allem», sagt er, «ist es notwendig, mit Sorgfalt bedacht zu sein auf die Aufbewahrung und das Einsammeln eines jeden Mittels zu der ihm angepaßten geeigneten Zeit. Denn davon hängt es ab, ob die Arzneien wirksam sind oder ihre Kraft verlieren. Sie müssen nämlich bei heiterem Himmel gesammelt werden; denn es ist ein großer Unterschied darin, ob die Einsammlung bei trockenem oder bei regnerischem Wetter geschieht, wie auch, ob die Gegenden gebirgig, hoch gelegen, den Winden zugängig, kalt und dürr sind, denn die Heilkräfte dieser Pflanzen sind stärker. Die aus der Ebene, aus feuchten, schattigen und windlosen Gegenden sind zumeist kraftloser, um so mehr, wenn sie zu ungeeigneter Zeit eingesammelt werden oder aus Schlaffheit hingewelkt sind. Auch ist freilich nicht außer acht zu lassen, daß sie oft durch die gute Bodenbeschaffenheit und das Verhalten der Jahreszeit früher oder später ihre volle Kraft haben. Einige haben die Eigentümlichkeit, daß sie im Winter blühen und Blätter treiben, andere blühen im Jahre zweimal. Wer hierin Erfahrungen sammeln will, der muß dabei sein, wenn die neuen Sprossen aus der Erde kommen, wenn sie sich im vollen Wachstum befinden und wenn sie verblühen.»

Fig. 69.
Pflücken der *Tabak*blätter auf einer Tabakplantage Jamaikas.

«Die zarten Pflanzen, z. B. *Schopflavendel*, *heller Gamander*, *Polei*, *Eberreis*, *Seebeifuß*, *Wermut*, *smyrnäischer Dosten* und ähnliches muß man sammeln, wenn sie im Samen stehen, die Blüten aber vor ihrem Abfallen, die Früchte, wenn sie reif sind, und die

Samen, wenn sie zu trocknen beginnen vor dem Abfallen. Die Pflanzensäfte muß man bereiten aus den Stengeln, wenn sie eben ausschlagen. Ähnlich verhält es sich mit den Blättern. Die ausfließenden Säfte aber und die Tropfenausscheidungen muß man gewinnen, indem man die Stengel anschneidet, wenn sie sich noch in voller Kraft befinden. Die zum Aufbewahren und zum Saftausziehen, sowie zum Abziehen der Rinde bestimmten Wurzeln sammelt man, wenn die Pflanzen anfangen die Blätter zu verlieren.»

Fig. 70.

Einsammlung der *Pfefferminze* bei Mitcham (U. S. A.). Schneiden mittelst Maschine und Binden zu Ballen. [Nach John Jakson.]

Eine richtige Beobachtung liegt auch der Forderung der Alten zugrunde, daß *Thapsia* (*Th. Silphium* und *garganica*) nur gegraben werden dürfe, nachdem die nackten

Fig. 71.

Ernte des *Zuckerrohrs* in Amerika (New Orleans).

Teile der Haut gehörig eingesalbt worden waren, denn hier konnte der Milchsaft reizend wirken. Auch die Vorschrift, die sich bei MACBETH findet: «Root of hemlock digg'd i' the dark» stimmt, wie LANDER BRUNTON hervorhebt, mit den pharmakophysiologischen Ergebnissen überein.

Daß Arzneipflanzen erst durch eine besondere Weihe seitens der Kirche ihre wahre Heilkraft erhalten, ist in katholischen Gegenden Deutschlands auch heute noch ein allgemein verbreiteter Glaube. Mariä Himmelfahrt (15. August), der Festtag, an dem auf dem Lande die Heilkräuter geweiht werden, heißt im Volke ausdrücklich «Frauenkräutltag» und der Kräutlweih ist ein im XX. (!) Jahrh. verfaßtes, übrigens recht hübsches Gedicht einer katholischen Schriftstellerin gewidmet, die unter dem Namen M. HERBERT schreibt. Es lautet:

Ich ging am Frauenkräutltag
Zur Nacht hinaus in tiefem Schweigen.
Es war kein Mensch im weiten Rund
Und auch kein Sternlein wollt sich zeigen.

So muß es sein! In Nüchternheit
Und ganz allein und ungesprochen
Seit Mitternacht, da hab ich mir
Zur Weih die Kräuter abgebrochen.

Den *Hauswurz* brach ich, daß er mir
Vorm Blitz behüte meine Seele —
Vorm Blitz, der dir im Auge flammt,
Daß er mir nicht den Frieden stehle.

Den *Baldrian* ins Gürtelschloß:
Daß ich in Züchten geh' und Treue,
Daß ich im letzten Stündelein
Mein leichtes Leben nicht bereue.

Den *Gundermann* als Zauberschutz,
Daß nicht mein Fuß vom Wege irre,
Daß nicht um dein geliebtes Haupt
Zu häufig der Gedanke schwirre.

Den *Wermut* übers Einfahrttor,
Daß ich das Leben lerne leiden
Auch wenn dein Fuß auf ewig wird
Des Hauses fromme Schwelle meiden.

Wir haben also keinen Grund, auf den Aberglauben des klassischen Altertums und des deutschen Mittelalters oder den der Naturvölker hochmütig herabzublicken. Er blüht mitten unter uns, entbehrt aber nicht der Poesie.

Die Behörden haben wohl nur selten dem Einsammeln von Arzneipflanzen ihre Aufmerksamkeit gewidmet.

Über das Sammeln der Heilkräuter in Rußland bis zur Zeit Peters des Großen berichtet LACHTIN (Russ. Arch. 1902) und teilt mit, daß es tributartig besorgt werden mußte und sich die Bauern gern der lästigen Pflicht zu entziehen suchten. Unter staatlicher Aufsicht wurden die pflanzlichen Heilmittel in die Apotheken Moskaus abgeliefert. Dies ist der einzige mir bekannte Fall einer zwangsweisen Einsammlung von Heilpflanzen.

Fig. 72.
Schneiden und Entblättern des *Zuckerrohrs* auf Jamaika.
[Nach Stromeyer & Wyman.]

HERZOG ERNST DER FROMME von Sachsen-Gotha erließ 1655 eine Verordnung an seine Forstbeamten, die in den einzelnen Forstbezirken seines Landes vorkommenden «nützlichen Kräuter», d. h. die Arzneipflanzen, zu verzeichnen und nachzuweisen. Auf der Gothaer Bibliothek gibt es zu dieser Verordnung mehrere solcher Verzeichnisse, dazu auch zwei Herbarien von Kräutern «so zur Apothek von nötun», aus dem Bezirk von Heldburg mit 58 verschiedenen Pflanzen und vom Amt Königsberg mit 71. (G. ZAHN, Aus Koburg-Gothaischen Landen 1903). Beim Nachsuchen werden sich, wohl auch in anderen Gegenden noch solche Verordnungen finden.

Fig. 73.
Geschlagenes *Zuckerrohr* der Plantage Solidad. Guantanamo auf Kuba. [Nach Stromeyer & Wyman.]

Eine norwegische Medizinalverordnung vom Jahre 1672 förderte die Errichtung von Kräutergärten bei den Apotheken und Klöstern.

Wie GROSIER 1787 aus China berichtete, wurde der *Ginseng*, den nur der Kaiser sammeln durfte, alljährlich durch eine kaiserliche Armee von 10000 Soldaten eingesammelt, für die eine peinliche Ordnung bestand und die während der sechs Sammelmonate im Freien kampieren mußte.

Die Einsammlung der heiligen *Mistel* durch die Druiden in Gallien wurde mit großem Pompe durchgeführt (CHÉRUEL). «Nil habent», sagt auch PLINIUS, «Druides visco et arbore in que gignetur, si modo sit robur, sacratius.»

Fig. 74.
Das geschnittene und entblätterte *Zuckerrohr* wird auf Ochsenkarren verladen und in die Mill gebracht (Kuba). [Nach Stromeyer & Wyman.]

Die Einsammlung der arzneilich angewendeten Pflanzen und Pflanzenprodukte war ehedem, soweit es sich um einheimische handelte, ausschließlich Sache der Apotheker oder von diesen beauftragter Leute. Heutzutage, wo nur in einigen Gegenden noch der Apotheker selbst sich damit beschäftigt und die Drogen von den Händlern gekauft werden, ist die Einsammlung meist Sache der Drogenhandlungen geworden, die die Landbevölkerung zu dem Geschäfte heranziehen. So werden in jede Drogenhandlung vom Frühjahr bis zum Herbst zahlreiche, meist kleine

Posten eingeliefert, die auf dem flachen Lande von den wildwachsenden Pflanzen gesammelt wurden. In größerer Menge werden in Deutschland von wildwachsenden einheimischen Pflanzen jetzt eigentlich nur noch die sogenannten narkotischen Kräuter (*Digitalis*, *Belladonna*, *Conium*, *Hyoscyamus*) und Samen, sowie einige Wurzeln und Rhizome (*Gentiana*, *Filix*, *Calamus*, *Taraxacum*) gesammelt (vgl. im übrigen die Tabellen auf S. 65). Die Einsammlung, meist seit altersher in den Händen einiger Familien, geschieht im allgemeinen zu einer Zeit, die der Höhe der arzneilichen Wirksamkeit des betreffenden Pflanzenteils entspricht, so daß gegen die Art dieser Einsammlung im großen und ganzen nichts einzuwenden ist. Auch vor Verwechslung wissen sich die betreffenden Sammler, trotzdem ihnen eigentliche botanische Kenntnisse abzugehen pflegen, zu bewahren. Langjährige praktische Erfahrung ersetzt hier das wissenschaftliche Verständnis. Immerhin kommen Verwechslungen doch noch da und dort vor. So wird, um nur ein Beispiel anzuführen, vielfach das aspidinhaltige Rhizom von *Aspidium spinulosum* an Stelle des Filixsäure enthaltenden Rhizoms von *Asp. Filix mas* gesammelt. Um sich vor diesen Verwechslungen zu bewahren, sollte zwar der Drogist mit ausreichenden botanischen Kenntnissen ausgerüstet sein. Da er es jedoch oftmals nicht oder nur in geringem Maße ist, so liegt es dem Apotheker ob, die von dem Drogisten aus zweiter Hand gekauften Waren auf ihre Identität und Reinheit zu prüfen. Damit er dies kann und sich also vor Benachteiligung oder gar vor schwerem Schaden zu bewahren vermag, muß er pharmakobotanisch gut geschult sein. Jedenfalls darf es der Apotheker niemals unterlassen, die gekauften Drogen einer sorgfältigen Prüfung zu unterwerfen, da es oft genug vorgekommen ist, daß ganz unschuldigen Kräutern giftige beigemengt waren.

Fig. 75.
Cane Shed. Das geerntete, von den Blättern befreite *Zuckerrohr* vor der Verarbeitung (New Orleans). [Mugnier phot.]

«Die Einsammlung der nicht narkotischen Kräuter, Wurzeln, Samen usw. geschieht ebenfalls von der Landbevölkerung. Die «Kräutersammler, Wurzelgräber, Botaniker» — mit dem Ton auf dem i — wie sich die Leute nennen, suchen die oft nur ihnen bekannten Standorte der betreffenden Pflanzen zu der Zeit auf, die als die beste durch die Tradition bezeichnet wird. Selten ist es möglich, sie eines Besseren zu belehren, wenn die Zeit, in der sie seit altersher die Droge sammelten, sich vielleicht durch systematische wissenschaftliche Untersuchungen als unvorteilhaft erwiesen hat. Mit der ganzen Zähigkeit, die den Landmann auszeichnet, halten sie an ihren Vorurteilen fest, und es ist um so schwerer, auf diese Sammler durch Belehrung einzuwirken, da sie auch jetzt noch, wennschon in viel geringerem Maße als früher, beim Volke selbst in einem gewissen Ansehen stehen, da ihnen «der Pflanzen Wirkung und Heilkraft» bekannt ist. Sie sind gewissermaßen die Erben der Rhizotomen Griechenlands und der mittelalterlichen Naturärzte und fungieren als solche auch auf dem Lande oft genug noch jetzt.

Ein großes, wissenschaftlich noch wenig bebautes Feld der Drogenkunde ist das, welches sich mit der Frage beschäftigt: in welchem Monate besitzt die betreffende Droge die größte Menge ihrer wirksamen Bestandteile? Es ist dies eine Aufgabe der Pharmakophysiologie (s. d.). Erst für eine verhältnismäßig kleine Anzahl Drogen kennen wir den Zeitpunkt ihres maximalen Gehaltes genau und doch

Fig. 76.

Einsammlung der *Chinarinde* in Südamerika. [Nach Weddell.]

ist die Kenntnis desselben das Hauptmoment für die Wahl der richtigen Einsammlungszeit. Auch hier hat freilich der natürliche praktische Sinn und ein gewisses naturwissenschaftliches Taktgefühl mit divinatorischem Scharfblick oft das Richtige erraten, was nachträglich durch die Wissenschaft bestätigt wurde (s. oben S. 82). Bei vielen unterirdischen Reservebehältern z. B. verrät sich die Erfüllung mit Reservematerial oft schon durch das pralle Aussehen. Immerhin wird darauf stets Bedacht zu nehmen sein, daß dieselben nur zu der Zeit gesammelt werden, die der maximalen Erfüllung mit Reservestoffen entspricht, also zu einer Zeit, wo sie weder noch nicht vollständig erfüllt, noch bereits zum Teil entleert sind.

Aber auch viele oberirdische Organe, z. B. die Blätter, erreichen nur zu einer bestimmten Zeit das Maximum ihres Gehaltes an bestimmten Stoffen. Durchaus nicht immer fällt dies Maximum mit der Höhe der Entwicklung des betreffenden Organs zusammen. Manche Blätter sind z. B. an Alkaloiden im jungen Zustande reicher als im ganz alten. Doch kann man auch hier als Regel aufstellen, daß das Maximum des Gehaltes bei Blättern kurz vor der Entleerung liegt, die auch das Blatt notwendig bei der Bildung der Blütenteile erfahren muß. Man kann also ganz allgemein sagen, daß, während für Knollen, Rhizome und Wurzeln die günstigste Einsammlungszeit das zeitige Frühjahr oder der späte Herbst ist, also die Zeit, wo sie noch nicht entleert oder schon wieder gefüllt sind, Blätter im allgemeinen kurz vor dem Blühen der Pflanze zu sammeln sind. Die Dauer der Blütezeit ist meist eine so kurze, daß eine Zeitangabe für die Blüten überflüssig erscheint» (Tschirch in Real-Enzyklopädie d. ges. Pharm.).

«Digitalisblätter sind vor der Blütezeit ärmer an wirksamen Bestandteilen als nachher, die Blätter des ersten Jahres daher ganz verwerflich. Ebenso zieht man, wenigstens in England, bei *Hyoscyamus*

Fig. 77.

Pflücken des *Tees* in Ceylon. [Nach Tschirch, Indische Heil- und Nutzpflanzen.]

Fig. 78.

Ablösen der Chinarinde, Sortieren und Stampfen in der *Cinchonen*plantage Lembang auf Java. Links fertige Ballen und Kisten. [Tschirch phot.]

die Blätter des zweiten Jahres vor. SCHROFF hat (1870) gezeigt, daß *Fructus Conii* unmittelbar vor der Reife die größte Menge Coniin enthält. Ebenso verdanken wir demselben den Nachweis, daß *Tuber Colchici* bloß zur Blütezeit der Pflanze kräftig wirkt. *Rhizoma Filicis* darf nach alten Erfahrungen nur im Spätsommer gesammelt werden. Auch das absolute Alter der betreffenden Teile kommt oft in Betracht. So ist zweijährige oder dreijährige *Radix Belladonnae* reicher an Atropin als siebenjährige oder noch ältere, was wohl hauptsächlich dadurch bedingt ist, daß dieses Alkaloid vorzüglich der Rinde angehört, welche bei älterer Wurzel weniger in das Gewicht fällt als bei jüngerer; nicht so schwankend ist der Gehalt der Belladonnablätter. Daß manche Früchte und Samen vor der Reife Amylum, später mehr Zucker, Öl und andere Stoffe enthalten, sei gleichfalls erwähnt. Im Safte des *Ecballium Elaterium* kommt im Juli reichlich Elaterin vor, aber im September fehlt dieser stark drastische Körper darin. *Pfeffer*, *Cubeben*, *Gewürznelken* sind vor der Reife reicher an ätherischem Öle, *Chinarinden* können bisweilen arm an Chinin sein oder sogar keines enthalten» (FLÜCKIGER-TSCHIRCH, Grundlagen).

Fig. 79.
Ablösen der Zweigrinde in einer jungen *Cinchonen*pflanzung auf Java. [Schröter phot.]

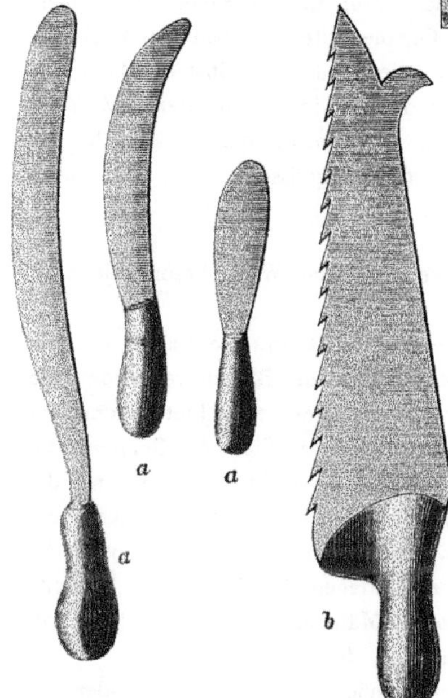

Fig. 80. Instrumente, die bei der Gewinnung der *Chinarinde* benutzt werden. b Sägeartiges Messer, mit dem die Rinde quer und längs eingeschnitten und abgeteilt wird. a Abgerundete Messer zum Ablösen der Rinde. [Aus Tschirch, Indische Heil- u. Nutzpflanzen.]

In den Kulturen der Arzneipflanzen, besonders in Cölleda, ist auch die Einsammlungszeit genau geregelt. Leider vertragen die narkotischen Kräuter den Anbau nur schwer ohne Beeinträchtigung ihrer arzneilichen Wirksamkeit. Sie entwickeln sich bei guter Pflege zwar üppiger, verlieren aber an Gehalt. Das liegt hauptsächlich daran, daß die Kultur meist eine ungeeignete ist und nicht genügend Rücksicht auf die natürlichen Wachstumsbedingungen der betreffenden Pflanzen genommen wird (s. oben S. 45).

Die Einsammlung der fremdländischen Drogen ist noch weniger geregelt als die unserer einheimischen. Unter genauerer Kontrolle stehen auch hier nur die Kulturen. Bei besonders wertvollen Drogen, wie z. B. der *Chinarinde*, dem *Opium*, wird auf die Wahl der geeigneten Einsammlungszeit und Einsammlungsart großes Gewicht gelegt. Im allgemeinen geht man aber, besonders in den Bezirken, in denen die Natur in unerschöpflicher Fülle immer von neuem produziert, ziemlich rücksichtslos vor, sowohl was Zeit als Methode betrifft, und da viele fremdländische Drogen nicht aus Kulturen stammen, sondern von den Einheimischen, meist wilden oder halbwilden Völkern, gesammelt werden, so kann es nicht überraschen, daß sowohl in unverantwortlicher Weise dabei vergeudet wird, als auch die Einsammlungsart weder geregelt, noch auf irgend welchen Erwägungen tieferer Art aufgebaut ist. Man sammelt meist, was und wie man es findet, aufs Geratewohl und verarbeitet die Droge auf die roheste Weise. Wieviel z. B. jährlich *Kampfer*, *Aloë*, *Guttapercha* und *Kautschuk* vergeudet wird, läßt sich gar nicht in Zahlen ausdrücken. Hier ist ein Punkt, wo die Kolonisationsbestrebungen einzusetzen haben.

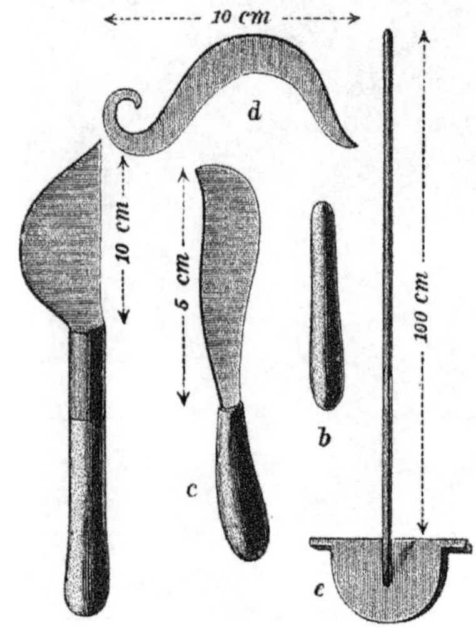

Fig. 81. Instrumente, die bei der Gewinnung des *Ceylonzimt* benutzt werden. a Hackmesser zum Kappen der Sprosse. b Rundholz aus Zimtholz, mit dem nach dem Ringeln die Oberfläche gestrichen wird, um den Zusammenhang von Holz und Rinde zu lockern. c Falzbeinartiges Messer zum Ablösen der Rinde. d Messer zum Abschaben des Korkes. e Längenmaß für die Fardelen. [Aus Tschirch, Indische Heil- und Nutzpflanzen.]

Beim Einsammeln der Drogen ist wohl darauf zu achten, daß nur derjenige Teil der Pflanze gesammelt wird, der wirksam ist, daß z. B. die meist wertlosen Stiele krautiger Pflanzen entfernt werden. Wird dies vom Sammler selbst verabsäumt, so muß der Drogist oder Apotheker durch Auslesen das Versäumte nachholen. Nur in den Fällen, wo anhängende Organe gute diagnostische Merkmale abgeben, die der Droge selbst abgehen, läßt man sie daran, wie z. B. bei der *Rad. Hellebori viridis* und *nigri* die Wurzelblätter, bei der *Digitalis* das mitgerissene Stück Stengelepidermis u. a. m.

Die **Ernte** selbst wird natürlich in sehr verschiedener Weise besorgt, je nach der Natur des Ernteproduktes.

Die **Kräuter** werden meist mit der Sichel geschnitten, die Blätter mit der Hand abgelöst. Besondere Sorgfalt wird auf das Ablesen der **Blüten** verwendet, die einzeln abgelesen und dann in Körben locker übereinander geschichtet werden, da sie sich sonst leicht verfärben oder an Duft verlieren (*Rosa*, Fig. 66, *Orangenblüten* Fig. 63). Die *Crocusblüten* werden in Spanien in toto gepflückt (Fig. 68) und die Narben dann erst zu Haus herausgelöst (Fig. 67). Bisweilen werden die Blütenknospen, da wertvoller, an Stelle der aufgeblühten Blüten gesammelt (*Flos. naphae*, *Caryophylli*).

Bei großen umfangreichen Kulturen, wie z. B. denen der *Pfefferminze* bei Mitcham (U. S. A.), werden zum Schneiden des Krautes Mähmaschinen benutzt (Fig. 70). Vielfach (z. B. bei *Artemisia pontica*) bedient man sich der Sense.

Das *Zuckerrohr* wird vor eintretender Blüte ziemlich dicht über dem Boden geschnitten (Fig. 71), von den Blättern befreit (Fig. 72 u. 73) und bis zur Verarbeitung in Schuppen aufgestapelt (Fig. 75).

Was von den **Blättern** und wie es gepflückt werden soll, hängt von der Pflanze ab. Oft weichen die Blätter verschiedenen Alters im Gehalt voneinander ab. Bei der Teepflanze z. B. ist die terminale Blattknospe am gehaltreichsten. Beim Pflücken,

Fig. 82.
Abschlagen der Stengel und Beseitigen der Seitensprosse und Blätter in einer *Ceylonzimt*plantage auf Ceylon.
[Phot. im Kew Museum.]

Fig. 83.
Ablösen der Rinde des *Ceylonzimtes*. [Phot. im Kew Museum.]

das mit dem Fingernagel erfolgt, läßt man hier die Achselknospe stehen, damit eine Erneuerung stattfinden kann. Das hat natürlich nur bei einer immergrünen Pflanze wie *Thea* einen Sinn.

Beim Pflücken des *Tee* (Fig. 77) kommt es also sehr darauf an, was gepflückt wird. Das wertvollste ist die geschlossene Gipfelknospe (in Java: *Pecco rünen*; rünen = schwanger), die durch reichliche Behaarung silbergrau erscheint (daher Pecco, von Peh-hán = Milchhaar). Hat sich das Blatt eben von der Knospe abgehoben, so heißt es Pecco burung (d. h. hohl). Je älter die Blätter sind, um so weniger sind sie wert. Mehr als Blatt 1—4 wird nie gepflückt. Bei der Alus-Pflückung in Java wird Blatt 2—4 oder 3—$^1/_2$4 gepflückt, oder wenn Pecco nicht im Vormonat gesammelt wurde, Pecco und 1 — 2. Bei der Katilu-Kotjop-Pflückung Blatt 1—3. Stets wird Sorge getragen, daß die Achselknospe intakt bleibt, da sich aus ihr Seitensprosse entwickeln. Über die Pflückung wird genau Buch geführt.

Das Ablösen der Yerbazweige zur Mategewinnung erfolgt in Paraguay entweder mit langen Messern (machetones) oder eigenartigen Scheren (secateurs) in ziemlich roher Weise.

Das Ablösen der **Rinde** geschieht entweder am stehenden Baume selbst (bei den Ships und Shavings der *Chinarinde*) oder von dem gefällten Baume oder dessen Zweigen bez. Stockausschlägen (*Chinarinde* [Drogistenrinde], *Ceylonzimt*).

Fig. 84.

Schälen des *Ceylonzimtes*. [Aus Tschirch, Indische Heil- und Nutzpflanzen.]

Bisweilen werden hierbei eigenartig geformte Messer benutzt (Fig. 80, 81, 85). Bei den gerbstoffhaltigen Rinden muß Sorge getragen werden, daß nur eisenfreie, also entweder kupferne oder messingne Messer in Anwendung kommen.

Als Beispiele mögen die Gewinnung der *Chinarinde* (Fig. 78—80) der *Cascara Sagrada* und des *Ceylonzimt* beschrieben werden.

«Mit einem sägeartigen Messer (Fig. 80, b) wird der Stamm der *Cinchone* in Entfernungen von $^1/_2$ oder $^1/_4$ m erst horizontal und dann auch der Länge nach eingeschnitten (Fig. 78), so daß ein rechteckiges, $^1/_4$, $^1/_8$ oder die Hälfte des Baumumfanges breites Stück Rinde abgeteilt ist. Dann fährt der Arbeiter oder die Arbeiterin — denn es sind meist Weiber, die das Schälgeschäft besorgen — mit einem stumpfen, breiten und langen und oben abgerundeten dünnen, kupfernen oder messingenen Messer (Fig. 80a) (Eisen wird des Gerbstoffes wegen tunlichst vermieden) zwischen Holz und Rinde und hebt letztere vorsichtig ab. Anfangs rein weiß, färbt sich die Innenfläche der Rinde in 15 Sekunden — wie ich mit der Uhr in der Hand feststellen konnte — schön rotbraun, indem die Chinagerbsäure in Chinarot übergeht, und bald beginnt auch, da die Rindenspannung ausgelöst ist, das Einrollen zu einer Röhre. Das «Schälen» geschieht besonders in der Regenzeit, da sich dann die Rinde am leichtesten loslöst. Ganz anders verfährt man bei den Ästen und Wurzeln. Hier wird die Rinde mit krummen Messern regellos von dem Holze abgeschabt. Man legt unter den zu schälenden Ast einige Pisangblätter oder einen runden Teller, einen Bambutampir, und schabt drauf los, während die Abschabsel auf die Unterlage fallen» (Tschirch, Indische Heil- und Nutzpflanzen).

Fig. 85.
Instrumente, die bei der Gewinnung des *Zimt* in Südchina benutzt werden. Links das Messer zur Herstellung der Längs- und Quereinschnitte in die Rinde. Rechts das Hornmesser zum Ablösen der Rinde vom Stamm. In der Mitte der Hobel zum Abschälen des Korkes. [Kew Museum.]

Die Ernte der *Cascara Sagrada*-Rinde schildert Zeig (1905) folgendermaßen: «Die Ernte beginnt gewöhnlich im April oder unmittelbar nach der Regenzeit, weil da die Bäume am saftreichsten sind und die Rinde sich am leichtesten abheben läßt und dauert bis Juli. Man macht um den Stamm ringförmige Einschnitte, immer 2—4 Zoll voneinander entfernt und schält dann die Rinde bis ungefähr einen Fuß über dem Erdboden; dann wird der Baum geschlagen und die Äste in gleicher Weise geschält.»

Die Gewinnung des *Ceylonzimt* (Fig. 81—84) habe ich (Indische Heil- und Nutzpflanzen) wie folgt geschildert: «An den von den Blättern befreiten (Fig. 82) Schößlingen werden an den Grenzen der Internodien zunächst mit einem scharfen Messer Rundschnitte gemacht, gleich als wolle man den Sproß ringeln. Dann fährt der Arbeiter mit einem fingerförmigen, 1—$1^1/_2$ dcm langen, aus Zimtholz gefertigten, runden Holzstücke (Fig. 81, b) wiederholt über die Oberfläche hin, das Reibholz fest andrückend. Dadurch wird der Zusammenhang der Rinde mit dem Holze in der Cabiumzone etwas gelockert. Hierauf macht der Arbeiter mit einem gewöhnlichen Messer gerade Längsschnitte von Knoten zu Knoten (Fig. 83), von Rundschnitt zu Rundschnitt und hebt durch geschicktes Einschieben eines stumpfen, oben abgerundeten, kupfernen, falzbeinartigen Messers (Fig. 81 c) die Rinde vom Holze ab. Die Wahl des Kupfers oder Messings ist hier wie bei der *China* durch das Vorhandensein von Gerbstoffen gerechtfertigt; eiserne Instrumente würden die Rinde schwärzen. Nachdem die Rinde auf diese Weise kunstgerecht und ohne Verletzungen oder Zerreißungen vom Holze abgelöst ist, läßt man sie bis zum anderen Tage frei oder übereinandergepackt welken. Man spricht hierbei wohl auch von einem «Fermentieren», allein ich glaube nicht, daß wirklich eine Gärung eintritt. Am anderen Tage werden nun die Rindenröhren von dem Korke befreit. Dazu dient ein eigentümliches stumpfes Schabemesser, welches von gekrümmt-halbmondförmiger Gestalt ist (Fig. 81d) und über die Rinde in folgender Weise geführt wird. Man legt die gewelkte, daher sehr biegsame Rindenröhre über einen runden, aus Zimtholz gefertigten und geglätteten Stock, dessen Durchmesser größer ist als der des Zimtschößlings, von dem die Rinde genommen wurde. Dadurch wird bewirkt, daß die Rinde nur die obere Krümmung des Stockes bedeckt, nicht sich ringsum legt. Dieser Stock ruht auf einem aus drei Bambu- oder Holzstöckchen gebildeten Dreifuß (Fig. 84). Der Arbeiter oder die Arbeiterin stellt nun den Dreifuß so vor sich hin, daß der Stock mit der daraufliegenden Rindenröhre gegen den Körper gerichtet ist, setzt den rechten Fuß, um das Ganze zu stützen, oben auf den Stock und schabt mit dem Halbmondmesser vorsichtig den Kork und die grüne Rinde ab. Auch dies muß sehr sorgfältig gemacht werden, es darf weder zu viel noch zu wenig entfernt werden. . Dann läßt man die geschabten Rindenstücke wiederum über Nacht liegen und schiebt sie alsdann zu mehreren (8—10) so in- und aneinander, daß die Enden der einzelnen Röhren aufeinander stoßen und man schließlich ein Röhrenbündel von gewünschter Länge erhält. Diese Länge ist auf jeder Estate fest bestimmt, übrigens nicht überall gleich. Sie wird durch einen Stab markiert, an dessen Ende sich ein Holzklötzchen befindet (Fig. 81e). An diesen Stab werden alle Röhrenbündel gelegt und oben und unten mit einer Schere auf die Länge des Stabes gekürzt. Das hierbei Abfallende wird als geringwertigere Ware in den Handel gebracht oder wandert mit dem Abschabsel (Kork und Mittelrinde), den Ships oder Shavings, in die Distillerien des ätherischen Zimtöles.»

Fig. 86.
Schälen der *Korkeiche*.

Die beim *chinesischen Zimt* benutzten Messer sind ähnlich (Fig. 85), doch erfolgt das Abschälen des Korkes mit einem hobelartigen Instrument.

Besondere Ernteverfahren finden wir bei den *Cinchonen* Javas, wo man entweder den Baum stehen läßt und die Rinde partiell abschabt (Ships, Shavings, Schafsel) oder den Baum fällt (Coppicing) und aus den Wurzelstuppen ähnlich wie beim Schälwaldbetrieb neue Triebe sich entwickeln läßt oder endlich den Baum samt der Wurzel herausnimmt (Uprooting). Letzteres Verfahren wird jetzt am meisten geübt. Das

Mossedverfahren, das darauf beruht, daß man Streifen der Rinde ablöst (Taf. VI) den Baum mit Moos umwickelt und darunter die Rinde sich aus dem Cambium erneuern läßt (Renewed bark), ist als zu teuer verlassen (s. im Kap. Pharmakophysiologie).

Bei der Gewinnung des **Korkes** handelt es sich nicht um Ablösung der ganzen Rinde, sondern nur der Korkschicht (die Praktiker sprechen allerdings von «Korkrinde»). Bei der *Korkeiche* (Fig. 86 bis 91) wird, nachdem zunächst der «jungfräuliche» Kork entfernt ist, nach 8—10 Jahren der männliche Kork geerntet, der sich dann immer wieder aus dem Phellogen regeneriert. Man kann also am Stamm alle 8—9 Jahre ernten. Der Baum wird zuerst geklopft und dann nach Herstellung von zwei Längs- und zwei verbindenden Quereinschnitten der Kork von der Rinde in großen Platten vorsichtig abgelöst (Fig 86 u. 89). Dann wird die äußere rauhe Schicht durch Schaben (Abraspeln) entfernt und der Kork meist nach vorherigem Brühen (oder Erhitzen über Kohlen) «geglättet», d. h. die gebogenen Platten durch Beschweren gerade gestreckt (Fig. 88 u. 90).

Fig. 87.
Fortschaffen des abgelösten *Korkes* aus dem Walde.

Die Wurzeln und Rhizome werden mit einfachen Grabscheiten gegraben oder mit breiten Messern «gestochen». Dies Ausgraben der Wurzeln, Rhizome und Ausläufer ist nicht immer eine leichte Sache. Beim *Süßholz* z. B. war das Ausgraben einer Wurzel nebst allen ihren Ausläufern das Meisterstück der Gärtnerzunft in Bamberg. In Rußland nimmt man dazu den Pflug zu Hilfe.

Fig. 88.
Ausbrühen des abgelösten *Korkes*.

Oft folgt dem Graben ein Waschen, d. h. ein Befreien von Erde und Steinen. Das Waschen der Krappwurzeln war im XIV. Jahrh. nur unter Kontrolle des «stad gherichte» erlaubt, um sicher zu gehen, daß alle Steine entfernt waren, da durch sie leicht die Krappmühlen in Brand gerieten.

Fig. 89.
Bei der *Kork*-Ernte in einem *Korkeichen*walde.

Fig. 90.
Aufstapeln der *Kork*platten zum »Plätten«, d. h. Geradestrecken.

Das Ablesen der **Früchte** wird nicht überall in der gleiche Weise besorgt. Die Olivenbäume werden meist geschüttelt und die Früchte auf unter die Bäume gelegten Tüchern (Fig. 92) aufgesammelt oder mit Stangen abgeschlagen. Die *Muskatnüsse* werden in an langer Stange befestigten, eigenartig geformten Körbchen (Gai-Gai) gesammelt, die oben eine das Pflücken besorgende Gabel besitzen (Fig. 93). Diese reißt die Frucht vom Stiel und sie fällt alsdann (durch die Öffnung rechts) in das Körbchen. Diese Sammelmethode hat ihren bestimmten Grund. Ich fand nämlich in Indien den Glauben verbreitet, daß, wenn man die Früchte in brüsker Weise abschlägt, der Baum im folgenden Jahre nicht trägt. Weniger sorgfältig verfährt man in Java mit den Cacaofrüchten, die, wo sie mit der Hand nicht erreichbar sind, mit langen Bambusstäben abgeschlagen werden (Fig. 94). Anders ist das Verfahren in Südamerika.

Fig. 91.
Abraspeln der abgelösten *Kork*platten.

«Das Abernten der Cacaofrüchte geschieht in Ecuador in dem unteren Teile des Stammes mit dem Buschmesser. Für die hochhängenden Früchte treten die «Tumbadores» in Arbeit. Dieses sind in der Regel geschicktere, besser bezahlte, alte Arbeiter, welche die Früchte vermittelst langer, dünner, sehr leichter Bambusstangen, an deren Ende ein Messer befestigt ist, herunterholen. Das Messer, «podadera», hat die nebenstehende Gestalt. Es ist an einem etwa 2 m langen Bambusstab, «palanca», befestigt. Außer der «palanca» trägt der Tumbador noch ein kleines Bündel von Reservebambusstäben oder Verlängerungsstücken, «embonos», in seiner linken Hand. Die «embonos» sind so eingerichtet, daß sie mit den Enden ineinander gesteckt und auch ebenso mit der «palanca» verbunden werden können. Der «Tumbador» ist so imstande, durch Aus- und Einschachteln verschiedener Reservestäbe in kurzer Zeit sich eine den jeweiligen Bedürfnissen entsprechende lange Stange herzustellen. Mit dem am Ende der Stange sitzenden Messer trennt er durch einen Stoß von unten die Früchte vom Stamm und den Ästen ab. Bisweilen sind die gesamten «embonos» bei der Höhe der Stämme nicht ausreichend. In solchen Fällen wirft der «Tumbador» die Stange mit einem kurzen Ruck von unten und trifft auch in der Regel so gut, daß das Messer den Fruchtstiel durchschneidet, die Frucht herabfällt und gleichzeitig die Stange senkrecht wieder herunterkommt» (PREUSS). Die gewöhnlichen Sammler des *Cacao* heißen Recogedores (recogér = sammeln), die Herausschäler Sacadores (sacár = herausnehmen).

Unter den Olivenbäumen wird in Italien ein Tuch ausgebreitet (s. oben), auf welches die Früchte beim Schütteln des Baumes fallen. In Portugal bedient man sich aber auch hier eines gestielten Körbchens, ähnlich dem Gai-Gai (S. 94).

Die *Baumwoll*früchte werden von der strauchartigen Pflanze in Körbe abgelesen (Fig. 95—97). Das Pflücken der Baumwolle geschieht in der Weise, daß man die geöffnete Fruchtkapsel am Strauche läßt und nur den «Bausch», d. h. die mit den Haaren bedeckten Samen herauszupft. Neuerdings sind erfolgreiche Versuche gemacht

Fig. 92.
*Oliven*ernte in Italien. Unter dem Baume ist ein Tuch ausgebreitet.

worden, den Bausch statt mit der Hand zu pflücken mit einer hydraulischen Saugmaschine aus der geöffneten Kapsel anzusaugen.

Der *Pfeffer* wird von den auf Leitern stehenden Kulis abgelesen (Taf. X). Beim *Kaffee* erreicht man die Früchte mit der Hand (Fig. 98). Die *Umbelliferen*früchte werden oft mittelst eigenartiger Kämme «abgekämmt».

Dort, wo man nur den Samenkern haben will, wird die Samenschale mit flachen Hölzern aufgeschlagen, z. B. bei der *Muskatnuß*, oder das Endocarp zertrümmert, wie bei der *Cocosnuß*, deren Endosperm die *Copra* bildet. Die *Cacao*früchte werden mit Messern oder Hölzern «aufgeschlagen» (Fig. 99).

Die Ernte des *Carrageen* erfolgt in der Weise, daß man zur Zeit der Ebbe die Pflanzen mittelst eiserner Rechen vom Boden abreißt. Zur Zeit des auf die Springfluten folgenden tiefsten Wasserstandes wird auch mit der Hand «gepflückt». Die frisch-

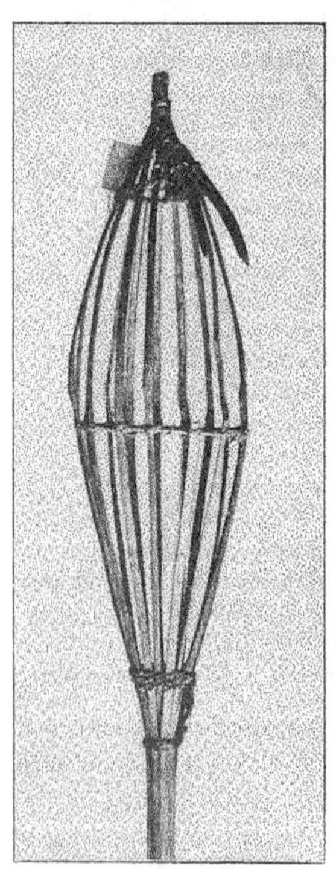

Fig. 93.
Gai-Gai. Körbchen mit Gabel zum Einsammeln der *Muskatnüsse*.

Fig. 94.
*Cacao*plantage in Java. Ein malaiischer Arbeiter ist im Begriff, die Früchte mit einer Bambustange abzuschlagen. [Tschirch phot.]

roten Algen werden dann in Fässern mit Süßwasser gerollt und an der Sonne gebleicht. Die Einsammlung der Algen zur *Agar-Agar*bereitung ist in Fig. 100 dargestellt.

Die Gewinnung der Harze, Balsame und Milchsäfte wird unter «Erntebereitung» geschildert (s. weiter hinten).

Im folgenden teile ich einen **Sammelkalender** mit, in dem besonders die wild wachsenden Kräuter Deutschlands berücksichtigt wurden.

Sammelkalender.

Monat Februar.

Ligna varia.
Radix Hellebor. nigr.
Viscum quercin.

Monat März.

Cortex Frangulae.
Hippocastani.
Mezerei.
Pruni Padi.
Quercus.
Salicis.
Ulmi.
Taxi.
Gemmae Populi.
Radix Althaeae (2jährig).
Angelicae (2jährig).
Bardanae (2jährig).
Consolidae maj.
Enulae.
Lapathi.
Levistici.
Ononidis.
Paeoniae.
Petroselini.
Taraxaci.
Tormentillae.
Rhiz. Ari.
Arnicae.
Calami arom.
Caricis arenar.
Graminis.
Imperatoriae.
Polypodii.
Valerianae.
Stipites Dulcamarae.
Sumitates Sabinae.

Monat April.

Cortex Quercus.
Salicis.
Flores Farfarae.
Violae.
Folia Uvae Ursi.
Gemmae Populi.
Herba Hepaticae.
— Pulmonariae.
— Pulsatillae.
— Taraxaci c. rad.
Lichen islandicus.
Radix Bardanae.
Caryophyllatae.
Cichorei.
Consolidae.
Enulae.
Levistici.
Ononidis.
Paeoniae.
— Petroselini.
— Pimpinellae.
— Saponariae.
Taraxaci c. herba.
Tormentillae.
Rhiz. Arnicae
— Calami.
— Graminis.

Monat Mai.

Flores Convallariae.
Lamii albi.
Lilii candidi.
Persicae.
Primulae veris.
Rosmarini.
Violae.
Folia Malvae.
Pulmonariae.
Herba Brancae ursinae.
Capilli Vener.
Chelidonii maj.
Cochleariae.
Conii maculat.
Farfarae.
Fumariae.
Hederae terrestr.
Jaceae.
Millefolii.
Pulmonariae.
— Rutae.
— Salviae.
— Tanaceti.
Taxi baccatae.
Trifolii.
Radix Actaeae spic.
Belladonnae.
Rhiz. Caricis.
Summitates Sabinae.
Turiones Pini.

Monat Juni.

Flores Althaeae.
Arnicae.
Borraginis.
Calendulae.
Chamomill. rom.
Chamomill. vulg.
Cyani.
Malvae vulg.
Rhoeados.
Rosarum.
Sambuci.
Tiliae.
Folia Aurantii.
Belladonnae.
Cichorei.
Digitalis.
Farfarae.
Hyoscyami.
Juglandis.
— Laurocerasi.
Malvae.
Melissae.
Menthae crisp.
Menthae piper.
Mercurialis.
Salviae.
— Uvae Ursi.
Formicae.
Herba Absynthii.
Aconiti.
Arnicae.
Borraginis.
Capilli Veneris.
Centaurii minor.
Clematidis.
Cochleariae.
Fumariae.
Gratiolae.
Hyssopi.
Lapathi acut.
Ledi palustr.
Marrubii alb.
Matricariae.
Millefolii.
Polygalae amarae.
Rhois Toxicodendr.
Rosmarini.
Rutae.
Saponariae.
Scabiosae.
Scolopendrii.
Scordii.
Serpylli.
Stramonii.
Thymi.
Veronicae.
Violae tricoloris.
Semen Colchici.

Monat Juli.

Baccae Ribis.
Myrtilli.
Capita Papaveris.
Flores Aurantii.
Carthami.
Chamomillae roman
— Hyperici.
— Lavandulae.
— Lilii.

Flores Malvae arbor.
Tiliae.
Verbasci.
Folia Althaeae.
Juglandis reg.
Laurocerasi.
Menth.crisp.etpiper.
— Nicotianae.
Formicae.
Fructus Juglandis immat.
Cerasi nigr.
Rubi Idaei.
Herba Absynthii
Capilli Veneris.
Cardui benedicti.
Centaurii min.
Chenopodii ambr.
Cichorei.
Euphrasiae.
Galeopsidisgrandifl.
Hyperici.
Lactucae viros.
Linariae.
Marrubii alb.
Majoranae.
Meliloti c. fl.
Origani vulg.
Herba Pulegii.
Saturejae.
— Scordii.
— Scabiosae.
— Tanaceti.
— Verbasci.
Nuclei Cerasorum.
Secale cornutum.
Tubera Salep.

Monat August.

Baccae Mori.
Myrtilli.
Rubi Idaei.
Sambuci.
Flores Althaeae.
Lavandulae.
Malvae arbor.
— Meliloti.
Formicae.
Folia Laurocerasi.
Fructus Cannabis.
Conii macul.
Cynosbati.
Elaterii.
Hippocastan.
Phellandrii.
Glandes Quercus.
Herba Absynthii.
— Artemisiae.
Gratiolae.
— Meliloti.
— Saturejae.
— Virgaureae.
Lactucarium.
Lycopodium.
Radix Hellebori albi
Rhiz. Arnicae.
Semen Hyoscyami.
Lini.
Melonum.
Papaver.
Sinapis.
Tubera Colchici.
Salep.

Monat September.

Baccae Berberidis.
— Ebuli.
— Juniperi.
Sambuci.
Spinae cervinae.
Cortex nucum Jugl.
Fructus Anisi.
— Petroselini.
— Pruni.
Lupulinum.
Poma acidula.
Radix Artemisiae.
Belladonnae.
Cichorei.
Enulae.
Gentianae.
Liquiritiae.
Rubiae tinct.
Saponariae.
Taraxaci.
Rhiz. Arnic.
— Calami arom.
Filicis maris.
Tormentillae.
— Valerianae.
Semen Sinapis nigr.
Stramonii.
Stipites Dulcamarae.

Monat Oktober.

Baccae Berberidis
Ebuli.
Baccae Juniperi.
Sambuci.
Spinae cervinae.
Cortex nucum Jugl.
Fructus Anisi.
— Petroselini.
— Pruni.
Lupulinum.
Poma acidula.
Putamina nuc. Jugl.
Radix Angelicae.
Althaeae.
Artemisiae.
Asparagi.
Belladonnae.
Bryoniae.
Cichorei.
Enulae.
Gentianae.
Gratiolae.
Lapathi acut.
Levistici.
Liquiritiae.
Rubiae tinct.
Saponariae.
Taraxaci.
Tormentillae.
Rhiz. Ari.
Arnicae.
Calami arom.
Filicis maris.
Graminis.
Iridis flor.
Imperatoriae.
Valerianae.
Semen Cydoniae.
Sinapis nigr.
Stramonii.
Stipites Dulcamarae.

Doch ist mit diesem Kalender nicht viel gesagt. Die Hauptsache ist die Erfahrung. Ob man ein Kraut vor dem Blühen ernten muß (z. B. *Card. benedict.*) oder bis zur beginnenden oder Vollblüte warten kann, das hängt von der Pflanze ab. Jedenfalls wird man gut tun, bei Kräutern nicht die Voll- oder Strohreife abzuwarten. Samen erleiden auch nach dem Ablesen noch eine sog. «Trockenreife». Die größeren Wurzeln (*Levisticum*, *Angelica*) werden erst im zweiten oder dritten Jahre gesammelt, *Rad. saponariae* kann man das ganze Jahr sammeln, *Liquiritia*, *Rubia*, *Valeriana* sammelt man am besten im Herbst, *Geum* im Frühjahr.

SALADIN bemerkt (1488): «radices in autumno quia tunc tote virtus herbarum in radicibus est reposita». Bei ihm findet sich auch der erste umfangreichere Sammelkalender. Auch der Ricettario fiorentino (1567) gibt Sammelvorschriften. Noch älter sind die Angaben im Kalender des HARIB (961).

In LOUIS PLANCHON, Indications générales sur la récolte et la conservation des drogues exotiques (Bull. Soc. Languedocienne de Geogr. 1898) findet sich eine recht gute Anleitung, wie man sammeln soll.

Die **Sammler** haben bisweilen besondere Namen. Die Chinarindensammler in Südamerika heißen Cascarilleros, die Yerbasammler in Südamerika Cuadrillas, die Cacaosammler in Ecuador Recogedores.

Fig. 95.
Pflücken der *Baumwolle* in Georgia U. S. A.
[Nach Stromeyer & Wyman.]

Das **Einsammeln der wildwachsenden Arzneipflanzen** ist in Deutschland jetzt gegen früher erschwert. Flur- und Forstgesetze schaffen den Sammlern Schwierigkeiten, wie sie auch den Harzern das Leben sauer machen. Es müssen Erlaubnisscheine gelöst oder Zutrittsbewilligungen erworben werden. Selbst *Lindenblüten* dürfen nicht mehr in den öffentlichen Anlagen ohne weiteres gebrochen werden. Das Geschäft des Kräutersammelns ist unrentabel, wird durch Regen und Mißernten gestört und wirft höchstens einen Tagesverdienst von zwei Mark ab. Es sind daher meistens Frauen und Kinder, die ihm obliegen. Besser wie in Deutschland sind die Bedingungen in Rußland, Böhmen, Mähren, Ungarn und Tirol, die daher steigende Mengen wildwachsender Arzneidrogen nach Deutschland importieren Rußland z. B. *Flor. tiliae*, *Flor. chamomillae*, *Fruct. sambuci*, *Lycopodium*. Auch die Schweiz kann ihren Bedarf an Arzneidrogen nicht selbst decken.

In Deutschland werden wildwachsende Arzneidrogen besonders im Thüringer

Fig. 96.
*Baumwoll*ernte in Amerika (New Orleans). [Mugnier phot.]

Wald, in Franken, im Fichtelgebirge, dem Harz, Erzgebirge und im Elsaß gesammelt. In Thüringen und Franken wird dieser Erwerbszweig seit Jahrhunderten betrieben. Die dort gesammelten Arzneidrogen fließen einerseits in Leipzig, Halle und Dresden, andererseits in Nürnberg zusammen.

Die Harzer Arzneipflanzen gehen nach Goslar, Ermsleben, Gernrode, Pansfelde, die württembergischen nach Ebingen (bei Sigmaringen) am Fuße der Rauhen Alp. In Ebingen, einem alten Zentrum für heimische Arzneidrogen, fließen auch die Sammelerträge der benachbarten Bezirke (Schwarzwald, Hegau, bayrischer Allgäu, sogar Tirol) zusammen. Das «Wurzelstechen» füllt die Pause zwischen der Getreideernte und dem Winter aus. Der Ebinger Händler versendet im Frühjahr seine Desideratenlisten an die ihm bekannten Sammler oder die Ortsbehörden, verschickt auch wohl Abbildungen der schwieriger zu erkennenden Pflanzen oder läßt die Gegenden bereisen und die Einsammlung überwachen. Die Hauptsammelzeit ist Juni bis August. Nach Ebingen liefern etwa 3000 Familien Arzneipflanzen. Der Monatsverdienst einer Sammlerfamilie beträgt nur etwa 40 Mark.

Fig. 97.
Toting cotton (*Baumwoll*ernte) New Orleans.
[Mugnier phot.]

Der Gesamtwert aller der Hunderte in Deutschland von heimischen wildwachsenden Pflanzen gesammelten Arzneidrogen wird auf etwa 2—3 Millionen Mark geschätzt (W. BREITFELD, Der deutsche Drogenhandel, Leipzig 1906).

Nachstehende Tabelle gibt eine auf Erkundigungen oder authentische Quellen gestützte Übersicht über die außerhalb Deutschland gesammelten wildwachsenden Arzneipflanzen (die deutschen siehe oben Tabelle auf S. 65).

Ausserhalb Deutschlands gesammelte wildwachsende Arzneipflanzen.

Schweiz.

Im Kanton Bern werden (nach Angabe von Apotheker MOSIMANN in Langnau) folgende Drogen von wildwachsenden Pflanzen gesammelt:

Flos Acaciae (Prunus spinosa), Fl. und Herb. Arnicae, Fl. Bellidis, Fl. Farfarae, Fl. Hyperici (c. Herb.), Fl. Millefolii, Fl. Pedis Cati (Gnaphal. dioic.), Fl. Primulae (von Primula elatior u. P. veris), Fl. Rhododendri, Fl. Sambuci, Fl. Spiraeae (s. Ulmariae), Fl. Tiliae, Fl. Violae tricolor, Fl. Urticae, Folium Farfarae, Fol. Malvae, Fol. Fragariae, Fol. Rubi fruticos., Fol. Salviae (von S. offic. und S. pratens.), Fol. Trifolii fibr., Herba Aronis, H. Allii ursini, H. Asperulae, H. Centauri minor., H. Chelidonii, H. Geranii, H. Nasturtii, H. Saniculae, H. Serpylli, H. Veronicae, H. Violae tric., H. Arnicae (frische A.-Pflanze mit Stengel u. Wurzeln zu Tinktur), Fructus Carvi, F. Juniperi, F. Myrtilli, F. Rubi Idaei, F. Sambuci, Radix Althaeae (natur. ad. us. vet.), R. Carlinae, R. Consolid. maj., R. Pimpinell. R. Valerianae, R. Taraxaci, Rhiz. Tormentill., Lycopodium, Secale cornut., Lichen island., Morchella esculent.

In der übrigen Schweiz außerdem (nach SIEGFRIED-ZOFINGEN): Fol. uvae ursi, Herb. sabinae, H. artemisiae, H. convallariae, Fol. rhododendri, Fol. Jugland., Rad. gentian. (Wallis, Graubünden,

 Verlag von Chr. Herm. Tauchnitz, Leipzig

P effer-Ern e in Ind en Rioux-Lingga

Von den möglichs niedrig gehaltenen, um die Stütze sich entwickelnden Büschen werden die Früch e un er Benutzung kurzer Stehleitern n Körbchen geerntet.

Nach Tschirch, Indische Heil- u. Nutzpflanzen.

Jura, Uri, Schwyz), Herb. Scolopendrii, H. Achilleae moschat., Sem. siler. montan., Viscum alb., Rhiz. asari, Rhiz. graminis, Herb. und Flos monard., Tub. aconit., Sem. colchic., Rhiz. veratri, Herb. cochleariae, Fruct. Rubi idaei, Flos rhoeados, F. verbasci, Fol. und Rad. belladonn., Rhiz. filicis, Herb. Serpylli, Cort. Quercus, Turio pini, Succus Sambuci (Trimmis in Graubünden).

Frankreich.

L. PLANCHON fand in Nimes bei den Herboristen von Juni bis Oktober:

Rosenschwamm (Bédégars), Wacholderbeeren, Binse (Jonc), Mauerkraut (Pariétaire), Nußblätter, Spieke (Aspic), Andorn (Marrube), Rosmarin, Petit chêne, Thé de campagne (versch. Pflanz., oft Sideritis hirsuta L. u. scordioïdes L.), Natterkraut (Vipérine), Gentian, Blutkraut (Salicaire), Fenchel, Klette (Bardane), Lorbeer, Wegerich (Plantain), Ampfer (Patience), Salbei, Sauge sauvage (Phlomis), weiße Nessel (Ortic blanche), Thymian, wilder Majoran (Origan), Mentha, Quendel (wilder Thymian, Serpolet), Eisenkraut (Verveine), Nachtschatten (Douce-Amère), Schafgarbe (Achillée), Granatapfel (Grenade), wilde Erdbeere (Potentilla), Christdorn (Paliure), Johanniskraut (Millepertuis) usw. usw.

In Lyon: Hopfen (Houblon), Epheu (Lierre terrestre), Beifuß (Armoise), Königskerze (Bouillon-blanc).

Die Küste liefert: Carrageen und Laminaria.

Ungarn.

Wildwachsende Arzneipflanzen Ungarns, die gesammelt werden (nach AUGUSTIN):

Acorus Calamus (Com. Baranya), Alcanna tinctoria (kommt auf sandigen Stellen der Alföld vor, gesammelt Com. Pest), Althaea officinalis, Althaea rosea, Artemisia Absynthium (in großen Quantitäten, fehlt an den sandigen Stellen der Alföld), Atropa Belladonna (in Nord- u. Ostungarn), Conium maculatum (in größeren Quantitäten auf der Insel Csepel in der Nähe von Budapest), Datura Stramonium u. Erythraea Centaurium (überall), Gypsophylla paniculata (Com. Temes, Torontál, Haupthandelsplatz: Szeged), Helleborus niger (Com. Szabolcs-Naqy-Kálló), Hyoscyamus niger (überall), Juniperus communis (Nord- u. Südungarn in großen Quantitäten),

Fig. 98.

*Kaffee*ernte in Brasilien. [Nach Hengstenberg, Weltreisen.]

Malva silvestris u. rotundifolia (an vielen Stellen), Marrubium vulgare (Westungarn u. in den nördlichen Teilen der Alföld), Matricaria Chamomilla (überall in großen Quantitäten, große Ausfuhr), Menyanthes trifoliata (in Mittel- u. Westungarn), Papaver Rhoeas (an vielen Stellen), Sambucus nigra (überall), Secale cornutum (an manchen Stellen in Oberungarn in geringen

Quantitäten), Taraxacum officinale (überall), Tilia platyphyllos u. cordata (an vielen Stellen), Tussilago Farfara (überall), Veratrum album (in Südungarn u. in Slavonien), Verbascum Thapsus (an vielen Stellen).

Mähren.

Flos. tiliae, Flos. chamom. vulg., Fol. Salviae, Rhiz. asari.

Böhmen.

Rhiz. filicis.

Belgien.

Wildwachsende Arzneipflanzen Belgiens:

Digitalis, Lindenblüten (gute Qualität), Sambucus (Blüten u. Früchte), Juniperus (wenig), Mutterkorn (wenig).

Rußland.

Wildwachsende Arzneipflanzen Rußlands (zusammengestellt von W. K. Ferrein):

Gouvernement Moskau: Flor. Chamomill. vulgar., Fol. Belladonnae, Cardui Benedic., Cardui Mariae, Digitalis u. Petroselini, Herba Tanaceti, Balsamit., Basilici u. Centaurii minor., Herba u. Flor. Millefolii, Flor. Verbasci Rossic., Bacc. Juniperi, Fragariae, Frangulae, Myrtillorum, Pruni Padi, Rubi Idaei, Vaccini Myrtilli, Sorbi Aucupar. u. Viburni Opuli, Cort. Betulae, Frangulae, Populi, Populi Tremul., Pruni Padi, Quercus, Salicis u. Ulmi, Flor. Convallar. Majal., Cyani, Farfarae, Lamii albi, Primulae ver., Pruni Padi, Pulsatillae, Sorbi Aucup., Syringae, Tanaceti vulg., Tiliae u. Viburni Opuli, Fol. Asari Europaei, Betulae, Betonicae, Convallar. Majal., Cardui Mariae, Cynoglossi, Absynthi, Farfarae, Digitalis, Fraxini, Hyoscyami, Malvae, Populi tremul., Trifolii fibr., Ribis nigri, Nicotianae, Tanaceti, Balsam. u. Verbasci, Herba Chenopodii, Cochleariae, Estragoni, Hyssopi, Violae tricolor., Levistici, Majoranae, Matricariae, Melissae, Menthae pip., Menthae crisp., Rutae u. Salviae, Herb. Abrotani, Absynthii, Artemisiae, Basilici, Bidentis trip., Bursae Pastor., Campanulae glomeratae, Campanulae rotundifoliae, Centaurii minor., Chelidonii, Chenopodii, Cicutae, Cochleariae, Equiseti arvens., Equiseti palustris, Estra-

Fig. 99.

Das Brechen des *Cacao* in Trinidat.

In der Mitte ist der große Haufen reifen *Cacaos* sichtbar, rechts davon die auf Bananenblätter aufgeschütteten, aus der Fruchtschale herausgelösten Samen. Um den Haufen sitzen vor den runden Körben die Negerinnen, der Neger rechts ist im Begriff, mit seinem cutlas die in seiner linken Hand ruhende Cacaofrucht zu öffnen. Im Hintergrunde links schüttet ein Arbeiter die Samen in die auf einem Esel befestigten Tragkörbe. [Aus Kindt, Kultur des Cacaobaumes.]

goni, Fragariae, Fumariae, Galeopsidis, Gentianae cruciat., Geranii pratens., Erodii Cicutar., Lycopodii, Hederae terrestr., Helianthi annui, Hyperici, Hyssopi, Jaceae, Jacobeae, Lepidii ruderal., Levistici, Linariae, Majoranae, Matricariae, Meliloti, Melissae, Menthae pip., Menthae crisp., Millefolii, Myrtillor., Nasturtii aquat., Origani vulg., Persicariae, Fragariae vescae, Plantaginis, Potentill. anser., Polygoni avicul., Pulmonariae, Pulsatillae, Rutae, Salviae, Saponariae, Secal. cereal., Scabiosae, Spiraeae ulmar., Tanaceti vulg., Taraxaci, Telephii, Veronicae, Veronicae Beccabung., Virgaureae, Vitis Idaei, Urticae, Bidentis tripartit., Vaccinii Myrtilli, Hyperici, Artemisiae, Equiseti arvensis et palustris, Taraxaci, Persicariae, Saponariae rubrae, Jaceae u. Millefolii, Lichen islandicus, Radix Artemisiae, Asari europaei, Calami aromat., Caricis arenar., Filicis mar. (pro Extract.), Graminis, Petroselini, Saponariae, Spiraeae ulmar., Taraxaci, Saponariae rubrae, Valerian. Rossic. u. Urticae, Stipites Dulcamarae u. Viburni Opuli, Turiones Pini.

Gouvernement Jaroslaw: Herba Bidentis tripartit., Hyperici, Fragariae vescae, Thymi vulg. u. Millefolii, Fol Salviae, Absynthi u. Trifolii.

Gouvernement Poltawa: Herba Bidentis tripartit., Conii maculati, Bursae pastoris, Asperulae odorata, Equiseti arvensis et palustris, Herniariae glabrae, Scordii, Adonis vernalis u. Meliloti citrini, Fol. Cynoglossi, Juglandis regiae u. Hyoscyami, Flor. Sambuci nigri, Tiliae, Millefolii u. Verbasci rossic, Cort. Nuc. Juglandis, regiae, Rad. Ononidis spinos. u. Valerianae rossic.

Gouvernement Wladimir: Bacc. Vaccini Myrtilli u. Fragariae vescae.

Gouvernement Polen: Bacc. Vaccinii Myrtilli.

Gouvernement Tschernigow: Herba Meliloti citrini u. Adonis vernalis.

Gouvernement Samara: Rad. Liquiritiae.

Gouvernement Pjatigorsk: Herba Ephedrae vulg.

Gouvernement Archangelsk (Pinega); Agaricum.

Ostseeprovinzen: Rhiz. calami.

Aus vielen Teilen Rußlands: Secale cornutum, Lycopodium.

Nordamerika.

Wildwachsende Arzneipflanzen der Ver. Staaten von Nordamerika: (Hauptsächlich nach Henry Kraemer. Text-Book of Botany and Pharmakognosy 1907).

Abies balsamea, Acorus Calamus, Agrimonia Eupator., Agropyrum repens, Ailanthus glandulosa, Alsine media, Althaea off., Anagallis arvensis, Angelica Archangelica, Anthemis Cotula, Apocynum androsaemifolium, Apocynum cannabinum, Aralia hispida u. nudicaulis, Arctostaphyllos Uva Ursi, Anhalonium Lewinii, Arctium Lappa, Arctostaphyllos glauca, Arisaema triphyllum, Aristolochia Serpentaria, Artemisia Absynthium, frigida u. vulgaris, Asarum canadense, Asclepias incarnata u. syriaca, Asima triloba, Lindera Benzoin, Berberis Aquifolium, Echinacea angustifolia, Brauneria purpurea (nördl. Texas, Kansas, Nebraska), Borago officinalis, Cannabis sativa, Capsella Bursa pastoris, Cnicus benedictus, Castalea odorata, Caulophyllum thalictroides, Ceanothus americanus, Chamaelirium luteum, Chelidonium majus, Chelone glabra, Chenopodium anthelminticum, Chimaphila umbellata, Chrysanthemum Parthenium, Carduus arvensis, Cimicifuga racemosa, Collinsonia canadensis, Comptonia peregrina (Myrica asplenifolia), Coptis trifolia, Corallorhiza odontorhiza, Cornus circinata u. stolonifera, Cunila origanoides, Cytisus Scoparius, Datura Stramonium, Bicuculla canadensis, Dioscorea villosa, Drosera rotundifolia, Aspidium marginale u. Filix mas, Solanum Dulcamara, Equisetum hiemale, Erechtites hieracifolia, Erigeron canadense, Eriodictyon californicum, Erythraea Centaurium, Eupatorium perfoliatum u. purpureum, Frankenia grandifolia, Fragaria vesca, Frasera carolinensis, Galium aparine, Garrya Fremontii, Gaultheria procumbens, Gentiana quinquefolia, Geum rivale, Gnaphalium obtusifolium, Grindelia robusta u. squarrosa, Hedeoma pulegioides, Helianthemum canadensis, Helonias bullata, Heracleum lanatum, Hydrastis canadensis, Hypericum perforatum, Hyssopus off., Impatiens aurea, Jeffersonia diphylla, Kalmia latifolia, Koellia incana u. virginiana, Lactuca virosa, Leonurus cardiaca, Leptamnium virginianum, Leptandra virginica, Levisticum off., Liatris odoratissima, Lobelia inflata, Lycopus europaeus u. virginicus, Malva rotundifolia, Marrubium vulgare, Matricaria Chamomilla, Melilotus off., Mentha spicata, Menyanthes trifoliata, Micromeria Douglasii, Mitchella repens, Monaroa punctata, Nepeta Cataria, Nymphaea advena, Oenanthera biennis, Oxydendrum arboreum, Papaver Rhoeas, Parthenocissus quinquefolia, Penthorum sedoides, Phoradendron flavescens, Phytolacca decandra, Pimpinella Saxifraga, Plantago major, Podophyllum peltatum, Polygonum punctatum, Polymina Uvedalia, Rhus toxicodendron, Polytrichum juniperinum, Populus candicans, Pterocaulon pychnostachyum, Rubus canadensis, strigosus u. nigrobaccus, Rumex Acetosella u. crispus, Serenoa serrulata, Sabbatia angularis u. Elliottii, Sanguinaria canadensis, Saponaria officinalis, Sarracenia flava u. purpurea, Scrophularia marylandica, Scutellaria lateriflora, Senecio aureus, Silphium terebinthaceum, Smilax herbacea,

Smilax Pseudo-china, Solanum carolinense, Solidago odorata u. Virgaurea, Spigelia marylandica (südl. Staat. u. Missisippi-Gebiet), Limonium carolianum, Stillingia sylvatica, Stylosanthes biflora, Spathyema foetida, Tanacetum vulgare, Taraxacum off., Thelesia uniflora, Trilisa odoratissima, Tsuga canadensis, Tussilago Farfara, Umbellularia californica, Urtica dioica, Veratrum viride, Verbascum Thapsus, Verbena hastata, Veronica officinalis, Polygala Senega (im nördl. Minnesota, Manitoba usw., Winnipeg u. Minneapolis Hauptverkaufszentren; südl. Senega auch aus der Appalachian region). Artemisia anthelmintica (früher nur wild in Maryland; Verkaufszentren Baltimore u. Westminster), Ginseng (in den dichten Wäldern der östl. Ver. Staaten bis Missouri u. Arkansas), Cascara Sagrada (im nördl. Californien u. Nevada bis zum Nordende der Vancouver Insel).

Außer diesen bei KRAEMER angegebenen wildwachsenden Arzneipflanzen fand ich in den Berichten d. U. S. Department of Agriculture noch folgende:

Acer rubrum, Achillea Millefolium, Actaea alba, Actaea rubra, Adiantum pedatum, Aesculus glabra, Aesculus hippocastanum, Agrimonia hirsuta, Aletris farinosa, Alnus rugosa, Ambrosia artemisiaefolia, Anagallis arvensis, Anthemis Cotula, Aplectrum spicatum, Apocynum andro-

Fig. 100.

Japanese Collecting Seaweed. [Aus Pharm. Journ.]

saemifolium, Apocynum cannabinum, Aquilegia vulgaris, Aralia racemosa, Aristolochia reticulata, Artemisia abrotanum, Asclepias tuberosa, Aster puniceus, Athyrium filix-femina. Baptisia tinctoria, Betula lenta, Brassica nigra, Butneria florida, Cassia marylandica, Castanea dentata, Celastrus scandens, Cephalanthus occidentalis, Cercis canadensis, Chamaenerion angustifolium, Chenopodium ambrosioides, Chenopodium botrys, Chionanthus virginica, Chrysanthemum leucanthemum, Cichorium intybus, Cicuta maculata, Clematis virginiana, Conium maculatum, Convallaria majalis, Cornus amomum, Cornus florida, Cracca virginiana, Crataegus oxyacantha, Cynoglossum officinale, Cypripedium hirsutum u. parviflorum, Daphne Mezereum, Daucus Carota, Delphinium consolida, Digitalis purpurea, Diospyros virginiana, Dirca palustris, Epigaea repens, Epilobium palustre, Erigeron philadelphicus, Eryngium yuccifolium, Erythronium americanum, Evonymus atropurpureus, Eupatorium ageratoides u. aromaticum, Euphorbia corollata, ipecacuanhae, nutans u. pilulifera, Fagara clava-herculis, Fagus americana, Fragaria virginiana, Fraxinus americana u. nigra, Fumaria officinalis, Gelsemium sempervirens, Gentiana saponaria u. villosa, Geranium maculatum, Glechoma hederacea, Gnaphalium uliginosum, Hamamelis virginiana, Helenium autumnale, Hepatica acuta u. hepatica, Heuchera americana, Hicoria ovata, Hieracium venosum, Hydrangea arborescens, Hyoscyamus niger, Ilex opaca, Impatiens biflora, Inula Helenium, Ipomoea pandurata, Iris versicolor, Juglans cinerea, Juniperus communis, Sabina u. virginiana, Kalmia angustifolia, Koellia montana u. pilosa, Lacinaria scariosa, spicata u. squarrosa, Lactuca canadensis, Larix laricina, Ledum groenlandicum, Ligustrum vulgare, Limonium carolinianum, Liquidambar styraciflua, Liriodendron tulipifera, Lobelia cardinalis, Lycopodium clavatum, Magnolia acuminata, tripetala u. virginiana, Malva sylvestris, Melissa officinalis, Menispermum canadense, Mentha piperita, Monarda didyma u. fistulosa, Monotropa uniflora, Myrica cerifera u. gale, Nabalus albus u. serpentarius, Nyssa aquatica u. opeche, Onosmodium virginianum, Osmunda regalis, Ostrya virginiana, Oxalis acetosella, Passiflora incarnata, Peramium pubescens u. repens, Picea mariana, Pinus Strobus, Polemonium reptans, Polygala nuttallii, Polygonatum biflorum, commutatum u. hydropiper, Polypodium vulgare, Populus alba u. tremuloides, Porteranthus trifoliatus, Potentilla canadensis, Prunella vulgaris, Prunus serotina, Psoralea pedunculata, Ptelea trifoliata, Pulsatilla hirsutissima, Quercus alba u. rubra, Rhamnus cathartica u. purshiana, Rhododendron maximum, Rhus aromatica, Rhus glabra u. radicans, Robinia pseudocacia, Rubus cuneifolius, nigrobaccus, occidentalis, procumbens, trivialis u. villosus, Rudbeckia laciniata, Rumex obtusifolius, Salix alba u. nigra, Sambucus canadensis, Sanicula marylandica, Sassafras variifolium, Satureia hortensis, Serenoa serrulata, Silphium laciniatum u. perfoliatum, Sinapis alba, Sorbus americana, Spathyema foetida, Spiraea tomentosa, Symphytum officinale, Thuja occidentalis, Tiarella cordifolia, Tilia americana, Trifolium pratense, Trillium erectum, Triosteum perfoliatum, Turnera microphylla, Typha latifolia, Ulmus fulva, Uvularia perfoliata, Vagnera racemosa, Valeriana officinalis, Veronica virginica, Viburnum dentatum, lentago, opulus u. prunifolium, Viola odorata, pedata u. tricolor, Washingtonia longistylis, Xanthium spinosum, Xanthorrhiza apiifolia, Xanthoxylum americanum. Die Küste liefert: Carrageen.

Aus Californien auf den Markt gebrachte Arzneipflanzen (Liste von A. WECK Company): Berberis aquifolium root, Cascara sagrada bark, California laurel leaves, Damiana leaves, Eucalyptus globulus leaves, Eschscholtzia californica, Grindelia robusta, Grindelia squarrosa, Kava kava root, Manzanita leaves Rhus toxicodendron, Yerba buena, Yerba reuma, Yerba santa, Wild potato root (man in the earth), Mullen leaves, Mullen flowers, Skunk cabbage root, Skunk cabbage leaves, Wild cucumber root, Angelica root, May weed herb, Scouring rush, Pine buds, Pine needles, Plantain leaves, Wormwood herb, Horehound herb, Linden flowers, Sage, Thyme, Summer savory, Sweet marjoram, Red clover flowers, Peach leaves, Raspberry leaves, Strawberry vine, Garden lettuce, Hops, Orange flowers, O. peel, O. pits, Apricot pits, Red rose leaves (petals), Pale rose leaves (petals), Pumpkin seeds, Watermelon seeds, Mustard seed, Canary seed, Rape seed, Hemp seed, Flax seed, Law mallow, Wild sage, Spikenard, Burdock root, Buckeye bark, Buckeye leaves, Milk weed, Horse radish, Cherry Stems, Poppy heads, Coriander, Fennel, Caraway.

Der panamerikanische Kongreß 1896 hatte einen Ausschuß eingesetzt, welcher einleitende Schritte für ein systematisches Studium der amerikanischen Arzneipflanzen tun sollte. Die Subkommission für die Vereinigten Staaten hat sich dann mit der Smithonian Institution in Washington in Verbindung gesetzt und mit deren Hilfe ein Zirkular erlassen, in welchem sie für jede einzelne Pflanze um genaue Angabe über einheimischen Namen, örtliche Verwendung, geographische Verbreitung, Sammlung für den Markt, Kultur, Verfälschung usw. bat.

Über das Verhältnis der Einsammlungszeit zur Güte der gesammelten Droge, wie über andere damit zusammenhängende Fragen vgl. das Kapitel Pharmakophysiologie.

Raubbau wird noch heute bei der Einsammlung des *Mate* in Paraguay und Paraná, des *Kautschuk* in Südamerika und in Afrika, der *Guttapercha* in Sumatra, des *Campher* in Formosa getrieben. Bei letzteren beiden fällt stets der ganze Baum zum Opfer, *Ilex* geht bisweilen infolge unsorgfältiger Behandlung zugrunde.

Dem Raubbau bei der Kautschukgewinnung arbeiten neuerdings staatliche Verordnungen, z. B. in den deutschen Kolonien, am Congo und auch sonst — zunächst freilich mit wenig Erfolg — entgegen.

Der Fall, daß eine viel begehrte Arzneipflanze durch zu reichliches Sammeln ganz ausgerottet wurde, ist jedenfalls selten. Beim *Silphium* scheint im Altertum etwas derartiges stattgefunden zu haben, denn es war schon in den ersten christlichen Jahrhunderten in Kyrene nicht mehr zu finden. Auf großen Strecken Südamerikas ist der *Chinarindenbaum* ganz verschwunden, in einigen Gegenden der Schweiz *Gentiana lutea* ausgerottet. Die Gefahr der Ausrottung besteht zurzeit bei *Hydrastis*, der *Cascarilla* und den *Guttaperchabäumen*. Auch (wegen des großen Bedarfes in China) beim *Ginseng* in Amerika. Doch wird jetzt meist der Gefahr der Ausrottung durch Anpflanzung der gefährdeten Pflanzen vorgebeugt.

3. Erntebereitung.

(Beneficio.)

Die «Erntebereitung» ist der dritte, nicht minder wichtige Teil der Arzneipflanzenkultur.

Schon das einfache **Trocknen** der eingesammelten Arzneidrogen ist keine so ganz einfache Sache. Das wußten schon die Alten und gaben daher Vorschriften dafür. Besonders wußte man, daß die meisten Arzneipflanzen im Schatten getrocknet werden müssen. Wie wir aus hieroglyphischen Inschriften wissen, unterschieden bereits die Ägypter 2000 v. Chr. zwischen frischen, an der Sonne und im Schatten getrockneten Arzneipflanzen.

Saladinus von Ascolo bemerkt in seinem Compendium aromatariorum in der quinta particula: «Dico ulterius quod herbae sunt exiccadae ad umbram. Semina vero ad lentum Solem. De radicibus vero distingue, quia quaedam sunt at Solem exiccandae, sicut sunt radices magnae, valde crassae; quia densae substantiae, ut radix begoniae, rheupon., aristo., gentianae, mandrag., et sic de consimilibus. Sed radix ireos, petroselini, apij, foeni., garyophyl., asari, et consimilium, quae sunt rarioris substantiae, debent ad umbra exiccari, et omnia praedicta, scilicet herbae, flores, semi. et radices, nunquam sunt apponenda, nisi sint debito modo et congruo tempore exiccata alioqui putrescerent.»

Fig. 101.
*Kaffee*trockenkästen auf Porto Rico. [Underwood phot.]

Auch das Circa instans des Platearius gibt bisweilen Sammel- und Trockenvorschriften, vom *Absinth* sagt es z. B.: «in fine veris colligitur, in umbra exsiccatur,

Fig. 102.

Die *Kaffee*trockenkästen in Nicaragua zum Trocknen des Kaffees an freier Luft. [Aus Les grandes cultures.]

Fig. 103.

Macedonische *Tabak*arbeiter. Oben die aufgehängten Blätter. [Kew Museum.]

per annum servatur», bei *Esula*: «in vere colligitur per biennium in magna efficacia servatur».

Wo es sich um kleine Mengen handelt, ist auch heute noch der an beiden Enden mit Luftzuführung versehene schattige Trockenboden im Estrich der Apotheke

Fig. 104.
Cacao-Trockenhaus in Surinam mit herausgezogenem Trockenwagen. Kulifrauen auf dem Wagen beim Wenden des Cacao [Aus Preuß, Central- und Südamerika.]

ein idealer Trockenraum. Wenn die Arzneipflanzen in dünner Schicht ausgebreitet und täglich gewendet werden und dauernd Zugluft darüber streicht, trocknen die Pflanzen unter dem warmen Dache bei schneller Abführung des Wasserdampfes rasch, ohne sich stark zu verfärben und ohne viel von ihren flüchtigen Bestandteilen zu verlieren. Schwieriger wird die Sache bei größeren Mengen. Hier greift man oft zu dem Auskunftsmittel, die Pflanzen oder Pflanzenteile zu bündeln und in Reihen an einem schattigen Orte aufzuhängen. So sieht man es in Cölleda mit *Angelica* und *Alant*. Dann auch beim *Tabak* (Fig. 103). Der *Kaffee* wird entweder auf Tennen (in Ceylon: barbacues, Taf. XII) oder in eigenartigen Hürden (Fig. 101 u. 102) getrocknet, der *Cacao* in Südamerika auf Tennen (Fig. 104). In Indien bedient man sich zur Trocknung oft der aus Rotang geflochtenen runden Bambuteller (Tampirš, Fig. 78). Die *Chinarinde* wird in Java auf Hürden ausgebreitet, die, auf Rollen laufend, während der sonnigen Tagesstunden ins Freie geschoben und bei Eintritt der Nacht oder vor Regenwetter wieder unter das schützende Dach zurückgerollt werden (Fig. 105—107). Ähnliche herausschiebbare Tennen benutzt man in Surinam zum Trocknen des *Cacao* (Fig. 104). Die *Kulturchina* Boliviens wird auf Gerüsten getrocknet.

Der *Rhabarber* wird in China auf Schnüre gezogen und aufgehängt, und ebenso verfährt man mit den *Salepknollen* in Kaltennordheim, der *Angelica* in Cölleda und dem *Paprika* in Ungarn (Fig. 109). Der *Rhabarber* wird in Szetchuan entweder in der Sonne (sun dried) oder auf erhitzten Steinen oder über Buschfeuer getrocknet (hight dried).

In Scheiben geschnitten wird *Rad. colombo*, *Rad. bryoniae*, *Tub. colchici*, längs halbiert (oder gevierteilt) *Rhiz. enulae*, *Rad. cichorii*, *Rhiz. calami*, wohl auch *Levisticum*,

Valeriana und *Angelica*. Die Chinesen haben besondere Handschneidemaschinen, mit denen sie die Drogen, besonders die Wurzeln, in sehr feine Querscheiben zerschneiden. Ich sah in den chinesischen Apotheken fast alle Drogen, die diese Behandlung erlauben, in dieser Form. Beim *Iris*rhizom wird behufs Herstellung der Sorte «pro infantibus» das Rhizom künstlich gestreckt und gepreßt.

Fig. 105.
Die auf Rollen aus dem Schuppen herausgefahrenen älteren Trockengestelle für *Chinarinde* in der Regier. Kina-Onderneming in Lembang auf Java. [Aus Tschirch, Indische Heil- und Nutzpflanzen.]

Man hat aber auch vielfach zu **künstlichen Trockenapparaten** gegriffen. Solche liefert die Maschinenindustrie in vielen Formen (z. B. die MAYFARTHsche Darre). Aber nicht alle sind richtig konstruiert. Die Teetrockner, wie sie in Ceylon und Java benutzt werden, überhitzen meines Erachtens die Droge und auch anderwärts wird die Temperatur nicht niedrig genug gehalten, um Zersetzungen zu verhindern. *Nelken* können z. B. nicht in Trockenöfen getrocknet werden, wie Versuche (1898) in Sansibar lehrten, da nur in der Sonne getrocknete biegsam bleiben. Hauptsache ist, daß Vorrichtungen bestehen, den gebildeten Wasserdampf rasch abzuführen. Künstliche Wärme und eigenartige Trockenapparate werden in Süd- und Mittelamerika auch beim *Kaffee* und *Cacao* angewendet.

Ich halte eine Temperatur von 35—50° als günstigste Trockentemperatur für die meisten Arzneidrogen. AGNELLI fand 35° gut für *Mentha, Melisse, Ruta*, 45—50° für *Carduus benedict.* Übereinanderschichten nicht ganz trockener Drogen ist immer schädlich.

MAUSIER empfiehlt (Pharm. Post. 1901) früh und abends bei möglichst niedriger Temperatur (12—15°) zu pflücken und unter Überleiten von trockener Luft bei 15° (nicht höher) zu trocknen. Das ist ein Vorschlag, der ganz gut gemeint, aber nicht durchführbar ist, besonders nicht dort, wo große Mengen rasch getrocknet werden müssen.

Die Farben der Blüten werden durch sehr rasches Entfernen des Wasserdampfes — rasches Trocknen bei starker Ausbreitung — am besten konserviert und lassen sich durch Trockenhalten der nicht zu dicht übereinandergeschichteten Blüten, z. B. über Kalk, lange unverändert erhalten. Denn die Bestandteile des Zellsaftes — und ganz besonders ihre Lösung — sind es, die verändernd auf die Farbstoffe einwirken.

Die grüne Farbe der Blätter wird ebenfalls am besten durch rasches Trocknen der gut ausgebreiteten Blätter unverändert erhalten. Doch ist die Erhaltung einer rein grünen Farbe ganz abhängig von der Acidität des Zellsaftes und dieser wieder von dem Standorte der Pflanze. Wie ich gezeigt habe (Einige praktische Ergebnisse meiner Untersuchung. über das Chlorophyll, Arch. Pharm. 1884), besitzen Wasserpflanzen und Pflanzen feuchter Standorte einen neutralen oder nur sehr schwach sauren Zellsaft. Da nun die Verfärbung des Chlorophylls, d. h. die Umbildung des rein grünen Chlorophylls in die braungrüne Phyllocyaninsäure, durch Säuren, auch die schwächsten, bewirkt wird, also um so rascher vor sich gehen muß, je saurer der Zellsaft ist (TSCHIRCH, Untersuchung. über das Chlorophyll, Berlin 1884), so werden sich die Blätter von Pflanzen feuchter Standorte (z. B. *Menyanthes*) beim Trocknen weniger verfärben als solche trockener Standorte, und von diesen wieder die mit stark saurem Zellsaft (z. B. *Rumex*) stärker als die mit schwächer saurem (z. B. *Digitalis*). Der saure Zellsaft wirkt in der lebenden Zelle auf die in Plasma eingebetteten und selbst mit einer Plasmahaut umgebenen Chlorophyllkörner nicht ein — das lebende Plasma reagiert alkalisch —; erst nach dem Absterben der Zelle wird die Plasmahaut permeabel. Also kann eine Veränderung erst beim Trocknen der abgelösten, abgestorbenen Blätter eintreten. Andererseits wirken die Pflanzensäuren des Zellsaftes nur in gelöstem Zustande auf das Chlorophyll. Daraus ergibt sich, daß es notwendig ist, so rasch wie möglich das Lösungsmittel zur Verdunstung zu bringen, d. h. rasch zu trocknen, wenn man die Blätter grün erhalten will.

Fig. 106.
Die großen Trockengestelle der Particulier-Kina-Onderneming Gamboeng in Java, herausgeschoben. Vorn *Thea assamica*. [Schröter phot.]

Nur eine verhältnismäßig kleine Anzahl von Drogen wird in frischem Zustande verwendet. Die meisten dieser frischen Drogen werden aber auch nicht als solche gebraucht, sondern zur Bereitung der Succi recentes und anderer pharmazeutischer Präparate (Extrakte, Sirupe, Tinkturen usw.) benutzt, wie z. B. *Herb. cochleariae officinalis*, *Herb. Nasturtii officinal.*, *Rad. armoraciae*, die für *Sirup. cochleariae cps.* gebraucht werden, und auch *Rhizoma Filicis*, das nur im frischen Zustande verarbeitet ein ganz wirksames Extrakt liefert. Von den Drogen wird eigentlich nur noch die *Scilla* in den Apotheken frisch vorrätig gehalten. Einige

Drogen sind in frischem Zustande sehr viel wirksamer als im trockenen, z. B. *Cort. rad. Granati, Rhiz. Filicis.*

Die getrocknete Pulpa der Früchte von *Aegle Marmelos* ist wirkungslos. Die Pulpa der frischen Frucht ist ein ausgezeichnetes Mittel gegen Dysenterie. Ein singhalesischer Arzt hat mich durch dies Mittel, als ich im Hochlande von Ceylon an einer schweren Dysenterie erkrankt war, vom Tode errettet.

Die meisten Drogen werden getrocknet, ja das «Getrocknetsein» ist eigentlich unzertrennlich vom Begriff «Droge» (S. 15).

Die Ausbeuten beim Trocknen sind verschieden. Ich teile im folgenden eine Liste mit, aus der ersichtlich ist, wieviel Trockensubstanz einige Arzneipflanzen liefern, wenn sie nach dem Trocknen an der Luft (oder im Trockenschrank) lufttrocken gewogen werden.

Tabelle

über die ungefähre Ausbeute von 100 Gewichtsteilen einiger frisch gesammelter, meist einheimischer Drogen an Trockensubstanz.

Boletus cervin.	25	Fol. Digitalis	20	Herb. Serpylli	36
Bulbus Scillae	18	— Farfarae	19	— Thymi	33
Cort. Mezerei	50	— Juglandis	30	— Violae tricolor.	24
Quercus	40	— Malvae	20	Rad. Althaeae	25
Flos Acaciae	25	— Melissae	22	— Angelicae	20
Arnicae	20	— Menth. pip. und crisp.	20	— Belladonnae	38
Carthami	20	— Nicotianae	20	— Helenii	25
Chamomillae roman.	25	— Salviae	22	— Levistici	38
— vulg.	26	— Stramonii	45	— Liquiritiae	33
Lamii alb.	20	— Trifolii	22	— Ononidis	36
Lavandulae	39	— Uvae ursi	20	— Saponariae	32
Malvae arbor.	20	Fruct. Myrtilli	16	— Taraxaci	22
— vulg.	20	Gemma Populi	36	Rhiz. Calami	25
Rhoeados	18	Herb. Absinth.	25	— Filicis	32
Rosae	24	— Card. bened.	25	— Graminis	40
Sambuci	25	— Centauri	26	— Imperatoriae	22
Tiliae	31	— Cochlear.	8	— Tormentillae	42
Verbasci	19	— Conii	25	— Valerianae	24
Fol. Althaeae	15	— Hyoscyami	20	Stipit. Dulcamarae	33
Belladonnae	18	— Meliloti	28	Tubera Colchici	34

Schon das Trocknen verändert aber das Objekt. Schon bei dieser Operation gehen, selbst wenn sie noch so vorsichtig vorgenommen wird, an den Bestandteilen Umsetzungen vor sich (vgl. z. B. SCHOONBRODT, Jahresber. d. Pharm. 1869, S. 20). Wir können dies bei einigen Drogen direkt durch den Geruch feststellen. Frisches *Irisrhizom* riecht krautig, der Veilchengeruch tritt erst beim Trocknen hervor. Frische *Aconitknollen* riechen nach Rettig, frische *Digitalis-* und *Hyoscyamus*blätter widerlich. Der Wanzengeruch frischen *Corianders* weicht einem angenehmen Geruche beim Trocknen, frische *Menthablätter*, frische *Rosenblätter*, frische *Vanillefrüchte*, frische *Orchisknollen*, frisches *Veratrumrhizom* riechen anders als trockene. Dasselbe finden wir bei *Rhiz. arnicae* und *Rhiz. valerianae*. Viele werden durch Trocknen geruchlos.

Nur aus frischer *Enzianwurzel* kann man *Enzian*schnaps bereiten, nicht aus trockener. Daß die frischen Arzneipflanzen oft Substanzen enthalten, die beim Trocknen ganz oder fast ganz verloren gehen, zeigte auch neuerdings die Untersuchung frischer

Fig. 107
Die neue Trockenvorrichtung für *Chinarinde* auf der Regierungschinaplantage in Tjibitong (Java).
Die Trockenkästen laufen auf Rollen und können unter das Schutzdach geschoben werden.
[Aus Verslag des Gouvernements Kina-Onderneming Java.]

Fig. 108.
Paprika bauende Bulgaren bei Szeged in Gyála (Ungarn). [Aus der Zeitschr. A Kor, Szabó phot.]

Baldrianrhizome durch FOUCHET ET CHEVALIER (Bull. sc. pharmacol. 1907), die in der frischen Pflanze ein Alkaloid und ein Glykosid fanden, die beide nicht oder nur in Spuren in den Drogenauszügen nachzuweisen waren.

Viele pharmazeutische Präparate (*Spir. cochlear*, *Sir. cochlear cps.*, *Sir. mori*, *Sir. rhamn. cathart.*, Ph. helv. IV) werden nur aus der **frischen Pflanze** dargestellt (s. oben). Aus trockener bereitet, sind sie wirkungslos. Andererseits wissen die Destillateure, daß man bei einigen Kräutern (*Mentha*) bessere Ausbeuten erhält, wenn man das getrocknete Kraut benutzt, bei anderen (*Rosa*) aber frische Pflanzenteile destillieren muß.

Fig. 9. Das Trocknen der *Paprika*-Früchte bei den ungarischen Bauern in Szeged. Aus d. Zeitschr. A Kor Schwa m gez.

Bei einigen Drogen zeigt schon der Farbenwechsel, die **Verfärbung**, daß das Trocknen allein schon verändernd wirkt. Ich habe (s. oben) gezeigt, daß sich alle die grünen Pflanzenteile, die einen sauren Zellsaft besitzen, rasch olivengrün bis braungrün färben. Bei den weißen oder rosafarbenen *Kolanüssen* tritt beim Trocknen Rotfärbung ein, die helle *Chinarinde* wird schon nach wenigen Sekunden rot. Bei diesen beiden tritt zweifellos ein Ferment in Aktion und bedingt die Rotfärbung. Durch fermentative Spaltung eines Glukosides wird hier Chinarot, dort Kolarot gebildet. Denn wie mich Versuche gelehrt haben, unterbleibt die Rotbildung, wenn man das Ferment abtötet, bevor die *Kola* getrocknet oder die *Chinarinde* abgelöst wird. Etwas ähnliches findet offenbar bei dem *Tormentillrhizom*, der *Weiden-* und *Eichenrinde*, den *Nelken*, der *Ratanhiawurzel* statt, die alle sich beim Trocknen in Rot verfärben.

Der Standard-Versuch ist von mir 1905 publiziert worden (Schweiz. Wochenschr. f. Chem. u. Pharm. 1905, Nr. 10). Ich berichtete daselbst folgendes:

«Bei der *Chinarinde* hatte ich in Java 1889 beobachtet, daß die Rinde unmittelbar nach dem Ablösen farblos ist, sich aber schon nach fünfzehn Sekunden rötet. Ich habe nun durch Versuche festzustellen gesucht, ob die nach dem Ablösen eintretende Rötung unterbleibt, wenn man vor dem Ablösen der Rinde den Zweig bis zu einer Temperatur erwärmt, bei der Fermente abgetötet werden.

Die Versuche sind nach meinem Plane in der Gouvernements Kina Onderneming in Mitteljava und zwar in der Plantage Tirtasari (Bandoeng) zuerst von Herrn Dr. VAN LEERSUM, dann von Herrn J. VICTOR SIBINGA ausgeführt worden.

I. Versuchsreihe. Die Zweige wurden abgeschnitten und sofort in ein Becherglas mit Wasser von 80° gebracht. Sie blieben darin 1½ Stunden. Wurde nun die Rinde vom Holzkörper abgelöst, so war sie farblos und blieb farblos auch bei nachherigem Trocknen (selbst in der Sonne). Der Versuch mit halbstündigem oder einstündigem Eintauchen in Wasser von 80° lieferte das gleiche Resultat.

II. Versuchsreihe Die Zweige wurden abgeschnitten, sofort in einen Dampfsterilisationsapparat gebracht und während 1½ Stunden dem Dampfe von ca. 80° ausgesetzt, ohne mit dem Wasser selbst in Berührung zu kommen. Wurde alsdann die Rinde vom Holzkörper abgelöst, so war sie farblos und blieb farblos, auch nach nachherigem Trocknen (selbst in der Sonne). Der Versuch lieferte das gleiche Resultat, wenn der Zweig ½ oder eine Stunde im Dampf verweilte.

III. Versuchsreihe. Ein dünner Zweig wurde, ohne von der lebenden Pflanze abgetrennt zu werden, in eine Schale mit Wasser von 80° eingebogen und darin ½ Stunde gelassen. Die vom Holzkörper abgelöste Rinde war farblos und blieb farblos, auch nach dem Trocknen. Der Versuch lieferte das gleiche Resultat, wenn der Zweig fünfzehn Minuten im Wasser verweilte.

Die gleichzeitig ohne vorherige Behandlung mit Wasser von 80° oder Dampf vom gleichen Zweige abgelöste Kontrollrinde färbte sich stets rot.

IV. Versuchsreihe. Abgeschnittene Zweigstücke wurden im Luft-Trockenschrank bei 80° ½, 1, 1½, 2 und 3 Stunden gehalten. Stets trat nach Ablösen der Rinde Rötung ein. Doch nahm die Rötung parallel der Dauer des Versuches ab. Diese Rötung trat sogar noch ein, wenn der abgeschnittene Zweig im Luft-Trockenschranke ½ Stunde auf 100° erhitzt wurde.

Aus diesen Versuchen geht hervor, daß in der Tat ein Enzym die Rötung der *Chinarinde* bedingt und zwar ein Enzym, das durch Wasser von einer Temperatur von 80° schon nach einer 15 bis 30 Minuten dauernden Einwirkung zerstört wird, resp. nach dieser Zeit nicht mehr wirksam ist, das aber trockener Wärme länger widersteht.

Wahrscheinlich handelt es sich in der *Chinarinde* um ein Glukotannoid, das nach dem Ablösen der Rinde durch das Enzym gespalten und dessen einer Spaltling entweder das Chinarot selbst ist, oder der zu Chinarot umgebildet wird.

Jedenfalls sind wir aber schon jetzt berechtigt vorauszusagen, daß es sich bei der Bildung der anderen ‚Rote' ebenso verhalten wird wie bei *Cola* und *China*.»

Den pflanzlichen Enzymen, die von SCHÖNBEIN entdeckt und in neuerer Zeit besonders von BACH, CHODAT, SCHÄR und BOURQUELOT zum Teil gerade mit Rücksicht auf Arzneipflanzen studiert wurden, kommt offenbar eine große Bedeutung nicht nur im Leben der pflanzlichen Zelle, bei der Stoffbildung und dem Stoffumsatz, sondern auch bei den postmortalen Veränderungen innerhalb der Arzneidrogen zu. Wir wissen freilich noch wenig über die chemische Natur dieser Substanzen. Wir kennen nur einige ihrer Eigenschaften. Ich habe gezeigt, daß sie alle die Pyrrol- und die Furfurol-Reaktion geben, also wohl Übergangsglieder zwischen den Eiweißsubstanzen und den Hemicellulosen darstellen.

Eine ganze Anzahl von Drogen werden nach dem Einsammeln noch einer besonderen Behandlung unterworfen, die direkt auf eine chemische Veränderung der Drogen hinzielt. Die wichtigste dieser Prozeduren ist das sog. **Fermentieren**. In vielen Fällen handelt es sich hierbei wohl um einen Gärungsprozeß, wie schon die Erwärmung zeigt, die dabei regelmäßig beobachtet wird. Bisweilen lassen sich, wie bei dem *Cacao*, sogar noch die Gärungspilze, die *Saccharomyceten*, in dem anhaftenden Fruchtfleisch der Droge nachweisen, von denen es freilich zweifelhaft ist, ob sie die

Tschirc Handbuch der Pharmakognosie. Verlag von Chr. Herm. Tauchnitz, Leipzig.

Der ges apelte Tabak n der Fermentierscheune in Suma ra.

Fig. 110.
Das Innere einer Fermentierscheune für *Tabak* in Sumatra mit den Pressen. [Phot. im Kew Museum.]

Fig. 111.
Brechen des *Cacao* auf Samoa. [Aus Deutsch. Kolonialzeit.]

Tschirch, Handbuch der Pharmakognosie. Verlag von Chr. Herm. Tauchnitz, Leipzi

Coffee Pulping Mill inmitten einer Kaffeeplantage im Hochlande von Ceylon.
Links Trocknen der Samen auf Matten, vorn rechts die Haufen der Fruchtschalen.

Erreger oder nur Begleiter der eigentlichen Fermentierung sind (s. unten S. 118). In anderen Fällen scheint aber keine eigentliche Gärung, sondern eine andere Fermentwirkung hierbei in Frage zu kommen. Die durch Übereinanderschichten der Droge erzielte Temperatur steigert dann nur die Wirkung des in den Zellen der Droge selbst enthaltenen Fermentes. So haben wir uns nach meinem Dafürhalten z. B. die Fer-

Fig. 112.

Gärungshaus für *Cacao* in Trinidat. Der Raum enthält 16 mit Holz verkleidete Gärkasten (sweatbox) von 1,5 m Höhe, 2 m Länge und 1,5 m Breite. Als Wärmeisolator dient eine 20 cm dicke Gras-Lehmschicht. [Preuß phot.]

mentierung des *schwarzen Tees* in der Weise verlaufend zu denken, daß das Kaffeinglukosid durch das Ferment, welches in den Teeblättern nachgewiesen ist, gespalten und Kaffein und Teerot, dem der *schwarze Tee* seine Farbe verdankt, gebildet wird. Diese Auffassung erhält dadurch ihre Stütze, daß die Teerotbildung nach Abtöten des Fermentes unmittelbar nach der Pflückung, wie es beim *grünen Tee* stattfindet, auch bei nachträglichem «Fermentieren» in der Tat unterbleibt. Auch bei der ersten Operation, der die *Yerbablätter* unterworfen werden, bei der sie über nicht rauchendem Feuer erhitzt werden — der sog. Sapecaje — scheint ein Ferment abgetötet zu werden. Denn so behandelte Blätter verfärben sich nachher nicht mehr, während dies unbehandelte tun.

Eine Fermentwirkung scheint auch bei der *Vanille*bereitung vorzuliegen, wenn die Früchte in Tücher geschlagen «gären» gelassen werden. Auch hier wird ein Glukosid gespalten. Beim *Tabak* dürfen wir etwas ähnliches annehmen. Ja, bei dem ubiquistischen Vorkommen der Fermente darf angenommen werden, daß die Mehrzahl der Pflanzen, wenn man sie übereinandergeschichtet einige Zeit sich selbst überläßt, bei der hierbei eintretenden Erwärmung eine fermentative «Gärung» erleiden wird.

Daß bei der Fermentierung des *Tabaks* (Fig. 110 und Taf. XI) Mikroorganismen beteiligt sind, hat J. Behrens wahrscheinlich gemacht. Sollten es nicht, falls Bakterien wirklich beteiligt sind, durch diese erzeugte Fermente sein, wie ich dies auch bei der Gummibildung annehme?

WAGHEL (Chem. Zeit. 1903) vertritt die Ansicht, daß auch das Teearoma durch eine besondere Hefeart bei der Fermentierung erzeugt werde. Bei der Fermentierung des Ceylon-*Cacao* ist eine Hefe, die AXEL PREGNER (Tropenpfl. 1901) *Saccharomyces Theobromae* nannte, beteiligt.

Das Fermentieren des *Cacao* erfolgt, nachdem die Früchte «gebrochen» sind. Das «Brechen» geschieht entweder in der Weise, daß man die Früchte auf einen Stein legt und mit einem Knüttel oder

Fig. 113.
Vorrichtung zum Herausnehmen des *Cacao* aus dem Gärungshaus in Trinidat. [Preuß phot.]

flachem Holzstück darauf schlägt oder dadurch, daß man sie durch den Schlag mit einem stumpfen Messer (cutlas, machete, Arit, Gaman) öffnet (Fig. 99 u. 111). Die von den als Düngemittel brauchbaren Fruchtschalen getrennten Samen werden so rasch wie möglich in die Fermentierscheunen (Fig. 112—115) gebracht, denn gebrochener *Cacao* darf niemals über Nacht draußen bleiben. Hier werden sie in große viereckige, am besten aus Cedernholz (oder Zementsteinen) hergestellte Kästen gebracht, deren etwas geneigter Boden durchlöchert ist und die mit einer Isolierschicht versehen sind. Die Schicht der Samen soll nicht mehr als 80 cm betragen. Sie wird mit Bananenblättern bedeckt und mit Brettern beschwert. Die Gärungszeit ist verschieden bei den Sorten und beträgt $1^1/_2$—10 Tage. Ein Zeichen, daß sie normal verläuft, ist das regelmäßige Abfließen des dem Fruchtmus (der Pulpa) entstammenden «Cacaoessigs» aus den Löchern am Boden. Alle 24 oder 36 Stunden wird «umgeschaufelt», d. h. der *Cacao* in einen anderen Fermentierungskasten hinübergebracht (Fig. 114). Die Temperatur darf nie so hoch steigen, daß sie der in der Mitte des Haufens hineingesteckten Hand lästig wird. Man kontrolliert den Fortgang der Fermentierung durch Aufbrechen einiger Bohnen und sieht, ob die Nibs (d. h. die Cotyledonen) schon die richtige Farbe haben. Durch das Fermentieren ändert sich nämlich die Farbe in hellbraun oder violett, gleichzeitig wird die Bitterkeit herabgemindert und die Keimkraft der Samen geht verloren.

Die aus den Fermentierkästen herausgenommenen fertig gegorenen Samen gelangen dann in die Trockenhäuser (Fig. 116), werden hier durch Kneten mit den Füßen, «Tanzen», voneinander isoliert — sie kleben, da sehr schleimig, leicht zu Ballen aneinander und man wäscht sie daher bisweilen vorher — und werden dann an der Luft oder mit künstlicher Wärme getrocknet.

Läßt man die gepflückten Früchte auf Haufen liegen, so geraten sie auch in Gärung. Diese Gärung vermeiden aber die Pflanzer. Die Frucht wird möglichst bald verarbeitet.

Das Fermentieren in Fässern, Säcken oder Erdgruben führt zu schlechteren Produkten und kommt immer mehr außer Gebrauch (L. KINDT, 1904).

Bei dem Prozesse scheinen zwei Vorgänge sich abzuspielen. Eine durch *Saccharomyceten*, die man auch auf der Droge noch leicht nachweisen kann, bewirkte Alkohol- und dann Essiggärung (s. oben) in dem den Samen außen anhaftenden Fruchtmuse und eine im Innern der Zellen der Cotyledonen des geschlossenen Samens sich abspielende «Fermentierung», bei der wohl Enzyme (hydrolytische und Oxydasen) in Frage kommen. Ob diese letztere, eigentliche Fermentierung, auf die es ankommt, von der erstgenannten bedingt oder beeinflußt wird, läßt sich nicht sagen.

Das Fermentieren des *Tees* erfolgt in Java und Ceylon, wo ich es selbst studieren konnte, nachdem das Blatt an der Luft auf Bambu-Tampirs (Fig. 79) oder aufgespannter Sackleinewand «gewelkt» und in Maschinen «gerollt» wurde in der Weise, daß man die gerollten, nunmehr graugrünen Blätter zu Haufen übereinanderschichtet oder in Fermentierungskästen — flachen, übereinanderstehenden Kästen mit niedrigem Rand (mal.: ajakan pejeum) — solange liegen läßt, bis die Masse eine rotbraune, sog. «Kupferfarbe» angenommen hat. Dieser Zeitpunkt ist entweder schon nach 20 Minuten oder erst nach 3—3½ Stunden erreicht. Es hängt dies von der Lufttemperatur ab. In den höheren Lagen fermentiert der *Tee* sehr viel langsamer, in den niederen kühlt man die Teeschichten durch darüber gelegte nasse Tücher. Der Fortgang des Prozesses, auf dessen richtigen Verlauf alles ankommt, wird von einem Aufseher fortdauernd kontrolliert (Fig. 117). Die Temperatur steigt meist nur einige Grade. Nach dem Fermentieren kommt der *Tee* in die Trockenmaschinen. *Tee* muß an einem Tage fertig gemacht werden.

Der *grüne Tee* wird nach schwachem Welken sofort in flachen eisernen Pfannen (Sangrajan), die zu mehreren in gemauerten Behältern sitzen und durch Holzkohlen erhitzt werden, unter allmählicher Steigerung der Temperatur «gebraten», dann nach dem Abkühlen gerollt und zu Klumpen geballt fermentiert. Er verändert beim Fermentieren seine graugrüne Farbe nicht. Nach dem Fermentieren wird er mit der Hand fertig gerollt — meist zu Kügelchen — und getrocknet.

In China und Japan werden die in Bambukörben befindlichen Blätter in eigenartigen Ziegelöfen über dem Feuer unter Umrühren eine halbe Stunde «gewelkt», dann auf viereckigen Brettern

Fig. 114.

Das Innere eines *Cacao*-Fermentierraumes auf Trinidat. Die Fermentierkästen und das Umschaufeln. [Aus Les grandes cultures.]

oder Bambuhürden mit erhobenem Rande mit der Hand oder den Füßen «gerollt» — wobei der sog. «Teesaft» austritt und vom Tische abfließt. Falls das Rollen nicht genügend durchführbar war, wird nochmals in flachen Schalen über dem Feuer erwärmt und schließlich auf flachen Bambutellern fermentiert. Die Fermentation dauert höchstens eine Stunde. Die Blätterschicht darf nur 2—3 cm betragen.

Man bedeckt sie während der Fermentation mit baumwollenen Decken. Unmittelbar nach dem Fermentieren wird der *Tee* in flachen Schalen oder in auf gußeiserner Platte ruhenden Bambukörben ohne Böden unter Umrühren «geröstet», d. h. vorsichtig unter Umrühren über rauchfreiem Feuer getrocknet (Fig. 118—120).

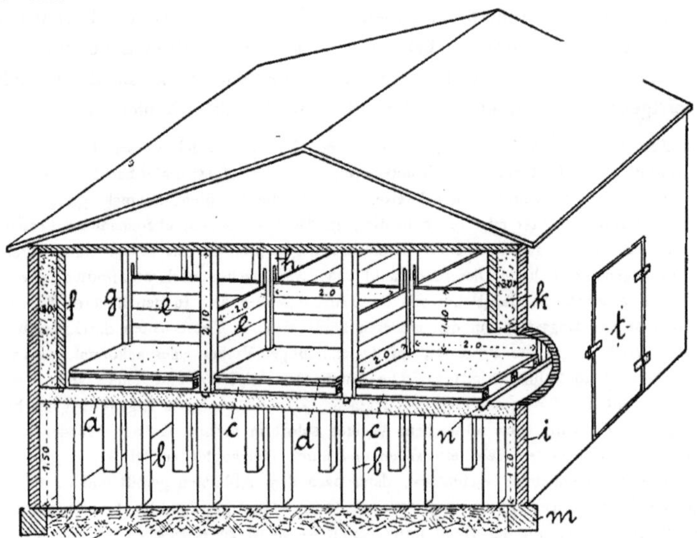

Fig. 115.

Cacao-Fermentierhaus, Seitenwand fortgenommen. a Hölzerner, unterer, fester Boden aus Cedernholz. b Pfeiler aus hartem Holz. c auf a aufliegende Cedernholz-Querbalken. d Oberer durchlöcherter, wegnehmbarer Boden aus Cedernholz. f Innenwand aus Cedernholz. g und h in Boden und Decke eingelassene Pfähle aus Hartholz. i äußere Wand. k mit schlechtem Wärmeleiter ausgefüllte Isolierschicht. t Doppeltür. m gemauerte Steinlage. n Rinne zum Auffangen des «Essig». [Aus Kindt, Kultur des Cacaobaumes.]

Beim *Kaffee* wird der im Pulper der Pulping-Mill (Taf. XII) enthülste, d. h. von der äußeren weichen Fruchtschale befreite Samen in Zisternen (Fig. 121 u. 122) 2—3 Tage lang «fermentiert» — eigentlich faulen gelassen — besonders zur Zerstörung des schleimigen Mesocarps, dessen Reste dann in der Washing-Cistern vollends entfernt werden. Von der «Pergamenthülle» (dem Endocarp) befreit man die Samen dann im «Peeler».

Bei der *Vanille* unterscheidet man das mexikanische oder trockene Verfahren und das Heißwasser-Verfahren. Das trockene Verfahren sei zuerst beschrieben, das die Spanier bereits vorfanden, als sie die Küstendistrikte von Veracruz betraten, wo die Vanillebereitung auch heute noch (besonders bei Papantla und Misantla) ihr Zentrum hat.

Die Erntebereitung (el beneficio) der *Vanille* erfordert große Geduld, Sorgfalt, Genauigkeit, Umsicht und Erfahrung. Der Vainillero braucht in Mexico zum Benefizieren: Plattformen, Matten, dunkele wollene Decken, Kästen zum Schwitzen (event. einen Ofen), gut ventilierbare, große trockene Zimmer mit Regalen an den Wänden, Thermometer und Blechkästen (Preuss). Zunächst werden die 24 Stunden an der Luft getrockneten gelbgrünen, nicht ganz reifen Früchte auf wollene, auf der Plattform ausgebreitete Decken in einfacher Schicht nebeneinander gelegt und mehrere Stunden der Sonne ausgesetzt, dann in den vorgewärmten, mit Decken ausgeschlagenen Schwitzkasten gebracht, wo die Schoten durch das Schwitzen («sudor») in c. 20 Stunden braun werden. Der Prozeß wird mehrfach wiederholt und ist in 3—14 Tagen beendet. Dann wird die *Vanille* auf Regalen getrocknet. Bei schlechtem Wetter benutzt man Schwitzöfen (poscoyon), ähnlich den Öfen zum Brotbacken. In diese Öfen wird die *Vanille* in Paketen (maleta) zu 400—600 Früchten gebracht, die mit wollenen Decken umhüllt sind. Man steigert die Temperatur bis über 100°, bisweilen (bei vielen — über 30 — maletas) bis auf 125°. Die Früchte bleiben 16—22 Stunden im Ofen. Dann werden sie noch 20—30 Tage der Luft ausgesetzt.

Das trockene mexikanische Verfahren ist auch nach Réunion gebracht worden, hat dort aber einige Abänderungen erfahren. Man verwendet in Réunion in den Öfen bedeutend niedrigere Temperaturen (70—80°), erhitzt aber längere Zeit (24—36 Stunden) und besonnt die Früchte nach der Ofen-

Fig. 116.
Mit Schornsteinen und verschiebbarem Dach versehenes *Cacao*trockenhaus auf Trinidad, das mit dem Gärungshaus (links) durch Schienen verbunden ist. [Nach Preuß.]

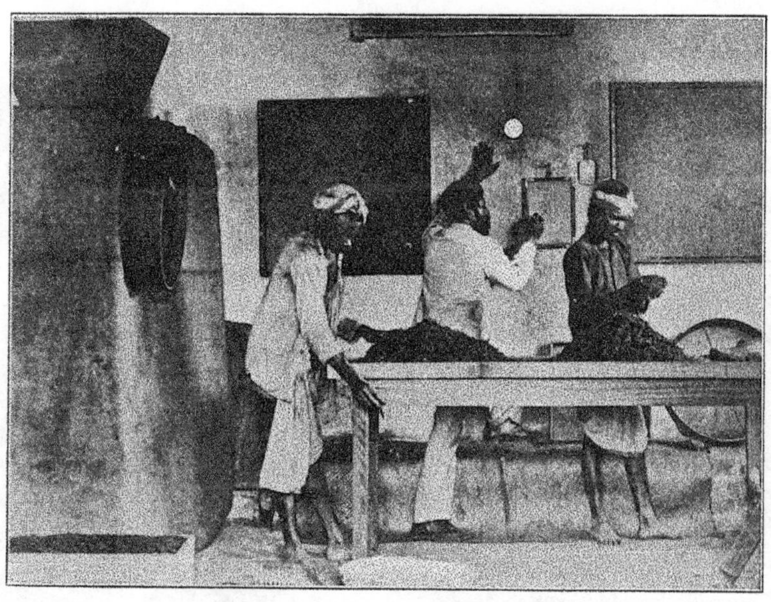

Fig. 117.
Das Fermentieren des *Tees* in Ceylon. Der Arbeiter kontrolliert den Fortgang der Fermentation. [Aus Tschirch, Indische Heil- und Nutzpflanzen.]

Fig. 118.
*Tee*bereitung in China über freiem Feuer. [Kew Museum.]

Fig. 119.
*Tee*fabrikation in Japan. Rollen, Trocknen, die Teebecken über der Feuerung, die Teekisten.
[Aus Les grandes cultures.]

Tschirch, Handbuch der Pharmakognosie. Verlag von Chr. Herm. Tauchnitz, Leipzig.

behandlung oder bringt sie in einen besonderen Schwitzofen (étuve). Aus diesem gelangt sie in den sechoir.

Auch auf Java wird das trockene Verfahren geübt, doch benutzt man dort nur Sonnenwärme. Auf Tahiti wird die *Vanille* nach dem trockenen Verfahren, aber ohne Anwendung künstlicher Wärme bereitet.

Das Heißwasser-Verfahren stammt aus Südamerika und wurde früher viel in Réunion geübt. Es besteht darin, daß man zunächst die in Rotang-Körben befindlichen Früchte einmal in Wasser von 85—90° kurze Zeit (15—20 Sekunden) eintaucht oder das Eintauchen mehrmals wiederholt, aber kürzere Zeit (3—4 Sekunden) dauern läßt. Dann läßt man schwitzen und setzt endlich die Früchte, in Wolldecken eingeschlagen, der Sonne aus oder bringt sie in Schwitzkästen usw. Auch dem Dampf sind die Früchte ausgesetzt worden, doch ist man bald davon abgekommen.

In Java wird die *Vanille* bisweilen erst in siedendes Wasser getaucht, dann abgetrocknet, auf Matten gelegt und mit einer wollenen Decke bedeckt der Sonne ausgesetzt, dann noch warm in wollene Decken gewickelt. Dies wird täglich wiederholt.

Bei dem Verfahren in Guiana werden die Schoten in Asche gelegt, bis sie anfangen runzelig zu werden, worauf man sie abwischt, mit Olivenöl bestreicht, am unteren Ende aufhängt und an der Luft trocknet.

In Peru taucht man die Schoten in siedendes Wasser und hängt sie dann 20 Tage lang an der Luft auf.

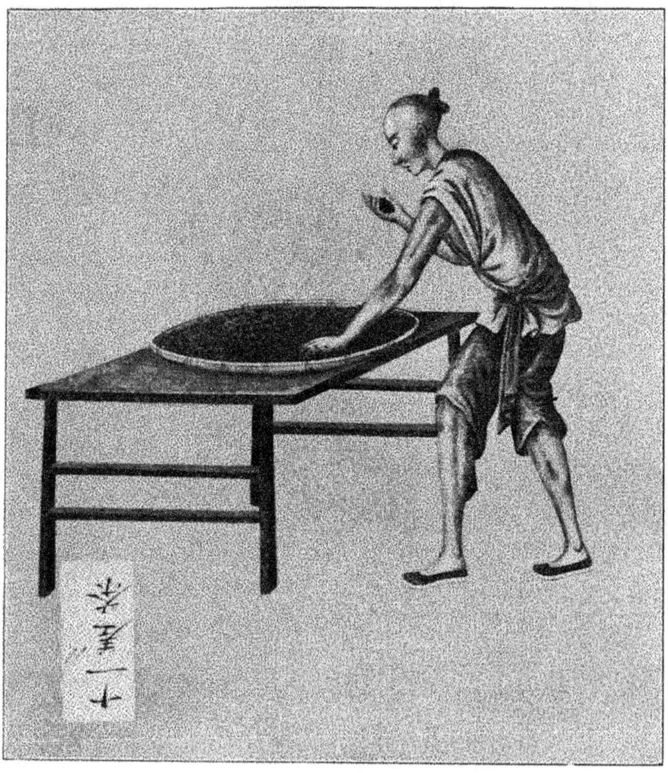

Fig. 120.

Fermentieren des *Tees* in China.

Eine besondere Behandlung erfahren die breiten brasilianischen *Vanillen*. Nachdem sie in Baumwolle fermentiert worden sind, werden sie in der Mitte aufgespalten. Dann wird Zucker eingestreut, der ausfließende Saft abtropfen gelassen und die Früchte darauf schnell getrocknet.

Das Ölen der *Vanille* scheint nur in Südamerika (Columbia, Venezuela, Guaiana, Peru, Brasilien) noch üblich zu sein; weder in Mexico noch auf Réunion wird es geübt.

Von der Pflanze genommene unreife Früchte der *Vanille* enthalten kein Vanillin, dasselbe entsteht erst im Fermentierungsprozesse, nach LECOMTE durch eine Oxydase und ein hydrolytisches Ferment. Es würde also erst Spaltung und dann Oxydation erfolgen, wie bei der Entstehung des Vanillins aus Coniferin.

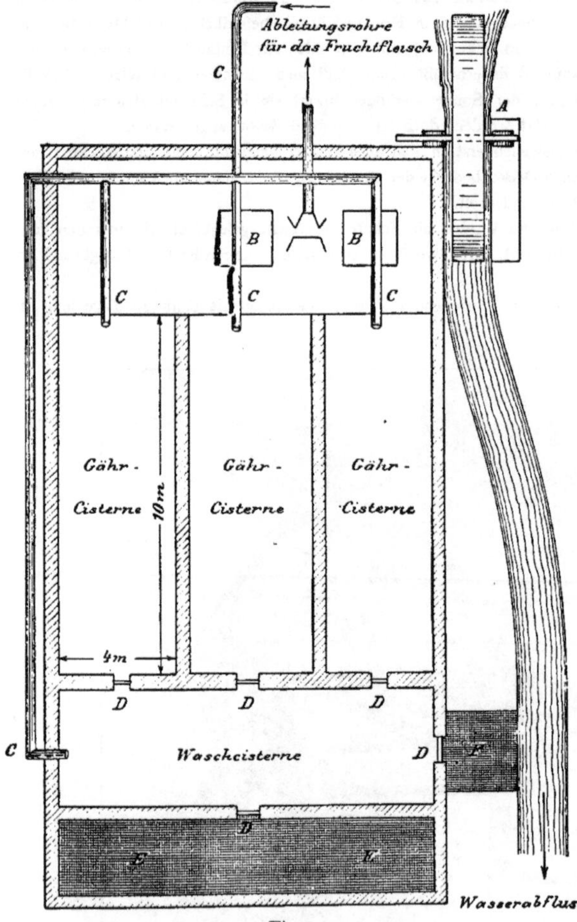

Fig. 121.

Grundriß einer *Kaffee*bereitungsanstalt.
[Nach Semler, Tropische Agrikultur Bd. I, S. 319].

Es ist übrigens noch zweifelhaft, ob die Bildung des Vanillins in der *Vanille* während des Bearbeitungsprozesses mit «Fermentation», d. h. der Wirkung eines Fermentes, sei dasselbe nun organisiert oder nicht, etwas zu tun hat. Es könnte sich auch um eine beim Absterben der Zellen eintretende Spaltung handeln, bei der Fermente gar nicht beteiligt sind — also um ähnliche Vorgänge, wie sie sich bei der Cumarinbildung in *Ageratum mexicanum* nach MOLISCH und ZEISEL beim Absterben abspielen und wie sie auch bei *Liatris* eintreten. Manches spricht sogar eher für letzteres, da die Temperaturen bei der Vanillebereitung oft über die Temperatur steigen, bei der Fermente noch aktiv bleiben, bisweilen sogar 90—125° erreichen, aber ausgeschlossen ist es keineswegs, daß trotzdem Fermente hier wirksam sind.

Fermentierungsprozesse sind es auch, die bei der ehedem so wichtigen Waidbereitung und der noch jetzt in beschränktem Maße geübten Krappfabrikation in Betracht kommen (s. Pharmakochemie).

Bei der Entstehung des Indigotins aus Indikan gelegentlich der *Indigo*fermentierung scheinen Mikroorganismen im Spiele zu sein (SCHULTE AM HOFE). MOLISCH und VAN LOOKEREN-CAMPAGNE (1899) schreiben jedoch den Bakterien bei der *Indigo*fabrikation keine entscheidende Rolle zu, obwohl Bakterien aus Indikan *In-*

digo zu bilden vermögen. Nach MOLISCH handelt es sich um einen rein chemischen Vorgang. ROWSON spricht (1899) von einer diastatischen Gärung.

Eine eigenartige «Gärung» machen auch die in Indien stets nur halbtrocken in Ballen verpackten *Patchoulyblätter* während der Reise nach Europa im Schiffsraum durch und diese «Gärung» scheint, um ein erstklassiges Produkt zu erhalten, geradezu notwendig zu sein.

Fig. 122.
*Kaffee*benefiz in Südamerika. Fermentierbassins.
[Aus Preuß, Zentral- und Südamerika.]

Die Temperatur, die bei den Fermentationen innegehalten wird — jede Fermentierung ist ja mit einer Temperaturerhöhung verbunden — ist natürlich bei den einzelnen Objekten verschieden. Beim *Cacao* hält man im allgemeinen die Temperatur unter 45° für die beste. Auch die Zeitdauer variiert sehr, selbst bei ein und demselben Objekt (s. oben).

Bisweilen, z. B. beim *Kaffee*, hat aber das «Fermentieren» einen ganz anderen Zweck. Es werden nämlich die Früchte, nachdem sie den Pulper verlassen haben,

Fig. 123.
*Tee*fabrik (Mill) in Ceylon mitten in einer *Tee*plantage. [Aus Tschirch, Indische Heil- und Nutzpflanzen.]

in Zisternen der Gärung überlassen (s. oben). Diese sog. Gärung bewirkt aber nur ein Abfaulen der anhängenden Fruchtschalreste und scheint auf die Samen selbst ohne Einfluß zu sein. Daß es sich bei der Fermentierung des *Kaffees* nur um einen «äußerlichen» Prozeß handelt, den die Bestandteile der Bohnen nicht tangiert, geht schon daraus hervor, daß der nicht nach dem nassen oder westindischen, sondern nach dem trockenen, sog. gewöhnlichen Verfahren bereitete *Kaffee*, bei dem die getrockneten Früchte direkt geschält, d. h. von der Fruchtschale befreit werden, sich nicht von dem anderen unterscheidet.

Das, was die Fermentierung beim *Tee*, *Cacao* und der *Vanille* bewirkt, d. h. Spaltung der Primärkörper, wird beim *Kaffee* durch das Rösten, bei der *Kola* den Speichel gelegentlich des Kauens bewirkt.

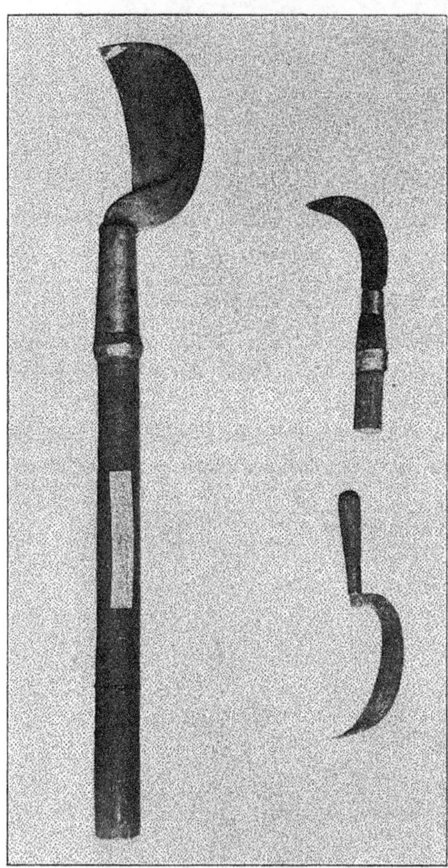

Fig. 124.
Links das Messer zum Schneiden der *Zimt*zweige (Cinnamom cutter, Catty), rechts die Messer zum Abschaben des Korkes (Scraper). Ceylon. [Tschirch phot.]

Die *Coca*, sowohl die bolivianische (Hatun Yemka) als die peruvianische (Ypara) wird in den Kulturen bisweilen einem merkwürdigen Prozesse unterworfen. Man läßt die gewelkten Blätter beregnen, bringt sie in Haufen und durchknetet diese mit den Füßen. Ob bei der Bereitung dieser dunklen *Coca pisáda* eine Fermentierung stattfindet, kann ich nicht sagen. Die Farbenänderung deutet auf etwas ähnliches.

Mehrfach ist schon die Frage aufgeworfen worden, als was eigentlich die «Fermentation» zu betrachten ist. Wie schon aus Vorstehendem hervorgeht, werden mit diesem Namen sehr verschiedene Prozesse verstanden, denen aber allen offenbar das gemeinsam ist, daß sie von Enzymen bedingt oder eingeleitet werden, seien es nun solche, die in der Pflanze vorhanden sind oder solche, die durch Mikroorganismen (Bakterien, Hefe) erzeugt werden. Faßt man den Begriff Fermentation so weit, so fällt auch die oben erwähnte des *Kaffee* noch darunter. Unter «Fermentation im engeren Sinne» wären dann die Prozesse zu verstehen, bei denen eine mehr oder weniger tiefgreifende Veränderung in den Zellen der Droge durch ein in diesen vorgebildetes Enzym an ebenfalls vorgebildeten Primärkörpern (meist wohl Glykosiden) vor sich geht. Diese Veränderung kann und wird sehr mannigfaltig sein, je nach der Natur des Enzyms (ob eine Oxydase, ein hydrolytisches Ferment oder ein anderes Enzym vorliegt) und je nach der Natur der Bestandteile des der Fermentation unterworfenen Pflanzenteils.

In vielen Fällen dürfte es sich um komplizierte Prozesse handeln, namentlich um hydrolytische Spaltungen und Oxydationen. Aber auch Synthesen und Abbau, Entstehung neuer und Vernichtung vorhandener Körper sind möglich. Sehr oft

Fig. 125.
Scatching the poppy-head (Anschneiden der *Mohn*früchte) in Vorderindien. [Hooper phot.]

Fig. 126.
*Opium*gewinnung in Persien (Ispahan und Jesd).
Der erforderliche Dünger für die Mohnfelder wird teils aus Abfällen, teils in «Taubentürmen» gewonnen (auf dem Bilde links), die entweder vom einzelnen Landeigentümer für den eignen Bedarf oder auf Gemeindekosten behufs gleichmäßiger Verteilung der Düngermassen an die Gemeindeglieder erbaut sind. [Aus Meyers histor.-geogr. Kalender.]

Fig. 127.
Behandlung des *Opiums* vor der Ballenformung in Bengalen (Knetung).

F g 29.
Trockenraum der Kugeln n Bengalen.

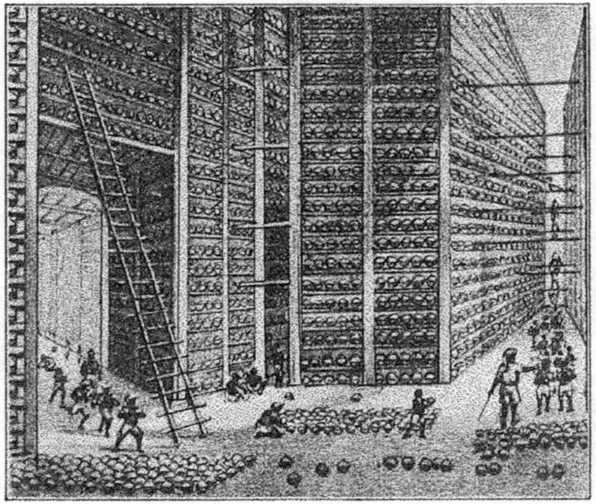

Fig. 128.
Herstellen der Ballen oder **Kugeln** (balls oder cakes) in **Bengalen**.

Fig. 130.
Ballenmagazin in Bengalen.

[Aus Wiselius, De Opium, 1886.]

Tschi

Verlag von Chr. **Herm. Tauchnitz, Leipzig.**

scheinen die Tannoide eine Rolle zu spielen, wie ja auch meine eigenen Beobachtungen (s. oben S. 110) und die Versuche von SCHULTE AM HOFE am *Tee* (Ber. d. pharm. Ges. 1901) lehren, die nach exakten Methoden wiederholt und auf andere Drogen ausgedehnt werden sollten.

Der Prozeß, dem die *Citronen* unterworfen werden, wird zwar auch als Fermentierungsprozeß bezeichnet, ist aber wohl mehr ein **Nachreifungsprozeß**. Die *Citrone* wird grün gepflückt, dann im «Fermentierhaus» 2—3 Wochen bei einer Temperatur von c. 50° gehalten, wobei der Zucker «ausschwitzt» (?) und die Schale dünn und gelb wird. Dann wird die Frucht noch einige Monate einer niedrigeren Temperatur ausgesetzt.

Das Fermentieren, wie überhaupt die weitere Behandlung der geernteten Roh-Droge, wie z. B. das Auspressen des *Cocosöls* (auf Ceylon), die Destillation des *Zimt-*

Fig. 131.

*Opium*bereitung in Indien. Kleinbetrieb. [Aus Meyers Histor. geograph. Kalender.]

und *Sternanis-Öls* (in China), die Sublimation des *Camphers* (auf Formosa), findet dort, wo Europäer die Erntebereitung leiten, in der sog. Mill statt (Fig. 123), die entweder in der Plantage (Estate, Onderneming) selbst (*Cacao*, *Kaffee*, *Vanille*) oder in der Nähe des Hafenplatzes (*Cocosöl*) liegt, wohin das Rohprodukt — beim *Cocosöl* die *Copra* — gebracht wird.

Die Mehrzahl der Drogen wird aber nur getrocknet, einige allerdings ziemlich scharf über dem Feuer (*Mate*, Taf. XIII). Viele werden allerdings zuvor der **Schälung** unterworfen, «geschält», ein Verfahren, daß bei Rinden (*Zimt*, *Caneel*, *China plana regia*), Rhizomen (*Kalmus*, *Iris*, *Ingwer*), Wurzeln (*Belladonna*, *Althaea*) die Korkschicht (eventuell nebst den Wurzeln), bei Früchten (*weißer Pfeffer*, *Coloquinthe*) die äußere Schicht der Fruchtschale entfernt. Beim *Rhabarber* wird die ganze Rinde bis fast zum Cambium abgeschält. Umgekehrt ist z. B. bei einigen *Citrus*drogen die äußere Fruchtschale, die man abschält, das Wertvolle, das durch den Schälprozeß von den weniger wertvollen inneren Partien abgelöst wird. Bei *Iris* und dem *Ceylonzimt* werden die Schälabfälle zur Öldestillation benutzt.

Das Ablösen der äußeren Fruchtwandpartie bei der Darstellung des *weißen Pfeffer*

Fig. 132.
Das Kneten und Formen des Patna*opiums*.

geschieht meist in der Weise, daß man die Früchte einige Minuten in heißes Wasser bringt und dann durch Schütteln und Reiben in Bambuskörben die Schicht entfernt, also «abreibt».

Die zum Schälen benutzten Messer haben oft eine eigenartige Form. So z. B. sind die beim *Ceylonzimt* benutzten (Fig. 124) halbkreisförmig gekrümmt und haben an je dem oder einem Ende eine Handhabe. Man schält also meist gleichzeitig mit bei-

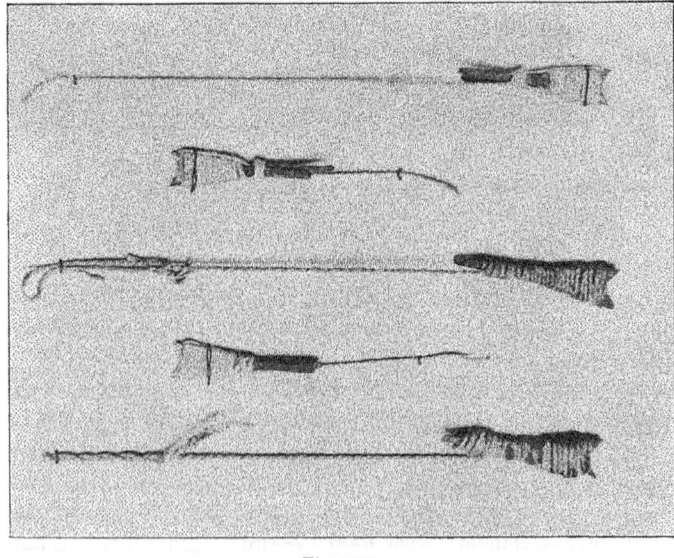

Fig. 133.
Naschtars (Nush-turs, Mahurnees) mit Schnur umwickelt zum Anschneiden der *Mohn*früchte in Indien. [Tschirch phot.]

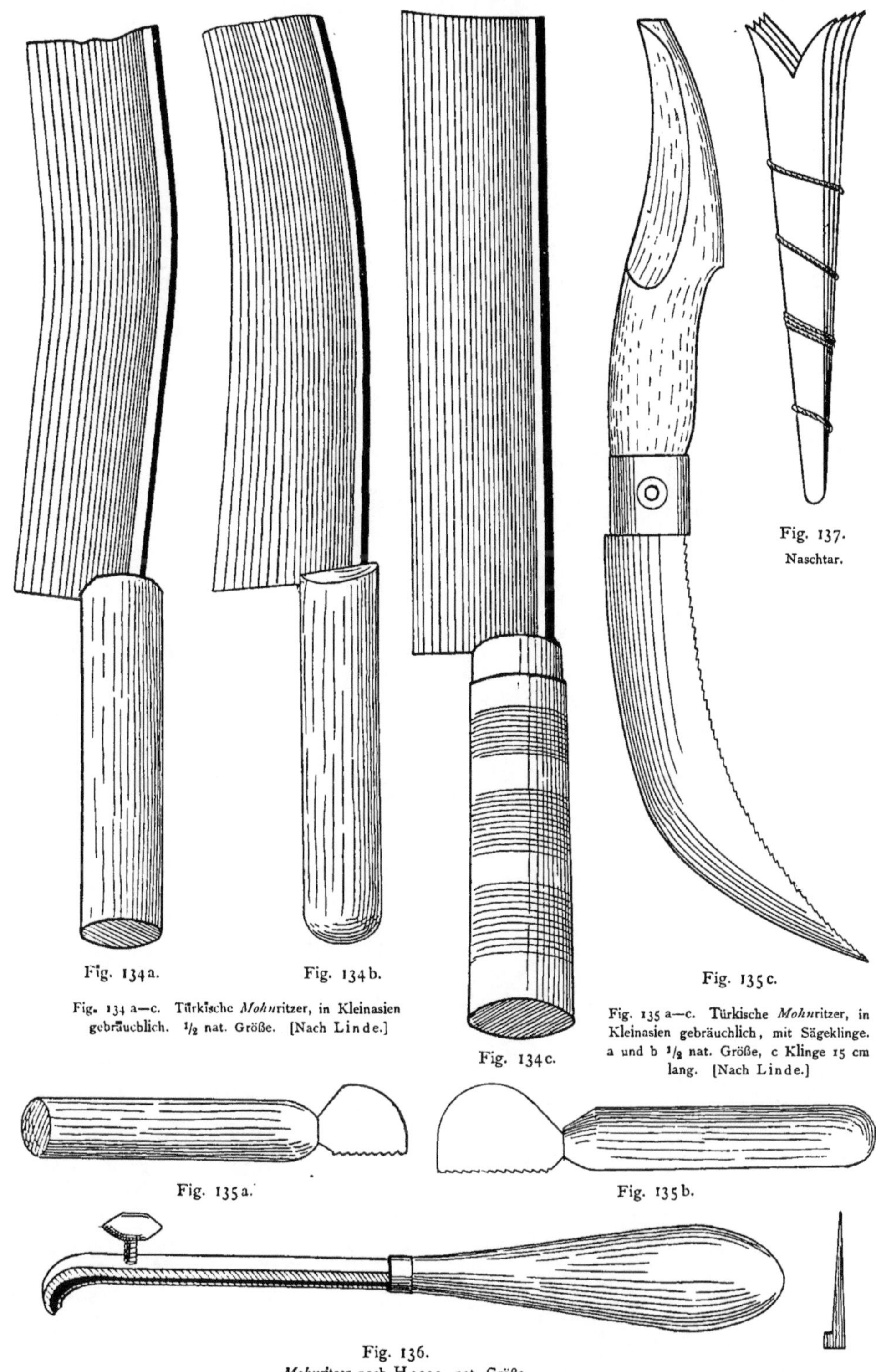

Fig. 134a. Fig. 134b. Fig. 134c.

Fig. 134 a—c. Türkische *Mohn*ritzer, in Kleinasien gebräuchlich. $^1/_2$ nat. Größe. [Nach Linde.]

Fig. 135c.

Fig. 135 a—c. Türkische *Mohn*ritzer, in Kleinasien gebräuchlich, mit Sägeklinge. a und b $^1/_2$ nat. Größe, c Klinge 15 cm lang. [Nach Linde.]

Fig. 135a. Fig. 135b.

Fig. 136.
*Mohn*ritzer nach Hesse, nat. Größe.

Fig. 137.
Naschtar.

den Händen (vgl. S. 90). Der *chinesische Zimt* dagegen wird mit einem hobelartigen Instrumente geschält (S. 91).

Das indische *Opium* verdankt einer sehr **eigenartigen Bearbeitungsmethode** seine Eigenschaften: der von den Einschnitten gesammelte Milchsaft wird entweder mit den Füßen oder mit Stangen solange durchgeknetet (Fig. 131 u. 132), bis keine Flüssigkeit mehr austritt und dann erst zu «balls» (cakes) in Bengalen (Fig. 127 bis 130) oder rechteckigen Kuchen in Patna (Fig. 132) geformt, während bei dem kleinasiatischen *Opium* die Brote direkt aus den abgesammelten Tränen geformt werden. Auch in Persien wird das *Opium* einer Massage unterworfen, «geknetet».

Fig. 138.
Situahs (scoops) in Indien zum Abkratzen der eingetrockneten Milchsafttropfen von den verwundeten *Mohn*kapseln benutzt. [Tschirch phot.]

Die Formung der Cakes in Indien ist ein ziemlich umständlicher Prozeß. Zunächst wird in eine metallene Hohlhalbkugel eine Schicht von *Mohn*blumenblättern gebracht, die mit Lewah und Pussewah, d. h. dem bei der Bereitung erhaltenen Waschwasser zusammengeklebt wurden. Ist die Blattschicht dicht genug, so drückt man das weiche, durch Mischen auf einen bestimmten Gehalt gebrachte *Opium* in die Halbkugel ein und vereinigt dann zwei solche Halbkugeln. Die Cakes, die c. 2 kg wiegen, sind also von einer dicken Blatthülle umgebene Kugeln.

Noch umständlicher ist die Darstellung des *Rauchopiums.*

Eine sehr merkwürdige Behandlung, die sog. «Kristallisation», erfahren die vom «Serrapiero» aus den aufgeschlagenen Früchten herausgelösten und dann getrockneten *Tonkosamen.* «Man füllt die ,Bohnen' in Fässer von 300 Liter Inhalt bis ungefähr ein Fuß unter den Rand, dann füllt man das Faß mit Rum und bedeckt es mit Sackleinewand. Nach 24 Stunden zieht man den Rum, der nicht absorbiert ist, wieder ab und trocknet die Bohnen an der Luft. Wenn die Bohnen die Fässer verlassen, sind sie fast schwarz und aufgeblasen und wenn sie getrocknet sind, sieht man auf ihrer Oberfläche weiße glänzende Kristalle» (von Cumarin).

Eine besondere Behandlung erfahren die Guaranasamen, die mit heißem Wasser zu einem Brei zerquetscht werden. Ebenso wird *Curare* und *Haschisch* erst durch eine nachträgliche Behandlung und unter Zusatz verschiedenster Substanzen erhalten.

Ganz anders sind dann wieder die Methoden, die bei der Darstellung der **Stärkedrogen** benutzt werden. Hier wird das stärkehaltige Gewebe entweder herausgekratzt, dann in einen Spitzbeutel getan, mit Wasser ausgewaschen und die Milch in einer Rinne entlang geführt, in der sich die Stärke allmählich absetzt (*Sagomehl*) oder die stärkeführenden Organe werden erst zerquetscht, dann der Brei ausgewaschen, die Milch sedimentieren gelassen und das Sediment getrocknet oder gekörnt (*Tapioca,*

Fig. 140—143). Da die Körnelung oft über leichtem Feuer erfolgt, findet eine geringe Verkleisterung statt (*Sago*).

Bisweilen geht dem Auswaschen der zerquetschten Organe eine gelinde Gärung voraus (*Triticum*).

Fig. 139.

Bereitung des *Sagomehls* auf den Key-Inseln bei Neu-Guinea.
Rechts sieht man zwei Eingeborne, der linke gießt Wasser auf und zerklopft das Mark der *Sagopalme* mit einem Stock, der rechte rührt die Masse auf dem durch den gebogenen Stab straff gehaltenem Siebe um, so daß ein gleichmäßiger Strom der Stärkemilch in die an den Bambustäben aufgehängte, aus einem aufgespaltenen und ausgehöhlten *Sagopalm*stamme bestehende Rinne fließt. In ihr setzt sich die Stärke zu Boden. Rechts das ausgewaschene «Mark».
[Warburg phot. Aus Tschirch, Indische Heil- und Nutzpflanzen.]

Die vorzügliche Beschaffenheit des *Maranta-Arrowroot* rührt von einer peinlich sorgfältigen Bereitung her. Die gereinigten Rhizome werden sorgfältig geschält, dann gewaschen und zu Brei verrieben und das ausgewaschene Stärkemehl entweder in mit Gaze bedeckten Kupferpfannen (Bermudas) oder auf Holzhorden (Jamaica) an der Sonne getrocknet.

Das *Koontimehl* wird in Florida aus der *Zamia integrifolia* in der Weise gewonnen, daß die Wurzel von den Eingeborenen in mörserartigen Löchern eines Baumstammes zerstoßen, der Brei mit Wasser angerieben und durch eine Tierhaut geseit wird. Die abgesetzte Stärke wird auf Palmettoblättern getrocknet.

Die Darstellung des *Sago*, des *Reis* und der *Tapioca* ist in meinen Indischen Heil- und Nutzpflanzen eingehend geschildert.

Die Gewinnung des *Sago* in Singapore schildert SCHLECHTER (1901) wie folgt:

Hat die Anpflanzung der *Sago*palmen ihre Reife erreicht, so wird die Aberntung an Eingeborene verpachtet. Der Pächter läßt in der Pflanzung einen kleinen Schuppen, unter dem das Raspeln der Stämme vorgenommen wird, und eine Rohsago-Wäscherei primitivster Art herstellen. Dann werden die einzelnen Stämme gefällt, ihrer Krone entblößt und in 4—6 Fuß lange Stücke zerschnitten, die nun auf *Sago*-Blattrippen, die infolge ihrer Glätte dazu geeignet sind, nach dem Raspelschuppen gerollt werden, unter dem ein Bock, ähnlich einem primitiven Sägebock, aufgestellt ist. Nachdem die *Sago*-Stammstücke geschält sind, werden sie auf diesen Block gelegt und nun geraspelt, bis sie vollständig in grobe Flocken verarbeitet sind. Das hierbei in Anwendung kommende Instrument besteht

Fig. 140.
Tapioca-Faktorei in den Straits Settlements. Wäsche. [Ridley phot. 1899.]

Fig. 141.
Tapioca-Faktorei in den Straits Settlements. Schlemmerei und Sedimentiererei. [Ridley phot. 1899.]

Fig. 142.
Tapioca-Faktorei in den Straits Settlements. Körnelung. [Ridley phot. 1899.]

Fig. 143.
Tapioca-Faktorei in den Straits Settlements. Trocknen. [Ridley phot. 1899.]

T hirch, Handbuch der Pharmakognosie.

erlag von Chr. Herm. Tauchnitz, Leipzi

Fig. 44.

*Zuckerrohr*mühle in den Padangschen Boven anden Sumatra Aus Chun Tiefen des Weltmeers.

Fig. 145.
Rösten des *Crocus* über heißer Asche in Spanien.

Fig. 146.
Die abgeschnittenen *Yerba*-Zweige werden durch das Feuer gezogen (Paraguay).
[Aus Hengstenberg, Weltreisen.]

Tschirch, Handbuch der Pharmakognosie. Verlag von Chr. Herm. Tauchnitz, Leipzig.

Yerba Mate n dem Schuppen (Carijo) au einem Gerüste (Girao über mäß gem Feuer ge rockne

Nach einer Pho ographie.]

aus einem etwa 1,5 m langen und ein Fuß breiten Brette mit zwei Handgriffen, durch welches kurze Nägel getrieben sind, deren hervorragende Spitzen ähnlich wie eine Stahlraspel sehr bald den fast korkigen *Sago*stamm vollständig in grobe Flocken zerreiben können. Die so gewonnenen Flocken werden zunächst auf einer Matte von *Sago*blättern durch Spülen und Treten gesiebt, das durchfließende Wasser, welches die Stärke ausspült und in eine Rinne abführt, wird in ein längliches Becken geleitet, in dem dann die sämtlichen Stärketeile, die sich nicht schon früher am Grunde der Rinde abgesetzt haben, zu Boden sinken, so daß das überfließende Wasser ziemlich stärkefrei ist. Nachdem eine genügende Menge Rohsagospäne in dieser Weise ausgewaschen ist und das Wasser in Rinne und Becken sich allmählich geklärt hat, wird nach Abfluß des Wassers der nun fertige Rohsago aus Becken und Rinne entfernt und aufgestapelt, bis genügend vorhanden ist, um in den Sagofabriken weiter verarbeitet zu werden. Die in dem Mattensieb zurückbleibenden Überreste, die aus den Fasern des *Sago*stammes und einer nicht unbedeutenden Menge daran haftenden *Sagos* bestehen, werden entweder sofort entfernt oder mit frischen Spänen noch einmal gewaschen und dann als Schweinefutter verkauft.

Die *Sago*fabriken kaufen den Rohsago von den Eingeborenen an und reinigen ihn. Der Rohsago wird zu diesem Zwecke unter Wasser zum größten Teile gelöst und durch dünne Leinentücher mit lockeren Maschen getrieben. Zurück bleiben die Holzteile, welche als «*Sago*-Refuse» beiseite geschafft werden. Der durch die Tücher getriebene *Sago* setzt sich am Grunde des Kübels ab, das Wasser wird entfernt und das *Sago*mehl in anderen Kübeln wieder mit Wasser aufgerührt. Dasselbe kommt nun in lange, nach ihrem Ende zu etwas abfallende Rinnen mit fließendem Wasser, welche am unteren Ende durch dichte Tücher, durch welche zwar das Wasser, aber nicht das *Sago*mehl hindurch laufen kann, verschlossen sind. Je nach der Höhe des sich am Grunde der Rinne absetzenden *Sago*mehls werden die Enden der Rinne durch dicht aufeinanderliegende Stäbe verschlossen. Nachdem so das Ende der Rinne vollständig geschlossen ist, wird das Wasser abgelassen und das *Sago*mehl in Blöcken entfernt. Ist hiernach das Mehl noch nicht rein genug, so wird die Prozedur wiederholt. Schließlich werden die Böcke, nachdem sie halb getrocknet sind, zerstoßen und das Mehl durch ruckweises Hin- und Herschütteln in einem Tuche, das an zwei von der Decke des Schuppens herabhängenden Seilen befestigt ist, in kleine Kugeln, «Perlen», geformt. Die diese Arbeit verrichtenden Leute müssen besonders geschickt sein, da von der Art des Schüttelns die Größe der *Sago*kügelchen abhängt. Durch Siebe mit verschiedenen Maschen werden diese gesondert und nun auf heißen Schalen unter

Fig. 147.
Das Sammeln des *Weihrauch.* [Aus Cosmographie universelle Paris 1675].

beständigem Rühren gedämpft. Nachdem die Kügelchen vollständig durchgedämpft sind, werden sie durch wiederholtes Sieben in die gewünschten verschiedenen Größen sortiert oder alle nur zu einer Qualität verarbeitet. Der noch feuchte Perlsago wird auf großen Öfen ausgebreitet und vollständig bei mäßiger Hitze getrocknet (vgl. auch Fig. 141—143).

Die Darstellung des *Sago* auf den Key-Inseln geht aus der Abbildung (Fig. 139) hervor.

Fig. 148.

Die Gewinnung der *Asa foetida* durch Abtragen von Scheiben vom freigelegten Wurzelkopf mittelst eines eigenartigen Messers. [Aus Kämpfer, Amoenitat. exotici. Lemg. 1712.]

Ganz anders wieder ist die Darstellung der **Zuckerdrogen.** Hier werden die zuckerhaltigen Pflanzenteile zerquetscht, zermahlen (Fig. 144) oder zerschnitten, dann entweder durch Auswaschen oder Diffusion ihres Zuckers beraubt und die Zuckerlösung eingedampft (*Zuckerrohr*, *Zuckerrübe*, *Zuckerhirse*), oder der Blütenstand bez. der obere Teil des Stammes vor dem Austreiben ab- bez. angeschnitten und der austretende Zuckersaft eingeengt (*Zuckerpalme — Arenzucker*), oder endlich die Stämme im Frühjahr angebohrt und der ausfließende Saft eingedampft (*Zuckerahorn — Ahornzucker*). Von *Ahornzucker* werden noch jetzt jährlich 5000 t in Nordamerika erzeugt, meist aus dem *Steinahorn* (rock maple), im Westen auch aus dem *Weichahorn* (swamp maple).

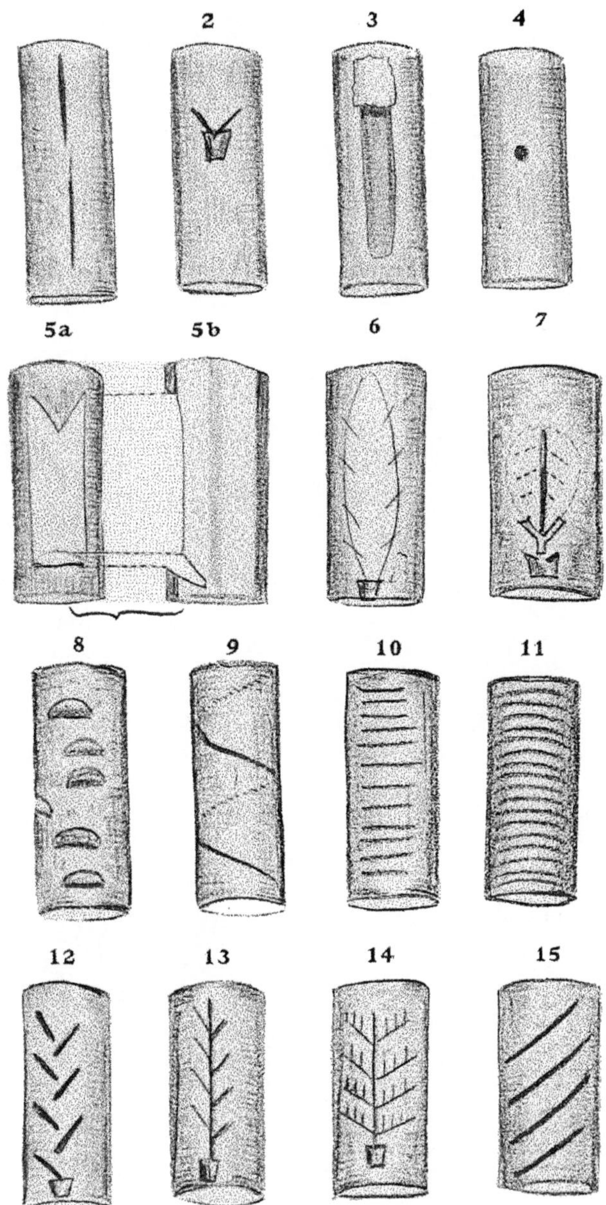

Fig. 149.

Verwundungsarten behufs Gewinnung der pflanzlichen Sekrete.

Bei 1 *Benzoë*, 2 *Tolubalsam*, 3 *Perubalsam*, 4 *Lärchenterpentin*, 5a und b *amerikan. Terpentin*, 6 *französischer Terpentin*, 7 Mayrs verbessertes *Harz*gewinnungsverfahren, 8 *Dammar*, 9 *Gummigutt*, 10 *Manna*, 11 *japan. Lack*, 12—15 *Kautschuk*. (Details in Tschirch, Harze und Harzbehälter. 2. Aufl. 1906.) [Tschirch gez.]

Tschirch, Handbuch der Pharmakognosie.

Verlag von Chr. Herm. Tauchnitz, Leipzig.

mer kan sches Harzungsver ahr ne

Tschirch, Handbuch der Pharmakognosie. Verlag von Chr. Herm. Tauchnitz, Leipzig.

Französisches Harzungsverfahren.

Seestrandfichten im Depart des Landes «en gemmage à vie».

Der «pot» ist an der «carre» befestigt.

[Oesterle phot.]

Etwas ganz Besonderes ist das **Brühen** einiger Drogen. Dasselbe wird vornehmlich bei unterirdischen Reservebehältern angewendet, z. B. beim *Salep*, dem *grauen Ingwer*, dem *ostasiatischen Ginseng*, einigen *indischen Aconitknollen* und des *Curcuma*, und verfolgt den Zweck, die Organe abzutöten und am nachträglichen Austreiben zu verhindern. Denn da in den Knollen und fleischigen Rhizomen reichlich Reservematerial und genügend Wasser vorhanden ist, so werden sie, wenn die Knospen intakt sind, leicht wieder austreiben, jedenfalls durch einfaches Trocknen an der Luft nicht gänzlich abgetötet. Bei einigen Drogen wird der gleiche Effekt durch Erhitzen über freiem Feuer erzielt. Bei diesen Drogen ist natürlich die Stärke entweder ganz (*Salep*) oder teilweise (*Jalape*) verkleistert. Bei der *Jalape* wird das Gleiche erzielt durch Trocknen der mit Einschnitten versehenen Knollen über einem Feuer. Auch *Sarsaparille* wird manchmal am Feuer getrocknet, da das feuchte Klima in Mittelamerika dies verlangt. Bei der *Scilla*, die zudem sehr schwer trocknet, wird dagegen das Ziel dadurch erreicht, daß man die weichen Zwiebelschalen vor dem Trocknen in Streifen schneidet. Übrigens ist Halbieren oder Vierteln (*Alant*) oder in Scheiben schneiden (*Colombo*, *Bryonia*) auch sonst bei dickeren Drogen gebräuchlich, um ein schnelleres Trocknen zu erzielen — aber nicht immer zulässig (*Kalmus*, *Filix*). Nur bei den chinesisch-japanischen Gallen hat das hier gelegentlich geübte Brühen den Zweck, die die Galle erzeugenden Tiere (*Aphiden*) abzutöten.

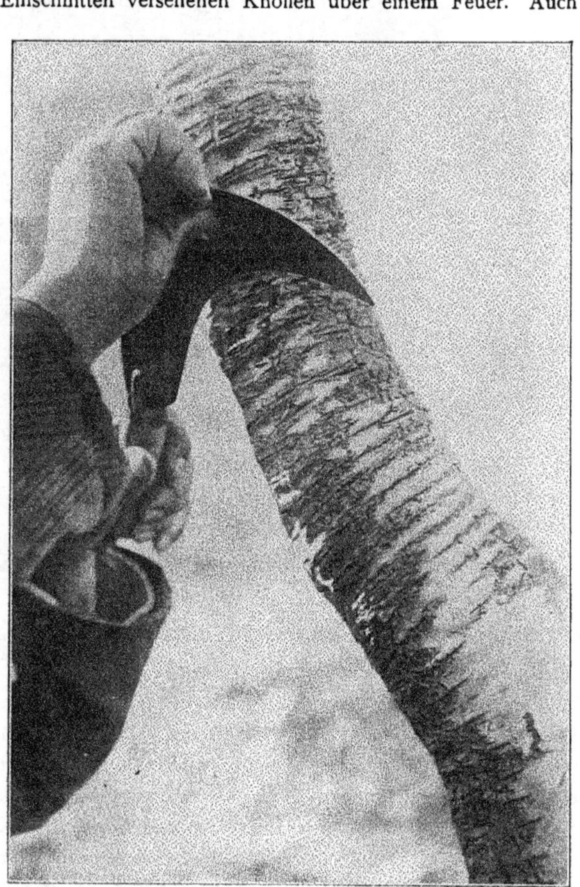

Fig. 150.
Verfahren, die Einschnitte für die *Manna*gewinnung in Sizilien zu machen.
[Benedicenti phot.]

Bisweilen hat aber das Eintauchen in heißes Wasser oder das Erhitzen über dem Feuer wohl auch einen anderen Zweck. So handelt es sich meines Erachtens beim Eintauchen der *Vanille* in heißes Wasser und beim Erhitzen der frisch gepflückten Blätter bei der Bereitung des *grünen Tees* um Abtötung eines Fermentes.

Einer leichten **Röstung** über heißer Asche wird der *Safran* (Fig. 145) unterworfen. In einigen Gegenden (Sierra de Santa Marta) röstet man auch die *Coca*-

blätter leicht, und auch der *Mate* wird leicht geröstet, richtiger über dem Feuer getrocknet.

Die Röstung der *Yerba Mate* erfolgt an den Röstplätzen (Fogão) in der Weise, daß die vom Baume gelösten Zweige zunächst zum Welken (und Abtöten eines Fermentes?) durch ein nicht rauchendes Feuer gezogen («Sapecaje», Sapecar, Fig. 146), dann in einem speziellen Ofen (Barbacuá) 18—36 Stunden weiter erhitzt — neues

Fig. 151.

Altes Harzungsverfahren in Nordamerika. Abkratzen des Harzes, Ausschöpfen des Box, Einfüllen in die Fässer und Verladen derselben. [Tschirch, Harze und Harzbehälter.]

Verfahren — oder in Bündel geschnürt in einem Schuppen (Carijo) auf einem Gerüst (Girao) über mäßigem Feuer getrocknet (Taf. XIII) werden. Dann läßt man sie «schwitzen» (fermentieren?). Schließlich werden die auf glatter, mit einem Tuche belegter Tenne ausgebreiteten Zweige durch Schlagen mit hölzernen Stäben oder Säbeln (Espada) grob gepulvert oder in Mühlen gemahlen (Fig. 206). Die nicht durch die Sapecar-Prozedur vorbehandelten Blätter werden beim Dörren schwarz.

Die Samen von *Paullinia Cupana* werden bei der *Guarana*bereitung vor dem Zertrümmern sechs Stunden geröstet.

Einige **Harze und Balsame** sind in der Pflanze als solche enthalten. Man braucht also nur das Organ zu verletzen und das austretende halbflüssige Sekret entweder in Gefäßen aufzusammeln (*Copaivabalsam*, *Straßburger Terpentin*) oder am Baume erhärten zu lassen (*Mastix*, *Sandarac*, *Olibanum*, Fig. 147), um die Droge zu erhalten (primärer Harzfluß). Das Gleiche gilt von *Kautschuk* und *Guttapercha*, die sich als Milchsäfte in der Pflanze finden und beim Anschneiden ausfließen. Doch wird

Fig. 152.
Lange Zapfste le mi aufge egtem Sauglappen bei einem *Perubalsam*baume, San Salvador.
[Preuß phot.]

Fig. 153.
Geschwälter Baum von *Myr ylon Pereirae* mit aufgelegtem Lappen in San Salvador.
[Preuß phot.]

Verlag von Chr. Herm. Tauchnitz, Leipzig.

wenigstens bei einigen Sorten des *Kautschuk* der ausgeflossene Saft durch Koaleszensmittel koaguliert, erfährt also noch eine nachträgliche Verarbeitung (s. S. 140).

Zu den nach Anschneiden (Fig. 125 u. 126) ausfließenden und dann erhärtenden **Milchsäften** sind auch *Opium*, *Lactucarium*, die Gummiharze der persischen *Umbelliferen* (*Asa foetida*, *Galbanum*, *Ammoniacum*) und *Euphorbium* zu zählen, und im weiteren Sinne das *Gutti*.

Die bei der Gewinnung des *Opiums* benutzten Messer sind sehr eigenartig. In Kleinasien werden zum Anschneiden der Mohnköpfe Messer aller möglichen Formen benutzt, einmal solche, denen die Spitze abgebrochen wurde (Fig. 134), dann solche mit gesägter Klinge (Fig. 135), aber auch Uhrfedern, Glasscherben u. a. mehr.

Fig. 154.
Amerikanisches *Terpentin*gewinnungsverfahren.
Die Wundfläche mit Harzbalsam bedeckt.

Die Benutzung der letzteren erklärt besonders einleuchtend das ständige Vorkommen von Fruchtwandepidermisfetzen im kleinasiatischen *Opium*, da die Wand der Frucht durch sie nicht eigentlich geritzt, sondern eingerissen wird. In Kleinasien wird nur ein Horizontalschnitt geführt.

In Vorderindien (Bengalen) bedient man sich des Naschtar (Nushtur, Fig. 133 u. 137), das aus drei, vier, seltener fünf schmalen Eisenblechen von etwa 15 cm Länge und der Dicke einer Federmesserklinge besteht, die oben 2,5 cm breit, dort tief eingekerbt und in scharfe Spitzen ausge-

Fig. 155.
Manihot mit Messerstichen angezapft (Indien). [F. O. Koch phot.]

zogen sind, und durch Umwickeln mit starken Baumwollfäden c. 1,5 mm auseinandergehalten werden. Es werden Vertikalschnitte ausgeführt (Fig. 125) und zwar an 2 bis 6 Stellen der Kapsel, in Intervallen von 2—3 Tagen. In Persien wird ein ähnliches

Fig. 156.

*Guttapercha*gewinnung auf Sumatra.

Der zweite Kuli von links trägt die Instrumententasche und das Beil (baliung), das zum Fällen des Baumes benutzt wird. Der vierte macht mit dem breiten Messer (lading) die Einschnitte. Der erste und dritte kratzen den ausgeflossenen Milchsaft mittelst eines spitzen Kratzers in den aus den Blättern von *Areca Catechu* hergestellten Spitzbeutel.

[Tschirch phot.]

Messer benutzt und die Kapsel horizontal, schräg oder vertikal nach und nach an allen Seiten angeschnitten (Fig. 126).

In China werden die Kapseln mit einem dreischneidigen Messer an 3—5 Stellen vertikal angeschnitten. Auch in Ägypten wird der Naschtar oder die kleinasiatische Methode benutzt, jedoch zwei oder drei Einschnitte gemacht.

Mehrklingige Messer, die zum Teil bis auf die Spitze mit Schnur umwickelt waren oder abgerundete Spitzen besaßen, wurden bei Erfurt, bei Clermont Ferrand, bei Darmstadt und in Württemberg benutzt (Linde, Zur Gewinnung des Opiums, Apoth. Zeit. 1905).

Die Entwicklungsphase der Kapsel, bei welcher sie angeschnitten wird, ist nicht überall die gleiche. In Kleinasien und in Vorderindien werden die jungen Früchte einige Tage nach dem Abfallen der Blumenblätter, in Armenien 20—25 Tage nach dem Abblühen (Gaultier), in Ägypten, sobald sie ihre normale Größe erlangt haben (Savaresi), in Persien, wenn sie sich der Reife nähern, angeschnitten. Der beste Zeitpunkt ist 10—14 Tage nach dem Abfallen der Blumenblätter (Hesse).

Zum Abkratzen der eingetrockneten Tropfen bedient man sich in Indien eines schaufelartigen Instrumentes (Situah Fig. 138).

Auch bei der seit Jahrhunderten gleichgebliebenen Methode der Gewinnung der *Asa foetida* durch Abtragen dünner Scheiben vom Kopfe der großen freigelegten

Fig. 157.

Halbspiralschnitt an einer kultivierten *Hevea brasiliensis* in Indien.
F. O. Koch phot.]

Fig. 58.

Fischgrätenschnitt an kultivierter *Hevea brasiliensis* in Indien.
[F. A. Koch phot.

Verlag von Chr. Herm. Tauchnitz, Leipzig.

Fig. 159.
*Colophonium*destillerie in den Wäldern von Carolina (U. S. A.).

Fig. 160.
Das Innere einer nordamerikanischen *Harz*destillerie. Im Mittelgrunde sieht man einen Destillierapparat und (rechts) das große Kühlfaß. [Aus Tschirch, Harze und Harzbehälter.]

Fig. 161.
Die *Lavendelöl*destillateure auf den Alpen (Alembics voyagants.) [Aus Roure-Bertrand fils Berichte.]

Fig. 162.
*Citronellaöl*destillation in der Nähe von Galle auf Ceylon. [Aus Roure-Bertrand fils Berichte.]

Fig. 163.
Rumelische *Rosenöl*destillerie in Papazoglou, links: Füllen der Destillierblasen.

Fig. 164.
Schuppen mit Destillierblasen für *Rosenöl* in Bulgarien. Links der Destillateur das Öl abhebend.

Fig. 165.

Entleeren der *Citronen* (Limoni) mittelst kleiner Löffel. Die Mädchen umwickeln die Hand, mit der sie die Citrone halten, mit einem Tuch. Fruchtfleisch und Schale werden gesondert verarbeitet. (Vergl. Fig. 166 und 176.) [Prof. Benedicenti in Messina phot.]

Fig. 166.

*Citronenöl*gewinnung mittelst der Spugna-Methode. Die Schalen werden an einen Schwamm gedrückt. [Prof. Benedicenti in Messina phot.]

Fig. 167.
*Bergamottöl*bereitung mit der Maschine, erste Opera on
[Aus Roure-Bertrand fils Berichte

Fig. 168.
*ergamottöl*bereitung mit der Maschine, zweite Operation.
[Aus Roure-Bertrand ils Berichte

Fig. 169.

Enfleurage, Darstellung der *«Pomades»* auf kaltem Wege in der Fabrik Roure-Bertrand fils in Grasse.

Fig. 170.

Maceration, Darstellung der *«Pomades»* auf warmem Wege in der Fabrik Roure-Bertrand fils in Grasse.

Wurzel von *Ferula Assa foetida* bedient man sich eines eigenartigen keilförmigen Messers, das vorn stark verbreitert ist (Fig. 148).

Bei der Herstellung der Einschnitte in die Rinde der *Mannaesche* bei der *Manna*gewinnung werden eigenartige, sichelförmig gekrümmte Messer benutzt (Fig. 150).

Andere Drogen der Gruppe der **Harzbalsame** sind als solche nicht in der normalen Pflanze enthalten, sondern entstehen erst infolge von Verwundungen (sekundärer Harzfluß). Ich habe durch Versuche in Indien und Europa gezeigt, daß *Benzoë*, *Peru-* und *Tolubalsam*, *Styrax*, *Dammar* und die meisten *Terpentine* der Koniferen erst sich bilden, nachdem man tiefgreifende Verletzungen am Baume angebracht hat und ein reichverzweigtes System pathologischer Kanäle im Neuholz entstanden ist (Gesetz des Harzflusses).

Fig. 171.
Eine finländische «Tervahauta» (*Teer*grube), die Art der *Teer*gewinnung in Finland.

Als pathologische Produkte, die bisweilen schon freiwillig, in größerer Menge aber durch (wenn auch nicht infolge von) spontan entstehenden oder künstlich angebrachten Wunden austreten, sind auch das *Gummi* und der *Traganth* zu betrachten.

Sehr mannigfaltig ist die Form, die man den Verwundungen (Fig. 149) und den dazu benutzten Instrumenten gibt und die Art, wie man die Wunde nachher behandelt. Bald wird ein V-Schnitt hergestellt (*Tolubalsam*, Fig. 149, 2), bald Längsschnitte (*Benzoë*, Fig. 141, 1) oder zahlreiche übereinander stehende, horizontale Einschnitte (*Manna*, *Japan. Lack*, Fig. 149, 10 u. 11), bald Spiralschnitte (*Gutti*, Fig. 149, 9), bald eine breite, wie ein M — oder O — geformte Lache (amerikan. und französ. *Terpentin*, Fig. 149, 5 u. 6), bald wird zum Auffangen des Balsams ein Topf angehängt (Fig. 149, 2, 6, 12—14), bald ein Box in den Baum geschlagen (Fig. 149, 5 u. 8) Auch Schwelen und Aufsaugen des Balsams in Lappen kommt

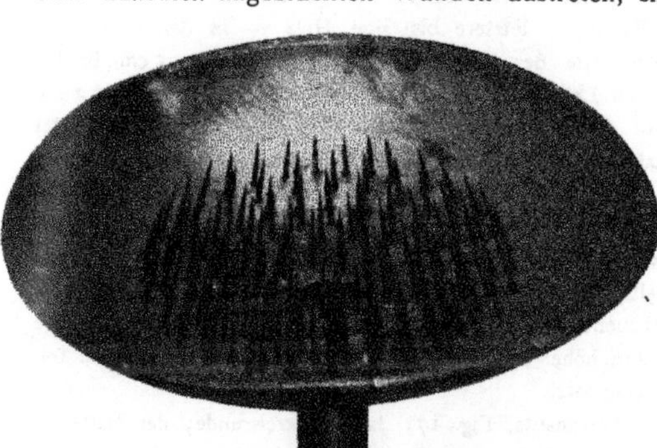

Fig. 172.
Ecuelle à piquer.
[Tschirch phot.]

vor (*Perubalsam*, Fig. 149, 3, 152 u. 153). Bei der *Lärche* wird ein Loch gebohrt (Fig. 149, 4), mit einem Pflock verstopft und nach einiger Zeit der angesammelte Balsam abgelassen. Die größte Mannigfaltigkeit in der Verwundungsart findet sich aber bei den *Kautschuk*bäumen. Bald wird hier nur mit Messerstichen angezapft (Fig. 155), bald werden Spiralschnitte, Halbspiralschnitte (Fig. 157), kurze, längs- oder schräggestellte mit eigenartigen meißelartigen Messern hergestellte Schnitte (Fig. 149, 12), gemacht, bald wird der Grätenschnitt (Fig. 149, 13 u. 158), der Doppelkandelaberschnitt (Fig. 149, 14) oder Varianten dieser geübt (das Detail siehe in meinem Buche: Die Harze und die Harzbehälter, 2. Aufl. 1906; dort sind auch die Instrumente abgebildet). Zu einem allgemein adoptierten System ist man noch nicht gekommen. Noch werden Versuche gemacht, welches das beste ist.

Bei der *Guttapercha* wird der Stamm des gefällten Baumes in horizontaler Lage auf der Oberseite in bestimmten Entfernungen mit breiten Einschnitten versehen, aus denen man dann den ausgetretenen Milchsaft herauskratzt (Fig. 156).

Eine Besonderheit ist die Darstellung des *Churus*. Der *Churus* (Indisch-Hanfharz) wird nach Bonati in der Weise gewonnen, daß man die in Blüte stehenden Zweigspitzen der weiblichen Pflanze von *Cannabis indica* stundenlang kräftig auf groben wollenen Teppichen reibt, so daß das dickflüssige Harz sich auf der Oberfläche ablagert, von wo es mittelst eines Messers abgelöst und zu kleinen Kugeln oder länglichen Stäbchen geformt wird.

Es erinnert dies in etwas an die ehedem beim *Ladanum* gebräuchliche Gewinnungsweise, bei der man langbärtige Ziegen durch die harzduftenden *Cistus*gebüsche trieb, das an den Bärten haften bleibende Harz absammelte, und nachdem es in Wasser erweicht war, zu den bekannten Spiralkörpern formte.

Eine besondere Stellung nimmt das *Ammoniacum* ein. Es werden nämlich bei ihm die ganzen zur Zeit der Fruchtreife geschnittenen Stengel der Pflanze nach Bombay gebracht und erst hier die Droge abgelesen.

Sehr eigenartig ist die Teerbereitung, das Teerbrennen (Tervanpoltto) in Finland.

Der Holzteer wird in Finland auf folgende Weise von *Fichten* gewonnen. Der Stamm der *Fichte* wird Mitte Juni von Ästen und Rinde — letztere bis zum Holz — in der Höhe von etwa $2^1/_2$ m befreit; nur an der nördlichen Seite des Baumstammes wird ein etwa 5 cm breites Band der Rinde gelassen, um den Baum am Leben zu erhalten. Dann läßt man den Baum 2—5 Jahre stehen, worauf die Rinde wieder auf dieselbe Weise von dem Stamme abgeschält wird, jetzt etwa $1^1/_2$ m höher, so daß der Stamm jetzt 4 m hoch kahl ist, mit Ausnahme der nördlichen Seite. Zwei Jahre lang läßt man den Baum so stehen. Der kahle Teil des Stammes ist jetzt mit einer dicken Lage Harz bedeckt. Dann schneidet man den an der nördlichen Seite gelassenen Rindenstreifen los; der Baum wird im Oktober oder November gefällt und das so behandelte Holz zum Meiler gebracht, wo es etwa 1,8 m hoch aufgestapelt wird. Im Winter, wenn die Kälte groß und das Holz dadurch leicht spaltbar ist, werden die abgehauenen, c. 4 m langen, harzreichen Baumstämme der Länge nach gespalten und in $3^1/_2$ m breiten und 2 m hohen Stapeln rings um den Meiler geordnet. Im folgenden Sommer werden sie in den Meiler eingesetzt.

Der Teermeiler oder die Teergrube (Tervahauta, Fig. 171) ist eine kreisrunde, der Mitte zu tiefer werdende Grube in der Erde. Sie ist gewöhnlich 12—13 m im Durchschnitt (36 m im Umkreis) und in der Mitte etwa $1^1/_2$ m tief. In die Mitte der Grube wird ein Holzkasten ohne Boden — 15 cm hoch und $1^1/_2$ m im Durchschnitt — eingesenkt, in welchem der Teer sich ansammelt. In die Wand des Kastens ist ein Holzrohr eingesetzt, aus dem der Teer ausfließt. Dieses Holzrohr ist schräg in den Boden eingesenkt und reicht über die Peripherie der Grube hinaus zu einem Kanale, wo sich die Sammelgefäße befinden. Der Boden der Grube ist fest mit Ton oder Moorerde bedeckt, um das Aufsaugen des Teers in die Erde zu vermeiden.

Über die auf diese Weise hergerichtete Grube wird das Teerholz kreisförmig, die Enden der

Tschirch, Handbuch der Pharmakognosie. Verlag von Chr. Herm. Tauchnitz, Leipzig.

Alte Cocosnuß-O mühe n Cey on. Aus Der Mensch u. die Erde“

Tschirch, Handbuch der Pharmakognosie.

Verlag von Chr. Herm. Tauchnitz, Leipzig.

Holzstücke der Mitte zu gerichtet, aufgestapelt, bis der Meiler einen kuppelförmigen, oben abgeplatteten Bau bildet. Das Ganze wird dann mit Moos, Erde und Torf bedeckt. An der Peripherie werden mehrere kleine Öffnungen dicht nebeneinander gelassen, bei welchen der Meiler gleichzeitig angezündet wird. Diese Öffnungen werden gleich nach dem Anzünden wieder mit Erde und Torf bedeckt. Den auf diese Weise angezündeten Teermeiler läßt man so 1—2 Tage ohne Luftzutritt brennen, worauf der Pfropfen von der oben erwähnten Holzröhre abgenommen wird. Jetzt beginnt der Teer auszufließen. — Wenn der Meiler auf diese Weise an der Peripherie angezündet wird, so sammelt sich der Teer in dem in der Mitte der Grube befindlichen Holzkasten und fließt durch das Rohr aus. Das Brennen des Meilers — unter fortwährendem Ausschluß von Luft — dauert 4 bis 5 Tage; dann ist aller Teer abgeflossen.

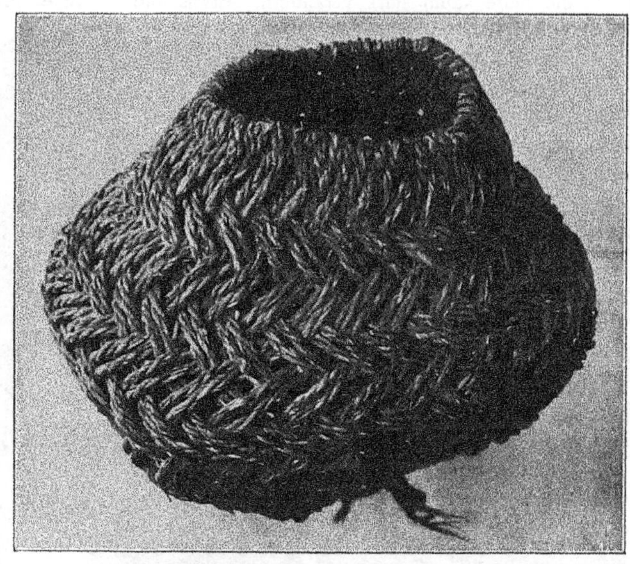

Fig. 173.
Fiskolo. Der geflochtene, oben und unten offene Korb zum Pressen der *Oliven*.
[Tschirch phot.]

Nach dem Öffnen des Rohres fließt gewöhnlich erst eine Menge dicker und dunkler Teer aus; dann folgt das Ausfließen des richtigen, hellbraunen und dünneren Teers. Ist die Hitze im Anfang größer und dauert das Brennen etwas länger als einen Tag, ehe das Rohr geöffnet wird, so fließt nach dem Öffnen erst eine geringere Menge sogenanntes klares «Teerwasser» aus und gleich darauf der richtige, hellbraune Teer, ohne daß sich erst dicker, pechartiger Teer bildet. Auf diese Weise wird der Holzteer in Kulunoniemi, dem größten Produktionsort in Finland, gewonnen. Ein Teermeiler von dieser Größe liefert c. 7500 Liter Teer. (Nach brieflichen Mitteilungen von Frl. RICHTER in Helsingfors.)

Fig. 174.
Italienische *Oliven*-Ölmühlen und -Pressen. Rechts die Fiskoli unter der Presse. [Aus Chemist and Druggist.]

Andere Drogen, wie die fetten Öle und Fette, werden durch Auspressen, noch andere, wie die ätherischen Öle, durch Destillieren mit Wasserdampf aus den Pflanzenteilen oder Harzbalsamen herausgezogen. Das Auspressen, selbst warmes, dürfte die Fette kaum stark verändern. Etwas anderes ist es mit den ätherischen

Fig. 175.

*Baumöl*gewinnung im XVI. Jahrh.

Nach einem Kupferstich — gez. von J. Stradanus, gestoch. von Ph. Galle um 1570 — der sich im germanischen Museum in Nürnberg befindet. [Aus Peters, pharm. Vorzeit.]

Ölen. Es darf als sicher angenommen werden, daß die ätherischen Öle in der Form, wie wir sie im Handel kennen, nicht in der Pflanze vorhanden sind. Ich habe schon 1890 darauf aufmerksam gemacht, daß der Wasserdampf seine verseifende Wirkung zweifellos auch hier geltend machen wird und daß die Alkohole, die wir in den ätherischen Ölen des Handels finden, in der Pflanze offenbar mit jenen flüchtigen Fettsäuren, die wir im unter den Ölen stehenden Destillationswasser finden, verestert sind, diese Ester, die zum Teil wohl «gemischte» sein dürften, aber durch die verseifende Wirkung des Wasserdampfes gespalten werden. Eine solche Spaltung dürfte übrigens bisweilen auch schon beim Trocknen eintreten.

Sehr eigenartig sind die **Methoden der Gewinnung der ätherischen Öle** ausgebildet worden. Die alte Methode der Destillation mit Wasserdampf (Fig. 159 bis 164), deren bis ins Unendliche modifizierte Apparatur wir schon bei Brunschwijk bewundern (vgl. auch Fig. 9) und die jedem alten chemischen Laboratorium einen so eigenen malerischen Reiz verleiht, ist zwar auch heute noch die wichtigste Darstellungsmethode geblieben (vgl. das Kap. Pharmakochemie), wie außerordentlich aber die Apparate vervollkommnet wurden, zeigt ein Blick in die Destillierräume einer modernen Fabrik ätherischer Öle. Daneben sind jedoch für die Öle, die die doch ziemlich rohe Me-

Fig. 176.
Pressen des *Citronen*saftes. Das von der Schale getrennte Fruchtfleisch wird ausgepreßt und der Preßsaft später auf Calciumcitrat verarbeitet. [Prof. Benedicenti in Messina phot.]

Fig. 177.
Schneiden und Trocknen der *Gambier*würfel in einer *Gambier*faktorei in Singapore. [Ridley phot.]

Fig. 178.

*Aloë*gewinnung am Kap.
Der Arbeiter schneidet mit einem gekrümmten Messer die Blätter von *Aloe ferox* ab.

Fig. 179.

*Aloë*gewinnung am Kap.
Die aus den abgeschnittenen Blättern von *Aloe ferox* gebildete Mulde.

thode der Dampfdestillation nicht vertragen, die ja nur Öle mit kräftiger Konstitution aushalten und die uns so gut wie niemals das Öl in der Form liefert, wie es in der Pflanze vorhanden ist, andere Methoden eingeführt worden: die in Grasse geübte Enfleurage (Fig. 169), bei der Fette in der Kälte das ätherische Öl aufnehmen und der procédé pneumatique, bei dem die Blüten nur ihren Duft an kaltes Fett abgeben. Die ältesten wohlriechenden Öle waren (wohl warm bereitete) Auszüge von Pflanzen mittelst fetten Ölen. Das Verfahren wird noch jetzt geübt und «Macération» genannt (Fig. 170). Das Anstechen der Früchte mit der Ecuelle à piquer (Fig. 172) oder das Andrücken der Fruchtschalen an einen Schwamm (Spugna, Scorzetta-Prozeß, Fig. 165 u. 166), wie es in Italien bei einigen *Aurantieen*früchten geübt wird oder die höchst eigenartige, wenn auch primitive Macchina (Fig. 167 u. 168), mit der das *Bergamottöl* kalt herausgequetscht wird, sind solche sich der Eigenart gewisser Öle anpassende Methoden.

Ganz dezentralisiert ist die Gewinnung des *Rosenöls* in Bulgarien, wo über zahlreiche Dörfer, besonders in der Gegend von Kezanlik, hunderte von primitiven Destillierblasen zerstreut sind, die nur zur Zeit der *Rosen*blüte in Tätigkeit gesetzt werden (Fig. 163 u. 164). Dann auch die Fabrikation von *Oleum pini pumilionis* in der Schweiz (z. B. im Emmental). «Flottante Destillierblasen», Alembics voyageants (Fig. 161) finden wir bei den wandernden Destillateuren von *Lavendelöl*, die die duftenden Berge Südfrankreichs durchziehen und für kurze Zeit dort ihre Destillerie errichten, wo sie gerade gute Erträge zu erzielen hoffen. In größeren Fabriken zentralisiert ist dagegen die Fabrikation der ätherischen Öle bei Miltitz (Schimmel & Co., Taf. III), Pirna (Hänsel), Grasse (Roure Bertrand Fils u. and.).

Fig. 180.

*Aloë*bereitung am Kap. Der in die Ziegenfellmulde ausgeflossene Saft wird in Kanister ausgegossen.

In die Reihe der Destillationen mit Wasserdampf (s. auch das Kapitel Pharmakochemie) gehört auch die *Kampfer*destillation in Japan und China, der dann eine Sublimation des Produktes und — häufig auch — eine Komprimierung folgt, die *Colophonium*gewinnung durch Destillation der *Terpentine* (Fig. 159 u. 160) — aber nicht die Darstellung des «*Harzöles*», das vielmehr durch trockene Destillation des *Colophoniums* gewonnen wird. (Vgl. das Detail in meinem Buche: Harze und Harzbehälter, 1906).

Das Auspressen der fetten Öle, das zuerst, wie es scheint, bei der *Olive*

(2000 v. Chr. oder noch früher), sehr früh auch bei der *Mandel* geübt wurde, ist jetzt durch Einführung der hydraulischen Plattenpressen, die schon vor 20 Jahren ihren Weg selbst in die *Cocosöl*pressereien von Ceylon gefunden hatten — ich sah in den Mills in Colombo nur noch mit ihnen Ölpressen — auch in außereuropäischen Ländern sehr vervollkommnet worden. Wenig, z. B. auf entlegenen Inseln, findet man noch die alte *Cocosöl*presse (Taf. XVI u. XVII), in italienischen und südfranzösischen Dörfern die primitive *Olivenöl*presse (Fig. 174) mit dem Fiscolo (Fig. 173), auf den Bandainseln und auf Java noch die alte Presse für *Muskatbutter*, wie sie schon vor 200 Jahren dort üblich war.

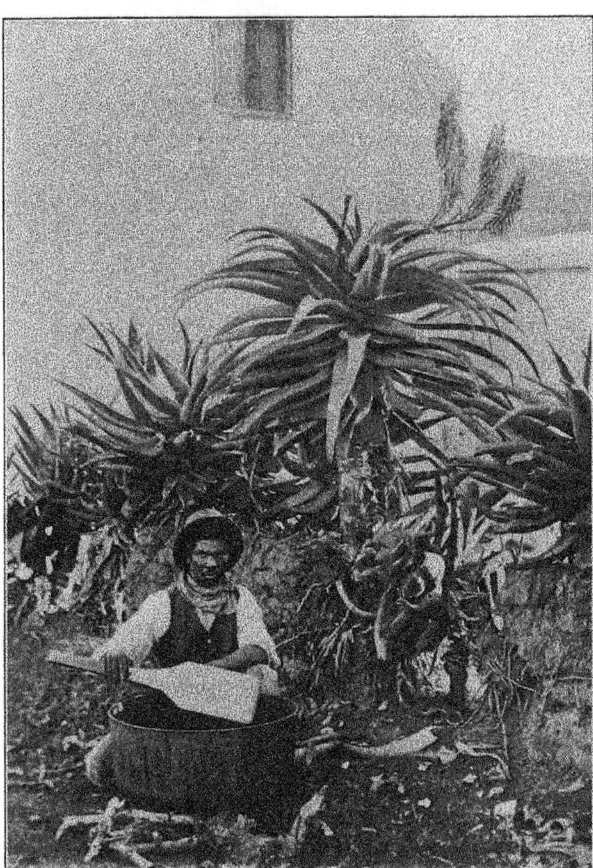

Fig. 181.
Einkochen des Saftes der *Aloe ferox* in Kesseln durch Kaffern. Im Hintergrunde die blühende Pflanze.

Die *Oliven* kommen in Italien erst in steinerne runde Rinnen mit rundumlaufenden Mühlsteinen (Frantojo, Fig. 174 links). Dort werden sie zu Brei gemahlen und dann in die eigenartigen, aus Halphagras und Baststreifen geflochtenen Körbe, die sog. Fiscoli (Fig. 173) geschoben. Diese werden, 20—25 Stück übereinander, unter einer Holzpresse aufgetürmt und dann gepreßt (erste Pressung). Dann kommt der Preßrückstand in eiserne hydraulische Pressen mit eisernen durchlöcherten Mänteln, die zu öffnen sind (zweite Pressung), die Trester liefern dann mit Schwefelkohlenstoff noch 10 % Öl (*Sulfuröl*), der Rest ist gutes Brennmaterial für Dampfmaschinen. Man rechnet 30 % des Gewichts der *Oliven* Öl, 20 % Feuchtigkeit. Das Öl wird in eigenartigen Filtrierapparaten filtriert, in denen sich zahlreiche Zylinder aus durchlochtem Blech, die mit einem Siebboden unten geschlossen und mit Baumwolle gefüllt sind, befinden. Das Öl kommt dann in eine gemauerte Zisterne (postura). Neuerdings ist mit Erfolg das Pressen der *Olive* durch Zentrifugieren der erwärmten geöffneten Früchte ersetzt worden. Das Verfahren erschöpft die Frucht vollkommen. Das beste Öl liefern ein wenig vor Vollreife gesammelte *Oliven*, das meiste, von normaler Beschaffenheit, genau reife.

Daß die Gewinnung des *Olivenöls* in Italien — unter Benutzung von Strohkörben sich mindestens seit dem XVI. Jahrh. nicht wesentlich geändert hat, zeigt die Abbildung 175.

Die *Olivenöl*pressung ist in Italien und der Provence ganz dezentralisiert. Jeder Bauer, der eine gewisse Anzahl von *Oliven*bäumen besitzt, hat auch seine kleine Ölmühle (trappeto).

Neuerdings wird als Ersatz des *Olivenöls* viel *Arachisöl* und *Baumwollsamenöl* gepreßt.

Eigenartig ist die Gewinnung des *Ricinusöls* in Indien. Die Samen werden zuvor erhitzt («geröstet»), durch sanften Druck von den Schalen befreit und zwischen warmen Plattenpressen gepreßt. Das bei 20—30° gepreßte ist das beste. Dann steigert man die Preßtemperatur. Das Öl wird sodann solange mit Wasser gekocht, bis alles «Eiweiß» abgeschieden ist, die Abscheidung abgeschöpft und das Öl in flachen Gefäßen einige Tage stehen gelassen. Dann wird es in c. 70 Liter fassende Tonkrüge gefüllt, die bis zur Öffnung in Erde eingegraben werden (SCHULTE AM HOFE).

Durch Auspressen des von der Schale getrennten Fruchtfleisches der *Citrone* wird übrigens auch der *Citronen*saft gewonnen (Fig. 176).

Einige Drogen werden durch **Auskochen** der betreffenden Pflanzenteile (*Catechu*, *Agar-Agar*) oder durch Anschneiden und **Eindicken** des ausgeflossenen Saftes (*Capaloë*) dargestellt. Dabei geht man dann in der Weise vor, daß man die eingedickte, halb erkaltete Masse, sei es in Würfel (*Gambier*, Fig. 177), sei es in schmale oder prismatische Stücke (*Agar-Agar*) schneidet oder in Kisten bezw. Kalebassen ausgießt und in diesen vollends erkalten und erhärten läßt (*Aloë*).

Die Gewinnung der *Aloë* aus den Blättern der *Aloë ferox* habe ich (1907) nach Berichten von DR. MARLOTH in Kapstadt, wie folgt, geschildert.

«Die Gewinnung des Saftes geschieht noch immer nach der alten primitiven Methode. Eine flache Vertiefung im Boden wird mit einer Ziegen- oder (womöglich) Pferdehaut bedeckt. Die abgeschnittenen Blätter (Fig. 178) werden rings herum zu einem kuppelartigen Bau von 1 m Höhe aufgepackt (Fig. 179). Nach einigen Stunden werden die Blätter einfach beiseite gestoßen und der ausgelaufene Saft in ein Gefäß gegossen, das meistens ein leerer Petroleumbehälter ist (Fig. 180). Am Abend wird dann der Saft in eisernen Töpfen über freiem Feuer ziemlich achtlos eingekocht (Fig. 181). Diesem Umstande verdankt die Droge ihre dunkle glasige Beschaffenheit.

Fig. 182.
Kessel zum Auskochen und Presse zum Auspressen der Lappen bei der *Perubalsam*gewinnung in San Salvador. [Preuß phot.]

Das Eintrocknen über freiem Feuer ist eine sehr beschwerliche Arbeit, denn es muß fortwährend gerührt werden, um das Anbrennen zu verhindern. Dabei greift aber der entweichende Dunst die Augen der Arbeiter sehr an. Wird nicht genügend eingekocht, so läuft die Masse nachher zusammen, wird zu lange gekocht, so brennt sie teilweise an. Aus diesem Grunde scheinen viele der *Aloë*-Sammler es jetzt vorzuziehen, den Saft an Fabriken zu verkaufen, anstatt ihn selbst einzukochen.

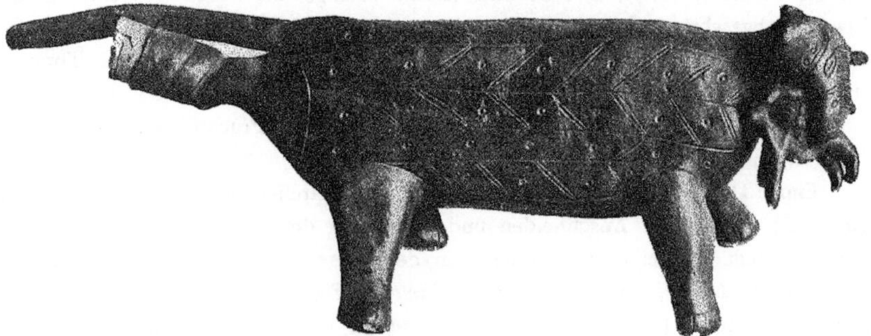

Fig. 183. Aus *Kautschuk* geformtes Gefäß in Gestalt eines Tieres m Amazonas. [Tschirch phot.]

Neuerdings hat nämlich ein Unternehmer die Sache insofern verbessert, als er von den Eingeborenen den Saft kauft und ihn in flachen Holztrögen an der Sonne eintrocknen läßt, nachdem er einer gelinden Gärung überlassen wurde. Diese neue Sorte kommt unter der Marke «*Crown-Aloë*» in den Handel.

Leider war der erste größere Posten dieser neuen Marke in London mit dem Na-

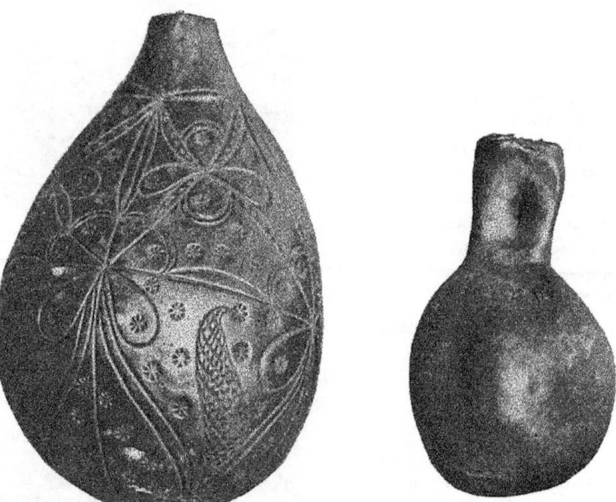

Fig. 184. Bottle Rubber Para. Aus *Kautschuk* geformte Gefäße vom Amazonas. [Tschirch phot.]

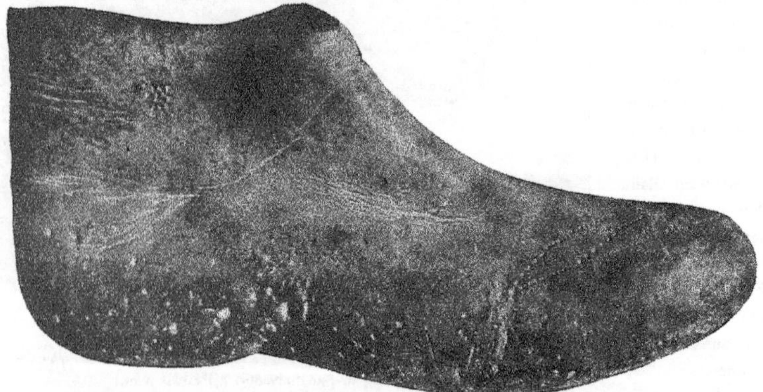

Fig. 185. Aus *Kautschuk* geformter Schuh vom Amazonas. Die Form, in der vor 60 Jahren der meiste *Kautschuk* exportiert wurde. [Tschirch phot.]

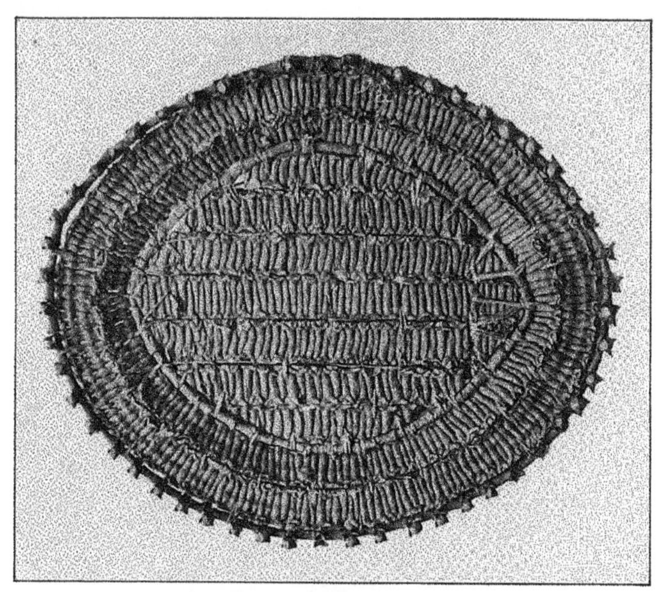

Fig. 186.
Teller aus *Nelken* geformt. [Tschirch phot.]

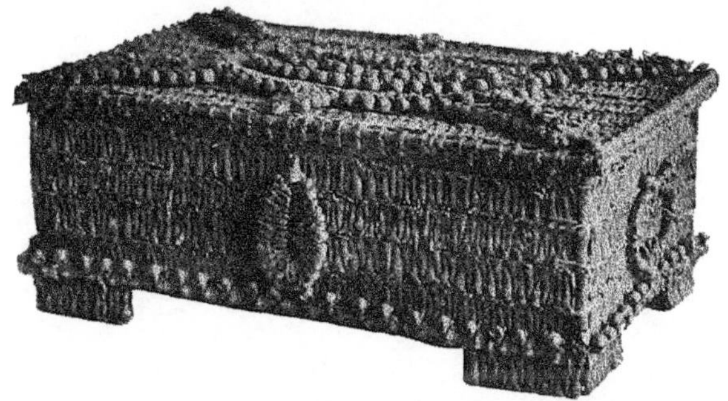

Fig. 187.
Aus *Nelken* geformtes Kästchen aus Amboina. [Tschirch phot.]

Fig. 188.
Aus *Nelken* geformtes Schiff von Amboina. [Tschirch phot.]

men *Uganda Aloë* belegt worden, doch ist dies, wie ich schon neulich mitteilte, ein willkürlich erfundener Name. Diese neue und durchaus rationelle Darstellungsweise hat eine Zukunft. Die *Crown-Aloë* erzielt in London sehr gute Preise. Sie sieht freilich ganz anders wie *Cap-Aloë* aus, ist aber entschieden viel besser.» (TSCHIRCH, Schweiz. Wochenschr. 1902, Nr. 23.)

Ein Auskochen findet auch bei der *Perubalsam-* und *Styrax*-Darstellung statt. Hier werden nach erfolgter Verwundung des Baumes und Bildung von Balsam im Neuholz aus der Wundnähe stammende Holz- und Rindenteile abgeschabt und dann mit Wasser ausgekocht. Bei der *Perubalsam*gewinnung werden auch die aufgelegten Lappen dieser Prozedur unterworfen. Nach dem Auskochen wird dann abgepreßt (Fig. 182).

Ein natürliches **Bleichen** am Licht findet bei der *Macis*, die frisch karminrot, am Licht getrocknet rötlichgelb, und beim *Carrageen*, das frisch kirschrot, gebleicht gelblich ist, statt.

Das Bleichen des *Carrageen* an der Sonne erfolgt erst, nachdem man den größten Teil des roten Farbstoffes durch Einlegen und Rollen der Algen in mit Süßwasser gefüllten Fässern entfernt hat.

Um die *Ingwer*rhizome der geschälten Sorten schön weiß zu erhalten, werden die gewaschenen und vorsichtig geschälten Rhizome eine Nacht in Wasser liegen gelassen, dem man oft noch Kalkmilch, Zitronensäure oder Essig zusetzt.

Künstliches Bleichen durch chemische Hilfsmittel gilt bei Drogen als unzulässig. So dürfen z. B. *Ingwer*, *Cardamomen* und *Carrageen* nicht mit Chlor oder schwefliger Säure gebleicht werden. Nur Sonnenbleiche ist zulässig. Auch das Bestreuen oder Bestreichen geschälter weißer Drogen mit Kreide oder Gips, das hie und da bei *Iris* und *Ingwer* beobachtet wurde, ist unzulässig.

Das **Kalken** der *Muskatnüsse* dagegen ist durchaus zulässig. Es hat nicht den Zweck, die Keimkraft zu vernichten, die bei den Samen, besonders den geschälten, rasch erlischt, sondern dient als wirksamer Schutz gegen Insektenfraß, wie besonders auf diesen Punkt gerichtete Versuche, die ich vor einigen Jahren angestellt habe, bewiesen haben.

Die **Gewinnung der Gespinstfasern** gehört schon in das Gebiet der technischen Rohstoffe. Sie beruht, soweit es sich um Bastfasern handelt, auf der möglichst vollständigen Isolierung derselben und Beseitigung der begleitenden Gewebe, bisweilen (*Lein*) unter Zuhilfenahme eines eigenartigen «Fermentierungsprozesses» (Flachsröste), der wohl darauf beruht, daß durch den Einfluß von Bakterien die Interzellularsubstanz pektinisiert und dadurch die Zellen leichter isoliert werden.

Die Entfernung der Samen aus der Baumwolle (das Egrainieren) bedarf besonderer Vorrichtungen.

Bisweilen werden die erzielten Drogenprodukte noch geformt. Aus dem *Kautschuk* und der *Guarana*-Pasta formte man ehedem alle möglichen Figuren (Fig. 183—185), jetzt werden aus ersterem meist nur Kuchen, aus letzterem, ebenso wie aus dem erweichten *Drachenblut* Stengel gebildet. Das *indische Opium* wird, wie schon oben beschrieben, entweder zu großen Kugeln (bals Fig. 128) oder zu rechteckigen Stücken (Fig. 132) geformt. Der *Gambier*würfel wurde schon oben gedacht (S. 135). Aus *Nelken* werden in Amboina die zierlichsten und kunstvollsten Gebilde hergestellt: Büchsen, Teller, Kassetten, Schiffe (Fig. 186 bis 188). Doch ist dies eigentlich mehr eine Kuriosität und Spielerei.

Auch die früher vielfach übliche kunstvolle Verschlingung von Wurzeln ist nur noch bei der *Angelica* «in Zöpfen» in Gebrauch geblieben und von den zahlreichen eigenartigen Packungsarten der *Sarsaparille* sind fast nur noch die «Puppen» der Honduras jetzt im Handel.

Auch von den vielen oft k u n s t v o l l e n **Gefäßen**, in denen früher besonders

Fig. 189.
Die Bereitung des *Palmweins* am Kongo. Der Kuli rechts ist im Begriff, den Schnitt am Gipfel zu machen. [R. Visser phot.]

weiche Drogen in den Handel gebracht wurden, haben sich nur wenige erhalten: die kleinen Kalebassen des *Tolubalsams* (jetzt selten) und einer *Curare*art, die grossen der *Curaçao-Aloë*, die Töpfe des *Tubocurare* und die Bamburöhren des *Röhrencurare*, die wir aber eigentlich schon zu den Pakkungen (s. Pharmakodiakosmie) rechnen müssen.

Eine ganz besondere und eigenartige Gruppe bilden *Indigo* und *Lackmus*, die als solche in den Stammpflanzen nicht vorhanden sind, sondern erst bei einem eigenartigen Behandlungsprozesse aus den in den Pflanzen enthaltenen Chromogenen entstehen. (Vgl. das Kapitel Pharmakochemie.)

Ein **Nachfärben** (mit Berlinerblau oder Indigo, dem Gips oder Talkum zugesetzt wurde) findet bisweilen beim *grünen Tee* statt.

Ein «**Beduften**» (Scenting) scheint beim *schwarzen Tee* hie und da in der Weise geübt worden zu sein, daß man dem fertigen Produkt wohlriechende Blüten beimengte und diese dann, nachdem sie ihren Duft abgegeben hatten, wieder aussiebte. Als solche Blüten wurden genannt: *Aurantieen*, *Aglaia odorata*, *Chloranthus inconspicuus*, *Gardenia florida*, *Jasminum paniculatum* und *Sambac*, *Osmanthus fra-*

Fig. 190.
Indianer bei der *Pulque*bereitung Aufsaugen des angesammelten Saftes mittelst Hebers. [Aus Preuß, Zentral- und Südamerika.]

grans. Wie TISCHOMIROFF durch Erkundigungen in China erfuhr, wird das «Beduften» des *schwarzen Tees* nicht oder doch (1893) nicht mehr geübt. Nur in die Kisten, die «*Tee* zu Geschenken» enthalten, wird auf den Boden bisweilen eine fingerdicke Schicht *Aglaia*blüten geschüttet. In Szeschuan werden bisweilen, aber nur für den örtlichen Gebrauch, die süßen Zweigspitzen von *Viburnum phlaebotrichum* dem *Tee* beigemischt.

In Java und Ceylon fand ich (1889) weder Färben noch Beduften in Gebrauch.

Einige Drogen, wie das *Curare* und der *Haschisch* gehören schon zu den **Präparaten**, sind also eigentlich nicht mehr Simplicia, sondern Composita. Doch wird sie wohl jeder zu den Drogen im weiteren Sinne rechnen, trotzdem sie künstliche Gemische sind.

Die Herstellung von **gegorenen Getränken** aus Pflanzensäften fällt schon aus dem Gebiete der Pharmakognosie heraus. Doch kann man den *Palmenwein* (Fig. 189), den *Cognac*, den *Arac* und die *Pulque* (Fig. 190) wohl noch im weiteren Sinne zu den den Pharmakognosten interessierenden Objekten rechnen. Wenn sie auch natürlich keine eigentlichen Drogen sind, so werden sie doch ebenso wie der Wein auch gelegentlich zu Heilzwecken verwendet.

Bei der Pulquebereitung schneidet der Arbeiter die Knospe des Blütenstandes der *Agave americana*, bevor sich derselbe entwickelt, ab und saugt mit einem eigenartigen Instrument (Fig. 190) den zuckerhaltigen Saft an, der dann nach dem Vergären die «Pulque» liefert.

Bei der Palmweingewinnung schneidet man ebenfalls die Blütenstandknospe ab oder macht Einschnitte in den oberen Teil des Stammes (Fig. 189), sammelt den austretenden zuckerreichen Saft und läßt ihn vergären.

Fig. 191.
Die Räucherung des *Kautschuks* mit Palmnüssen (Defumaçao da borracha) im Amazonasgebiet unter Anwendung kleiner «Ruder» zur Herstellung kleiner Kuchen. [Aus Hubers Arboretum amazonicum.]

Daß man Drogen auch **durch eine rationellere Erntebereitung verbessern** kann, unterliegt keinem Zweifel, und man sollte gerade diesem Umstande besondere Aufmerksamkeit widmen. Das Standardbeispiel bildet der *Hevea*-(Para-)*Kautschuk*, der von in Ceylon, Sumatra und Malacca kultivierten *Hevea*arten gewonnen, durch rationelles Koagulieren und Strecken der Abscheidung zu Fellen jetzt schon in so vortrefflicher Qualität am Markte ist, daß er im Preise an der Spitze aller Sorten steht und schon höher wie bester brasilianischer Para bezahlt wird.

Die Koagulation der Kautschuk-Milchsäfte (Fig. 191 u. 192) ist jetzt schon eingehend studiert.

Fig. 192.
Kochen des Latex und der *Kautschuk*kuchen in Lusambo (Kongo).

Man unterscheidet hier folgende Koaleszenzmittel:

I. Natürliche Methoden:
 1. Einfaches Verdunstenlassen an warmer Luft;
 2. Verdunstenlassen am menschlichen Körper.

II. Mechanische Methoden:
 1. Durch Schlagen, Buttern bei 50°;
 2. Durch Zentrifugieren nach BIFFEN.

III. Chemische Methoden:
 1. Räucherung, z. B. mit der Räucherungsmaschine von CARDOCO DANIN;
 2. Einfache Kochmethode;
 3. Zusatz eines großen Quantums Wasser;
 4. Durch Salzwasser;
 5. Durch Vegetabilien, wie die Samen von *Aurantiaceen*, der Saft von *Sachacamote*, *Bossasanga*saft, die Wurzelknollen von *Ipomoea bona nox*;
 6. Durch Chemikalien, wie Alaun, Schwefelsäure, Seesalz, Seifenwasser, Alkohol, Sublimat, Calciumchlorid, Salzsäure, Phönicinschwefelsäure, Aceton, Eisessig, Ameisensäure, mit H_2SO_4 versetzte 4% Phenollösung;
 7. Durch Urin;
 8. Durch Sterilisieren mit Formaldehyd, Guajacol- oder Thymollösung, dann Verdünnen mit Wasser und Versetzen mit Oxalsäure, Ameisensäure, Zitronensäure oder mit wässerigen Extrakten der Termiten und Ameisen. (Vgl. TSCHIRCH, Harze und Harzbehälter 1906.)

Die Sitte, **frische Pflanzenteile mit Zucker einzukochen** — sog. Condita darzustellen, — die früher bei zahlreichen Heilpflanzen üblich war, z. B. auch bei *Rhiz. Enulae*, ist jetzt nur noch beim *Ingwer*, den dickschaligen *Citrus*arten (z. B. *C. medica*) — *Citronat*, *Cedrat* — und bei *Angelica* (in Clemont Ferrand) erhalten geblieben.

Fig. 193.

Die Fabrikation des *Indigo*. [Nach Pomet, Hist. des drogues, 1694.]

Fig. 194.

Moderne *Indigo*fabrik in Indien. [Aus Roscoe-Schorlemmer, Lehrb. d. Chemie.]

Fig. 195.
Sortieren des *Tabak* in Sumatra. [Kew Museum.]

Fig. 196.
Zurechtschneiden der Ceylon-*Zimt*röhren auf eine Länge. [Kew Museum.]

Fig. 197.
Sortieren des *Tees* in China. [Aus Illustrierte Welt.]

Fig. 198.
Auslesen von *Muskatnüssen* auf Java. [Kolonial-Museum Haarlem.]

Fig. 199.

Auslesen der *Chinarinde* und Trocknen derselben auf *Bambu*tellern (Tampirs) in Lembang auf Java. [Tschirch phot.]

Fig. 200.

Auslesen der *Rosen*blumenblätter in Grasse.

Auch die arabische Sitte, eingedickte **Pflanzensäfte** — Roob, Rob, Rubb darzustellen, ist heute nur noch bei wenigen Früchten (*Sambucus, Juniperus*) beibehalten worden. Das Dorf Trimmis (Graubünden) erzeugt jährlich mehrere 100 kg *Succus Sambuci.*

Man ist übrigens wie bei der Verpackung auch bei der Erntebereitung ziemlich konservativ. Das *Umbaopopanax* scheint auch heute noch auf die gleiche Weise dargestellt zu werden wie im Altertum. Das gleiche gilt wohl von der *Aloë.*

Wie konservativ man bei der *Indigo*fabrikation geblieben ist, lehrt der Vergleich zwischen der Abbildung der *Indigo*bereitung, die ich aus POMET, Hist. gener. des drogues 1694 wiedergebe (Fig. 193) und einer modernen Anlage (Fig. 194), die ich dieser gegenüberstelle.

Oft ist das geerntete Produkt nicht ganz rein und es muß dann ein Auslesen oder Sortieren erfolgen. Dies geschieht bei vielen Drogen schon beim Produzenten. Die *Tee*blätter (Fig. 197), die *Muskatnüsse* (Fig. 198) und die *Chinarinde* (Fig. 199) werden «verlesen», bevor man sie verpackt, *Rosen*blätter (Fig. 200), bevor man sie destilliert. Besonders sorgfältig geschieht das Sortieren beim *Deckblattabak* in Sumatra (Fig. 195). Bei der *Cubebe,* den *Umbelliferen*früchten u. a. werden die Stiele entfernt. Die *Gummis* und *Harze* werden sortiert. Vielfach geschieht das Auslesen aber auch erst in den Stapel- und Hafenplätzen oder gar erst in den Einfuhrhäfen in Europa oder bei den inländischen Großdrogenhäusern. Das gehört dann also schon in das Kapitel «Behandlung der Droge im Einfuhrhafen» (s. d.).

Fig. 201.
Stampfen der zerkleinerten *Chinarinde*, um ihr Volumen zu verringern, auf Java.

Eine besondere Form des Auslesens ist das «Reppeln», das darauf beruht, daß man die groben wertlosen Teile von der eigentlichen Droge durch Rüttelsiebe abtrennt. So wird die *Kusso* gereppelt, d. h. die zarten Blüten von den derben Infloreszenzaxen getrennt, so werden durch Reppeln auf Rüttelsieben die Sekretdrüsen und die Büschelhaare, die die *Kamala* bilden, von den Früchten des *Mallotus philippinensis* und jene, die das *Lupulin* bilden, von den Fruchtschuppen der weiblichen Infloreszenz der *Hopfen*pflanze abgelöst.

Bei der *Baumwolle* werden die Fruchtschalreste entfernt. Dann werden die Haare und Samen getrennt (Egrainieren). Die Samenschalhaare bilden die *Baumwolle,* der Samen liefert das *Baumwollsamenöl.*

Einige Rinden werden auch schon im Produktionslande **auf eine bestimmte Länge zurechtgeschnitten.** Bei den *Chinarinden* geschieht dies in Java, um sie gut und mit möglichster Raumersparnis in den Kisten unterbringen zu können. Beim

Fig. 202. Einstampfen des *Yerba Mate* in Paraguay. [Nach Hengstenberg, Weltreisen.]

Ceylonzimt werden die aus mehreren zusammengeschobenen Rinden gebildeten Röhren meist genau auf 1 m gebracht (Fig. 196), aus denen dann die Fardelen gebildet werden. Fardello bedeutet Bündel. Schon in Paxis Taripha (s. Geschichte) findet sich: «Canelle longe in fardo». Die Packung scheint also sehr alt zu sein.

Fig. 203.
Hydraulische Presse zur Herstellung der *Chinarinden*ballen in Colombo (Ceylon). [Tschirch phot.]

Da die Dampferlinien die Fracht nach dem Volumen und nicht nach dem Gewicht berechnen — eine Ausnahme machen nur die Metalle — so hat der Versender ein Interesse, das Volumen **zu verringern.** Dies geschieht in primitiver Weise dadurch, daß man die Drogen einstampft. Etwas derartiges sehen wir z. B.

Fig. 204.

Mittelst hydraulischer Pressen hergestellte *Chinarinden*ballen in Hullsdorffs Mill, Colombo (Ceylon).
[Tschirch phot.]

Fig. 205.

Mittelst hydraulischer Pressen hergestellte *Baumwollen*ballen zum Verladen bereit (St. Louis).

Fig. 204.

bei den als Fabrikrinden bezeichneten *Chinarinden*, bei denen es nicht auf schönes Aussehn ankommt (Fig. 201). Beim *Mate* erfolgt das Pulvern durch Schlagen mit hölzernen Stäben (Fig. 202). Oder man bedient sich zum Zusammenpressen hydrau

Fig. 206.
Primitive *Yerba*-Mühle in Paraguay. [Nach Hengstenberg, Weltreisen.]

lischer Pressen. Dies geschieht z. B. bei der *Chinarinde* in Ceylon (Fig. 203 u. 204) und der *Baumwolle* (Fig. 205). Doch dies gehört schon in das Gebiet der Verpackungen (s. d.). Bei dem *Mate* (Fig. 206) und bei dem zur *Ziegeltee*bereitung benutzten *Tee*pulver (Fig. 207) bedient man sich auch eigenartiger Mühlen, um das Material zu Pulver zu mahlen. Die *Reis*mühle dagegen entfernt die Spelzen und die Schale, »schält« also nur.

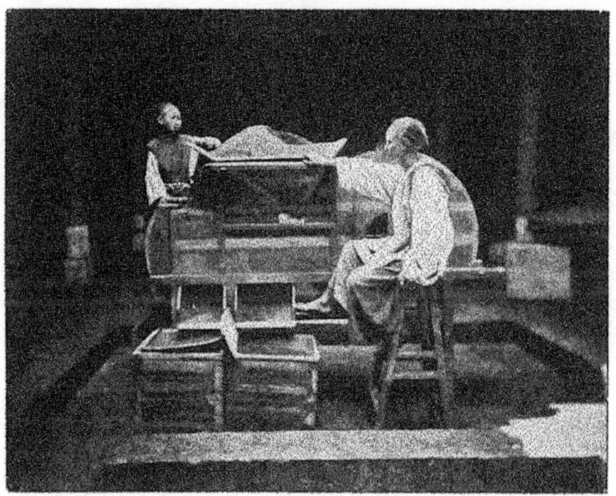

Fig. 207.
*Tee*mühle zur Bereitung des Ziegeltees.

Ganz einzig in seiner Art ist das Zeichnen der noch an der **Pflanze hängenden Vanillefrüchte** zum Schutz gegen Diebstahl. Die Pflanzer in Bourbon zeichnen nämlich mit Hilfe von Nadeln alle Früchte noch am Stock. Die Anordnung der Stiche ist auf den Plantagen verschieden, aber jede hat ihre besonderen Zeichen. Bald bilden die

Stiche zusammen genommen arabische Ziffern (5, 6, 8, 10), bald Buchstaben (D bedeutet z. B. die Plantage von Dureau de Vaulcomte), und viele dieser Zeichen sind auf dem Gerichte als «Schutzmarke» eingetragen. Werden nun gestohlene Früchte angeboten, so wissen die Händler sofort, wo sie gestohlen sind und wem sie gehören.

Die **Abfälle der Erntebereitung** werden bei vielen Drogen verwertet. Die Preßrückstände der Öldrogen, z. B. die *Cocos*preßkuchen, die *Sesam*-, *Mohn*- und *Senf*preßkuchen werden als stickstoffreiches Futtermittel benutzt, ebenso die extrahierten und getrockneten Rübenschnitzel der Zuckerfabriken. Die Destillationsrückstände der Fabrikation ätherischer Öle dienen als Düngemittel, ebenso die Fruchtschalen des *Kaffee* und der *Muskatnüsse*. Letztere dienen aber auch, in Gruben der Zersetzung unterworfen, als Nährboden für den *Muskatpilz* (djamur pala), einem beliebten Leckerbissen auf den Bandainseln. Die Absabsel beim Schälen der *Zimtrinde* werden zur Öldestillation benutzt.

An der Gewinnung der Drogen beteiligen sich alle Rassen und fast alle Nationen der Welt, wie man leicht beim Durchsehen der Abbildungen dieses Buches feststellen kann, auf denen sich Vertreter aller Völker dargestellt finden: Kaffern, Neger, Singhalesen, Tamils, Malaien, Javanen, Chinesen, Japaner, Türken, Brasilianer, Mittelamerikaner und alle Nationen Europas (Spanier, Griechen, Italiener, Bulgaren, Deutsche, Franzosen, Engländer, Holländer usw.).

Aus fernen Landen bringen die Galeeren
Gold, Weihrauch und Gewürze sonder Zahl,
Heilkräft'ge Kräuter, Balsam,
Silphium, Myrrhe —

IV. Pharmakoëmporia.

Die Pharmakoëmporia (von ἐμπορία = Großhandel) oder der Großdrogenhandel ist der Teil der Pharmakognosie, der sich mit dem Schicksal der Droge vom Orte der Gewinnung bis zum Eintritt in den Kleinhandel beschäftigt. Er umfaßt die Handelswege, die Ausfuhr- und Einfuhrhäfen, die Behandlung der Droge im Einfuhrhafen, die Produktions- und Exportlisten und auch die Maße und Gewichte des Drogenhandels.

Ein Handelsweg ist allemal auch eine Kulturbahn. ANDREE.

1. Handelswege.

a. Handelswege in früherer Zeit.

Hierzu die zwei Karten: Die Handelsstraßen im Altertum und im Mittelalter.

Wie das Mittelmeergebiet neben Mesopotamien die Wiege der Kultur ist, so ist es auch die Wiege des Handels. Seine reiche Küstenentwicklung lud frühzeitig die rings um dasselbe wohnenden Völker dazu ein, in Handelsbeziehungen zueinander zu treten. Hier war es, wo der Mensch zuerst die See befahren lernte und sich zuerst auch bei stürmischem Wetter von der Küste zu entfernen wagte. Die Gliederung des wüstenreichen asiatischen Festlandes dagegen bedingt es, daß in ihm von jeher der Land- und Karawanenhandel blühte, während die Länder des Mittelmeers die Wiege des Seehandels sind.

Die älteste Form der Verkehrswege, die bald zu Handelswegen wurden, sind ja offenbar die Flüsse gewesen. Die größeren Landstraßen, zunächst aus militärischen Gründen als Heerstraßen angelegt, wurden erst später Handelsstraßen. Die großen Straßenbauten der Römer, die Via Appia zwischen Rom und Capua (IV. Jahrh. v. Chr.), die Tiberius- und die Trajansstraße (103 n. Chr.) an der Donau entlang, die zehn kühnen Straßen über die Alpen, wahre Meisterwerke der Ingenieurkunst, dienten wie die gleichfalls von den Römern angelegten in Hispanien, Gallien, Germanien, Britannien und die asiatischen, die fast bis zum Persischen Golf reichten, — die Gesamtlänge des römischen Straßennetzes erreichte schließlich die Länge von 10220 geographischen Meilen — zunächst militärischen Zwecken und verfielen z. T. mit dem Verfall des römischen Reiches. Erst Karl der Grosse sorgte wieder für bessere Verkehrswege durch Ausbau der alten Römerstraßen und Anlage neuer, sowie durch Verbesserung des Flußverkehrs und Anlage von Kanälen (Fossa carolina zwischen Donau und Rhein).

Vielfach hat Eroberungssucht die Handelswege geöffnet. Die Fahrten des großen Ramses an den Küsten des Roten Meeres, der Zug Alexanders nach Osten bis nach Indien, der Indien- und Skythenzug des Darius, der Zug der Araber nach dem Westen bis nach Spanien, die zahlreichen Expeditionen der Römer nach allen Himmelsrichtungen, selbst bis nach Fessan und dem Sudan und der Zug gegen die Parther waren Eroberungszüge, aber auf ihren Spuren blühte allmählich der Handel empor.

Fig. 208.

Passar Bogor. Der Markt von Buitenzorg, oberes Ende. Im Hintergrunde ein chinesischer Tempel und die Bäume des botanischen Gartens (Java). [Tschirch phot.]

Doch zog man schon frühzeitig auch nur um wertvolle Waren von fernher herbei zu schaffen nach entlegenen Ländern. Die Ophirfahrten der Phönikier und ihre Expeditionen rings um das Mittelmeer bis über die Säulen des Herkules hinaus und auf dem Roten Meer nach Süden, die Reisen der Römer und Araber nach China und der Chinesen nach dem Persischen Golf und dem Roten Meer, wie die der Russen durch Sibirien bis ans Ochotzkische Meer waren ausschließlich Handelsfahrten ohne politischen Hintergrund. Bei Portugiesen und Spaniern war beides im Spiel. Die Portugiesen suchten sich aber doch nur deshalb in den Besitz der erreichten Länder zu setzen, um die Gewürze für sich monopolisieren zu können und bei den Spaniern spielte stets die Sucht nach Gold die Hauptrolle. Seinetwegen fuhren sie aus El Dorado zu suchen. Auch die Reisen der Polos im XIII. Jahrh. nach China, Pegolottis im XIV. Jahrh. und Barthemas im XVI. Jahrh. nach Indien waren Handelsreisen. Ein drittes Moment für die Eröffnung von Handelswegen war die Auswanderung und Kolonisation, die wir schon bei der Fahrt nach dem Süden des Karthagers Hanno im V. Jahrh. v. Chr. als treibende

Kraft finden und die so viel zur Erschließung Nordamerikas und Australiens beigetragen hat. Ferner haben auch die Gesandtschaften neue Wege geöffnet. So gingen schon im III. Jahrh. v. Chr. zwei mazedonische Gesandtschaften an den Hof indischer Fürsten in das Gangestal und 165 n. Chr. sandte Marc Aurel Gesandte auf dem Seewege über Tonkin nach China. Viel später folgte (1246) die Reise des päpstlichen Delegaten Plan Carpin an den Hof der mongolischen Herrscher.

Fig. 209.
Transport von Waren auf dem Kopf durch Zulumädchen (Südafrika). [Underwood phot.]

Aber noch viel umfangreicher und weitausgreifender wirkten die Glaubensmissionen und Pilgerreisen zuerst der Buddhisten durch ganz Ostasien, dann die der nestorianischen Christen, die zu Verbindungen Europas mit dem Mongolenreiche und der Einführung des Christentums in China und das übrige Asien führten. Joh. von Montecorvino baute 1305 zwei Kirchen in Peking. Aber schon 530 n. Chr. bestanden Christengemeinden in Malabar und Ceylon. Auch die Mönche Carpini und Rubruquis erreichten im XIII. Jahrh. wie Odorico de Pordenone im XIV. Jahrh. das chinesische Reich.

Fig. 210.
Eine Karawane für den Transport des *Kautschuk* über Land im Kongogebiet. [Visser phot.]

Dann brachten auch Abenteurer, wie der Ritter Maundeville († 1371) Nachrichten.

Endlich haben auch rein geographische Reisen neue Handelswege erschlossen, besonders die der Araber im Mittelalter, die ein ganzes Heer von Forschungsreisenden hervorbrachten (s. Geschichte). «Die größten Schiffervölker des Altertums waren die mittelmeerischen Phönikier und Griechen. Von Südgallien liefen unter griechischer Führung die größten maritimen Entdeckungsexpeditionen aus, von denen die Geschichte vor der Zeit der transatlantischen Entdeckung berichtet»

Fig. 211.
Mit *Moka-Kaffee* beladene Kamele einer arabischen Karawane. [Aus Les grandes cultures.]

(F. Ratzel, Das Meer als Quelle der Völkergröße) und Necho, der Sohn des Psammetich, ließ im VII. Jahrh. v. Chr. durch phönikische Seefahrer ganz Afrika von Ost nach West umschiffen. So sehen wir denn schon im Altertum ein reiches Netz von Handelsstraßen entstehen.

Sehr frühzeitig siedelten sich Hindus auf Socotra an, Malabaren im südlichen Arabien. Die Tarschischschiffe Salomos und Hirams, mit phönikischen Matrosen bemannt, erreichten die Gestade östlich vom Indusdelta und schon in der Mitte des I. Jahrh. fuhr Hippatus mit Benutzung der Monsune vom Golf von Aden über den Indischen Ozean nach der Küste von Malabar. In den letzten Jahrhunderten des Altertums blühten in Vorderindien als Stapel- und Handelsplätze indischer Drogen Patala (Haidarabad) am Indusdelta, Barygaza (Beroach) nördlich von Bombay, Calliene bei Bombay, Muziris (Mangalore), Nelkynda (Nelliseram) an der Küste von Malabar und Taprobane (Ceylon). Auf der Ostküste lag Mavalipuram, von welchem Platze aus ein Handelsverkehr mit Hinterindien, dem «goldreichen Chryse» des Altertums, unterhalten wurde.

Nach Norden führten von Indien zwei Handelsstraßen, die eine direkt nach Norden über die Gebirgskette, die Kaschmir und Badagschan trennt, die andere über die Keyberpässe nach Kabul und Bactrien, den ältesten Kulturgebieten der Menschheit.

Bereits Ramses soll den Plan gehabt haben, den Nil mit dem Roten Meere zu verbinden, also einen «Suezkanal» zu bauen, und der Sohn des Psammetich, Necho, hatte den Kanal bereits bis zu den Bitterseen fertiggestellt (610 v. Chr.), aber erst Dareios Hystaspis führte das Werk (oberhalb Bubastis) zu Ende. Der Kanal blieb bis auf Marc Aurel schiffbar. Eine Straße, von Ptolemaeus Philadelphus angelegt, verband Berenice mit Koptos am Nil, auf der man die indischen Waren mit Be-

Fig. 21

Bepackungsart der Kamele und Dromedare für den Transport der Waren durch die Wüste. Das Kamel trägt 700—800 Pfund und legt damit täglich 10 Wegstunden zurück. [Nach W. Heubach.]

Fig. 213.

*Tee*karawane im Begriff Peking zu verlassen. Das Kamel ist das Hauptkarawanentier vom Niger bis nach Peking. [Aus Les grandes cultures.]

Fig. 214.
Urwaldtransport der *Yerba Mate* in Paraguay.
[Nach Hengstenberg, Weltreisen.]

Fig. 215.
Transport der entblätterten *Zuckerrohr*stengel auf Karbaukarren nach der Fabrik in Java.
[Kolonial-Museum Haarlem.]

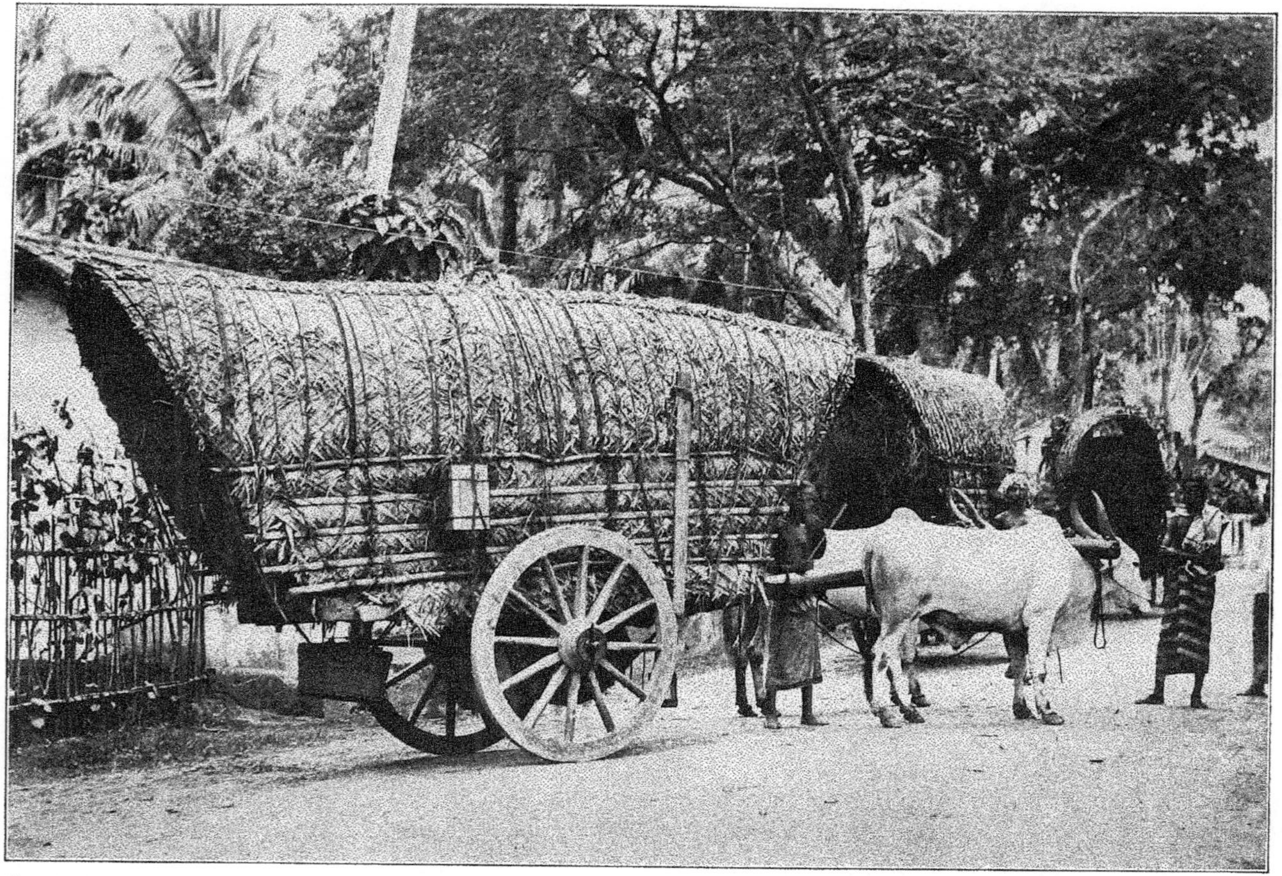

Verlag von Chr. Herm. Tauchnitz, Leipzig

Fig. 216.
Ein zur Küste fahrender, mit *Baumwoll*ballen beladener Wagen in Togo.

Fig. 217.
Transport von Warenballen (z. B. *Senna*) auf Flußschiffen den Nil abwärts.
[Augusta Flückiger phot.]

Verlag von Chr. Herm. Tauchnitz, Leipzig.

Dattelpalmenhain an den U ern des Nil. Typus der Schiffe für den Warentransport auf dem Nil.

nutzung des Nil und unter Vermeidung des Kanals, aber doppelt umgeladen, nach Alexandrien, dem Hauptvermittler zwischen Orient und Occident, bringen konnte Aber nicht nur quer über den Indischen Ozean führte der Weg, bei günstigem Südwestmonsun in 40 Tagen, nach den großen Hafenplätzen an der Malabarküste, nach Muziris, Nelkynda und Kottonarike (Cochin), auch an den Küsten entlang ging die Fahrt und wohl erreichten einzelne Schiffe schon im I. Jahrh. n. Chr. Kap Comorin, die Halbinsel Malacca, ja selbst Java und Borneo. Um diese Zeit finden wir wenigstens den hellenischen Abenteurer JAMBOLOS sieben Jahre im malaiischen Archipel tätig. Zur Zeit des PLINIUS flossen bereits aus dem römischen Reiche 16 Millionen Mark für Waren nach Indien ab.

Sehr hübsch entwickelt PLINIUS die Gründe, warum der *Weihrauch* in Rom im Anfang unserer Zeitrechnung so teuer ist. Er sagt:

«Der gesammelte *Weihrauch* wird auf Kamelen nach Sabota, der einzigen dahin führenden Pforte gebracht. Nach den Gesetzen steht Todesstrafe darauf vom Wege abzuweichen. Dort empfangen die Priester für den Gott, welchen sie Sabis nennen, den zehnten Teil dem Maße, nicht dem Gewichte nach; eher darf nichts davon verkauft werden. Von jenem Anteile werden die öffentlichen Kosten bestritten, denn der Gott unterhält die Fremden eine gewisse Anzahl von Tagereisen hindurch. Der *Weihrauch* kann nicht anders als durch das Land der Gebaniter ausgeführt werden, daher wird auch dem Könige derselben ein Zoll erlegt. Ihre Hauptstadt Thomna ist von der auf unserer Küste belegenen jüdischen Stadt Gaza 4436000 Schritte entfernt, welche Strecke in 65 Kamelstationen geteilt wird. Auch den Priestern und Schreibern der Könige werden bestimmte Anteile gegeben. Außer diesen plündern noch die Wächter, Trabanten, Pförtner und Bedienten davon. Wohin ihr Weg geht, müssen sie hier für Wasser, dort für Futter, oder für das Quartier allerlei Zölle zahlen, so daß

Fig. 218.

Boote zum Warentransport auf dem Amazonas. [Aus Ackermann, Au pays du Caoutschuk.]

die Kosten für jedes Kamel sich bis an unsere Küste auf 688 Denare belaufen und dann wird noch an die Zollpächter unseres Reiches abgegeben. Daher kostet ein Pfund des besten *Weihrauchs* 6, die zweite Sorte 5 und die dritte 3 Denare.»

Die berühmte *Weihrauch*straße der Karawanen besitzt jedenfalls eine große Bedeutung für die Entwicklung des Verkehrs im Gebiete des Roten Meeres.

Wie ungeheuer bisweilen der Verbrauch an *Weihrauch* war, geht u. a. aus der Erzählung des

HERODOT hervor, daß die Befehlshaber der persischen Flotte bei Beginn des zweiten Feldzuges gegen die Griechen zu Ehren des Apollo auf Delos 300 Zentner *Weihrauch* verbrannten.

Von der anderen Seite schob sich dann in den ersten nachchristlichen Jahrhunderten der chinesische Handel dem europäischen entgegen und drang bis gegen Ceylon und Java, ja schließlich bis nach Hira am Euphrat vor. Im IV. Jahrh.

Fig. 219.
Mit *Zuckerrohr* beladene Kähne in Penang. [Aus Les grandes cultures.]

kamen chinesische Schiffe nach Bengalen und Ceylon, im V. Jahrh. bis Hira, im VI. Jahrh. bis ins Rote Meer. Der chinesische Handel wurde aber vom VII. Jahrh. an ganz durch persische und arabische Händler zurückgedrängt. Java bereisten die Chinesen erst im V. Jahrh. Vom IV.—XIV. Jahrh. sind Fahrten chinesischer Handelsschiffe bis Ceylon, zu den Mündungen des Indus und des Schatt-el-arab (der Vereinigung des Euphrat und Tigris) beglaubigt (DULAURIER). Der Handel zwischen dem Mittelmeergebiet und den Molukken wurde bis gegen Ende des Mittelalters durch Vorderindien vermittelt, das seit dem I. oder II. Jahrh. mit dem malaiischen Archipel Verkehr unterhielt.

Ein anderes Zentrum war der Persische Golf, den schon Chaldäer und Phönikier, als Vermittler zwischen Indien und Mittelmeergebiet, zu hoher Bedeutung gebracht hatten und den der schiffbare Euphrat mit Babylon verband, das bereits unter NEBUKADNEZAR ein Meßplatz erster Klasse für indische Waren war.

Außerordentlich rege war dann später (IX. Jahrh. n. Chr.) der Handelsverkehr der Araber mit den Chinesen, der von Basra über Siruf und Ormuz nach Indien und über Ceylon nach Khanfu in China führte, aber nach der Plünderung Khanfus sich auf einen Hafen Javas zurückzog.

Auf dem Landwege begegneten sich noch viel früher zuerst Waren des Orients und Occidents zwischen Indus und Oxus. Hier treffen wir als älteste Stapelplätze Attok, Cabura, Bactra und Maracanda.

Von Attok, am Zusammenflusse des Indus mit dem Nabal, ging eine Karawanenstraße nach Cabura, gabelte sich hier in einen nördlichen Zweig zum Oxus zu den Skythen und einen südlichen über Kandahar zu der Pylae Caspiae und Babylon durch das Gebiet der Parther und Meder. Von Babylon führten dann Straßen nordwärts

Fig. 220.
Zum Kali besar führender Kanal im Chinesenviertel in Batavia. Auf den Leichtern Säcke mit *Chinarinde* und *Kaffee*.
[Tschirch phot.]

Fig. 221.
Transport der *Teer*fässer auf den stromschnellenreichen Flüssen Finlands. Uleåborg.

zum schwarzen und westwärts zum Mittelmeer. Schon 2000—1000 v. Chr. muß ein lebhafter Karawanenhandel zwischen Babylon und China sowie Indien bestanden haben.

Nicht geringere Bedeutung besaß Arabien für den Zwischenhandel, das von zwei großen Karawanenstraßen durchzogen wurde. Die eine ging von Cane (nicht weit vom heutigen Aden) über Saba, Macoraba und Onne nach Damascus, die andere vom Persischen Golf, den phönizischen Kolonien Arados und Tylos, quer durch Arabien nach Onne und weiter nach Tyrus und Sidon, den Haupthandelsemporien der Phönikier, die vom XII.—V. Jahrh. v. Chr. auch den gesamten Transithandel indischer Waren vermittelten. Eine Verschiebung erfuhr der Handel im Orient im VI.—IV. Jahrh. v. Chr. durch das Emporkommen der Perser, die allmählich den gesamten Transitverkehr durch ihr Reich leiteten und erhebliche Transitzölle erhoben. Die wichtigsten Zoll- und Stapelplätze der Perser, die während nahezu fünf Jahrhunderten den ganzen Handel mit China, Indien und Südasien vermittelten, waren Artaxata, Nisibis und Calliricum am Euphrat.

Die Handelsmonopole der Perser zu brechen war oberstes Ziel der oströmischen Kaiser (besonders Justinians), die den Handel vom Persischen Golf abzuziehen und zum Roten Meer und Äthiopien hinzuziehen sich bestrebten. Es war dies schwierig, denn überall trafen die griechischen Kaufleute auf persische, die ihnen zuvorgekommen waren und ihnen große Schwierigkeiten in den Weg legten, was denselben bei ihren alten und guten Verbindungen in Indien nicht schwer wurde. Schließlich gelang es

Fig. 222.

Flußtransport des *Yerba-Mate* in Paraguay. [Nach Hengstenberg, Weltreisen.]

aber, einen direkten Handelsverkehr zwischen Indien und den Häfen am Roten Meer (Berenice, Akaba und Kolsum) einzurichten. Die Gewürze der Molukken kamen wohl erst im IV. Jahrh. n. Chr. nach Europa, *Nelken* waren im VI. Jahrh. schon ziemlich billig (Alexaneer Trallianus).

Schon zu jener Zeit gab es drei große Karawanenstraßen von China nach dem Abendlande. Die südlichste über Chotan und Jarkand und den Pamir nach Afghanistan und Indien (Daybal), die mittlere nördlich vom Tarim über Karaschar und Kaschgar nach Persien und die nördlichste über Barkul zum Syrdarja und dem Aralsee durch die Dsungarei.

Im VII. und VIII. Jahrh. traten die Araber auf den Plan, die den Handel weiter nach Osten ausdehnten und in Kalah in Malacca mit den Chinesen in Be

Fig. 223.

Einschiffen der *Wermuth*ballen (*Artemisia Absynthium*) bei Besançon auf dem Rhein-Rhone-Kanal. [Nach Roure-Bertrand.]

ziehung traten. Im X. Jahrh. bestand ein reger chinesisch-arabischer Handelsverkehr zwischen dieser Stadt und Siraf am Persischen Golf. Auch an der Malabarküste und auf Ceylon siedelten sich arabische Kaufleute an und Daybal an der Indusmündung wurde Haupthandelsemporium des Ostens, zu dem nicht nur die Waren Indiens, Persiens und Arabiens, sondern auch die Chinas sowohl zu Wasser (über Ceylon) als zu Lande auf der oben beschriebenen südlichsten Karawanenstraße zusammenströmten, nachdem sie sich in dem großen Stapelplatze Multan im Pandschab gesammelt hatten.

Suhar und Maskat in Arabien, am Eingange des Persischen Golfes, blühten empor und Aden erlebte seine erste Blüte. So war es gelungen, den Handel von Persien abzuziehen und selbst den chinesischen Landverkehr nach arabischen Häfen zu leiten. Das Rote Meer nahm die indischen Waren wieder auf und da der Kalif Omar im VII. Jahrh. den Kanal, der den Nil, speziell Kairo, mit dem Roten Meere verband, wieder hatte herstellen lassen, konnten die Waren ohne umzuladen von Indien nach den Häfen des Mittelmeers gelangen. Auch als ein Jahrhundert später der Kanal versandete, blieb doch die einmal gewonnene Handelsstraße über Ägypten und Syrien erhalten. Auf ihr gelangten die Waren bis ins XII. Jahrh. hinein nach Trapezunt, Damaskus und Jerusalem, die zu bedeutenden Handelsplätzen heranwuchsen. Ägypten war der Schlüssel des indischen Handels geworden und die Sultane erhoben jetzt die Zölle, die ehedem die persischen Schahs erhoben hatten. Vom XII.—XIV. Jahrh. waren Kairo, das damals Babylon genannt wurde, und Alexan-

Tschirch, **Handbuch der Pharmakognosie.** **Verlag** von Chr. Herm. Tauchnitz, **Leipzig.**

Kähne ür d n Waren ransport au den Flüssen von Ceylon Ka u-Ganga be Ratnapura Rechts Ba nbugebüsch.

drien Städte von riesiger Ausdehnung. 1342 treffen wir sogar eine chinesische Gesandtschaft beim Sultan in Kairo. In Alexandrien gab es bereits damals «meistbegünstigte» Nationen. So zahlten z. B. die Venetianer auf Drogen nur 10%, die übrigen Völker dagegen 16% Zoll. Nun begann die Blüte des Levantehandels. Vom X. Jahrh. bis zum Ausgang des Mittelalters lag der Handel in den Händen der italienischen Handelsrepubliken, zuerst von Bari, Salerno, Neapel und Gaeta, dann von Amalfi, Pisa, Genua und Venedig. Anfangs war Akkon, an der Küste von Palästina, dann, als dieses (1291) den Sarazenen wieder in die Hände fiel, Famagusta auf Cypern und Lajazzo an der Bucht von Alexandrette Haupthandelsemporien der Levante. Dann blühte Kaffa (Kapha) in der Krimm. Bis nach Mingrelien, zum Kaspischen Meer und der Donmündung erstreckten sich die Niederlassungen der Genuesen.

Aber die alexandrinischen Zölle waren hart und so erscheint das Bestreben begreiflich, den Handel wieder vom Roten Meere abzulenken. Es gelang dies (wenn auch nicht ganz) und so sehen wir denn im XIII. und XIV. Jahrh. indische Waren wieder in größerer Menge auf dem Landwege nach den syrischen Häfen gelangen. Zur Zeit des TIMUR LENK (um 1400) gingen Karawanen mit *Ingwer, Zimt, Muskat* und *Nelken* von Indien auf dem Landwege, über Afghanistan, nach Samarkand und nach Tauris und Sultaniah in Persien. Im XIV. Jahrh. war Konstantinopel ein wichtiger Handelsplatz für die von Indien über Land kommenden Waren. Dort sah PEGOLOTTI Muskatnüsse pfundweise verkaufen.

«Die Bedeutung des Schwarzen Meeres für den Handel beruhte nicht bloß auf dem Produktenreichtum, sondern auch in der geographischen Lage seiner Gestade. Denn mehrere wichtige Handelsstraßen Innerostasiens wie Europas mündeten daselbst und dieser Umstand hat den Pontus Euxinus in ruhigen Zeiten stets zu einem Knoten-

Fig. 224.
Eine Handelsfaktorei am Kongo. [Visser phot.]

punkt des Weltverkehrs erhoben» (ENGELMANN). Schon zur Zeit der althellenischen Kolonisation (VIII. und VII. Jahrh. v. Chr.) gab es an seinen Ufern zahlreiche Handelsstädte und Byzanz und Chalsedon erhoben einen «Sundzoll». Bis zum VIII. Jahrh. n. Chr.

war der Dnjepr Handelsstraße und Oleschkie (Cherson), an seiner Mündung, Stapelplatz und Hafen der Russen. «Von ihrer Hauptstadt Kiew, lange Zeit Mittelpunkt des innerrussischen Handels mit zwölf Marktplätzen und acht Jahrmärkten, wo Griechen und Armenier, Regensburger, Augsburger und Venetianer, Ungarn und Bulgaren zusammenkamen», fuhren die russischen Kaufleute auf dem Dnjepr, der «griechischen Straße», nach Oleschkie und Konstantinopel. «Auf demselben Wege standen die Ostseeländer, namentlich Nowgorod und später Riga, mit dem Pontus in Verbindung.» Später ging der Weg nicht mehr nach Konstantinopel. Don und Wolga übernahmen ihn und von Tabris gingen die Waren direkt nach Itil (Astrachan) und auf der Wolga weiter nördlich. Alle diese Verkehrskanäle liefen schließlich in Tana (Asow) an der Mündung des Don, dem großen nördlichen Handelsemporium, zusammen.

Fig. 225.
Mit *Aloësaft* gefüllte Fässer vor einer Faktorei in Südafrika.

Bagdad und Basra hatten zwar im XIII. Jahrh. ihre durch mehrere Jahrhunderte behauptete Bedeutung als Hauptstapelplätze für den asiatischen Durchgangsverkehr z. T. verloren und Tebris, die Hauptstadt Persiens, war emporgewachsen, doch behielten sie auch ferner Bedeutung. So gingen im XIV. Jahrh. die Waren, die Ägypten nicht berühren sollten, von den ostindischen Häfen (Mangalore, Calicut und Quilon) nach Ormuz am Eingange des Persischen Golfes, dann den Euphrat empor und über Bagdad zur syrischen Küste oder über Tebris ans Schwarze Meer. In Bagdad und Tebris trafen sie auf die von China kommenden Karawanen, die im XIII. und XIV. Jahrh. einen sehr lebhaften Überlandverkehr zwischen Ost und West unterhielten. Immerhin verblieb Ägypten noch genug, dessen Handel im XIV. und XV. Jahrh. eine neue Blüte erlebte.

All dies sank in Trümmer, als die Portugiesen den Seeweg nach Ostindien entdeckt und damit eine direkte Verbindung zwischen Indien und Europa hergestellt hatten, die sowohl Persien und Arabien als auch Ägypten umging, aber auch dem blühenden Levantehandel der italienischen Handelsrepubliken die wichtigsten Zufuhren unterband.

Vom Jahre 1498 an verlor das Mittelmeer, verloren die Staaten südlich vom

Kaspischen Meer ihre Bedeutung für den Welthandel: die portugiesischen Schiffe, die in Indien sich befrachtet hatten, landeten in Lissabon. Und in Spanien landeten die Schiffe, die reichbeladen von den Gestaden des neuentdeckten Amerika heimkehrten.

Wie dann erst die Portugiesen, dann die Spanier, dann Holland und Frankreich und endlich England Beherrscher des Welthandels wurden und schließlich in unseren Tagen alle großen Kulturnationen, auch Deutschland und Nordamerika, in die Reihe der Großhandelsstaaten eintraten — das gehört der neuen Zeit an. Es wird im historischen Teile dieses Buches, soweit der Drogenhandel in betracht kommt, geschildert werden.

Die Handelsgeschichte wird jetzt meist in folgende Abschnitte geteilt (RICH. MAYR):

I. Altweltliche oder thalassische (Binnenmeer-)Zeit, 4000 v. Chr. bis 1492 n. Chr.
 1. Altertum, 4000 v. Chr. bis 395 n. Chr.
  a) Altorientalische Periode, 4000—500 v. Chr. b) Hellenisch-karthagische Periode, 500—146 v. Chr. c) Römische Periode, 146 v. Chr. bis 395 n. Chr.
 2. Mittelalter, 395—1492 n. Chr.
  a) Byzantinisch-islamitische Periode, 395—1096. b) Italienisch-hansische Periode, 1096—1492.

II. Alt- und neuweltliche (ökumenische) oder ozeanische Zeit, 1492 bis zur Gegenwart.
 1. Neuzeit, 1492—1815.
  a) Spanisch-portugiesische Periode, 1492—1600. b) Niederländisch britische Periode, 1600—1815.
 2. Neueste Zeit.
  Britisch-amerikanisch-deutsche Periode, seit 1815.

«Der Handel, kostbaren Waren des Stein-, Tier- und Pflanzenreiches nachgehend, ist der größte Verbreiter menschlicher Gesittung geworden, wenn ihn auch nicht sittliche Beweggründe dabei leiteten.» (O. PESCHEL.)

Lit. Peschel, Das Zeitalter der Entdeckungen. 1858. — Heyd, Geschichte des Levantehandels im Mittelalter. 2 Bd. 1879. — Gildemeister und Hoffmann, Die ätherischen Öle. 1899. — Richter, Handel und Verkehr der wichtigsten Völker des Mittelmeeres im Altertum. 1886. — Kießelbach, Gang des Welthandels im Mittelalter. 1860. — Scherer, Allgem. Geschichte des Welthandels. 2 Bd. 1852. — Beer, Allgem. Geschichte des Welthandels. 5 Bd. 1860—1884. — Andree, Geographie des Welthandels. 3 Bd. 1877—1879. — Sonndorfer, Die Technik des Welthandels. Wien-Leipzig. — Büchele, Geschichte des Welthandels. 1867. — H. Cons, Précis d'histoire du commerce. 1896. — Noël, Histoire du commerce du monde. 1892—94. — Heeren, Ideen über d. Politik, d. Verkehr u. d. Handel d. vornehmst. Völker d. alt. Welt (dort d. Handelsstraßen d. alt. Asien). — Aloys Schulte, Geschichte d. mittelalterlich. Handels u. Verkehrs zwischen Westdeutschland u. Italien. — Sombart, Moderner Kapitalismus. — Resch, Die Aufeinanderfolge der Handelsherrschaften. 1885. — Götz, Die Verkehrswege im Dienste des Welthandels. 1888. — Barth, Wandlungen im Welthandel. 1882. — Engelmann, Geschichte des Handels- und Weltverkehrs in übersichtlicher Darstellung. 1899. — Rich. Mayr, Lehrbuch der Handelsgeschichte auf Grundlage der Sozial- und Wirtschaftsgeschichte. 1907. — Max Georg Schmidt, Geschichte d. Welthandels (Bändchen 118 der Sammlung «Aus Natur u. Geist»). Leipzig 1906. Ein kleines aber für unseren Zweck sehr brauchbares Buch. — Speck, Handelsgeschichte des Altertums. 3 Bd. 1900—1906. — Hüllmann, Handelsgeschichte der Griechen. 1839. — Sprengel, Geschichte der wichtigsten geographischen Entdeckungen. — Die Literatur der Entdeckungsreisen im XIII. bis XVII. Jahrh. wird im Kapitel Pharmakohistorie besprochen.

Spezielle Literatur: Prax, Commerce de l'Algérie avec la Mecque et le Soudan. Paris 1849. — C. von Scherzer, Smyrna mit besonderer Rücksicht auf die geographischen, wirtschaftlichen und intellektuellen Verhältnisse von Vorder-Kleinasien. Wien, Hölder. 1873. — J. Zwiedinek von Südenhorst, Syrien und seine Bedeutung für den Welthandel. Hölder 1873. — Flückiger, Ausfuhrprodukte Smyrnas und Syriens. Arch. Ph. 1874 und Pharmakognosie.

b. Handelswege in unserer Zeit.

Hierzu die Karte: Handelsstraßen im XX. Jahrh.

Der Weg, den die Droge vom Orte ihrer Gewinnung bis zu dem Orte des Verbrauches, d. h. der Apotheke zurückzulegen hat, ist ein weiter. Sie geht oft durch viele Hände. Allerdings wird die Drogenversorgung Europas jetzt sehr durch die

Fig. 226.
Die Bahnlinie, welche den Hafen La Guaira mit der Hauptstadt Caracas in Venezuela verbindet. [Preuß phot.]

außerordentlich verbesserten, vereinfachten und verbilligten Verkehrsverhältnisse erleichtert. Hat die Droge erst den Ausfuhrhafen erreicht, so ist das Schlimmste überstanden. Am schwierigsten gestaltet sich der **Überlandtransport** zu den Ausfuhrhäfen oder zu einer Wasserstraße. Hier ist, wo Lasttiere nicht oder nicht in ausreichender Weise zur Verfügung stehen, der Transport durch Träger (Fig. 210) das einzige Mittel. Auf diese Weise werden die Produkte des Innern Afrikas transportiert — oft auf dem Kopfe der Träger oder Trägerinnen (Fig. 209). Sind Kamele oder Pferde zur Hand, so werden diese bepackt (Fig. 211—213). In Zentralasien dient das Schaf, in Peru das Lama als Packtier. Da und dort tritt auch der Ochsenkarren in Aktion (Fig. 214 u. 215 u. Taf. XVIII), oder Kuliwagen von Negern gezogen (Fig. 216). Immer strebt man darnach, auf möglichst kurzem Wege zu einer Wasserstraße zu gelangen. Denn der Flußtransport, der auf sehr verschieden gebauten Booten erfolgt (Fig. 217—223, Taf. XIX u. XX), ist gefahrloser als der über Land, und da alle Flüsse zum Meere, also zu den Häfen hin strömen, schneller. Früher brachten die Eingeborenen ihre Produkte in die Hafenplätze. Jetzt sind die Abnehmer immer tiefer ins Land gedrungen, den Produzenten also entgegen gereist. Schon um möglichst aus erster Hand kaufen zu können, werden die Niederlassungen der Handelshäuser immer weiter die Flüsse hinauf geschoben und rücken die Faktoreien immer tiefer ins Land hinein. Aber trotzdem ist es nicht immer, ja nicht einmal häufig möglich, die Produkte aus erster

Tschirch, Handbuch der Pharmakognosie. Verlag von Chr. Herm. Tauchnitz, Leipzig.

Die Eisenbahnlinie, welche Colombo mit Kandy im Hochland von Ceylon verbindet, am Kadduganawapaß. Die Bahn wurde s. Z. hauptsächlich für die *Kaffee-*, *Tee-* und *China*-Distrikte gebaut.

Tschirch, **Handbuch der Pharmakognosie.** Verlag von Chr. Herm. **Tauchnitz, Leipzig**

Die Bucht von Aden.

Aden hat den größten Hafen der Welt. In ihm haben alle Flotten der Erde Platz.

(Tschirch phot.]

Tschirch, Handbuch der Pharmakognosie. Verlag von Chr. Herm. Tauchnitz, Leipzig

Am Hafen von Singapore.

Singapore (Singapur) ist jetzt der größte Hafen Indiens. 1826 war es noch ein kleines malaiisches Dorf.

[Tschirch phot.]

Tschirch, Handbuch der Pharmakognosie. Verlag von Chr. Herm. Tauchnitz, Leipzig.

Der Hafen von Hongkong, links über der Meerenge Kau ang, vorn Victoria.
Hongkong is was den Jahresaus- und -eingang betrifft, der größ e Ha en der Erde.

[Tschirch phot.]

Fig. 227.

Die Reede von Hankow am Jangtsekiang.
Der Jangtse ist hier fast 2 km breit.

[Aus Les grandes cultures.]

Fig. 228.

Nishni Nowgorod.

Größter russischer Handels- und Stapelplatz. Blick von der Altstadt auf die Jahrmarktstadt auf der Halbinsel am Einfluß der Oka in die Wolga. In Nishni treffen 7 große Handelsstraßen zusammen und fast 40 Völker treten hier in Handelsbeziehungen.

[Aus Meyer, Histor.-geograph. Kalender.]

Fig. 229.

Der Hafen von Colombo auf Ceylon.
Die Eingeborenenboote umschwärmen das ankommende Schiff.
[Tschirch phot.]

Fig. 230.

Die Reede von Bombay.

Fig. 231.
Shanghai. Anlegestelle der Dampfer.

Fig. 232.
Sansibar.

Fig. 233.
Am Hafen von Hongkong.

Fig. 234.
Maracaibo, Muelle y Aduana.

Fig. 235.
Der Hafen von Smyrna. Wichtigster und größter Hafen der Levante.

Hand zu kaufen. Schon hier schieben sich **Zwischenhändler** ein. In Afrika sind es Araber und Syrier, in Südasien Chinesen, die die Rolle übernehmen. Überall hört man die gleiche Klage, daß der Zwischenhändler ein unvermeidliches Übel geworden ist.

Befindet sich die Droge dann in den europäischen **Faktoreien** im Innern des Landes (Fig. 224 u. 225), so wird sie häufig jetzt auf Faktoreidampfern die Flüsse hinab zu den Hafenplätzen geführt. Oder man benutzt die **Eisenbahn**. Denn Eisenbahnlinien gibt es jetzt in den Tropen schon viele. Besonders dort wo Stromschnellen oder Katarakte der Flußschiffahrt hindernd im Wege stehen, erweist sich der Bau einer Eisenbahn wenigstens auf dieser Strecke als unerläßlich zur Erschließung des Landes. So wird in nicht langer Zeit den Kongo aufwärts bis Katanga ein System, abwechselnd aus Eisenbahn- und Flußdampferstrecken bestehend, in Betrieb sein, das einen Verkehr von vielen Tausenden von Kilometern ins innerste Afrika hinein ermöglicht. So wird es auch nicht mehr lange dauern und man kann mit der Eisenbahn von Moskau über Turkestan, Buchara, Merw, Herat und Kandahar zur Küste des Indischen Ozeans gelangen. Geplant ist ja auch eine Bahn Kairo-Kapstadt. Java wird seiner ganzen Länge nach schon jetzt von einer Bahnlinie durchzogen, in das Hochland von Ceylon keucht das Dampfroß von Colombo empor (Taf. XXI), San José ist mit Guatemala, Porto Cabello und La Guaira sind mit Caracas (Fig. 226), Guajaquil mit Quito, Valparaiso mit Santiago durch Bahnlinien verbunden — der Hafen mit der Landeshauptstadt. Den Nil hinauf führt, die Krümmungen des Flusses und Katarakte umgehend, eine Bahnlinie bis Chartum. Selbst Argentinien ist nach allen Richtungen von Eisenbahnen durchzogen und mehr noch Vorderindien. Die mandschurisch-sibirische Linie, die für die Erschließung Sibiriens von ungeheuerer Bedeutung geworden ist, durch-

Fig. 236.

Der Hafen von La Guaira (Venezuela). [Nach Preuß.]

zieht ganz Nordasien in westöstlicher Richtung. Auch China denkt jetzt ernstlich an umfangreiche Bahnbauten.

Vorläufig sind aber noch **die größten Ströme** die wichtigsten Verkehrswege aus dem Innern der Kontinente zur Küste: der **Missisippi** (Fig. 253), der Congo, der Nil, der Indus, der Ganges, der Jang-Tse (Jangtsekiang), die Wolga.

Fig. 237.
Rio de Janeiro, einer der schönsten und sichersten Häfen der Welt. Die Bai von Rio ist 22 km breit.
[Nach einem Gemälde von Hans Bohrdt.]

Eine eigene Rolle spielen die **Stapelplätze** im Innern des Landes, in denen die Produkte zusammenströmen, bevor sie zu den Hafenplätzen geschafft werden.

Fig. 238.
Rio de Janeiro mit dem Zuckerhut (Pão de Açucar). [Nach Hengstenberg, Weltreisen.]

Sie liegen stets an großen Strömen und beherbergen die Niederlassungen zahlreicher Handelshäuser, die schon hier die Produkte einkaufen. Ein solcher inländischer

Fig. 239.
Tampico la Galera, tomada del Muelle.

Fig. 240.
Am Hafen von Veracruz.

Fig. 241.
Curaçao. Eingang zum Hafen.

Fig. 242.
Schiffe im Suez-Kanal an einer Ausweichstelle (gare).
[Tschirch phot.]

Fig. 243.
Chemisches Laboratorium zur Untersuchung der *Chinarinde* auf der Regierungs-*China*plantage in Tjinjiroean (Java).
[Aus Verslag der Gouvernements Kina-Onderneming Java.]

Stapelplatz größten Stils ist Hankow (Fig. 227) am Jang-Tse in China, wohin der allergrößte Teil des *Rhabarber* gebracht, wo er gestapelt und dann den Fluß hinab nach Shanghai geführt wird. Dorthin gelangt, da der Hoangho nicht gut schiffbar ist, selbst der *Rhabarber* des Nordens nach oft wochenlangem Überlandtransport. Weiter nach Westen liegen die großen *Rhabarber*stapelplätze Chung-king (Tschung-king am oberen Jang-Tse) und Cheng-tu (Tschöng-tu) nordwestlich davon. Ein solcher Stapelplatz war ehedem auch (seit 1725) Kiachta im Norden Chinas und Semipalatinsk, ein wichtiger Zentralpunkt der Karawanenstraßen für einen großen Teil Mittelasiens. Ein solcher Stapelplatz ist auch Chartum am oberen Nil, wohin das arabische Gummi aus dem Sudan gebracht wird, um erst hier sortiert, taxiert und dann den Nil hinabgeführt zu werden. Schon an dieser Stelle erhebt der Staat seine Zölle und Abgaben und verteuert dadurch das Produkt. Auch am oberen Amazonas bestehen solche Sammelstellen, hier besonders für *Kautschuk* (z. B. Mañaos). Ein Stapelplatz für *Tee* ist Kalgan (China).

Fig. 244.

Teataster bei der Arbeit auf der *Tee*-Estate Tjikadjang auf Java. Im Hintergrunde Karbaukarren, die die Kisten zur Station bringen, vorn welkende *Tee*blätter auf Bambu-Tampirs. [Aus Tschirch, Indische Heil- und Nutzpflanzen.]

Den Charakter von Stapelplätzen tragen auch die großen **Binnenmärkte**, wie Nischni-Nowgorod (Fig. 228).

Daß Drogen nur an bestimmten Orten gehandelt oder gestapelt werden durften, finden wir im Mittelalter vielfach. Für den Färberwaid waren z. B. im XIII. und XIV. Jahrh. ganz bestimmte «Waidstapelplätze» vorgeschrieben (Görlitz, Schweidnitz).

Die meisten Niederlassungen von Handelshäusern befinden sich aber natürlich in den **Hafenplätzen**. Hierhin haben die europäischen Drogenimporteure ihre Hauptposten vorgeschoben. Aber trotzdem die Häfen im Produktionslande liegen und man also glauben sollte, daß es hier möglich sein sollte, aus erster Hand zu kaufen, wimmelt es auch hier von Agenten. In Singapore z. B. sind die dortigen europäischen Häuser ganz in den Händen der reichen chinesischen Zwischenhändler und nur von ihnen können sie ihre Ware erhalten.

Nur eine beschränkte Zahl von Häfen verkehrt direkt mit Europa und Nordamerika, den Hauptabnehmern für Drogen. Die kleinen Hafenplätze senden ihre Produkte nach den großen Handelszentren, die von den großen Handelsdampferlinien angelaufen werden. So sammelt sich wie in einem großen Becken die ganze Produktion der nordostafrikanischen Küste und die Arabiens in Aden, in dessen gewaltigem Hafen (Taf. XXII) die Flotten der ganzen Welt Platz hätten; so strömen von

Fig. 245.
Die Eingeborenen liefern das von ihnen gesammelte *Opium* ein und warten auf die Begutachtung (Indien).
[Kew Museum.]

allen Inseln des malaiischen Archipels die Produkte nach Singapore (Taf. XXIII), auf dessen großer, aber offener Reede man jetzt, wo der Hafen Batavias (Tjandjokpriok) immer mehr versandet, hunderte kleiner Schiffe findet, beladen mit *Reis*, *Pfeffer*, *Muskatnüssen*, *Nelken*, *Guttapercha*, *Dammar* und *Catechu*, die ehedem nach Batavia gingen, das jetzt hauptsächlich nur Hafen für die javanischen Produkte (*China*, *Tee*, *Kaffee*) geblieben ist; so sammelt Bombay (Fig. 230) die Erzeugnisse Arabiens und Persiens und zahllose Barken bringen auf langer Küstenfahrt die Produkte des südlichen Indien von Goa, Mangalore, Tillichery, Calicut, Cochin dorthin; und die gleiche Rolle spielt im Osten Indiens Madras, im Süden Colombo auf Ceylon (Fig. 229). So ist Shanghai (Fig. 231) das Zentrum des chinesischen Außenhandels geworden, wie New York (Fig. 265) das des nordamerikanischen im Osten und San Franzisko das des nordamerikanischen im Westen, Sansibar (Fig. 232) das Zentrum des ostafrikanischen und Smyrna (Fig. 235) das des kleinasiatischen Handels.

Nur im nördlichen Südamerika und in Mittelamerika gibt es nicht weit voneinander zahlreiche Häfen, die alle mit Europa in mehr oder weniger direkter Verbindung stehen, da keiner der kleinen Staaten dem anderen den Vorrang gönnt. Doch saugt jetzt New York (Fig. 265) immer mehr mittel- und südamerikanische Drogen an, so daß z. B. *Cascarilla*, *Copaivabalsam*, *Tolubalsam*, *Guajac*, *südamerikanische China* (z. B. Maracaibo) u. and. vielfach über New York nach Europa gelangen.

Die überwiegende Zahl der außereuropäischen Welthandelsplätze ist in englischen Händen: Singapore, Bombay, Aden, Sansibar, und auch an den Eingangs- und Durch-

Fig. 246.

Begutachtung (Klassifikation) des eingelieferten *Opiums* (Indien).

Fig. 247.

Analytisches Laboratorium zur Untersuchung des *Opiums* in Indien.

DIE HANDELSSTRASSEN IM ALTERTUM.

DIE HANDELSSTRASSEN IM MITTELALTER.

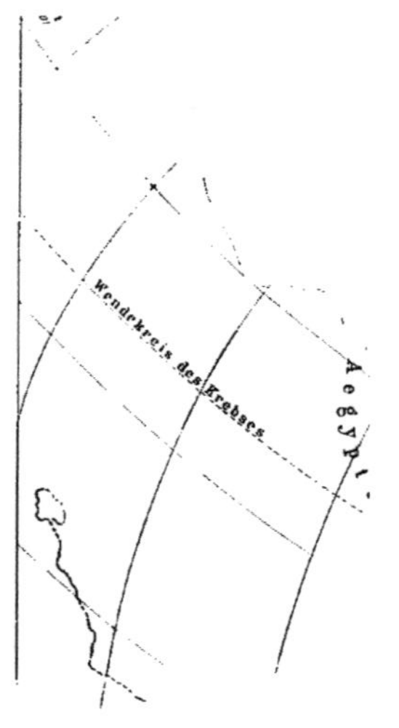

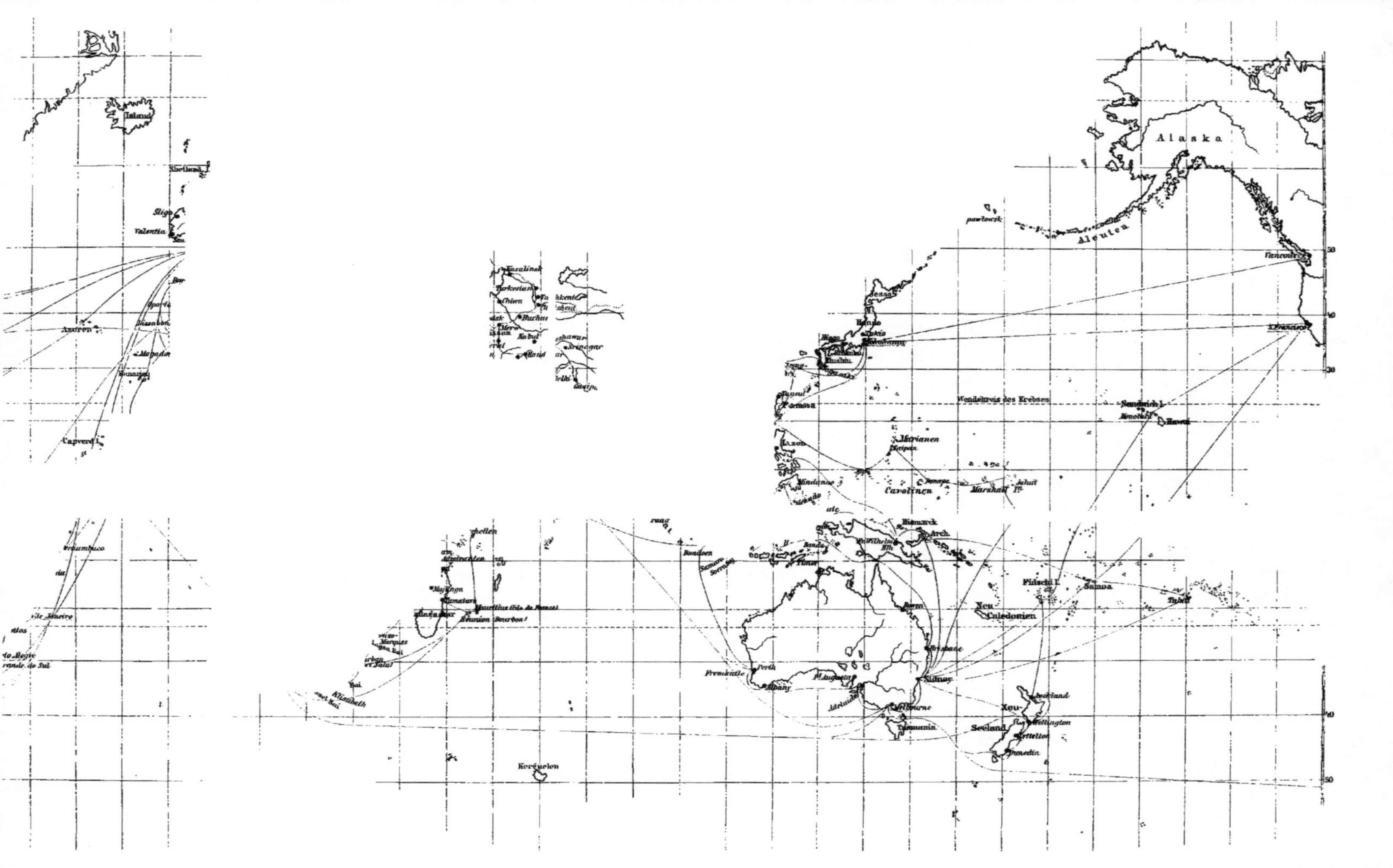

Island
Shetland I.
Sligo
Valentia
Azoren
Capverd I.
Kasalinsk
Turkestan
Buchara
Merw
Kabul
Srinagar
Alaska
Aleuten
Vancouver
S. Francisco
Tokio
Yokohama
Formosa
Wendekreis des Krebses
Sandwich I.
Hawai
Marianen
Luzon
Mindanao
Carolinen
Marshall I.
Bismarck
Arch.
Timor
Bandoen
Banda
Fidschi I.
Samoa
Tahiti
Neu
Caledonien
Brisbane
Sidney
Perth
Fremantle
Albany
Adelaide
Melbourne
Tasmania
Auckland
Neu-
Seeland
Wellington
Lyttelton
Dunedin
Kerguelen
Mauritius (Ile de France)
Réunion (Bourbon)
Pernambuco
Rio Grande do Sul

gangspforten (Suezkanal, Gibraltar) sitzen die Engländer. Nichts illustriert besser den beherrschenden Einfluß des Inselreiches im Welthandel.

Die asiatischen Häfen habe ich schon genannt. Es wäre noch Hongkong (Fig. 233 u. Taf. XXIV), Saigon und Yokohama in Japan hinzuzufügen. Das Ausfalltor Persiens ist Bender Abbas und im Golfe: Buschir.

Im Süden Afrikas herrscht Cape Town am Kap der guten Hoffnung, das, trotzdem der «Seeweg nach Ostindien» jetzt durch den Suezkanal geht, sich doch kräftig entwickelt hat. Im Westen Afrikas liegen zahlreiche aufstrebende Häfen, auch deutsche, die besonders die Produkte des Kongo und Nigerbeckens verschiffen. Von Süden nach Norden: Angra Pequena, Mossamedes, Benguella, Sao Paolo de Loanda, Matadi, Kamerun, Lagos, Accra, Monrowia, Freetown. An der Mündung des Senegal: St. Louis, in Marokko: Mogador. Im Osten Afrikas: Durban, Lorenzo Marquez, Moçambique, Dar es Salam, Sansibar (Fig. 232), Mombas.

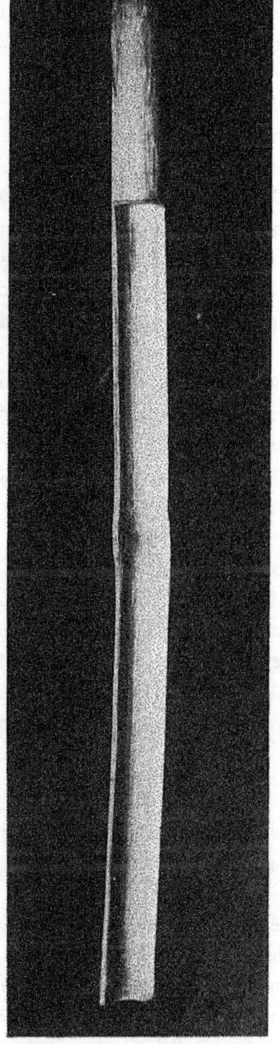

Fig. 248.
Bambusröhre, wie man solche in Indien benutzt, um das *Opium* für die Durchschnitts-Untersuchung aus den Töpfen zu entnehmen. [Kew Museum.]

Die Häfen des nördlichen Südamerika sind von Westen nach Osten:

In Ecuador: Guajaquil, Machala (Puerto Bolivar, Caraquez).

In Columbien, an der Westküste: Buenaventura, an der Nordküste: Manzanilla, Cartagena (durch Kanal mit dem Magdalenas verbunden) Sabanilla (versandet), Barranquilla.

In Venezuela: Maracaibo (am Eingang der Laguna de Maracaibo, Fig. 234), Porto Cabello, La Guaira (Fig. 236), Barcelona.

In British Guiana: Georgetown, in Holländisch-Guiana (Surinam): Paramaribo, in französ. Guiana: Cayenne.

Die Häfen Brasiliens sind von Norden nach Süden: Para, S. Luiz de Maranhao, Fortalezza (Ceará), Recife de Pernambuco, Bahia (de Todos os Santos), Rio de Janeiro (Fig. 237 u. 238), Santos, Rio grande do Sul.

Der Hafen Uruguays ist: Montevideo, der Hafen Argentiniens: Buenos Aires am Rio de la Plata.

Die Häfen Perus sind: Payta, Callao (Lima), Mollendo, die Chiles: Arica, Iquique (Cobija), Autofagasta, La Serena, Valparaiso, Concepçion.

In Mittelamerika finden sich folgende Häfen:

An der Ostküste, von Norden nach Süden:

In Mexiko: im Osten: Tampico (Fig. 239), Veracruz (Fig. 240), Campeche, im Westen: Manzanilla, Salina Cruz.

In British Honduras: Belize.

In Honduras: Trujillo.

In Costarica: Limon.

In Panama: Colon.

An der Westküste:

In Guatemala: S. José.

In Salvador: Acajutla, La Libertad.

In Nicaragua: San Juan del Sur.

Die Häfen Australiens sind: Sidney, Melbourne und Adelaide.

Auf die beiliegende Karte: «Die Handelsstraßen im XX. Jahrh.» sind alle für den heutigen Drogenhandel wichtigen Häfen, Stapelplätze und Binnenhandelsplätze eingetragen.

Ein **Wechsel in den Handelswegen**, der früher (vgl. das Kapitel: Handelswege im Mittelalter und Geschichte) so häufig eintrat, ist jetzt selten geworden. Er trat in neuerer Zeit beim *Rhabarber* ein, der vom XVII. Jahrh. an über Rußland, speziell Sibirien, nach Europa gelangte, von 1863 an aber, als die Brake in Kiachta aufgegeben worden war, über Shanghai exportiert wird. Im allgemeinen ist aber jetzt ein Wechsel seltener, da die Handelsstraßen jetzt ziemlich festgelegt sind. Es sei denn, daß irgendwo neue Kulturen eingerichtet werden. Immerhin macht natürlich jede der Handelsnationen gewaltige Anstrengungen, der anderen das Wasser abzugraben und den Handel an sich zu reißen. Handel ist Kampf.

Ganz neue Handelswege wird der Panamakanal erschließen, der dank der energischen Intervention Nordamerikas in zehn Jahren eröffnet werden soll. Eine ganz alte Handelsstraße — die durch das Rote Meer —, die seit der Entdeckung des Seeweges nach Ostindien verödet war, hat der am 16. November 1869 eröffnete, 160 Kilometer lange Suezkanal neu belebt, der den Weg von Triest nach Bombay um 63% verkürzt. Hier werden zwar jetzt nicht mehr von den ägyptischen Sultanen Durchgangszölle erhoben, wie ehedem im Mittelalter, wohl aber erhebt, jene alten Zölle ersetzend, die Suezkanalgesellschaft sehr hohe Gebühren für die Passage durch den Kanal, die bei einem großen Dampfer leicht die Höhe von 20—30000 Frs. erreichen. Kein Schiff erhält die Erlaubnis zur Einfahrt in den Kanal, das nicht vorher, wenn es von Süden kommt in Suez, wenn es vom Norden kommt in Port Said, das an die Stelle von Alexandrien getreten ist, die Durchfahrtsgebühr bezahlt hat. Aber auch dann noch muß das Schiff so lange warten bis die Passage frei ist. Denn nur ein Schiff hinter dem anderen kann vorläufig — bis die Verbreiterung beendigt ist — den Kanal passieren und nur an den Ausweichstellen (gares) können zwei Dampfer aneinander vorüber (Fig. 242). Die Dampfer dürfen den Kanal nur in langsamster Fahrt passieren.

Die Großdrogenhäuser haben in den überseeischen Häfen entweder eigene Zweigniederlassungen, Einkäufer oder Agenten oder lassen den Einkauf durch beauftragte Firmen besorgen.

In diesen Hafenplätzen finden sich die **Dockhallen**; umfangreiche Gebäude, die meist in der Nähe des Hafens liegen. In ihnen sammeln sich die Drogen, um nach erfolgter **Kontrolle** den Weg nach Europa oder Amerika anzutreten. Allerdings findet eine solche Kontrolle auch schon vielfach an den Produktionsorten und den Stapelplätzen statt, ja die *Chinarinde* der Regierungsplantagen Javas geht z. B. direkt aufs Schiff, da sie in der Plantage selbst einer chemischen Kontrolle unterworfen wird. Die Verwaltung hat in dem Zentrum der Chinakulturen ein chemisches Laboratorium eingerichtet (Fig. 243), in dem jeder Ballen untersucht und mit einem Zertifikat versehen wird, aus dem hervorgeht, wieviel Prozent Chininsulfat ermittelt

Fig. 249.
Der Kali besar in Batavia, an dessen Ufern die Leichter anlegen, um Waren aus- und einzuschiffen und sie hinaus nach Tjandjokpriok an die Dampfer zu bringen. [Tschirch phot.]

Fig. 250.
Waren-Landungsbrücke mit Krahn und Schienenstrang in Valparaiso. [Nach Hengstenberg, Weltreisen.]

Fig. 251.

Hafen von Buenos Aires. An den Dampfern liegen die Leichter. Im Hintergrunde die Elevatoren.

Fig. 252.

Verladen der *Tee*kisten auf die Leichter mittelst des Krahns in Colombo (Ceylon). Im Hintergrunde der Dampfer.

wurde. Die *China*ballen und Kisten werden daher nicht noch einmal im Ausfuhrhafen Batavia kontrolliert. Ähnlich ist es beim *Tee.* Sobald derselbe in der Estate oder Mill fertig gestellt ist, wird er dem Tea taster, dem *Tee*prober, vorgelegt (Fig. 244).

Fig. 253.
Missisippidampfer mit *Baumwoll*ballen beladen.

Er stellt einen Auszug daraus her, prüft die «Species» auf ihr Aussehen und den Auszug auf den Geschmack, indem er sich den Mund damit ausspült und notiert den Preis. Dann wird der *Tee* sogleich in Kisten eingelötet und diese im Ausfuhr hafen nicht mehr geöffnet.

Fig 254.
Einschiffung der Waren durch die Brandung hindurch (Westafrika). [Visser phot.]

Einer «Klassifikation» und Untersuchung im Laboratorium wird auch das *indische Opium* unterworfen, bevor es in den Handel kommt (Fig. 245—248).

Im allgemeinen gilt aber als Regel, daß die Hauptdrogenkontrolle in den Dockhallen der Ausfuhrhäfen erfolgt. In Shanghai werden die *Rhabarber*stücke mit einem Meißel durchschlagen, um wurmstichige, faule oder geschrumpfte Stellen aufzufinden

Fig. 255.
Verladen in Friedrich-Wilhelmshafen durch Regattaleute und neupommersche Arbeiter.
[Aus A. Pflüger, Smaragdinseln d. Südsee.]

— noch viel strenger war ja ehedem in Kiachta die Kontrolle — in Singapore schneidet man die *Guttapercha*ballen und -Ziegel in der Mitte durch, um Verfälschungen

Fig. 256. Der Hafen von Marseille.

(mit Steinen, Dammar u. and.) aufzufinden, in den afrikanischen Häfen öffnet man,

Tschirch, Handbuch der Pharmakognosie.

erlag von Chr. Herm. Tauchnitz, Leipzig.

Der Ha en von Genua.

Tschirch, Handbuch der Pharmakognosie. Verlag von Chr. Herm. Tauchnitz, Leipzig.

London Docks in London, links die Warenhäuser.

Tschirch, Handbuch der Pharmakognosie.

Verlag von Chr. Herm. Tauchnitz, Leipzi

Am London Dock n London

Fig. 257.
Ein Londoner Drogen-Warehouse an der Themse, davor Leichter.

Fig. 258.
Varnish Resin Sorting Floor in einem Londoner Warehouse (London Docks). Die Haufen sind vornehmlich sortierter *Copal* (*Animi*). Rechts im Mittelgrunde Blöcke von *Wachs*. Vorn ein Kanister mit *Ol. geranii*.

Fig. 259.
Essential Oil-Room in einem Londoner Drogen-Warehouse (London Docks), wo ätherische Öle, (*Lemon-*, *Eucalyptus-*, *Peppermint-Oil*), *Benzoë* u. dergl. besichtigt werden können. Ganz rechts *Copaiba*.

Fig. 260.
Drogenballen, Seronen und Säcke in einem Londoner Warehouse.

wenn dies nicht schon in der Faktorei im Inneren des Landes geschah, die *Kautschuk*bals, um nach betrügerisch beigemischten Fremdkörpern zu suchen, in Smyrna schlägt man die *Opium*kuchen auf und findet da oft alles nur mögliche: Steine, Schrot, ja große Bleikugeln, die betrügerischerweise zur Erhöhung des Gewichtes eingeknetet wurden. Hier kann man sich mit Erfolg der Röntgenstrahlen bedienen, um, ohne die Kuchen zu öffnen, die fremden Beimengungen zu ermitteln. Denn

Fig. 261.
Schausaal in einem Londoner Warehouse. Vorn Seronen mit amerikanischer *Chinarinde*, im Mittelgrunde Fardelen von *Ceylonzimt*.

wie ich schon 1898 gezeigt habe, lassen sich Steine und Bleikugeln ganz leicht mittelst Röntgenstrahlen und dem fluoreszierenden Schirme nachweisen, ohne die *Opium*kuchen zu öffnen (siehe Pharmakophysik).

Oft wird auch erst hier in den Ausfuhrhäfen der Droge die definitive Packung gegeben, wie z. B. in Smyrna dem *Opium*, in Singapore der *Guttapercha* und dem *Cutch* (*Catechu*). Bisweilen wird die Droge in den Dockhallen noch besonders zugerichtet. So sah ich in Singapore große Pressen, die das weiche Roh*catechu* zu Blöcken preßten, in Colombo hydraulische Pressen, die aus den Chips und Shavings der *Chinarinden* feste, oft steinharte Ballen formten (Fig. 142), was besonders deshalb geschieht, weil die Dampferlinien bei allen Waren, außer bei den Metallen, den Frachtpreis nicht nach dem Gewicht, sondern nach dem Kubikinhalt berechnen.

Von den Dockhallen der Ausfuhrhäfen gelangt nun die Droge auf die Leichter und von diesen auf die Überseedampfer, die sie nach Europa oder Amerika führen (Fig. 249—252).

Riesige Neger oder Tamils rudern mit vielem Geschrei die flachen Leichterschiffe, bei offener Reede oft durch die Brandung hindurch, an die haushoch über die Wasserfläche emporragenden Riesendampfer. An rasselnder Kette fliegen die Ballen zu schwindelnder Höhe empor, um in dem nimmer satten Bauche des gewaltigen Schiffes zu verschwinden, in dem sich Kisten auf Kisten, Ballen auf Ballen, Fässer auf Fässer türmen. Dann ertönt das nebelhornartige Geheul der Dampfpfeife, die Anker rasseln empor und der Dampfer stellt seinen Kiel europawärts.

Das Einladen in die Leichter ist jedoch nicht immer ganz leicht. Besonders dort, wo eine lebhafte Brandung ansteht, wie in vielen Häfen Westafrikas, in Madras u. a. hat man mit großen Schwierigkeiten zu kämpfen. Hier werden die Güter oft auf eine ganz eigenartige Weise durch die Brandung bugsiert (Fig. 254).

Die Bedeutung der Haupthandelshäfen der Welt geht aus folgender Übersicht hervor, die den jährlichen Gesamt-Ausgangs- und Eingangsverkehr in Tonnen angibt:

Hongkong	19 204 889 t	(1903)
London	18 639 159 t	(1904)
Antwerpen	18 139 184 t	(1903)
New York	17 900 168 t	(1903)
Hamburg	16 466 639 t	(1903)
Liverpool	14 716 790 t	(1904)
Rotterdam	13 597 819 t	(1903)

Die Einfuhr zur See nach Hamburg betrug:

1905: 10 380 775 t 121 021 857 dz netto = ℳ 2 886 317 370

1906: 11 039 069 t 127 511 512 dz netto = ℳ 3 215 195 980,

ist also in starker Zunahme begriffen.

2. Die Behandlung der Droge im Einfuhrhafen.

Von europäischen Häfen, die Drogen importieren, kommen in erster Linie London (Taf. XXVI u. XXVII), Hamburg (Fig. 271 u. 272), Amsterdam, Rotterdam, Antwerpen, Liverpool, Genua (Taf. XXV), Havre, Marseille (Fig. 256), Lissabon und Triest, für Nordamerika New York (Fig. 265) in Betracht. Der javanische *Chinarinden*handel hat seinen Hauptsitz in Amsterdam, der ostindische in London, südamerikanische *Chinarinde* und *Rhabarber* werden in Hamburg und London, *Campher* viel in Hamburg gehandelt.

In diesen Häfen wird die Ladung gelöscht. Entweder legen die Dampfer direkt an den Dockhallen an und die Ballen, Fässer und Kisten werden, nachdem sie aus dem Schiffsraum emporgewunden sind, in die betreffende Dockhalle gebracht. So geschieht dies z. B. in London, wo die London- und Katharinendocks direkt an der Themse resp. an Themsebecken liegen (Taf. XXVI u. XXVII u. Fig. 257). Oder die Güter werden zunächst auf Leichter umgeladen und gelangen auf diesen in die Speicher. So geschieht es z. B. in Hamburg (Fig. 271 u. 272) und Amsterdam (Fig. 267). Natürlich ist der erste Weg der kürzere, daher stellt man jetzt die Dockhallen möglichst auf die Piers im Hafen selbst.

Die weitere Behandlung, die die Droge nun erfährt, ist verschieden.

In London werden von allen eingetroffenen, in den einzelnen Räumen verteilten Drogenkisten oder -Ballen (Fig. 258—260) ein oder mehrere der gleichen Sendung in einen der Ausstellungsräume im Warehouse (Fig. 261 u. 262) gebracht, die Ballen und Kisten geöffnet, die Blöcke (der *Benzoë* z. B.) durchschlagen, in Reihen angeordnet und mit Nummern am Boden versehen. Bei jeder Abteilung ist der Verkäufer durch ein großes Schild mit dem Namen der Importfirma gekennzeichnet (Fig. 262). Diese Säle sind in den Geschäftsstunden frei zugänglich. Die Kaufliebhaber (meist wholesale druggists) durchwandern sie, mustern die Drogen und machen sich ihre Notizen. Von den hier ausgestellten Drogen sind dann auch meist noch kleinere Muster (Samples) in den Show-Räumen bei den den Verkauf vermittelnden Agenten, den Brokers für Drogen in Mincing Lane, zu sehen, von denen es 1903 15 gab. Auch dort kann man die Proben besichtigen (Fig. 263). In einem besonderen Saale, der London Commercial Sale rooms, werden dann an bestimmten Tagen, meist Donnerstags, die Auktionen vorgenommen. Ein amtlich angestellter Auktionator bietet die lots (Lose) nach schon mehrere Tage vorher gedruckt verteilten, langen, schmalen Listen aus und erteilt eventuell den Zuschlag. Eine dieser charakteristischen Listen, die ich bei einem Besuche der Docks und der Brokers 1903 in großer Zahl mitgebracht hatte, teile ich im folgenden (in der Beilage) mit. Sie liegen bei den Brokers auf und mit ihnen in der Hand durchgehen die Käufer, den Bleistift in der Hand, den Zylinder im Nacken (das ist hier Kleiderordnung!) die in den Show-rooms ausgestellten Muster (Fig. 262).

Fig. 262. In einem Ausstellungssaale eines Londoner Warehouse. Jede Abteilung trägt den Namen des Brokers. Die Packungen sind geöffnet. Die Kaufliebhaber zirkulieren mit den Listen in der Hand deren Nummern mit denen der Muster übereinstimmen.

Ist die Droge in der Auktion nicht verkauft worden, so bleiben die Vorräte in den Warehouses der Docks, wo sie bis zu einer günstigeren Gelegenheit lagern können. Platz genug ist jetzt dort, da der *Chinarinden*handel sich jetzt fast ganz nach

Amsterdam gezogen hat und Hamburg eine scharfe Konkurrenz macht. Man klagt in London allgemein, daß die Einfuhr zu klein und die Docks zu groß sind. Einige Drogen bezieht London schon jetzt via Hamburg und Amsterdam.

Drogen lagern besonders im: Friars Warehouse, Smith Warehouse, Drug Warehouse, London Dock (Taf. XXVI u. XXVII), St. Katharines Dock, New Crane

Fig. 263.

Bei einem Londoner Broker. Von den zur Auktion kommenden Drogen sind Muster auf den Tischen ausgelegt. Die Nummern derselben korrespondieren mit den Nummern der Auktionsliste und den Nummern im Schausaal (Fig. 262).

Wharf, Cotton Wharf, Davis Wharf, Metropolitan Wharf, Red Bull Wharf, Sharps Wharf, Brooks Wharf, Wilsons Wharf, New Hibernia Wharf, St. Johns Wharf, Gun Wharf, Symons Wharf, Red Lion Wharf, Nicholsons Wharf, South Eastern Wharf. Die London und Katharinendocks liegen an der Themse in der Stadt, nicht weit von Towerbridge, die anderen themseabwärts.

In den Dockhallen und den Warehouses von London haben die einzelnen Drogen und Drogengruppen ihre besonderen, meist durch Schilder gekennzeichneten Plätze, z. B. «*spices*», «*rhubarb*», «*vanille*», «*oils*», so daß man sich leicht zurechtfindet und immer weiß, wo man *Chinarinden*, *Zimt*, *Jod*, *ätherische Öle* oder anderes zu suchen hat. Es herrscht gute Ordnung und große Sauberkeit. Die feineren Drogen liegen im Fenchurchstreet-Warehouse, wo sich auch ein kleines Museum befindet.

Die London and India Docks Compagnie umfaßt die gewaltigen London Docks, St. Katharine Docks, West and Southwest India Docks, East India Docks, Royal Albert and Victoria Docks, Tilbury Docks, Cutler St. and commercial R^d^ Warehouses und East Smithfield Depôt.

Angebot eines Londoner Brokers
(Grundlagen für die Besichtigung und die Auktion).

FOR

Public Sale,

BY

X. Y. Z. & Co

AT THE

LONDON COMMERCIAL SALE ROOMS

MINCING LANE,

ON

Thursday, April 2nd 19--

At Half-past TEN o'Clock

THE FOLLOWING GOODS, VIZ.:—

---

15 Bales LIMA SARSAPARILLA
13 Pkgs. Ceylon COCA LEAVES
10 Cases Cinnamon Leaf } OIL
2 do do Bark } OIL
6 Drums Citronelle } OIL
6 Cases Turkey COLOCYNTH

London Produce Brokers' Association's Public Sale Conditions

Prompt 18th April, 19..—Discount 2½ per cent.

15 Bales Lima Sarsaparilla, at per lb

On shew at Crutched Friars Warehouse

EX MINNETONKA, @ NEW YORK—March, $\frac{00}{185}$

Mark	Sale Lot	Nos.	Bales	Total net abt lbs
P&C	1	1 @ 3	3	C.D C.1 350
	2	4 @ 6	3	„ 375
	3	7 @ 9	3	„ „ 420
	4	10,11	2	220
	5	12 @ 15	4	2 540

12 Pkgs. Coca Leaves, at per lb.

Lying at London Docks

EX BRITANNIA, @ COLOMBO—February, $\frac{0\,3}{15\,17}$

				Abt nett lbs each
Gantenne ML	6	1@6	6 Cases	56
—„— GT	7	7@11	5	
Gantenne	8	12	1 Bag Dgd Pickings	19

EX DUKE OF NORFOLK, @ COLOMBO—February, $\frac{0\,3}{1\,1\,1\,4}$

Gantenne	9	18	Bag 1 Dgd Pkgs	28

2

Lying at London Docks

EX GLENLOCHY, @ COLOMBO—March, $\frac{0\,3}{2\,1\,5\,8}$

10 Cases Cinnamon Leaf Oil, at per oz

Mark	Sale Lot	No.	Case	Contg. Bottles	ozs each
CPH&Co	10	6	1	36	27
	11	7	1		
	12	8	1		
	13	9	1		
	14	10	1		
	15	11	1		
	16	12	1		
	17	13	1		
	18	14	1		26
	19	15	1		

2 Cases Cinnamon Bark Oil, at per oz

			Case	Contg. Bottles	ozs. each
H	20	1	1	12	26
	21	2	1		

2 Drums Citronelle Oil, at per lb.

				Cwt each
H	22	10,11	2 Drums	7

6 Cases Turkey Colocynth, at per lb

Lying at London Docks

EX MINERVA, @ HAMBURG—March, 1902

				Av net lbs
JM	23	1@4,6,7	6 Cases	185

Samples on shew at 4, MINCING LANE, where Catalogues may be had.

Die englische Einfuhr ersieht man aus der London Customs Bill of entry.

In London werden die Drogen meist einfach in der Form wie sie eintreffen zum Verkaufe gestellt. Ein eigentliches Sortieren, Mundieren, Auslesen, Sieben, Schneiden usw. findet in den Docks meist nicht statt, da es an Vorrichtungen zur Drogenappretur fehlt, doch werden z. B. die *Muskatnüsse* ausgelesen, die *Vanille*kisten geöffnet und die Schoten nach ihrem Werte sortiert, *Copal* (*Animi*) sortiert (Fig. 258). Die *Ceylon zimt*ballen werden mittelst eines sehr einfachen Schrubbers — ein mittelst eines Nagels an zahlreichen Stellen durchlochter, auf ein plankonvexes Holzstück aufgenagelter

Fig. 264.
Der Hof eines Drogenwarenhauses in London mit den Aufzügen und den zur Abführung der Drogen für den Kleinhandel bestimmten Wagen.

Blechstreifen — an den Enden auf ihr Aroma in der Weise geprüft, daß man mittelst des Schrubbers über die Enden der Fardelen hinfährt und den Grad des Aromas feststellt. Oft werden sie umgepackt. Mit dem Drachenblut macht man die «Bodenprobe», d. h. man prüft den «Strich». Mit der halbflüssigen *Socotraaloë* aus Sansibar, die recht unangenehm riecht, macht man die Probe in der Weise, daß man einen Holzspatel eintaucht und das Abfließende auf sein Aussehen prüft.

Obwohl diese Prüfung nach dem Aussehen sichere Garantien natürlich nicht bietet und nicht bieten kann, muß anerkannt werden, daß sie in den meisten Fällen das Richtige trifft, da den Prüfenden eine reiche Erfahrung zur Seite steht. Oft bestätigt die chemische Wertbestimmung nur die empirisch gefundene Wert-

Fig. 265
Im Hafen von New York an der Brooklynbridge.

bemessung. So fand ich z. B., daß die *Rhabarber*sorten im Großhandel 1907 ganz die Preisskala zeigten, die ihnen nach meinen Bestimmungen des Gehaltes an Oxymethylanthrachinonen zukommen würde. Die gehaltreichsten hatten im Handel den höchsten, die gehaltärmsten den niedrigsten Preis, und auch die dazwischenliegenden Sorten entsprachen den betreffenden Orten der Gehaltskala.

Eine Wanderung durch die Londoner Docks und Warehouses ist sehr interessant. Ich sah 1903 dort: Ungekalkte *Muskatnüsse* (Nutmegs), Bombay- und Penang-*Macis* in Kisten und Fässern von zwei Zentnern, schön geschälten *Ingwer* in Zentnersäcken, für $1^1/_2$ Millionen Mark *Nelken* und zwar «rote» *Nelken* von Penang in Drei-Zentnerkisten und «braune» von Sansibar in Bastmatten von 125 lbs., Ballen von *ostindischer Chinarinde* in Bastmatten mit Sackleinwandumhüllung von $2^1/_2$ Zentner, sowohl Fabrikrinde, wie Reneweds und Druggist quills. Früher füllten bis 25000 Ballen *China* die Docks, jetzt fand ich nur noch c. 2000, da Amsterdam jetzt den größten Teil der Kultur*china* an sich zieht. Auch *Anacardien* hatten keine Käufer gefunden.

Fig. 266.
Der Hafen von Amsterdam.

Fig. 267.
Ausladen der *Chinarinden*ballen und -Kisten von den Leichtern in das Warenhaus des Kina-Etablissement in Amsterdam.
[Nach van der Wielen.]

Fig. 268.

Chinarinde. Fabrikbast (Fabrikrinde) in Säcken im Warenhause des Kina-Etablissement in Amsterdam. [Nach van der Wielen.]

Fig. 269.

Chinarinde. Pharmazeutische Bast (Drogistenrinde) in Kisten im Warenhause des Kina-Etablissement in Amsterdam. [Nach van der Wielen.]

Ich sah ferner dort: *Strophanthus* in Säcken aus Natal, «*Animi*» (*Copal*) aus Sansibar, *Gummi* aus dem Sudan, lose Stämme und Äste von *Sassafras*holz, große runde Barrels von *Citronellaöl*, à 7—8 Zentner, *Benzoë* (*Gum Benjamin*) von Sumatra in mit Sackleinewand umhüllten, in Kisten steckenden Blöcken, *Palembangbenzoë* in Blechkanistern, große Blöcke von *Drachenblut* mit Sackabdrücken außen, viel Carthagena-*Ipecacuanha* neben der Rio, zahlreiche Blechkanister mit weißem, duftendem Manila-*Elemi*, mit *Myrrha* gefüllte Bastkörbe, viereckige Blechkanister mit *Tolubalsam* und Säcke mit *Coloquinten*. Von *Vanille* sah ich in einem besonderen Raume 2000 Kisten, besonders von den Seychellen (= Bourbon) und Tahiti, dann aber auch von Mauritius und Australien. Die Bündel lagen in Blechkisten à 12 lbs. Riesig waren die Vorräte von *Rhabarber*, sowohl «flat» wie «round», der nach der Trockenmethode unterschieden wird in: high dried (im Ofen), sun dried (in der Sonne) und killed dried (im Schatten getrocknet), Canton und Shensi war meist sun dried, Shanghai dagegen killed dried.

Von *Cardamoms* sah ich Samen und Früchte (zum Teil gebleicht) aus Colombo, Mysore, Malabar, Tuticorin und Bombay, zum Teil in prächtigen Mustern, *Purée* von Kalkutta, *Kino* von

Fig. 270.

Monster Malen en Verdeelen. Das Malen der Durchschnittsmuster im Kina-Etablissement in Amsterdam. [Nach van der Wielen.]

Cochin, *Annato Seeds* aus Para, *australischen Sandarac* aus Sidney, *Eucalyptusöl* aus Portugal und Melbourne, Honduras- und Lima-*Sarsaparille*, *Copaivabalsam* aus Carthagena, *Anisöl* und *Cascarilla* aus New York, *Japan aconit* aus Kobe, *Mutterkorn* aus Vigo, *Campher* aus Foochow, *Buchu leaves* vom Kap, *Turmeric* aus Madras, *Drachenblut* von Singapore, *Areca nuts* von Colombo, *Storax* von Smyrna, *Ammoniacum* und *Guaza* von Bombay, *Capsicum* und *Cocculus indicus* von Calicut, *Gummi* von Aden, *Tamarinden* von Antigua, *Senna* von Tuticorin und Bombay (auch Früchte, pods und Siftings), *Orange oil* von Buenos Aires, *Squills* von Messina, *Cumin seeds* von Malta, *Colombo root* von Sansibar, *Manila Copal* und *Gum Damar* von Singapore.

In folgendem gebe ich als Beispiel einen Ausschnitt aus dem Monthly Statement of drugs. Gute Übersichten finden sich immer im Chemist and Druggist, dessen kenntnisreicher Leiter, MAC EWAN, vortrefflich auf diesem Gebiete orientiert ist.

Ausschnitt aus Monthly Statement of Drugs, Drysalteries etc. in the Docks and various oth London Whfs

	For the Month of Decembr		Stocks December 31						Impor ed to Date (Dec. 31)						Delivered to Date (Dec. 31)					
	Landed	Dever	1906	1905	1904	1903	1902	1901	1906	1905	1904	1903	1902	1901	1906	1905	1904	1903	1902	1901
Aloes cases etc. .	132	87	329	380	786	904	1477	1417	1457	1190	1821	1667	2110	1313	1508	1596	1939	2240	2050	1893
Ales gourds . . .	—	—	—	50	—	—	—	146	1765	560	—	—	904	—	1815	510	—	—	1050	888
Aniseed, Star cases .	—	—	—	—	—	6	7	13	1	—	25	12	35	11	—	—	25	13	41	46
Arrowroo barrels .	1487	1272	3414	5722	9470	12633	12224	7747	14772	12685	15294	15064	19075	20410	17080	16433	18460	14682	14570	20863
Arrowroo boxes and tins.	—	2	940	1165	1335	1066	1413	755	255	839	1296	971	1740	1570	480	1229	1007	1332	1082	1152
Balsam casks etc. .	16	62	493	362	672	790	626	615	670	237	405	783	966	1580	539	547	519	619	957	1460
Bark*), South Amer-can cases	—	2	12	42	46	44	62	65	—	2	33	18	—	5	30	6	31	36	3	1
Bark South Amer-can bales etc	79	62	2614	3512	3761	2687	4518	6203	2330	6163	5172	5564	8265	874	3228	6412	4098	7395	9950	9 44
Bark, East India, Cey-lon a. Java cases	—	—	151	35	61	44	80	148	177	1	37	26	4	20	61	27	20	62	72	70
Bark, East India, Cey-lon a. Java bales etc	246	868	2266	4025	2301	2683	3420	3882	5684	9899	6044	7053	11016	1 602	7437	8175	6426	7809	11478	14209
Total	325	932	5043	[illegible]	6169	5458	8080	10298	8191	16065	11286	12661	19285	24501	10756	14620	10575	15302	21503	23824

*) Bark ist *Chinarinde*

Titel und Ausschnitt
aus einer Amsterdamer Auktionsliste von Chinarinde.

NEDERLANDSCHE HANDEL-MAATSCHAPPIJ.

NOTITIE

DER

VEILING TE AMSTERDAM,

VAN

114 Kisten

EN

483 Balen

JAVA KINABAST,

LIGGENDE TE AMSTERDAM,
(WAARONDER EENIGE COLLI UITERLIJK MIN OF MEER GEVLEKT)

op Donderdag 17 Januari 19..,

onmiddellijk na afloop der eerste veiling,

in de BRAKKE GROND in de NES.

De goederen zijn liggende en te bezichtigen op den
12, 14, 15, 16 en 17 Januari 19..,
in het **KINA-ETABLISSEMENT**, Entrepôt-Dok.

(Op aanvraag wordt ook op de overige werkdagen toegang verleend)

8. **20** balen netto c^a. **2100** Kgr. **C. Ledgeriana gruis.**
Zwavelzure Kinine *4.01* pCt.

Opsl. N°. 21413. Kav. **197**. 20 balen N°. 1/20.

---

9. **16** balen netto c^a. **1680** Kgr. **C. Ledgeriana Takbast.**
Zwavelzure Kinine *4.79* pCt.

Opsl. N°. 21414. Kav. **198**. 16 balen N°. 1/16.

---

10. **4** balen netto c^a. **460** Kgr. **C. Ledgeriana gruis.**
Zwavelzure Kinine *4.03* pCt.

Opsl. N°. 21415. Kav. **199**. 4 balen N°. 1/4.

---

8. **6** kisten netto c^a. **180** Kgr. **Succirubra grof gruis.**
Zwavelzure Kinine *2.69* pCt. Totaal Alc. *7.61* pCt.

Opsl. N°. 21416. Kav. **200**. 6 kisten N°. 1/6.

---

7. **36** kisten netto c^a. **1000** Kgr. **Succirubra gebr. pijpen.**
Zwavelzure Kinine *2.42* pCt. Totaal Alc. *6.09* pCt.

Kav. **201**. 18 kisten N°. 1/18.
" . **202**. 18 " " 19/36.

---

9. **12** kisten netto c^a. **345** Kgr. **Succirubra pijpen** c^a. 50 cM.
Zwavelzure Kinine *2.42* pCt. Totaal Alc. *6.09* pCt.

Kav. **203**. 12 kisten N°. 1/12.

---

10. **7** kisten netto c^a. **230** Kgr. **Succirubra pijpen** c^a. 50 cM.
Zwavelzure Kinine *2.42* pCt. Totaal Alc. *6.09* pCt.

Kav. **204**. 7 kisten N°. 1/7.

Tschirch, Handbuch der Pharmakognosie. Verlag von Chr. Herm. Tauchnitz, Leipzig.

Monster steken.

Entnehmen der Durchschnittsmuster der *Chinarinde* in Amsterdam.

[van der Wielen phot.]

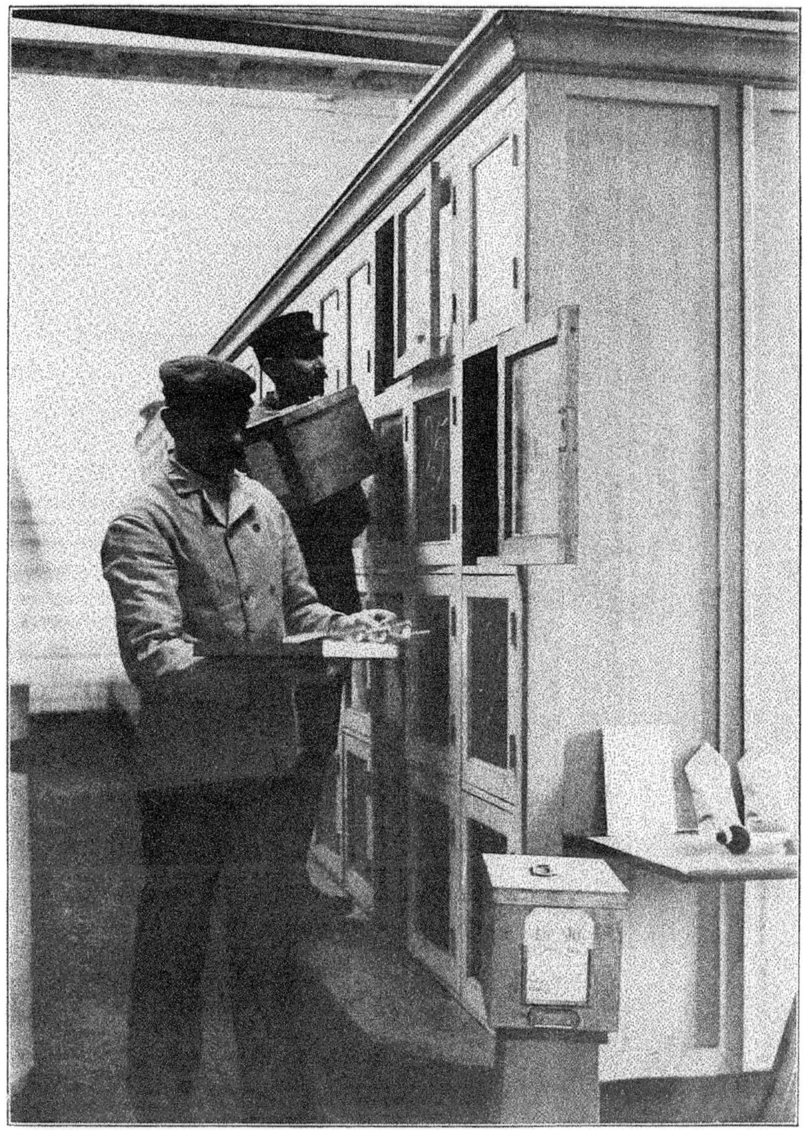

Tschirch, Handbuch der Pharmakognosie. Verlag von Chr. Herm. Tauchnitz, Leipzig.

Monster Opbergen.
Aufbewahren der gemahlenen Durchschnittsmuster der *Chinarinde* in der Musterkammer.
Rechts einige Musterbeutel.
[van der Wielen phot.]

Gegenstände des Londoner Großhandels, über die die Marktberichte regelmäßig Notierungen über Zufuhren und Preisbewegung bringen, sind (1907) besonders:

Arrowroot, Aloes, Benzoin, Buchu, Campher, Castor oil, Cascara Sagrada, Chamomiles, Cocain, Cinchona bark, Cloves, Coconut oil, Dragons blood, Elemi, Galls, Gummi arabic, Ginger, Golden Seal, Ipecacuanha, Jalap, Japan Wax, Linseed oil, Liquorice root, Menthol, Oil of Peppermint, Olive oil, Otto of Roses, Opium, Pepper, Pimento, Podophyllum root, Rhubarb, Senega, Shellac, Traganth, Terpentine.

Von den Warehouses gelangt die Droge dann in den Kleinhandel (Fig. 264).

Ein Drogenmarkt von ungeheuerer Ausdehnung ist der von **New York** (Fig. 265). New York ist der Hauptmarkt für das ganze Land und dort wohnen natürlich auch die größten Importeure von Drogen, Botanical goods usw. Die führenden auswärtigen Häuser haben Lokal Broker, die den New York-City trade besuchen und Muster und Preise vorlegen. Inländische Jobbing houses (Verkaufshäuser) oder wholesale druggists (Engros-Drogisten) ihrerseits gebrauchen New York-Brokers, die ihre allgemeinen Bedürfnisse einkaufen, — Patent-Medizinen, ätherische Öle und alles, was sich auf Drogen bezieht — und diese Brokers gehen herum bei den hauptsächlichsten New York-City dealers (Händlern) und Importeuren.

Die Drogen, die im Innern gesammelt werden, werden den New Yorker Häusern gewöhnlich von Kaufleuten aus dem Westen und Süden angeboten, die ihre Vorräte direkt von Farmern oder Sammlern einheimischer Drogen erhalten. Es gibt in New York keine Auktionsverkäufe, wie wir sie in London (s. d.) und Amsterdam (s. d.) finden. Alles erhält man durch Privatverkauf. Handelsjournale (trade journals) und Preislisten, die von den größten Dealers herausgegeben werden, machen die Jobber (Makler) mit den Marktpreisen bekannt.

Der nordamerikanische Großhandel bezeichnet die Produkte vielfach anders als der europäische. So werden z. B. die Harzprodukte der *Coniferen* (besonders *Pinus australis*) summarisch als *Naval stores* bezeichnet, und man unterscheidet:

Rosin (unser Colophonium), *Tar* (Teer), *Terpentine and pitch* (das abgekratzte Harz der Wunden), *Terpentine, spirits* (unser Terpentinöl). Keine Drogen erreichen derartige Produktionsziffern (siehe auch Kapitel Pharmakodiakosmie), wie folgendes Summary of exports of Naval stores for the fiscal years 1903—1906 zeigt:

		1903	1904	1905	1906
Rosin	barrels	2396498	2585108	2310275	2438556
Tar		18622	15644	20291	16821
Terpentine and pitch	„	15972	13177	24971	14232
Terpentine spirits	gallons	16378787	17202808	15894813	15891253

Amsterdam (Fig. 266 u. 267) ist jetzt Zentrum des *Chinarinden*handels. Während es 1892 noch gerade London die Wage hielt, importierte es schon 1901 über das dreifache «*Kinabast*». Der Aufschwung datiert vom Jahre 1886, von der Gründung der «Kina-Etablissement» durch Briegleb, sowie von den etwa gleichzeitig eingeführten vierzehntägigen Auktionen (Veilingen), die allmählich die Particulieren planter in Java vom Londoner Markte abzogen. Viel trug auch die neue Art des «Musternehmens» — die Abnehmer dürfen jetzt selbst Muster erheben — und der vorzüglich geordnete zentralisierte Betrieb des Ganzen zum Aufschwunge Amsterdams als *China*markt bei. Schon 1891 schloß sich denn auch die Gouvernements Kina-Onderneming dem Kina-Etablissement an.

Man unterscheidet den in Kisten zugeführten «Pharmazeutischen Bast» (Fig. 269) in Röhren (pijpen) oder snitsels — Drogistenrinde — und den zerkleinerten oder gepulverten (gruis) «Fabrieksbast» (Fig. 268) (Fabrikrinde) in Säcken oder Ballen.

Die *Chinarinde* wird in besonderen Räumen ausgestellt, Säcke und Kisten ge-

Fig. 271.
Im Hafen von Hamburg. Löschen der Ladung auf die Leichter und Schuten.

trennt, meist einander gegenüber, beide geöffnet, so daß man den Inhalt besichtigen kann. Nummern und Zeichen korrespondieren mit den Auktionslisten. Jeder Posten (Opslag), der das Produkt derselben Ernte einer Plantage umfaßt, erhält eine «Opslag-Nummer». Er besteht natürlich aus einer sehr wechselnden Zahl von Kisten oder Ballen. Jeder Posten wird analysiert und in der Auktionsliste der Gehalt an (schwefelsaurem) Chinin und Gesamtalkaloid — bisweilen auch an Cinchonidin, Chinidin, Cinchonin und amorph. Alkaloid — angegeben. Die Analyse wird im Laboratorium des Etablissements an einem Durchschnittsmuster ausgeführt, das man in der Weise erhält, daß man mittelst eines eigenartigen Instrumentes aus der Mitte der Ballen Proben entnimmt (Taf. XXVIII), diese mischt, in einer Mühle malt (Fig. 270) und das Mahlprodukt in Kisten, die auch wieder die Opslag-Nummer usw. tragen, in der Monster-Kamer aufhebt (Taf. XXIX). Aus diesen werden Muster von 100 g an die Interessenten in mit Siegel (K. E.) versehenen Papierbeuteln abgegeben, die aufgedruckt enthalten: die Opslag-Nummer, die Zahl der Ballen oder Kisten, die der Posten umfaßt, die Bezeichnung der Art (z. B. *Java Kinabast, Indisch merk, Succirubra Wortelbast*) und Herkunft (z. B. Tangkoeban Praoe), den Tag der Auktion und die Kaveling-Nummer, sowie die Angabe, aus wieviel Ballen die Probe das Durchschnitts muster darstellt. Jetzt kann jeder Interessent das Durchschnittsmuster einer Kontroll analyse unterwerfen lassen — wenn er will. Über das Unit vgl. S. 179.

Jetzt importiert Amsterdam auch *Chinin*, denn seit 1894 fabriziert die «Ban doengsche Kininefabriek» in Bandoeng (Java) Chininsulfat. Die Produktion betrug pro 1901 schon 30000 kg, pro 1906 55000 kg. Sie kann auf 100000 kg gesteigert werden.

Der Handel liegt auch hier in den Händen von Agenten oder Maklern (Makelaar). Über die Auktionen oder Veilingen, die in bestimmten, vorher festgestellten Intervallen abgehalten werden, erscheinen nachher Berichte, die die erzielten Preise angeben. Alles ist also vorzüglich organisiert.

In der Beilage teile ich eine Amsterdamer Auktionsanzeige und ein Blatt aus der Auktionsliste mit.

Die Einfuhr von Amsterdam an javanischen *Chinarinden* betrug 1889: 2073959 kg, 1906: 8794480 kg. Davon entfallen auf *Succirubra* 1153315 kg, auf *Ledgeriana* 5980802, auf *Schuhkraftiana* und *javanica* 1597, auf *Cinchona officinalis* 11970, auf

Fig. 272.

Hamburg, Fleet beim Grimm. Links volle, rechts leere Leichter, die die gelöschten Waren von den Dampfern holen und zu den Geschäftsspeichern (links) bringen.

Hybriden 1646796 kg. GUSTAV BRIEGLEB in Amsterdam gibt eine graphische Table showing the average Units of the Amsterdam Cinchona bark sales in the years ... heraus.

Auch für andere Drogen ist Amsterdam ein wichtiger Einfuhrhafen, neuerdings besonders für *javanische Coca*.

In **Hamburg** (Fig. 271 u. 272) ist der Drogenhandel sehr entwickelt. Mir wurden (1907) gegen 40 größere Importfirmen genannt, die sich mit Drogeneinfuhr beschäftigen. Allerdings beschäftigen sich nur wenige mit dem Import aller Drogen.

Die meisten betreiben diese oder jene Spezialität, wie *Campher, Copaivabalsam, Perubalsam, Lycopodium, Secale cornut., Coca, Cola, Calabarbohnen, Jaborandi, Jalape, Rhabarber, Strophanthus, Kamala, Ipecacuanha.*

Die Drogenspeicher Hamburgs befinden sich teilweise im Freihafengebiet, teilweise in den inneren Stadtteilen, die dem Hafen nahegelegen oder doch von diesem aus möglichst auf Wasserstraßen (Fleeten, Fig. 272) bequem und schnell zu erreichen sind. In der Regel hat jede Großhandlung von irgend welcher Bedeutung außer ihren Geschäftsspeichern in der inneren Stadt auch solche im Freihafengebiet, um sich unnötige Verzollungen für zollpflichtige Waren, die das Inland nicht berühren, sondern gleich ab Hafen wieder weiter gehen, zu ersparen. Die großen Dampfer (Fig. 271) kommen alle bis nach Hamburg und fahren nach den Anlegeplätzen der betreffenden Schiffsgesellschaften, wo die Güter ausgeladen und in Dampfbooten (Schuten) oder Lastkähnen (Leichtern) ihren Eigentümern zugeführt werden. Vielfach werden auch die ankommenden Waren irgendwo im Hafen in Lagerschuppen bei sogenannten Quartiersleuten, die eine alte Zunft bilden, eingelagert. Dort können auch Besichtigungsproben gegen Erlaubnisschein der betreffenden Firma, welche Besitzerin der Ware ist, entnommen werden.

Täglich erscheint eine Einfuhrliste, aus welcher Interessenten Art und Anzahl der eingetroffenen Güter ersehen können.

In Hamburg vollzieht sich der Großdrogenhandel nach einem anderen System wie in den oben beschriebenen Häfen. Regelmäßige Drogenauktionen wie in London und Amsterdam finden hier nicht statt — nur havarierte Schiffsgüter werden bisweilen verauktioniert. Der Drogenhandel ist in den Händen von Drogenmaklern (d. h. Agenten), die Verbindungen mit den betreffenden Importfirmen haben, jeden Tag vorsprechen, die Preise erfragen und die Geschäftsabschlüsse gegen meist ein Prozent Courtage («Maklergebühr») vermitteln. Kaufende und verkaufende Firma treten also meist nicht in direkte Verbindung. Die Bezahlung geschieht nach Empfang der Ware per Kasse abzüglich 1 % Skonto, falls es sich nicht um Netto-Kasse-Artikel handelt.

Die größten Firmen geben allmonatlich Listen aus. Ich teile eine Seite einer solchen Liste in der Beilage mit, die telegraphische Bestellung nach den vorgedruckten Zeichen ermöglicht.

Für die technischen Drogen, die in riesigen Mengen verbraucht werden, wie z. B. *Copal* und *Kautschuk*, existieren besondere Importfirmen, die sich ausschließlich und fast ausschließlich mit diesen Objekten beschäftigen.

Mehr wie in London wird in Hamburg auf die Drogenappretur gegeben, und finden sich selbst in den Listen der dortigen Großdrogenhäuser regelmäßig auch geschnittene Drogen aufgeführt. Im allgemeinen geschieht aber auch hier eine Appretur nur dann, wenn sie erforderlich ist oder vom Kunden gewünscht wird. So werden z. B. Wurzeln (*Sarsaparille*) bisweilen gewaschen, d. h. vom Erdreich befreit, andere ausgelesen, «elegiert», z. B. bei *Ipecacuanha* die Stengel und Rhizome ausgelesen. *Balsame* (z. B. *Copaiva*) werden vom Wasser und Schleim durch Klären befreit, *Lycopodium* wird gesiebt, *Kamala* gesiebt und geschlämmt u. a. m. Manche Drogen werden auch gebleicht (*Ichthyokolla, Schellack*). Die Methoden sind sehr verschieden und richten sich ganz nach der Art der Droge bezw. nach dem Zustand, wie sie ankommt. Die verwendeten Verfahren werden von den Firmen meist geheim gehalten. Für die *Campher*raffinerie ist Hamburg jetzt Hauptort.

Ausschnitt aus einer monatlich versandten Medicinaldrogenliste einer Hamburger Großdrogenfirma.

	Januar 19..	3 Monats-Accept ℳ	Netto Cassa ℳ	Bemerkungen
MD	**Aloë Curaçao** Kst. ca. 50/55 Ko.			
	leberfarbig 00 . . . bei 20 Kist. %Ko	—.—	—.—	Ohne Garantie für Veränderung der Farbe während der Reise oder auf Lager
	» 5 » »	—.—	—.—	
	einz. » »	—.—	—.—	
	leberfarbig 0 . . . . bei 20 » »	—.—	—.—	
	» 5 » »	—.—	—.—	
	einz. » »	—.—	—.—	
	leberfarbig 1 . . . . bei 20 » »	—.—	—.—	
	» 5 » »	—.—	—.—	
	einz. » »	—.—	—.—	
	pulv. gross. Kist. à 50 Ko. . . . . . »	102.—	100.—	
	» subt. » » 50 » . . . . »	122.—	120.—	
MD	**Anethol** s. u. Ol. Anisi vulgaris.			
MD	**Anthophylli,** Gonjes ca. 80 Ko. . »			
	elect hellbraun . . . . »	153.—	150.—	Anbruch + 25.—
	naturell » . . . . »	102.—	100.—	» + 25.—
	» schwarz . . . . »	51.—	50.—	» + 25.—
MD	**Araroba** ordinair, Kisten ca. 17 Ko.,			
	bei 1000 Ko. »	40.—	39.—	
	einz. Kisten »	50.—	49.—	
	pulv. subt. . . . . »	406.—	400.—	
G	**Arrowroot,** St. Vincent, Fässer ca. 100 Ko.			
	extra prima 00. . . bei 10 Barrels %Ko.	58.—	57.—	
	» 5 » »	59.—	58.—	
	einz. » »	60.—	59.—	
	prima 0 . . . . bei 10 » »	48.—	47.—	
	» 5 » »	49.—	48.—	
	einz. » »	50.—	49.—	
	courant 1 . . . . . . bei 10 » »	—.—	—.—	
	» 5 » »	—.—	—.—	
	einz. » »	—.—	—.—	
MD	**Balsam, Canada,** Kist. 2 Can. ca. 20 Ko.			
	filtriert . . . . bei 5 Kist. %Ko.	398.—	390.—	
	einz. » »	408.—	400.—	einz. Can. + 10.—
MD	» **Copaiva,** Kisten à 2 Can. ca. 18 Ko.			
	Ph. G. IV, Benzinlöslich (1:4), Ph. Brit. Ph. Ross.			
	Ph. Japon. Ph. Suec. Ph. Aust. bei 10 » %Ko.	310.—	305.—	
	» 5 » »	313.—	308.—	
	» einz. » »	320.—	315.—	» » + 10.—
	Ph. G. IV, Ned. . . . . » 10 » »	250.—	245.—	
	» 5 » »	253.—	248.—	
	» einz. » »	260.—	255.—	» » + 10.—
	Ph. G. III. . . . . » 10 » »	250.—	245.—	
	» 5 » »	253.—	248.—	
	» einz. » »	260.—	255.—	» » + 10.—
	in 90%igem Sprit löslich . » 10 » »	230.—	225.—	
	» 5 » »	233.—	228.—	
	» einz. » »	240.—	235.—	» » + 10.—
MD	dick, mitteldick od. dünn bei 10 Kist. %Ko.	160.—	157.—	für technische Verwendung einz. Can. + 10.—
	» 5 » »	163.—	160.—	
	» einz. » »	170.—	167.—	

Die großen deutschen Drogenhäuser des Inlandes kaufen die Drogen meist «naturell» nach der Liste und nach vorheriger Einsendung und Prüfung eines entsprechenden Kauf- bezw. Ausfallmusters und reinigen die Ware dann selbst. Die Drogenappretur inländischer Drogen wird besonders in Dresden, Halle und Ebingen betrieben. Die erste Drogenappreturanstalt — jetzt die größte Europas — errichtete GEHE 1865 in Dresden.

Der Hamburger Markt, obgleich außerordentlich zur Blüte und Größe gelangt (S. 166) und sehr selbständig, ist natürlich bei manchen Artikeln unter anderen auch auf den Londoner Markt und die dortigen Auktionen angewiesen und umgekehrt. Diese Geschäfte werden durch eigene Agenten der Großhäuser besorgt. Täglich findet ein lebhafter Depeschenwechsel zwischen Hamburg und London statt.

Um eine Übersicht über den Hamburger Handel zu geben, teile ich die Drogeneinfuhr- und -Ausfuhrliste pro 1906 im folgenden mit.

Es betrug die Einfuhr nach **Hamburg** (die Namen der Artikel nach der Liste unkorrigiert)

Artikel	1906	1905	1904	1903	1902
			Doppelzentner		
Agar-Agar	1 064	?	232,9	1 138	1 573
Albumin	4 555	3 153	1 837	1 958	965
Aloë, Cap- und Curaçao	892	1 279	2 257	1 945	2 059
Balsam Copaivae	336	230	466	461	319
„ Peru	234,8	263,8	277	340,16	289,2
Cortex Chinae	2 711	2 541	1 860	2 776	3 752
Cumin	3 495	5 318	4 646	5 185	4 382
Fabae Tonco	105,7	36	120,5	121,3	42,3
Gallen	24 528	18 905	27 474	25 313	25 047
Gummi arab.	39 032	44 536	34 600	39 894	34 316
„ Benzoë	1 436	999	1 385	1 067	768
Dammar	6 237	6 867	4 976	5 314	4 073
Kopal	27 695	27 057	32 900	22 559	20 029
Sandarak	2 094	2 715	2 000	1 532	1 039
„ Senegal	947	1 366	1 376	513	308
„ Tragant	4 616	3 340	2 618	2 463	1 880
Irländ. und Isländ. Moos	3 237	2 783	3 140	2 728	2 400
Campher	11 124	10 085	14 626	17 087	18 361
Oleum Anisi Stellati	336,4	401,65	521,3	300	333,3
„ Menth. pip.	935	1 059,1	885,2	706,1	504,14
„ Ricini	27 300	22 313	21 211	23 792	19 832
Opium	180,58	275,62	326,86	183,06	168,96
Radix Ipecacuanhae	129,5	141,7	178,7	192,6	230,6
„ Jalapae	686	603	97	599	579
Liquiritiae	5 484	3 928	5 063	3 375	6 720
Rhei	996	1 281	1 127	584	965
„ Sarsaparillae	1 285	958	881	902	1 306
„ Senegae	488	478	388	624	411
Schellack	36 753	33 716	26 207	26 440	21 600
Semen Sabadillae	1 410	?	?	549	901
Sennesblätter	2 067	4 349	4 370	3 068	3 259
Sternanis	329	103	308	1 191	628
Terra Catechu und Japonica	23 638	21 186	23 818	25 925	25 308

	Einfuhr 1905	Einfuhr 1904	Ausfuhr 1905	Ausfuhr 1904
	Doppelzentner netto			
Öle, äther., nicht bes. genannt	4 713	4 624	4 830	4 910
davon aus resp. nach:				
Ceylon	350	236		
China	623	378		
Japan	266	202		
Vereinigte Staaten	308	278	901	1 549
Rußland	112	116	543	397
Essenzen usw., alkohol- oder ätherhaltige (Menthol usw.).	1 906	1 869	2 462	2 711
davon aus resp. nach:				
Japan	497	349		
Österreich-Ungarn	699	153	216	250
Hausenblase, echte u. unechte	169	229	89	77
Aloë	1 111	2 039	804	1 305
davon aus:				
Brit. Südafrika	318	1 111		
Niederl. Amerika	454	560		
Kanthariden	134	155	77	69
Chinarinde	25 934	39 426	828	1 165
davon aus:				
Niederl. Indien	23 791	35 636		
Cochenille	620	691	122	244
Dividivi	97 733	84 012	27 187	22 441
Galläpfel	19 316	27 117	2 958	2 231
Gummi arab., Senegal-, Tragant-	58 400	54 277	23 150	21 535
Indigo	1 973	2 600	111 648	87 300
Camphor	10 016	11 631	3 305	2 663
Catechu	46 482	44 201	14 227	13 073
Opium	687	676	133	116
Rhabarber, getr.	1 200	811	481	310
Getr. Mandeln	10 4714	97 878	236	166
Gewürznelken	7 920	6 739	674	864
Ingwer	2 449	2 455	10	4
Cardamom	728	728		1
Macis	5 654	4 960	27	6
Pfeffer, schwarzer	31 040	35 040	170	119
„ weißer	19 360	22 622	19	2
Piment	13 587	13 755	3	9
Sternanis	314	301	4	3
Vanille	797	789	45	70
Cacaobutter, Cacaoöl	183	276	18 246	13 851
Insektenwachs, roh	25 578	25 067	244	416
davon aus:				
Deutsch-Ostafrika	3 171	1 738		
Madagaskar	2 025	1 158		
Brasilien	549	1 473		
Pflanzenwachs (Carnaubawachs) roh, davon aus:				
Brasilien	5 422	5 849		
Wachs jeder Art, zubereitet	4 318	4 666	22 054	19 206
davon aus Japan	3 344	3 611		
Balsame, natürliche, außer Terpentin	2 008	1 707	1 062	1 089
Gummilack, Schellack	41 043	32 162	9 576	8 589

Die meisten Drogen werden nach dem Aussehn gehandelt, doch greift die löbliche Sitte, nach dem Gehalt zu kaufen, immer mehr um sich. Schon jetzt wird vielfach ein Zertifikat des Chemikers verlangt. So z. B. wird der *Perubalsam* nach dem Cinnameïngehalte, das *Eucalyptusöl* nach dem Eucalyptolgehalte (ich fand solches mit der Bezeichnung: «60—70% Eucalyptol»), das *Pfefferminzöl* nach dem Mentholgehalte (ich sah in London auch «*dementholized pepermint oil*»), das *Sandelöl* nach dem Santalolgehalte, *Zimtöl* nach dem Zimtaldehydgehalte gehandelt. Bei den ätherischen Ölen haben besonders SCHIMMEL & Co. darauf hingewirkt, daß die Chemie das letzte Wort bei deren Kaufabschlusse hat. Vielfach wird auch nach den Ansprüchen der Pharmakopoëen gehandelt (z. B. *Bals. Copaiv.* Ph. germ. IV).

Bei der *Chinarinde* von Java wird in den Regierungs-Chinaplantagen (Fig. 243) das Chinin bestimmt (seit 1872, MOENS, GORKOM), das Resultat in einem Zertifikat jedem Posten beigelegt und dasselbe dann, wenn auch nicht regelmäßig, in Amsterdam nachkontrolliert. Bei der Particulierrinde geschieht die Bestimmung erst in Amsterdam (vgl. S. 174). Gehandelt wird die *Chinarinde* nach dem Unit, d. h. nach Halbkiloprozenten. Wenn man sagt: Das Unit ist 10 cent holl. (1 cent = 1.69 Pfennig), so heißt das soviel wie: das halbe Kilo einer einprozentigen Rinde kostet 10 cent, einer zweiprozentigen also 20 cent, einer fünfprozentigen 50 cent usw. Die Rinde wird also nur nach ihrem Gehalte an Chinin (sulfat) gehandelt. Das Unit war in den letzten Jahren ziemlichen Schwankungen unterworfen. Es fiel von 1891—1893 von 7.50 auf 2.60, blieb dann dauernd niedrig, ja sank sogar Anfang 1897 bis auf 2.15 herab, den tiefsten Stand, den es je erreichte, um dann noch im gleichen Jahre auf 7.90, 1899 auf 10.90 und 1900 gar auf 12.20 zu steigen. Dann ist es wieder herabgegangen. Ende 1906 stand es um 5.

Auch die Hamburger Listen geben bei *Chinarinde* immer den Alkaloidgehalt des betreffenden Postens an.

Die *Kamala* wird jetzt nach dem Aschengehalt gehandelt (2.5—3.5—5—6% Asche), die ascheärmste ist um die Hälfte teurer als die aschereichste.

Die «Klassifizierung» des *indischen Opiums* unterscheidet nach dem Gehalt an wasserfreiem *Opium* (bei 212° F. getr.) 12 Klassen:

Buitengewoon	82	Grade (und höher)
Bala Bashi Durawal	79—81	„
Bala Durawal	76—78	„
Durawal	73—75	
Awal	70—72	
Doem	67—69	
Saem	64—66	
Chaharun	61—63	
Punjum	58—60	
Shuihum	55—57	
Huftum	52—54	„
Pani amez	weniger als 51	„ (d. h. weniger als 51% wasserfreies *Opium*).

Der deutsche Großdrogenhandel hat seinen Hauptsitz in Hamburg, ferner in Berlin, das Leipzigs Erbschaft angetreten hat, und Dresden, dann in Leipzig, Halle, Breslau, Stuttgart, Nürnberg, endlich in Bremen, Stettin, Danzig, Königsberg, Braunschweig, Hannover, Frankfurt a. M., Würzburg.

Die Mengen, welche die Pharmazie von den Drogen braucht, sind übrigens verschwindend gering gegenüber den enormen Mengen, die die Industrie z. B. vom *Colophonium* und *Terpentin*, von *Dammar*, *Copal*, *Campeche*, *Fernambuc*, *Gummi arabi-*

cum, *Galläpfeln*, *Guttapercha*, *Kautschuk*, *Baumwolle*, *Olivenöl* u. and. verbraucht und auch Küche und Haus verbrauchen erheblich mehr *Cacao*, *Tee*, *Kaffee*, *Stärke*, *ätherische Öle* u. and. als die Apotheke.

Der moderne Großdrogenhandel ist nicht ein Nachkomme des Großhandels der FUGGER und WELSER. Verfolgt man die Geschichte der heutigen Drogenfirmen zurück, so findet man, daß viele Drogenfirmen — wie viele chemischen Fabriken auch — aus einer Apotheke hervorgingen, ein Apotheker ihr Begründer war. Aus der Apotheke ist auch der Großdrogenhandel im XVII. und XVIII. Jahrh. — meist durch Berufsspaltung — hervorgegangen (BREITFELD).

Bis in die Mitte des XIX. Jahrh. ist Leipzig, begünstigt durch seine Messe, der erste deutsche Drogenhandelsplatz gewesen. DAVID HEINRICH BRÜCKNER errichtete 1750 in Leipzig ein «Kräutergewölbe». «Sachsens und Thüringens Wälder und Wiesen und die dort von altersher bestehenden Kulturen von Gewürz- und Heilpflanzen lieferten in der Hauptsache die Bedürfnisse des Drogengeschäftes. Was von ausländischen Produkten zur Ausstattung einer Medizinaldrogenhandlung gehörte, kam fast ausschließlich aus Amsterdam, welches der Hauptstapelplatz war für die Erzeugnisse des ganzen Orients, der südeuropäischen und überseeischen Länder. Das Absatzgebiet des Geschäftes erstreckte sich auf das Kurfürstentum Sachsen, die angrenzenden preußischen Provinzen und namentlich die thüringischen Lande, von denen aus damals, wie bis in die neuere Zeit, die ,Balsammänner' mit ihren aus den Leipziger Drogen und ätherischen Ölen hergestellten Heilmitteln in die Welt zogen» (BRÜCKNER, LAMPE & Co., 150 Jahre einer deutschen Drogenhandlung). 1817 gründete BRÜCKNER das Zweighaus LAMPE, KAUFFMANN & Co. in Berlin und 1883 fand die Fusion und Übersiedelung der Zentralleitung nach Berlin statt.

Leipzig war das deutsche Nischni Nowgorod. Jetzt ist es durch Hamburg, Berlin, Dresden u. and. überflügelt.

Vom Großdrogisten gelangt die Droge zum Apotheker und Kleindrogisten. Kleinkrämer mit Drogen lassen sich bis ins XII. Jahrh. zurück verfolgen (KRIEGK, Deutsch. Bürgerth. im Mittelalter, 1868).

Von **Trusts** hat man auf dem Gebiete der Drogen noch nichts gehört. Doch ist in neuester Zeit in Amerika der Gedanke aufgetaucht, für die *Kautschuk*produktion einen Trust zu gründen, der die Preise im Welthandel diktieren soll. Er wird aber wohl kaum zustande kommen, da die Produktion des *Kautschuk* z. Z. schon zu stark dezentralisiert ist.

Das Bestreben, die Erzeugung gewisser auf eng umgrenzte Gebiete beschränkter Drogen **zu monopolisieren** und damit den Preis zu diktieren, ist begreiflich. Handelsvölker oder Handelsgesellschaften, welche von solchen Bezirken Besitz ergriffen hatten, haben in früherer Zeit oftmals den Versuch gemacht, sich ein Monopol für die Erzeugung dieser Drogen zu schaffen und dies Monopol nicht selten mit großer Energie verteidigt. So hat die holländisch-ostindische Kompagnie die Anpflanzung und den Handel mit *Muskatnüssen* auf den Bandainseln für sich monopolisiert. Das Monopol übernahmen dann die englische und (1816) die holländische Regierung. Ein ähnliches Monopol schuf sich die holländisch-ostindische Kompagnie für die *Nelken* und die englisch-ostindische Kompagnie in Ceylon für den *Ceylonzimt*. Auch diese sind längst aufgehoben, wie ja überhaupt unsere Zeit monopolfeindlich ist und das freie Spiel der wirtschaftlichen Kräfte auf ihre Fahne geschrieben hat. Doch hat noch in neuerer Zeit (5. August 1899) Japan den *Campher* monopolisiert, dessen wichtigste Quelle — Formosa — ihm als Siegespreis im chinesisch-japanischen Kriege zufiel.

Da aber *Campher*bäume nicht nur in Japan und Formosa vorkommen, ist es nicht sehr wirksam und 1906 erlebte, angeregt durch die hohen *Campher*preise, die *Campher*produktion in China einen großen Aufschwung. China brachte 1907 c. 30000 cwt *Campher* in den Handel.

Das größte Handelsmonopol war das am Beginn des XVI. Jahrh. errichtete Welt-Gewürzmonopol der Portugiesen, das dieselben nach Auffindung des Seeweges nach Ostindien errichteten und das besonders ein *Pfeffer*monopol war. Es war eine «Monopolisierung der Ozeane». Die Schiffe durften ihre Rückfracht nur in der Casa da India in Lisboa (Lissabon) löschen und mehr wie einmal ordnete der König, der sich den Titel «Herr des indischen Handels» beigelegt, die Vernichtung von Vorräten an, wenn diese anschwollen und die Preise zu drücken drohten. Es hatte aber keinen langen Bestand, denn schon im letzten Dezennium des gleichen Jahrhunderts sprengten die Holländer die Ozeansperre. Auch das erste Gewürzmonopol (für *Nelken* und *Muskat*) auf den Bandainseln wurde 1529 von den Portugiesen errichtet, die die Insel 1512 erreichten, entschlüpfte ihnen aber wieder gegen Ende des XVI. Jahrh., das zweite nahmen die Holländer, resp. die Niederländ.-Ostindische Kompagnie nach Eroberung der Inseln im Anfang des XVII. Jahrh. Es dauerte von 1621 bis 1796 und ist durch die Hongitogten berüchtigt. Auch während der englischen Okkupation 1796—1802 und 1810—1816 bestand das Monopol und als die Inseln dann definitiv in holländischen Besitz übergingen, übernahm es die niederländische Regierung. Es erlosch erst — ebenso wie die Zwangskultur — 1873.

Während der Herrschaft der Holländisch-Ostindischen Kompagnie wurden in Amsterdam in der Mitte des XVIII. Jahrh. wiederholt die Ernteerträgnisse von *Nelken*, *Zimt* und *Muskatnuß* jahrelang aufgespeichert, um die Preise hoch zu halten, ja sogar mehrfach größere Vorräte derselben in Amsterdam und Middelburg verbrannt.

Den Handel mit Amerika hat Spanien c. 300 Jahre lang monopolisiert (bis zum Anfang des XIX. Jahrh.). In Sevilla befand sich die Casa de contratacion de Indias, die oberste Aufsichtsbehörde für den amerikanischen Handel. Im XVII. Jahrh. mußten alle Schiffe Sevilla anlaufen, dann wurde (1717) Cadiz Monopolhafen. — Vgl. auch die Monopole bei den Arzneipflanzenkulturen im Kap. Pharmakoërgasie (S. 47).

Lit. v. Neumann-Spallart, Übersicht. d. Weltwirtsch. 5 B. 1878—1887, fortges. von Juraschek 1891. — Sonndorfer, Technik des Welthandels. — von Lignitz, Produktion, Handel u. Besiedelungsfähigkeit d. deutsch. Kolonien. Berlin 1908. — Paul Langhans, Kleiner Handelsatlas, J. Perthes 1895. — Handelsberichte von Julius Großmann, Gehe & Co., Schimmel & Co., Caesar & Loretz, J. D. Riedel u. and. — Handelsberichte in der Chemikerzeitung und im Chemist and Druggist London. — Ausfuhrlisten der Welthäfen (Singapore, Batavia, Colombo, New York, Hongkong usw.). — Deutsch. Handelsarchiv. — Handelsbericht. — Gothaisches Genealog. Taschenbuch. — Export, Organ d. Zentralver. f. Handelsgeogr. — Export-Jahrbuch. — Annuaire de l'économie politique et de la statistique. — The statesmans yearbook. — Javasche Courant. — Indische Mercuur. — Monthly statement of drugs, drysalteries etc. in the Docks and various other London Warehouses. — London Customs Bill of entry. — The commercial and Financial Chronicle. — Jaaroverzichten betreffende den handel in Koloniale producten (Indische Mercuur). — Gustav Briegleb in Amsterdam gibt eine sehr instruktive Graphische Table showing the average Units of the Amsterdam Cinchonabark sales heraus, aus der das Fallen und Steigen der Units im Laufe der Jahre ersichtlich ist. — Marktbericht en Prijs Courant opgemaakt door de «Handels-Vereeniging» te Batavia. — Die Bluebooks Englands, die Konsularberichte, das Deutsche Handelsarchiv enthalten wichtige Angaben über die Handelsverhältnisse, Statistiken u. and. — Commercial Report from H. M. Consuls in China. — Calendar of State papers, Colonial Series. — Für Japan die Consular Reports. — Ich habe meine Erkundigungen auch durch die Konsuln des Deutschen Reiches und der Schweiz eingezogen.

3. Produktions- und Exportziffern.

Die Exportziffern sind aus den Exportlisten zu ersehen, die Produktionsziffer ergibt sich aber aus diesen nicht. Sie ist meist nur annähernd festzustellen, da sich der Verbrauch im Produktionslande selbst nur schwer kontrollieren läßt. Sie ist die Summe der Exportziffer und der Landeskonsumziffer.

Um eine Vorstellung von der Ausfuhr großer überseeischer Handelsplätze zu geben, teile ich im folgenden als Beispiele die **Exportlisten** zweier für uns besonders wichtiger, von mir besuchter Inseln — Ceylon und Java — mit.

Export von **Ceylon** im Jahre 1906 (nach Ceylon Customs returns, Colombo 1907):

	Quantity		Value (in Ruppies)	
Cacao	55 621	cwt	2.052 414	Rs
Coconut trocken	181 807	„	3.404 000	„
„ frisch	16.224 973	„	929 680	,
Coffee plantation	4 484		257 830	,
„ liberian	50		1 050	,
Cardamoms	6 505		585 755	,
Cinnamom	52 422	.	2.642 068	„
„ wild	18	„	60	„
Cinchona bark	296 820	lb	11 872	,
Cloves and Mace	118	cwt	6 006	,
Ginger	40	;	772	,
Nutmegs	155		6 675	,
Pepper	1 983	:	71 960	,
Vanilla	50	„	23 821	,
Tea	170.527 146	lb	61.389 772	„
Sapan wood	10 137	cwt	27 713	,
Rubber	2 333	,.	96 843	,
Copra	448 700	,	5.661 337	,
Castor oil	7	„	240	,
Cinnamom oil	103 487	oz	18 846	,
Cinnamom leaf oil	51 224	„	5 856	,
Citronella oil	1.213 748	lb	1.204 764	,
Coconut oil	539 002	cwt	9.545 725	„
Croton seed	273	„	8 461	„

Ausfuhr aus **Java** (nach Javasche Courant No. 20 van 12 Maart 1907):

	1904	1905	1906	
Cacao	976 721	1.047 466	1.815 812	kg
Copra	22.904 240	108.360 755	54.337 508	„
Foelie	36 286	57 176	47 012	,
Getah Pertja	3 782	2 046	2 746	,
Gomdammar	1.585 163	1.743 594	2.024 655	,
Gomelastiek	44 510	96 362	174 892	,
Indigo, n. ber. v. d. Inlandsche markt	808 739	440 766	200 760	,
Indigo, andere	324 940	69 080	182 761	,

	1904	1905	1906	
Kaneel, eigenlijke	52 696	41 510	15 517	kg
Kapok	4.615 155	6.309 969	5.787 803	„
Kassiavruchten	378 338	216 924	77 766	„
Katjangolie	2.393 029	2.106 883	1.447 311	Lit.
Kinabast	7.119 284	8.021 869	6.500 059	kg
Kinine	44 789	15 515	39 720	„
Klapperolie	33 666	63 600	5 864	Lit.
Koffie, andere	15.869 912	15.301 235	19.054 858	kg
Koffie, in hoornschil.	3.252 807	9.069 232	5.944 613	„
Koffie, in gedr. kers.	5 682	19 103	403 067	„
Nagelen	—	924	2 423	„
Notenmuskaat	177 439	243 731	277 112	„
Noten-, pinan	2.393 880	2.672 693	3.851 635	„
Peper, staart-	167 283	154 911	146 680	„
Peper, witte	412 173	622 882	1.519 361	„
Peper, zwarte	3.642 591	4.530 135	6.792 734	„
Rijst, ongepelde	—	246 194	9 420	„
Rijst, gepelde	45.838 401	42.705 724	44.269 343	„
Suiker	41.959 707	1.050.397 131	1.021.055 203	„
Tabak, niet bereid voor de Inlandsche markt	33.806 340	27.863 640	51.527 875	„
Tabak, bereid voor de Inlandsche markt	693 031	498 450	707 717	„
Tapiocameel	27.711 408	23.104 152	21.354 794	„
Thee	11.798 403	11.846 889	11.967 803	„

Brasilien exportiert im Jahr für 700—800 Mill. Mark. Davon entfallen auf Kaffee etwa 450 Mill., auf Kautschuk 135 Mill. Mark.

Hieran mag der Export des **Kongostaates** angeschlossen werden, dessen Ausfuhr sehr eigenartig und für Afrika charakteristisch ist. Er exportierte 1906:

Kautschuk	6.309 687	kg
Palmkerne	5.917 559	„
Palmöl	2.301 473	„
Weißen Copal	868 928	„
Cacao	402 429	„
Kaffee	74 916	„
Erdnüsse	43 152	„

Nur wenige Drogen im engeren Sinne zeigen **Riesenexportziffern**; von reinen Arzneidrogen eigentlich nur die *Chinarinde*, von der 1906 allein nach Amsterdam 8.794 480 kg gelangten (vgl. S. 175), trotzdem die Bandongsche Chininfabrik 1906 schon 55 000 kg *Chinin* fabrizierte. Der Naval stores ist schon oben (S. 173) gedacht worden. Sie sind aber vorwiegend technische Drogen. Ihre Exportziffern sind beträchtlich.

Frankreich exportierte:

	1904	1905	1906	
Terpentin	5596	12214	12922	tons (t = 1000 kg)
Rosin (*Colophon.*)	30897	59382	37888	„

Amerika exportierte:

	1904/05	1905/06	1906/07	
Terpentin	51288	49482	47181	tons engl. (t = 1016 kg)
Rosin	242789	241243	270990	„ „

Sehr beträchtlich sind auch die Exportziffern für *Kautschuk*, *Copal*, *Dammar*, aber von diesen Produkten findet nur ein sehr kleiner Prozentsatz seinen Weg in die Apotheke.

Die jährliche Gesamtproduktion von *Opium* mag etwa 20 Mill. kg betragen; davon produziert China 14 Mill. kg, Brit. Ostindien 5.5 Mill. kg.

Die Gesamtausfuhr von *Pfeffer* aus Niederländ. Indien und Malakka beträgt c. 25 Mill. kg. Wichtigster *Pfeffer*markt der Erde ist Singapore.

Die Gesamtproduktion von *Rohrzucker* beträgt mehr als 3050 Mill. kg. Davon entfällt auf Amerika der Hauptanteil (1700 Mill. kg). Die Gesamtproduktion von *Rübenzucker* wird auf 3600 Mill. kg geschätzt. Hauptproduktionsland ist Deutschland (1320 Mill. kg), wo über 400 Zuckerfabriken bestehen. Dann Frankreich mit 370 Fabriken, Österreich-Ungarn, Rußland, Belgien.

Von *Cacao* kommen jährlich c. 32 Mill. kg in den Welthandel (die Gesamtproduktion ist viel höher, läßt sich aber nicht schätzen). Haupt-*Cacao*märkte sind London, Havre, Amsterdam, Hamburg, Bordeaux.

Die Gesamtproduktion von *Tee* läßt sich ebenfalls nicht schätzen, da China und Japan enorme Mengen selbst verbrauchen. In den Welthandel gelangen jährlich c. 220 Mill. kg. Haupt-*Tee*markt Europas ist London, dann folgen Hamburg, Bremen, Marseille, Odessa.

Von *Mate* konsumiert allein Argentinien jährlich 37 Mill. kg.

Die *Kaffee*produktion der Erde betrug in Ballen à 60 kg (nach LACERTA):

	Brasilien	Zentralamerika und Antillen	Asien	Afrika	Gesamtproduktion
1895/96	5.969000	3.050000	1.017000	240000	10.454000
1896/97	8.500000	3.150000	858000	249000	12.102000
1897/98	7.250000	3.100000	1.171000	275000	11.210000

Den meisten *Kaffee* produziert Brasilien, den besten Java.

Alle anderen Produkte läßt aber die *Baumwolle* hinter sich. Die Welternte betrug 1903: 14.1 Mill., 1904: 17.9 Mill., 1905: 15.7 Mill., 1906: 18.6 Mill. Ballen. Der *Baumwoll*verbrauch betrug 1906/07 pro Woche 327000 Ballen! Die Vereinigten Staaten allein produzierten 1906: 13.305265 Ballen *Baumwolle*.

Die *Vanille*produktion der Erde beträgt fast 330000 kg. Sie verteilte sich 1906/07 folgendermaßen auf die Länder:

Mexico	120000 kg
Comoren, Mayotte	105000 „
Madagascar, Nossi Bé	40000 „
Bourbon	30000 „
Seyschellen	20000 „
Antillen	5000 „
Mauritius	3000 „
Ceylon, Java	3000 „
Fidschi-Inseln, Congo	1000 „
Sansibar, Deutsch-Ostafrika, Neu-Hebriden	geringere Mengen.

4. Masse und Gewichte.

Die im Großhandel üblichen **Maße und Gewichte** sind jetzt meist die des metrischen Systems, doch begegnet man noch vielfach in den Ausfuhr- und Einfuhrlisten (s. oben) und Handelsberichten den englischen Gewichten: der Unze (onz) = 28.439 g, dem englischen Pfund (lb, lbs) = 453.6 g, dem Zentner (cwt, d. h. hundred-weight) = 112 engl. Pfund = 101.5 deutsche Pfund = 50.8 kg, der engl. Tonne (tons. = t.) = 907.18 (oder 1016) kg, dem Barrel = 159 (oder 163) Liter, dem Gallon = 4.54 l (= 4 Quarts à 2 Pints à 4 Gills) = 10 engl. Pfund, dem Hogshead = 63 Gallons und in Indien den dort üblichen z. B. dem Picul (sprich Pickel) = 100 Kattis = 133 engl. Pfund = 61.76 kg (der japanische Pikul = 60.47 kg, der siamesische = 60.5 kg), dem Imperial-Bushel = 36.5 Liter (= 8 Gallons à 4.54 Liter).

Barrel ist zwar meist eine Tonne von 2 Kilderkins zu 2 Firkins und hält 36 Imperial-Gallons = 163.56 Liter, ist aber auch ein sehr ungleich benutztes Gewichtsmaß z. B. für westind. *Rohrzucker* = 224—308 engl. Pfund, für amerikan. *Pech* = 35 Gallons zu 9 Pfund; in Amerika für *Petroleum* = 40 (resp. 42), für *Cider* und andere Flüssigkeiten = 30 Gallons.

In Rußland wird oft nach Pud = 16.38 kg gerechnet, in Persien nach Man-i-Schah = 5.87 kg. Der marokkanische Kintar ist = 50.8 kg, der kleinasiatische Bahar = 83.5 kg.

Kin oder King (chines.) ist = 16 Liang oder = 601.28 g (japan.) amtlich = 10 Rió = $^{1}/_{100}$ Picul = 601.04 g, aber im Binnenverkehr vielfach bis 592.59 g herab. Auf den Philippinen ist Cate = 632.685 g, in Niederländ. Indien = 615.21 g. In Singapur, Penang und Malakka verhält sich das malaiische Kin zum chinesischen wie 15 : 16. Die englische Bezeichnung für Kin lautet Catty.

Der chinesische sching ist = 10.31 Liter, der japanische schingsho = 1.81 Liter.

Die persischen Gewichte sind sehr eigenartig. 1 Miskâl = 4.6 g = 24 Nukhûd (= Kichererbse) = 0.192 g, 1 Nukhûd = 4 Gändum (= Weizenkorn) = 0.048 g. Batmän oder Män ist sehr verschieden. Es gibt 18 verschiedene von 2.9 bis 52.9 kg. Das kleine Män = 2.944 kg = Män i Täbrîz = 8 Abbâsî = 640 Miskâl. Män i Noh Abbâsî = 9 Abbâsî = 720 Miskâl = 3.312 kg. Das große Män = 13.8 kg. Das eigentliche Män i Täbrîz = 1000 Miskâl = 5.750 kg. 1 Klein Batmän = 4 Tshehârjäk, 1 Tshehârjäk = 10 Sîr, 1 Sîr = 16 Miskâl. In Fârs ist eine Kiste (z. B. beim *Indigo*) = 20 Män i Noh Abbâsî. *Rosenwasser* wird in großen Flaschen Kärrâbäh (= 13.6 Liter) gehandelt.

In Afghanistan rechnet man nach Mahn = 4.18 kg und Arschin = 1.12 m.

Von Längenmaßen wird noch am häufigsten die englische Meile = 1760 Yards = 1609.3 m erwähnt, dann die russische Werst = 1066.8 m, der chinesische Yina Tschin = 3.58 m. Die Seemeile ist = 1.86 km = 1.15 engl. Meile = 1.74 Werst, die geographische Meile ist = 7.419 km = 4 Seemeilen.

Bei Flächenmaßen begegnet man in Indien oft dem Acre (= 4840 □ Yard = 40.47 Ar = 4047 □ m) und in Java dem Bau oder Bouw (= 500 Tumbac, 1 Tumbac = 12 □ Fuß).

Die lateinische Bezeichnung für Geld, pecunia, ist von pecus abgeleitet, da in Medien und Persien, wie auch bei den älteren Römern (und Germanen) Vieh als Geld benutzt wurde. Bei den Osseten im Kaukasus ist noch heute die Kuh die Normaleinheit des Preises für jeden Wert. Als Geld wurden und werden benutzt:

Cacaobohnen, *Kolanüsse*, *Datteln*, *Tee*ziegel. Dann auch Salzbarren (Abessinien), Getreide, Mais und verschiedene Muscheln, besonders die Kaurischnecke (*Cypraea moneta*). Die Kaurischnecken (malaiisch beja = Zoll, Steuer), die besonders von den Malediven exportiert wird, sind seit alter Zeit als Münze benutzt worden. Im IV. Jahrh. schon waren sie in Indien in Umlauf, im XV. in Westafrika, im XVII. bildeten sie in Indien, den Philippinen und Siam das einzige Kleingeld — in Siam und im Innern von Afrika (Sudan, Westafrika, Ostafrika) noch jetzt. In Timbuktu gilt eine *Kolanuß* 10—100 Kauris, ein Sklave 20000 und mehr. In Nordamerika dienten andere Muscheln (*Mercenaria violacea*, *Lucapina* und *Olivella*arten) als Geld. Endlich werden ungemünzte und gemünzte Metalle, besonders Edelmetalle, als Geld benutzt.

«Es war eine geniale, im griechischen Osten wohl um die Wende des VIII. und VII. Jahrh. v. Chr. entstandene Idee, das gewogene Stück Edelmetall, das längst dem Handelsverkehr diente, durch einen Stempel des Staates, der die Garantie des Gewichtes übernahm, zur Münze zu machen» (FURTWÄNGLER).

5. Handelssprache.

Eine Welthandelssprache gibt es nicht. Doch ist das Englische unter allen Handel treibenden Nationen so verbreitet, daß man auch im Großdrogenhandel nicht ohne diese Sprache auskommt, die sehr dem, was man eine Welthandelssprache nennt, nahe kommt. Denn während der Holländer die Sprachen der von ihm unterworfenen Völker erlernt — auf Java ist z. B. das Malaiische für den Verkehr nötiger als das Holländische — verlangt der Engländer, daß die Vasallenvölker Englisch lernen. Auf Ceylon und in Indien ist daher Englisch Handelssprache. Als Elisabeth den Thron bestieg, sprachen weniger Menschen englisch, als jetzt in London wohnen, jetzt umspannt das Englische den ganzen Erdball. «Es durchbrach die Schranken der Kontinentalität und nahm die Größe des Ozeans zum Vorbilde.»

In Afrika und den angrenzenden Teilen Asiens ist das Arabische im Handelsverkehr weit verbreitet, da die Zwischenhändler oft Araber sind. «Allah iberack l'ak» (Möge Gott es Euch gedeihen lassen) ist eine arabische Formel, deren Aussprache den Kauf abschließt.

In Ostasien und in vielen Hafenplätzen, wo Chinesen Handel treiben, ist das Chinesische Handelssprache, wie auf den südasiatischen Inseln das Malaiische. Besondere Handelssprachen, die sich im Laufe der Zeit entwickelt haben und die ein für praktische Zwecke zurechtgemachtes Mischmasch verschiedener Sprachen darstellen, sind z. B. die Lingua franca, die aus dem Italienischen entstanden und mit Brocken aus allen möglichen Sprachen des Mittelmeerbeckens gemischt ist. Sie wird besonders in Smyrna gesprochen, wo so viele Sprachen durcheinander schwirren, wie einst im Altertum in Dioskurias am Pontus Euxinus. Dann das in den europäischen Häfen von China und weiter südlich verbreitete Pitchĕn-English (von pi tschen, so spricht der Chinese business aus), ein Gemisch von Englisch und Chinesisch — das ich ziemlich rasch verstehen lernte — das Neger-Englisch an der Kongoküste, das Kisuaheli, der Nigre tongo, Dschue tongo (in Surinam), die Lengua geral (in Brasilien) u. a. m.

Der Warenballen ist in weit höherem Grade ein Verbreiter der Gesittung als die Person des Kaufmanns. Den Haupthebel für die Tätigkeit des letzteren bildet zunächst allemal der Gewinn; er will handeln und erwerben, nicht zivilisieren. ANDREE.

V. Pharmakodiakosmie.

Die Pharmakodiakosmie (von *διαχοσμεῖν* = sortieren) beschäftigt sich mit den Handelssorten und den Verpackungen der Drogen.

1. Handelssorten.

Schon das Altertum kannte Handelssorten. Beim *Anis* z. B. führt DIOSCURIDES an, daß der kretische besser sei als der ägyptische. Ja schon zur Zeit der Pharaonen unterschied man schwarzes, weißes und rotes *Fatti* (d. h. *Mastix*).

Wir wissen (HÜLLMANN, Handelsgeschichte der Griechen, 1839), daß die Griechen, die einen lebhaften Handel mit dem Orient trieben, *Majoran* aus Tenedos, Creta, Chios und Heraclea, *Senf* aus Cypern, *Thymian* vom attischen Hymettos, *Safran* von Rhodos und Kyrene, *Helleborus* von Thessalien und Böotien, *Silphium* von Kyrene als Handelssorten unterschieden.

Handelssorten erwähnt auch PLINIUS besonders bei den Harzen, beim *Bdellium* beschreibt er die Unterschiede zwischen der peratischen und der indischen Sorte, beim *Olibanum* erwähnt er drei Sorten, beim *Mastix* zwei, bei der *Myrrha* gar sechs (resp. acht): die troglodytische, die minäische (die atramitische, ansaritische), die dianitische, die «collatitia», die sambracenische und die dusaritische.

ORIBASIUS (geb. c. 350) unterschied *μαστίχη χία* und *μαστίχη αἰγυπτία*. Auch IBN BAITAR führt da und dort Handelssorten an.

Die Krämerordnung der Stadt Straßburg 1470 schätzt am höchsten den *Safran* von Ort, dann den von Toscana und bezeichnet als schlechtesten den Belgir. Im Mittelalter unterschied man überhaupt vom *Safran* zahlreiche Sorten: *Safran* aus den Abruzzen, aus Acquila, aus Aragonien, aus der Auvergne, aus Calabrien, Castelnaudary, Catalonien, Cima, England, San Gemignano (bei Florenz), Mallorca (Majolica), aus den Marken an der Adria, Marokko, Mirabel (Dep. des basses Alpes), Montferrat (zwischen Turin und Genua), Noort, Orta, Österreich, Tortosa, Puglia, Ruscia, Toscana, Valenza u. a. m. (FLÜCKIGER).

Die gegen Ende des Mittelalters und im XVI. Jahrh. vielfach übliche Pflanzen- und Handelssortenbezeichnung «romani» bedeutet nur soviel, daß die Sorte aus dem Süden stammt. Ähnlich verhält es sich mit den unbestimmten Bezeichnungen «troglodyticus», «aethiopicus», «indicus», «ponticus», «arabicus», die man in alter Zeit oft als «nähere» Bezeichnung fand und von denen «arabicus» noch im *Gummi arabicum* erhalten ist, das aber nicht aus Arabien zu uns kommt und wahrscheinlich auch niemals aus der Arabia felix kam.

Besser stimmen die noch heute üblichen, allerdings ganz allgemeinen Bezeichnungen «orientalis», für asiatische, speziell indische Drogen, und «occidentalis», für amerikanische, die wohl namentlich mit Rücksicht auf die Bezeichnungen Ostindien und Westindien gewählt wurden.

Neben den nach Ländern benannten Handelssorten finden wir auch frühzeitig nach der Gewinnungsweise unterschiedene. Die amtliche Apothekertaxe Roms vom Jahre 1558 führt z. B. unter anderem zwei Handelssorten von *Manna* auf: di fronda (auf den Blättern) und di corpo (von den Stämmen).

Die äußere Form hat auch bisweilen zur Handelssortenbezeichnung gedient, so z. B. wurde früher — jetzt nicht mehr — *Curcuma rotunda* und *Curcuma longa*, d. h. Zentral- und Nebenwurzelstärke unterschieden.

Die Handelssorten der Drogen im modernen Handel sind dem Wechsel unterworfen. Alte Sorten verschwinden, neue tauchen auf, um nach kürzerer oder längerer Zeit wieder anderen Platz zu machen. Die *China Cuprea* z. B. ist aufgetaucht und

Fig. 273.

Die älteste Darstellung einer Drogenpackung (VI. Jahrh. v. Chr.). *Silphium*ballen, die vor den Augen des Königs Arkesilas abgewogen und dann im Schiffsraum verstaut werden. Von der Arkesilasschale im Cabinet des médailles in Paris. [Nach Baumeister, Denkmäler.]

wieder verschwunden und auch von der *Crown Aloë* hört man wenig mehr. Es ist ein fortdauerndes Hin- und Herfluten, ein auf und ab, das sich durch Angebot und Nachfrage regelt. Dem Importeur liegt nur daran, Käufer für seine Ware zu finden. Da erscheinen dann plötzlich große Mengen einer Droge am Markt, die bisher unbekannt war. Alles kommt darauf an für die neue Droge zunächst empfehlende Gutachten zu erhalten und dann, damit nicht zu große Lagerspesen entstehen, so rasch wie möglich Käufer zu finden. Manchmal hält sich eine Droge, wie z. B. die Carthagena-*Ipecacuanha*, trotzdem die Arzneibücher in der Mehrzahl sie ablehnen, dadurch, daß Spezialitätenfabrikanten sie in großer Menge brauchen, manchmal findet die Sendung auch keine Abnehmer. So fand ich in den Londoner Docks 1903 *Cuprea*, die seit 1881 dort unverkauft lag. Aufgabe der Zwischenhändler (Agenten, Makler) ist es Liebhaber zu finden und eventuell Bedürfnisse zu schaffen, wenn sie nicht vorhanden sind.

Wenn man ältere (oder auch neuere!) Lehr- und Handbücher der Drogenkunde zur Hand nimmt, so findet man eine große Menge von Handelssorten aufgeführt, die heute kein Mensch mehr kennt und die nur in den Drogenmuseen noch zu sehen sind. Sie haben nur noch historisches Interesse. Von den vielen Handelssorten der *Sarsaparille*, die SCHLEIDEN und BERG erwähnen, ist nur Honduras und Veracruz übrig geblieben, zu der dann noch die rote Jamaica und die Lima hinzutraten. Es ist Sache des Lehrers der Pharmakognosie die Studierenden darüber zu belehren, was jetzt im Handel ist, nicht darüber, was einst im Handel war. Er muß also Fühlung mit dem Großhandel suchen. Die im folgenden aufgeführten Handelssorten sind solche, die sich 1907 im Drogen-Großhandel fanden. Auf andere komme ich im speziellen Teile bei den betreffenden Drogen zu sprechen.

So fanden sich 1907 im **Großhandel** (ich folge besonders der Liste von JULIUS GROSSMANN, Hamburg):

Agar-Agar, Fäden — Schnitzel — Linealform.

Aloës, Barbados in Kürbissen — Capensis in Kisten — Curaçao, capartig — Curaçao, leberfarbig.

Canthariden, chinesische — russische.

Colocynthides, Palästina — türkisch — spanisch («pulp» und «apples»).

Cort. chinae flavae, Carthagena — Maracaibo — Porto Cabello.

Cort. chinae Loxa.

Cort. chinae regiae Calisaya, echt (Monopolrinde).

Cort. chinae rubrae.

Cort. chinae Culturrinde, Droggistquills, pijpen oder Pharmaceut. Basten — Fabrikrinde oder Fabrieksbasten.

Der englische Großhandel nennt *Chinarinde* einfach «Bark», wie *Perubalsam* kurz «Balsam».

Cort. aurantiorum, Malaga — Curaçao.

Sem. tonco, Angostura — Para — Surinam.

Ichthyocolla, brasilianische Zungen (Tongues) — Maracaibo Herzform — Venezuela Zungen und Taschen.

Fol. cocae, Cuzco — Trujillo.

Fol. jaborandi, Ceara — Paraguay.

Fol. sennae, Alexandrinae — Tinnevelly.

Benzoë, Palembang — Siam — Sumatra.

Lignum quassiae, Jamaica — Surinam.

Moschus, Assam — Cabardinic. — Tonquin.

Gallen, Bassorah — Smyrna (und zwar «blues», «greens», «whites»).

Sem colae, $^1/_2$ Nüsse — $^1/_4$ Nüsse.

Nuces vomicae, Cochin — Bombay — Calcutta — Madras.

Ol. geranii, Bourbon Couteau St. Andrée — ostindisch. Palmarosa prima — ostindisch. Gingergrass.

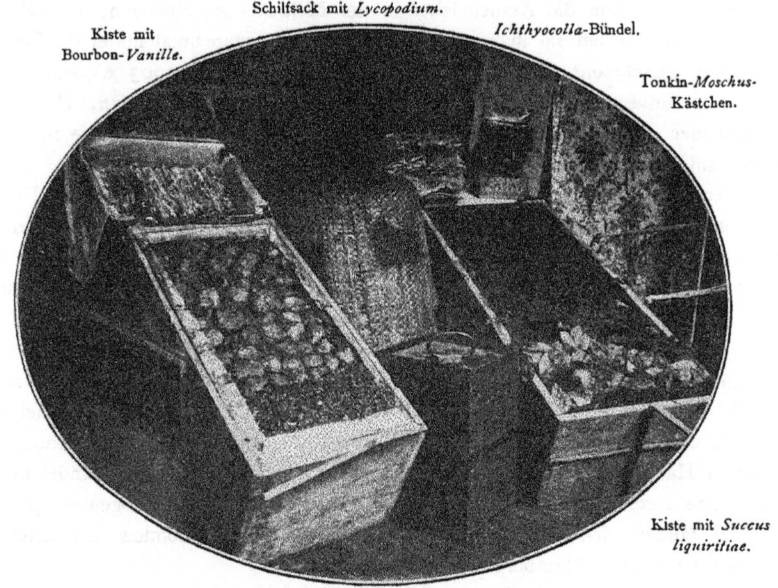

Fig. 274.
Originalverpackungen von Drogen. [Weigel phot]

Ol. lavandulae, französisch — spanisch.

Ol. menthae, americ. — japan. — japan. crist.

Rad. ipecacuanhae, Carthagena — Mattogrosso — Minas.

Rad. liquiritiae, griech. — spanisch Alicante — Tortosa — Russisch Ural.

Rhiz. rhei, Canton — Shanghai — Shansi — englisch — französ. — österreich.

Rad. sarsaparillae, Honduras — J. G. Krone — F. & S. Krone — GB Seronen — Stern Seronen (Fig. 276).

Rad. senegae, südlich — westlich.

Secale cornut., russisch — spanisch.

Succus liquirit., Baracco — Duca di Atri.

Catechu (*Cutch*), Baran B. S. — Mangrove M — Pegu Stern B — Pegu Stern J. G — Pegu D. C. — Pegu B. T. — Ostind.

Curcuma, Bengal. — Cochin — Madras.

Gummi arabicum, Cordofan — Ghezirah — Mekka — Senegal.

Dammar, Batavia — Padang.

Traganth, syrisch — persisch — türkisch — Traganthon.

Opium, Geiwa — Salonici — Smyrna — Alexandretta — persisch.

Orlean, Bisdary — Clayssen — Latapie.

Indigo, Bengal und Behar — Oude und Benares — Bimlipatam — Madras — Kurpah — Manila — Bombay — Java — Westindisch.

Nachfolgende, aus anderen Quellen (GEHE, WEIGEL) stammende Übersicht gibt einen guten Überblick über die 1907 beobachteten Handelssorten der wichtigsten Drogen, die Hauptsorten sind gesperrt gedruckt. Die meisten Namen finden sich auf der Karte: «Handelsstraßen im XX. Jahrh.» (Beilage).

Aloë. Kap-, Barbados-, Curaçao-, Socotra-, Natal-, Bombay-, Sansibar-, Uganda-, Mocha-, Madagaskar-, Jafferabad-, Bonaire-, Aruba-, Indische *Aloë.*

Amygdalae. Malaga- oder Jordanmandeln, spanische (Valencer- und Alicante M.), italienische (Florentiner-, Puglieser-, Bari-, Avola-, Sizilianer M.), südfranzösische (Provençer M.), nordafrikanische (Marocco-, Mogador- oder berberische), kleinasiatische, griechische, canarische *Mandeln.*

Asa foetida. in lacrymis (seu in granis), amygdaloides (seu in massis), in pasta, petraea, depurata aus Persien.

Anacardia. orientalia und occidentalia.

Balsamum copaivae. Maracaïbo- (Venezuela), Angostura-, Maturin-, Carthagena-, Bahia-, Para-, Maranham-, Surinam-, *Copaïvabalsam.*

Benzoë. Siam-, Sumatra-, Palembang-, Penang-, Padang-, Calcutta- oder Block-*Benzoë.*

Cacao. Guayaquil — Machala-, Guayaquil — Arriba-, Guayaquil — Balao-, Nicaragua-, Guatemala-, Puerto — Cabello-, Para-, Bahia- (Brasil), Samana-, Maracas-, Cauca-, Caracas-, Garupano-, Haiti-, Domingo-, Jamaica-, Cuba-, Portorico-, Trinidad-, Peru-, Argentinien-, Ceylon-, Kamerun-, St. Thomé (afrikan.) *Cacao.*

Campher. Laurineen-, Japan-, Borneo- (oder Sumatra-), Ngai- (oder Blumea-), künstlicher *Campher.*

Cantharides. russische und ungarische, chinesische *Kanthariden.*

Caricae. kleinasiatische, spanische, italische, portugiesische, griechische, nordafrikanische *Feigen.*

Caryophylli. Amboina-, Molukken-, Sansibar-, Pemba-, Bourbon-, Madagaskar-, Cayenne-, Antillen-*Nelken.*

Castoreum. Castoreum canadense (Hudsonbay) — C. sibiricum.

Catechu. Pegu- (oder Bombay-), Gambier-, bengalisches, Malakka-, Kamaon-, Bacau-, Mangrove-*Catechu.*

Coffea. arabischer (Mokka), afrikanischer (West- und Ostafrika), indischer (Java, Menado, Ceylon), westindischer (Cuba, Jamaica, Domingo, Portorico), mittelamerikanischer (Mexico, Costarica, Guatemala, Nicaragua), südamerikanischer (Venezuela = Maracaïbo, Ecuador, Surinam, Brasilien = Santos und Rio) *Kaffee.*

Collapiscium (Ichthyocolla). Saliansky- und Beluga-Hausenblase, Fischblasen (brasilianische, kaukasische, Maracaïbo- [Herzform], westindische Blasen).

Copal. Ostafrikanische (Sansibar-, Mosambique-, Madagaskar-), westafrikanische (Sierra Leone-, Gabon-, Loango-, Angola-, Benguela-, Congo-, Kamerun-, Accra-, Benin-), amerikanische (Brasil-, Columbia-) *Copale, Copal* von Neuseeland und Neukaledonien (Kaurie), ostindischer oder Manila-*Copal.*

Cortex aurantii fructus. Sizilianer oder italienische, Malaga- und französische (bittere) Pomeranzenschalen, Curaçaoschalen, Apfelsinenschalen.

Cortex chinae. Cortex Chinae flavae (Carthagena, Maracaïbo, Puerto Cabello), Cort. Chinae fuscae (Lima, Guajaquil, Huanoco, Loxa), Cort. Chinae regiae = Calisaya (echt und kultiviert, Cochabamba und Duraznello), Cort. Chinae rubrae, Südamerika, Cort. Chinae succirubrae (Java, Ceylon).

Cortex cinnamomi. Chinesischer (China), Ceylon-Zimt oder Caneel, ferner: niederländ. Indien, Argentinien.

Cortex coto verus. Para.

Cortex granati. Cortex trunci et ramorum, radicis, fructuum seu pomorum.

Cortex mezerei. germanicum und gallicum.

Cortex simarubae. guyanensis und jamaicensis.

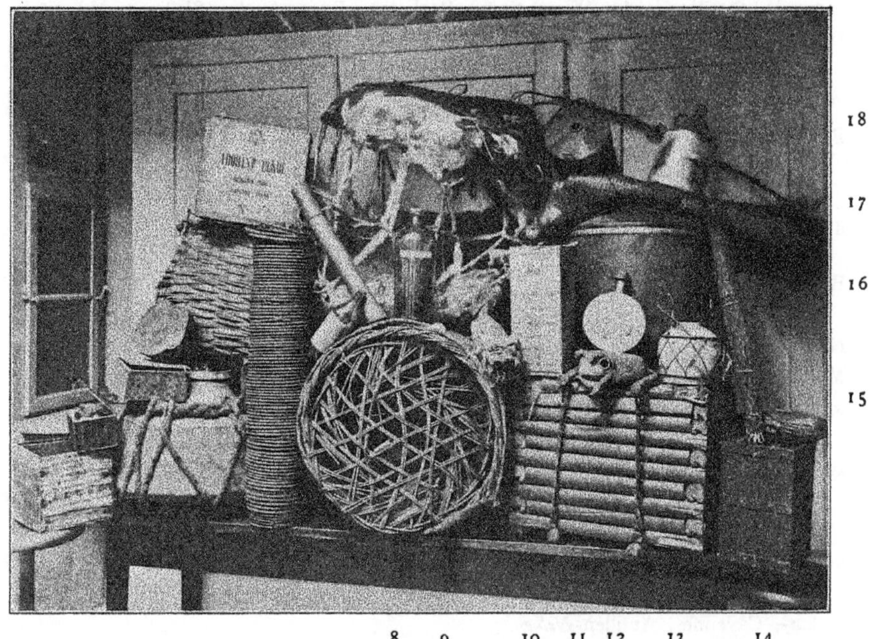

Fig. 275.

Originalverpackungen von Drogen. [Tschirch phot.]

1 *Teekiste.* 2 Korb für *Cort. Winteranus.* 3 Halbe *Curaçaoaloë*-Kalebasse. 4 *Moschus*kistchen. 5 *Teekistchen.* 6 Ballon von *Ol. geranii.* 7 Para-*Sarsaparille.* 8 *Ol. menthae*-Flaschen. 9 *Guttapercha*-Korb. 10 *Citronellaöl*-Kanister. 11 Kiste aus *Metroxylon*blattstielen für die Flaschen von *Cajeputöl.* 12 *Rosenöl*flaschen. 13 *Ingwer*-Topf. 14 *Perubalsam*-Kanister. 15 Honduras-*Sarsaparille.* 16 *Ol. aurantii.* 17 *Russ. Süßholz.* 18 Draht von *Rad. sarsapar.* 19 *Ol. cassiae*-Bleiflasche. 20 Leere Serone von *Rad. sarsaparillae.*

Crocus. französischer oder Gatinais-Safran, spanischer (Valenzer- oder Alicante-), österreichischer, türkischer, persischer *Safran.*

Elemi. Manila- oder philippinisches (weiches und hartes), amerikanisches oder Yucatan-, mexikanisches oder Vera-Cruz-, brasilianisches oder Rio-, afrikanisches, ost- und westindisches, bengalisches, Neu-Guinea- und Mauritius-*Elemi.*

Fabae tonco. Angostura-, Surinam-, Para-*Tonkobohnen.*

Flores chrysanthemi. Dalmatiner, montenegriner.

Folia buccu, lata seu rotunda und longa.

Folia cocae. Bolivia, Peru, Cuzco, Huanuco (oder Huanta), Trujillo (Truxillo), Ceylon, Java.

Folia jaborandi. Brasilien, Ceara, Pernambuco (Para), Paraguay, Guadeloupe, Maranham, Aracati, Argentinien.

Folia sennae. Tinnevelly- oder indische Sennesblätter, Mekka- oder arabische, Alexandriner, Tipolitaner, Folia Sennae parva, Fol. Senn. sine resina.

Chinesischer Tee. Schwarzer Tee: Pecco, Padre-Souchong, Linkisam, Campoe, Souchong, Bohe oder Bou, Congo oder Congfu. Grüner Tee: Songlo oder Singloe, Bing, Soulang, Aljofar, Gunpowder, Tché, Tschy, Perltee, Kugeltee, Imperial, Haysan, Hyson. Gelber Tee: Oolong, Blumentee der Chinesen.

Ceylon-Tee. Pecco, Congo-Pecco, Pecco-Souchong, Souchong, Congon oder Kongo, auch Fanningo, Brocken-Pecco, Brocken-Souchong, Teestaub (dust).

Java-Tee. Schwarzer Tee: Orange-Pecco, Flowery-Pecco, Broken-Pecco, Pecco-Dust, Pecco-Siftings, Pecco, Pecco-Souchong, Oolong, Soepoey-Pecco, Kempoey, Souchon, Souchong-Boey, Congo, Congo-Boey, Boey, Broken-Tea, Stof (Staub). Grüner Tee: Joosjes, Uxim, Hysant, Tonkay, Schesi.

Fructus anisi. russischer, italischer, spanischer, österreichischer *Anis*.

Fructus capsici. spanischer Pfeffer, Paprika, roter Japan- oder Cayenne-Pfeffer (Chillies).

Fructus cardamomi. Fruct. Cardamomi malabaric. (kleiner oder Malabar-Kardamom), Eruct. Cardamomi ceylanic. (langer oder Ceylon-Kardamom), Malabar-Cardamomen aus Ceylon, Aleppi-Kardamom (gebleicht), Fruct. Cardamomi excorticat.

Fig. 276.
Originalverpackungen von Drogen. [Weigel phot.]

Fructus carvi. holländischer, österreichischer, russischer, norwegischer, malteser, französischer, schwedischer, deutscher *Kümmel*.

Fructus colocynthidis. ägyptische, syrische, cyprische, marokkanische (Mogador), spanische, persische *Koloquinten*.

Fructus foeniculi. deutscher (sächsischer), Puglieser (aus Apulien), mährischer, macedonischer, galizischer, römischer, holländischer, kretischer, Florentiner (süßer), japanischer, französischer, Levantiner, ostindischer (Bombay-) *Fenchel*.

Fructus papaveris. Fructus Papaveris immaturi und maturi.

Fructus vanillae. Bourbon- (oder Réunion-), Seychellen-, Madagaskar- und Comoren-, Mauritius-, Java-, Deutsch-Ostafrikanische, Tahiti-, brasilianische, mexikanische, La Guayra- oder Pompona-, neuseeländische und australische Vanille.

Galbanum, persisches, Levantiner G., G. in lacrymis (seu in granis), G. in massis, G. expureatum seu depuratum seu colatum.

Gallae. kleinasiatische, Levantiner oder türkische Gallen: Aleppische (auch Jerli- und Sorian-Gallen), Mosulische, Smyrnäer, Tripolitaner Gallen. Europäische (sog. Eichen-) Gallen: Morea- oder Kron-Gallen, österreichische, böhmische, deutsche oder Kollari-Gallen. Istrische oder ungarische Gallen. Knoppern oder Valonen. Chinesische (sog. Sumach-) Gallen. Japanische (Sumach-) Gallen. Amerikanische, Pistacien-, Tamarix-*Gallen.*

Gummi arabicum. Ostafrikanisches Gummi (Kordofan-, Gezireh-, Sennaar-, Suakin-, Geddah-, Embavi-, Mekka-Gummi), westafrikanisches oder Senegal-Gummi,

Fig. 277.
Originalverpackungen von Drogen. [Weigel phot.]

nordafrikanisches (marokkanisches oder berberisches), Gummi aus Deutsch-Südwest-afrika (Angra Pequena), Kap-Gummi, indisches oder Amrad-Gummi (Ersatzgummi), australisches oder Umrawatti- (Wattle-), brasilianisches oder Para- (von *Acacia Angico*), Ghatti- oder Dhaura-Gummi, argentinisches oder La Plata-*Gummi.*

Gutti. Siam-, Ceylon-Gutti. (Röhrengutti, Schollen- oder der Kuchengutti [Cake-Gamboge] ≑ Gutti in Klumpen oder in Masse.)

Kino. Malabar-, Amboina- oder Cochin-, Gambia- oder afrikanisches, bengalisches oder Balasa-, australisches, Jamaika- oder westindisches *Kino.*

Lacca (Stock- bezw. Schellack). in ramulis (Stocklack), in granis (Körnerlack), in tabulis (Schellack), in massis (Block- Knopf- oder Blutlack), Lacca alba (gebleichter Schellack), Granat- oder Rubinlack.

Lactucarium, deutsches und österreichisches.

Lignum quassiae, surinamense und jamaicense.

Lignum santali, rubrum, citrinum (seu album) ostindicum (!), album westindicum (!).

Lycopodium, russisches, österreichisches, deutsches, schwedisches *Lycopodium*.

Macis. Banda, Bombay, Papua-*Macis*. Britisch- und niederländisch Indien.

Manna. Röhren- oder Stengel- (Manna electa, in lacrymis, in fragmentis), gemeine, Calabreser- oder Gerace-M., fette oder Puglieser-M., M. depurata.

Mastix. levantinischer (Chios), indischer, römischer oder Bombay-*Mastix*, amerikanischer *Mastix*.

Moschus. Tonkin- oder tibetanischer, kabardinischer, russischer oder sibirischer M. (in vesicis, ex vesicis, trimmings, vesices evacuatae), Assam-, Yünnan-, Bucharischer M., künstlicher *Moschus*.

Oleum amygdalarum = süßes oder fettes Mandelöl, — ätherisches Bittermandelöl [blausäurehaltig, blausäurefrei], künstliches Bittermandelöl = Ol. Amygdal. aether. artificiale (Benzaldehyd) [chlorhaltig, chlorfrei].

Oleum aurantii. Ol. Aurant. dulc. = süßes Pomeranzenschalenöl, Ol. Aurant. amar. = bitteres Pomeranzenschalenöl, Ol. Aurant. flor. = Orangenblüten- oder Neroliöl, Bigarade-Portugal-Öl, Ol. Aurant. fol. = Petitgrains-Öl (französisches, Paraguay-Öl).

Oleum caryophyllorum aus Nelken, Nelkenstielen.

Oleum cinnamomi. Cassia- oder chinesisches Zimtöl, Ol. Cinnamomi Ceylanic. = Ceylon-Zimtöl, Ol. foliorum Cinnamomi = Zimtblätteröl.

Oleum eucalypti. Ol. Eucalypti Globuli, Ol. Euc. amygdalinae, Ol. Euc. australe. Öle von E. maculata var. citriodora und von E. macarthuri.

Oleum geranii (Palmarosa), Geranium- oder Pelargonium-Öl (französisches, afrikanisches, Réunion-, spanisches), türkisches oder indisches Geraniumöl (Palmarosaöl), Gingergrasöl.

Oleum jecoris aselli, norwegischer (Lofoten-, Finmarken-) Dorschtran, Neufundland- oder Labrador (Ol. Jecor. Asell. vapore parat. [Dampftran], Ol. Jecor. Asell. citrinum seu medicinale [natürlicher, sogen. Medizinaltran, hellgelb, gelb, hellbraun, braun usw.]), Tran für technische Zwecke [Robben-, Sepfisch-, Japan-Tran usw.].

Oleum juniperi, fructus seu baccarum, Ol. Juniperi ligni, Ol. Juniperi empyreumaticum seu Ol. cadinum.

Oleum lavandulae, französisches, englisches (Mitcham-Öl).

Oleum menthae piperitae, deutsches (bzw. sächsisches oder schlesisches), englisches (Mitcham, Cambridge), amerikanisches (Wayne County, Michigan, Marken· H. G. HOTCHKISS, F. S. & Co., A. M. TODD), japanisches (flüssiges und festes, Marken: KOBAYASHI, YAZAWA), französisches, russisches und italienisches *Pfefferminzöl*.

Oleum olivarum, spanisches, italisches, französisches, österreichisches, griechisches, portugiesisches, algerisches, kleinasiatisches, kalifornisches, Ol. Oliv. opt. seu provinciale (Jungfernöl, Provenceöl, Olivenöl): Nizzaöl, Bari- (oder Puglieser-) Öl. Ol. Olivar. commune (grünes Olivenöl, Baumöl). Ol. Olivar. denaturatum.

Oleum origani, vulgaris (Dostenöl), cretici (Spanisch Hopfenöl oder Kretisch Dostenöl: Triester Origanumöl, Smyrnäer Origanumöl).

Oleum ricini, italienisches, französisches, amerikanisches (brasilianisches), ostindisches *Ricinusöl*.

Oleum rosae. bulgarisches (auch türkisches), deutsches Rosenöl, Rosengeraniol.

Oleum rosmarini. französisches, italienisches oder Dalmatiner, spanisches *Rosmarinöl.*

Oleum santali, ostindisches, indisches Macassar-, westindisches *Sandelöl.*

Oleum terebinthinae, amerikanisches, französisches, österreichisches, galizisches, russisches, polnisches (auch deutsches genannt!), finnisches, schwedisches und norwegisches *Terpentinöl* (*Kienöl*).

Barbadosaloë in Kürbissen. Korb von *Cassia fistula.* Ballen von *Rhiz. chinae.*

Fig. 278.

Originalverpackungen von Drogen. [Weigel phot.]

Oleum thymi, album, rubrum (französisches, deutsches, spanisches Öl).

Opium, kleinasiatisches, türkisches, griechisches, ostindisches, chinesisches, persisches *Opium.*

Radix gentianae, rubrae und albae.

Radix ipecacuanhae, Rio (Matto-Grosso, Jahore, Bahia), Carthagena, Rad. Ipec. deemetinisata seu ab Emetino liberata.

Radix liquiritiae, russisches, spanisches, syrisches, italisches, französisches, griechisches *Süßholz.*

Rhiz. rhei, Sinensis (Shensi, Canton, Shanghai), Anglica, Austriaca, Rhapontic.

Radix sarsaparillae, Honduras-, Guatemala-, Veracruz (auch ostmexikanische oder Tampico-), Jamaika-, Para-, Lissabon- (auch Rio negro- oder brasilianische) Lima-*Sarsaparille.*

Radix senegae, Nordamerika (Pensylvanien, Missuri, Kansas), Kanada (Minnesota, Manitoba).

Resina acaroides. rotes und gelbes *Acaroidharz.*

Resina (*Sanguis*) *draconis,* indisches oder Palmendrachenblut, sokotrinisches Drachenblut.

Rhizoma iridis. Florentiner, Veronenser, Africaner (Mogador).

Rhizoma valerianae. thüringische, belgische, Harzer, holländische *Baldrianwurzel.*

Rhizoma zingiberis. bengalischer, Cochin-, Japan-, China, Jamaika-, westafrikanischer oder (schwarzer) Barbados-*Ingwer.*

Secale cornutum. russisches, spanisches, deutsches, österreichisches Mutterkorn.

Semen papaveris, album und coeruleum.

Semen strophanthi, Ost- und Westafrika, Kombe, hispidus, gratusseu glaber.

Succus liquiritiae. italienischer oder Calabreser (Marke: Barracco, Duca di Atri, Martucci, Zagarese, Salvago u. a. m.), spanischer, kleinasiatischer oder Levantiner, griechischer, russischer, englischer *Süßholzsaft.*

Terebinthina, französischer oder Bordeaux-, amerikanischer oder virginischer, österreichischer (auch deutscher) *Terpentin.*

Tragacantha. kleinasiatischer, Levantiner, anatolischer, türkischer oder Smyrnäer-, syrischer, persischer, Morea- oder griechischer, Kreta-*Traganth.*

Tubera jalapae, Mexiko.

Tubera salep. deutscher, Levantiner *Salep.*

Die zahlreichsten Sorten zeigt der *Kautschuk* (India Rubber, Gummi elasticum). Die 1907 im Großhandel auftretenden Handelssorten desselben sind im folgenden, nach den erzielten Preisen geordnet — bei den teuersten beginnend — aufgeführt (im wesentlichen nach der Liste von Weber & Schär). Es ist daraus ersichtlich, daß schon jetzt die besten Ceylon- und Sumatra-Paras (von kultivierter *Hevea*) — «Plantation Ceylon India Rubber» und «Sumatra-Para» — alle anderen geschlagen haben.

Hochfeiner und feiner Ceylon-Para — bester Sumatra-Para —, hochf. hard fine Para (Brasilien) — Bolivian enterfine Para — heller Mattogrosso fine Para — primissima rote Adeli Niggers — hochfeine rote Mozambique balls — feine Ceylon scraps — hochfeine schwarze Equateur — hochfeine rote Niggers, ähnlich Adeli — hochfeine Mozambique balls — primissima rote Massai Niggers A Anker A — primissima rote Loanda Niggers, — hochfeine gepreßte Uganda biscuits — hochfeine rote Sudan Massai Niggers, — prima Mozambique balls (Ostafrika, Mikindani) gute

Fig. 279.
Binden der *Vanille* in Papantla. [Nach Preuß.]

trockene Congo Niggers — schwarze Uganda Cakes — scrappy Bolivian Negroheads — hochfeiner Rangoon Gummi — gereinigter Manicoba — feine schwarze Equateur — feine Congo clusters hochfeine Guayaquil scraps — prima hochfeiner Penang — helle Assinee Niggers — weiße Uganda Cakes — Lopori II fob Antwerpen — prima alte Lahou lumps — hochfeine westindische strips — heller Madagaskar — feine rote Gambia balls — gute westafrikanische balls — gute Mayumba balls — hochfeine Mattogrosso Santos sheets (Brasilien, Mattogrosso) — prima weiße Accra balls — prima

Kamerun clusters (Kamerun, Duala) — gute Kamerun-Kuchen — prima Mozambique Wurzelgummi — Ib. Gambia balls — gute trockene Madagascar Lianen Cakes — gute Kamerun-Kuchen — Madagascar-Kuchen und Niggers — guter C/A Madagascar — alte Lahou lumps u. Cakes — trockene secunda Bissao balls — Ponang — Thimbles, besonders gute Ware — gute Lagos lumps — Thimbles in Säcken — Ceara Mangabeira — Mozambique marbles — Moma Mozambique marbles

Fig. 280.
Verpacken des *Tee* in quadratische Kisten und Verlöten der Kisten in China.

ausgesuchte prima Accra lumps, A Anker A — prima Gambia balls — prima ausgesuchte Goldküsten lumps — unsortierte Goldküsten lumps — guter secunda Borneo, Ankermarke — gute sekunda Goldküsten lumps — weiche westafrikanische balls — Soe-Soe — trockene unripe Mozambique marbles — Mozambique Wurzelgummi — Mozambique unripe balls — Dead Borneo.

Der Londoner Großhandel notierte 1907: India Rubber Assam — Borneo — Plantation Ceylon, Malay usw. — Madagascar — South American — Mozambique — African.

Sehr zahlreich sind auch die *Copal*sorten.

In Kleinasien unterschied man (1895) folgende *Opium*sorten·

Malatia, Tokal, Zileh (das beste) für chinesisches *Rauchopium*.

Boghadich für *Rauchopium* (nach Zentralamerika).

Yerli (aus der Umgegend von Smyrna) medizinisch bevorzugt.

Chaüe, gleichwertig mit Yerli.

Salonica.

Karahissar, aus der Umgegend dieser Stadt (in England bevorzugt), vgl. Fig. 10.

Adeth (= gewöhnlich) geht nach China und Amerika.

Chinquiti, aus dem Innern Kleinasiens.

So-so, schlechte Sorte.

In Persien unterscheidet man: Meschedopium, Ispahanopium und Tschakida (gekochtes *Opium*).

Selbst eine und dieselbe Handelssorte wird bisweilen in verschiedene Formen gebracht. So ist z. B. persisches *Opium* sowohl in Form von Stäbchen, wie in konischen oder rechteckigen Stücken im Handel.

Die in Amsterdam gehandelten *Tee*sorten lauten (von der schlechtesten beginnend): Stof, Broken Tea, Boey, Congo Boey, Congo, Souchon Boey, Souchon, Kempoey, Soepoey Pecco, Oolong, Pecco Souchon, Pecco, Pecco Siftings, Pecco Dust, Broken Pecco, Flowery Pecco, Orange Pecco. Die grünen: Schin, Tonkay, Hysant, Uxim, Joosjes.

Bei der *Rhizoma iridis* unterscheidet man in Florenz: Scelte (sortierte), in sorte (gewöhnliche), frantumi (ganze Rhizome) und raspature (Schälabfälle) — in Verona: Radice dritta («pro infantibus»), groppo (zu Iris- [Fontanelle-] Kügelchen) und scarto (Abfälle).

Von der *Vanille* unterscheiden die Mexikaner: Vainilla de Lec (von Léi = Gesetz, Regel) und Vainilla cimarrona (von cimarrón = wild).

Die **Bezeichnung der Handelssorten** erfolgt nach sehr verschiedenen Grundsätzen. Die beiden am häufigsten vorkommenden Bezeichnungsarten sind die nach

Fig. 281.

Jagd des *Moschus*tieres in China. Kopie der phantastischen Zeichnung, die sich auf den Papieren findet, in die die einzelnen *Moschus*beutel gewickelt werden. [Stark verkleinert. Original 14,5 : 18,5 cm Bildgröße.]

dem Produktionslande (chinesischer *Zimt*, Pegu-*Catechu*, holländischer *Kümmel*, Marokko-*Lein*, Cordofan*gummi*, französischer *Terpentin*, amerikanisches *Colophonium*, persisches *Opium*, Curaçao*aloe*, Bourbon*vanille*, Banda*macis*, syrischer *Traganth*, Sumatra-*benzoë*, Ceylon*zimt*, russisches *Süßholz*, Java*china*, Honduras*sarsaparille*, Irländisch *Moos*,

Surinam *Quassia*, bengalischer *Ingwer*) oder Produktionsorte (Guéwé*opium*, Gatinais-*Crocus*, Veroneser *Veilchenwurzel*, Cuzco*coca*, Tinevelly*senna*, Palembang*benzoë*, Tortosa*süßholz*, Tolu*balsam*), oder dem Ausfuhrhafen (Smyrna*opium*, Sansibar*nelken*, Payta*ratanhia*, Bombay*macis*, Para*kautschuk*, alexandrinische *Senna*, Cochin-*Brechnüsse*, Manila-*Elemi*, Puorto Cabello-*China*, Batavia-*Dammar*, Rio-*Ipecacuanha*, Maracaibo

Fig. 282.

Schnüren der Fardelen des *Ceylonzimts* in Colombo. [Tschirch, Indische Heil- und Nutzpflanzen.]

Copaivabalsam, Veracruz-*Sarsaparille*, Tampico*jalappe*, Trujillo*coca*, Alicante-*Süßholz*), seltener nach dem Lande, über das die Ausfuhr erfolgt (z. B. Jamaica*sarsaparille*, da von Mittelamerika meist über Jamaica exportiert). Bisweilen wird aber auch die Stammpflanze als Bezeichnung benutzt (*Lärchenterpentin*) oder heimische Namen umgemodelt.

Seltener werden die Namen der Produzenten als Handelssortenbezeichnung gewählt (Hotschkiss und Todd*pfefferminzöl* — Duca di Atri-, Baracco-, Solazzi-*Succus liquiritiae* — Clayssen-, Latapie- und Bisdary-*Orlean*), oder abgekürzte einfache Marken (J. G. Krone, F. & S. Krone, C. & E. Krone Seronen-*Sarsaparille*).

Der *Kaffee* aus Kampongkultur wird in Ceylon «coffee arabian native», der *Kaffee* aus Plantagenkultur «coffee plantation» genannt.

Ein besonderes Kapitel bilden die falschen und die Phantasiebezeichnungen. Es ist nicht immer klar ersichtlich, ob dieselben zum Zwecke der Täuschung erfunden wurden. Jedenfalls können sie zu Täuschungen über die Provenienz führen. Viele dieser Bezeichnungen sind so eingewurzelt, daß sie nicht mehr zu beseitigen sind. Der *Perubalsam* (aus Sonsonate in Mittelamerika), das *Goapulver* (aus Ostbrasilien), das *isländische Moos* (aus Mitteleuropa), der *venetianische Terpentin* (aus Tirol) sind nach Ländern benannt, in denen die Stammpflanze der Droge überhaupt nicht vorkommt. Das *Scammonium* von Montpellier ist weder ein *Scammonium*, noch kommt es aus Montpellier, das *isländische Moos* ist weder ein Moos, noch kommt es aus Island.

Aber auch noch neuerdings tauchen derartige Phantasienamen auf. So wurde eine im Kapland nach eigenartigem Verfahren dargestellte *Aloë* «Uganda*aloë*» getauft (in Uganda wächst keine *Aloë*) und die Bezeichnungen der Handelssorten des *Rhabarber*: Shanghai, Canton und Shensi sind reine Phantasienamen, die keineswegs die Provenienz, sondern nur einen Handelstyp bezeichnen.

Solche fälschlichen Handelsbezeichnungen kamen schon im Altertum vor. So bemerkt z. B. DIOSCURIDES bei der *Narde*: «Es gibt zwei Arten *Narde*, und zwar heißt die eine die indische, die andere die syrische, nicht aber weil sie in Syrien gefunden wird, sondern weil die eine Seite des Gebirges, an dem sie wächst, nach Indien, die andere nach Syrien gerichtet ist.» Und THEOPHRAST bemerkt, daß κερωνια (*Ceratonia Siliqua*) zwar «ägyptische Feige» heiße, doch nicht in Ägypten wachse, sondern in Syrien.

Fig. 283.
Korb mit frischen *Kolanüssen*.

Mißverständlich ist auch die Bezeichnung *Terra japonica* für das vom Rioux Lingga-Archipel stammende *Gambier*. Man wußte ehedem nur, daß es aus dem fernen Osten stamme und vermutete entweder, daß Japan die Heimat sei oder gab ihm absichtlich aus Reklamesucht den auf weite Fernen deutenden irreführenden Namen. Die mißverständliche Bezeichnung für *Gummigutt*, «gummi de Peru» (z. B. bei REUDEN 1613), ist wohl auf eine Umbildung aus dem ähnlich klingenden malaiischen getah jamu (= heilkräftiger Milchsaft) zurückzuführen.

Dann unterscheiden die Großdrogenhäuser die Einzelsorten auch nach ihrer Güte, z. B.:

Tolubalsam, Penang Ph. G. IV — courant.
Canthariden, gesiebt — fein nat. — Grus.
Cort. cascarillae, elect. silbergrau, grusfrei — fein naturell — naturell — Grus.

Cort. chinae flav., ffein naturell — fein naturell — naturell.

Olibanum in lacr. elect. hell Nr. 000 — in lacr. fein hell Nr. 00 — Erbsen ffein hell Nr. 0 in lacr. naturell Nr. 2 — Granen courant.

Myrrha, elect. ffein hell — fein naturell hell — gut naturell.

Sanguis draconis, feurig extrafein A — feurig fein B — C.

Carrageen, elect. — fein A — fein B — 0000 — 000 — 00 — ff. naturell 0 — fein gut — ordinär.

Rad. ratanhiae, $^1/_1$ elect. feurig, ganz knollenfrei — $^3/_4$ elect. gut, rot, knollenfrei — fein naturell, sehr gut in Farbe — naturell — Knollen.

Rad. sarsaparillae Verakruz super. extra — extra prima — prima courant — depurat.

Rad. rhei, großstückig flach — rund — mittelstückig — kleinstückig — $^1/_1$ mundiert — $^3/_4$ mundiert — $^1/_2$ mund. In England: flat, round — high dried, sun dried.

Ricinusöl, erste Pressung — zweite Pressung.

Fol. sennae Tinnevelly grün groß 0000 — grün mittel 000 — grün mittel 00 — grün mittel 0 — grünlich 1 — grünlich 2 — grünlich 3.

Benzoë Palembang, extraf. glasig naturell — ffein glasig naturell — fein glasig naturell — gut glasig, naturell.

Benzoë Siam, große lose Mandeln AA — geflossene Granen E — geblockte Granen hell E** geblockte Granen hell E***.

Benzoë Sumatra, extrafein A — extrafein B — fein mandoliert 0000 — fein mandoliert 000 gut mandoliert 00 — gute Mittelqualität 0 — Mittelqualität 1.

Auch diese Bezeichnungen wechseln. Sie könnten in einigen Fällen ebensogut durch Nr. 1, Nr. 2, Nr. 3 usw. ersetzt werden. Immerhin dienen einige doch zu näherer Charakterisierung.

Welch merkwürdige Verhältnisse bisweilen den Drogenhandel beeinflussen, zeigen folgende Beispiele, die HOLMES mitteilte, der (Pharm. Journ. 1900 March 17, p. 278) einige interessante Mitteilungen über die Handelsverhältnisse gewisser vegetabilischer Arzneimittel machte, die zu einer zeitweisen bedeutenden Knappheit derselben führen.

«Ein merkwürdiges Beispiel bot 1900 *Pilocarpus Jaborandi*, von der es schwer hielt, in ganz London einen Zentner Blätter aufzutreiben, während Blätter von Rio Janeiro-*Jaborandi* (*Pilocarpus Selloanus*) und Maranham-*Jaborandi* (*P. microphyllus*) reichlicher zu haben waren. Der Grund dafür lag darin, daß die niedrige Preisnotierung für die nicht offizinellen Sorten, von denen die letztgenannte trotz des geringeren Gehaltes an Pilocarpin doch dem Fabrikanten günstigere Chancen darbietet als die echte Pernambuco-*Jaborandi*, den Handel in letzteren lähmte und schließlich den Verkauf zu einem Preise veranlaßte, der nicht die Hälfte der Sammlungs- und Verfrachtungskosten betrug. Infolge davon hüteten sich die Schiffer, ihr Schiff mit einer Ware, an der sie Schaden hatten, zu befrachten. Die Verhältnisse werden sich auch kaum anders gestalten, da die Pflanze über kurz oder lang im Mittelmeergebiete in hinreichender Menge kultiviert werden wird, um unseren Bedarf zu decken.

Ein anderer Grund lag dafür vor, daß die von der britischen Pharmakopöe vorgeschriebenen *Semina Strophanthi* (1900) in England nicht zu haben waren. Die ersten Exporteure dieser Droge aus Nyassaland versandten die einander sehr ähnlichen Samen von drei verschiedenen Pflanzen miteinander gemischt. Die die richtigen Samen liefernde Pflanze hat steifbehaarte Blätter; von den beiden schwächer wirkende Samen liefernden Spezies hat *Str. Emini* weiche, samtartige Blätter und Schoten mit einem dichten, wolligen Überzuge. Die langen, langgeschwänzten Blumenblätter, welche diese beiden Arten haben, fehlen der dritten Art, *Str. Courmontii*, die außerdem glatte Blätter hat. Man erkannte die Mischung dieser Samen an dem Verhalten gegen konzentrierte Schwefelsäure, welche die Samen von *Str. Kombe* grün, die der beiden anderen rötlich färbt. Die Exporteure versuchten, sich ein Monopol zu sichern, indem sie den Ursprung der drei differenten Samen den europäischen Botanikern verschleierten; doch hat die Konkurrenz der billigeren *Strophanthus*samen aus Westafrika dahin geführt, daß man in Zukunft nun wirkliche *Kombe*samen aus Nyassa in den Handel bringen wird.

Der niedrige Preis, den die *Tubera Aconiti* der Alpen haben und der namentlich auch durch die Einführung der japanischen Knollen in England bedingt wurde, führte zu sorgloserer Einsammlung und hat in England eine Vorschrift der Pharmakopöe veranlaßt, wonach die im Lande kultivierten Knollen von *Aconitum Napellus* zur Bereitung der offizinellen Präparate zu benutzen sind. Immer aber setzt noch jetzt die Konkurrenz der auswärtigen wilden Droge den Preis der Kulturdroge so stark herab, daß kaum die nötige Menge letzterer produziert werden kann.

Die Ursache der Abnahme des Gebrauchs von *Scammonium* liegt nach HOLMES darin, daß geradezu für bestimmte Märkte eine schlechtere Qualität gefordert wird. Nach Südamerika wird nur *Skilip-Scammonium* begehrt, das nur 40 % Harz enthält. Man hat versucht, das Harz allein als Droge einzuführen, aber hier hat der Wettbewerb in der Billigkeit wieder zwei Produkte in den Handel gebracht, nämlich reines Harz und mit etwas wässerigem Extrakt (durch Perkolation mit Wasser nach Erschöpfung mit Spiritus) versetztes.

Die Nachfrage nach billigem *Safran* zum Färben von Kuchen und Backwerk in Cornwall führt zum Import des minderwertigen Alicante*safran*, der mindestens um einen Schilling pro Unze billiger als Valencia*safran* ist.»

Fig. 284.
Verpacken des *Absinth* in Frankreich. Einstampfen in die Säcke. [Nach Roure-Bertrand.]

Auch Irrtümer erhalten sich oft lange.

WATTS «Dictionary of the Economic Products of India» sagt, daß das sogenannte ostindische *Gummi arab.* gar kein indisches *Gummi* war, sondern von den Häfen des Roten Meeres nach Bombay exportiert und von dort weiter exportiert wird. Ziemlich das Gleiche sagt die Pharmakographia. Obgleich seitdem als inkorrekt bewiesen, finden wir die gleiche Bemerkung in National Dispensatory 1897 und in KINGS American Dispensatory und anderwärts (HEAP).

Es ist aber für den wissenschaftlichen Pharmakognosten sehr schwer, einen Einblick in die Handelsverhältnisse zu bekommen, besonders wenn er nicht in einer Welthafenstadt wohnt. Er erfährt von vielen Vorgängen nichts.

Die *Cardamomen* werden in zwei Arten gehandelt, aber nur wenige, die den Artikel nicht auf dem Markt verfolgen, wissen es. *Sarsaparilla* wird auf dem Londoner Markte in 6 oder 7 Arten geteilt, doch erwähnen die Lehrbücher nichts davon. Im besten Falle findet man drei Arten *Benzoë* in den Lehrbüchern, während die Marktkäufer an vier gewöhnt sind (HEAP).

2. Verpackungen.

In den Abschnitten, die von der Kultur und der Erntebereitung handeln, haben wir die Droge bis zur fertigen Herstellung am Orte der Gewinnung verfolgt. Wir kommen nun zu den Verpackungen. Diesem Teile der Pharmakognosie ist bisher nur wenig Aufmerksamkeit gewidmet worden. Ich betreibe das Studium der Verpackungen seit 1884, wo ich bei Beginn meiner Tätigkeit als Dozent der Pharmakognosie mir durch Vermittelung der Großdrogenhäuser (besonders GEHE & Co.) eine ziemlich vollständige Sammlung der Originalpackungen verschaffte und diese dann hier und in Indien fortdauernd vermehrte. So konnte ich bei der Eröffnung des Museums des Berner pharmazeutischen Institutes (1893) eine Gruppe vorführen, die alles Wesentliche enthielt (Taf. XXX u. XXXI). Wie neuere Mitteilungen (von WEIGEL 1905) zeigen, hat sich in letzter Zeit in den Packungen fast nichts geändert.

Fig. 285.
Verpackung von *Mate* (Paraguaytee). [Tschirch phot.]

In der Literatur findet man wenig über Verpackungen und meist nur ganz gelegentliche Notizen darüber. Die mannigfaltigen Verpackungen der *Sarsaparille*, die ehedem im Handel anzutreffen waren, sind abgebildet in PEREIRA, Elements of materia medica 1855 II, p. 277—284, die eigenartigen Kisten, in denen die *Cajeputöl*flaschen verpackt werden, in meinen Indischen Heil- und Nutzpflanzen (Taf. 75). Die älteste Drogen packung, von der eine Abbildung auf uns gekommen ist, ist die des *Silphium* auf der berühmten Arkesilasschale aus dem VI. Jahrh. v. Chr. (Fig. 273), auf der das Abwiegen und Verstauen der *Silphium*ballen im Schiffsraum dargestellt ist.

Ich gebe im folgenden ein Verzeichnis der hauptsächlichen Packungen, wie dieselben sich 1907 im Großhandel fanden, bemerke jedoch, daß namentlich das Gewicht und die Dimensionen wechseln, und auch andere vorkommen. Im Verpackungstyp hat sich aber in den letzten 20 Jahren wenig geändert. In diesem Punkte ist der Großhandel ziemlich konservativ.

Als **Packmaterial** bedient man sich sehr verschiedener Dinge: der *Rumex*früchte beim *Opium*, der *Lorbeer*blätter beim *Succus liquiritiae*, der nach der Destillation aus der Destillierblase entfernten und getrockneten *Melaleuca*blätter bei den Flaschen des *Cajeputöls*. Auch Reisspelzen finden hie und da Verwendung, z. B. beim *Lemongrasöl*.

Ich unterscheide drei Verpackungstypen: den Kistentyp, den Ballentyp und den Kanister-Flaschentyp. Nach diesen geordnet sollen im folgenden die Packungen vorgeführt werden.

Da die Dimensionen der Kisten usw. wechseln, habe ich sie, um die Form zu fixieren, nach den mir vorliegenden, in meiner Sammlung befindlichen angegeben.

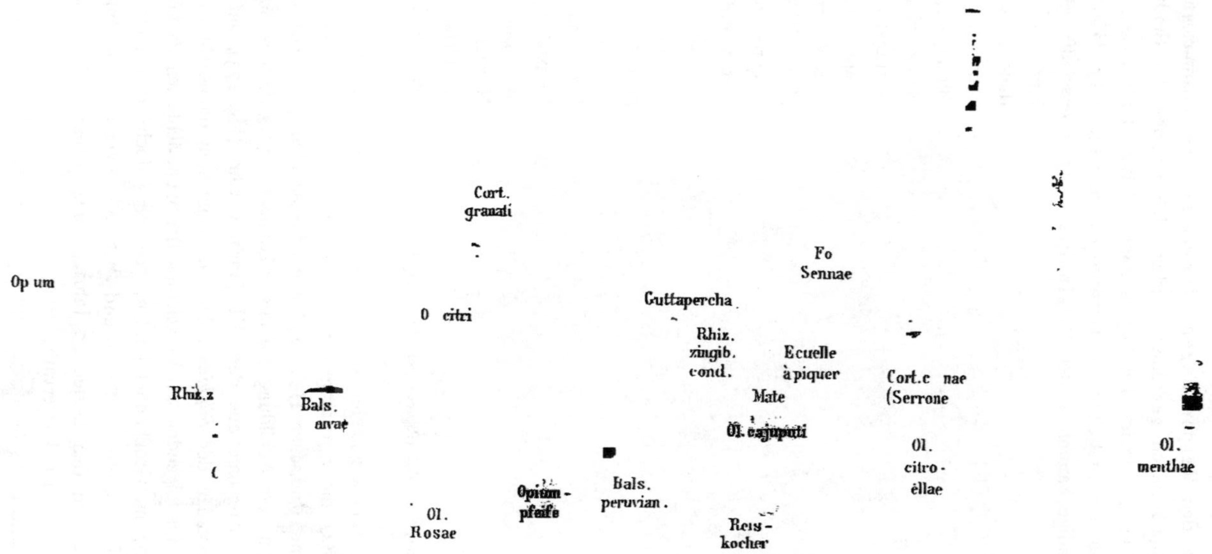

Cort. granati

Op um

0 citri

Fo Sennae

Guttapercha

Rhiz. zingib. cond.

Ecuelle à piquer

Cort.c nae (Serrone

Rhiz.z

Bals. arvae

Mate

Ol. cajuputi

Ol. menthae

Ol. citro-éllae

Bals. peruvian.

Opium-pfeife

Ol. Rosae

Reis-kocher

kommen nun zu den Verpackungen. Diesem Teile der Pharmakognosie ist bisher nur wenig Aufmerksamkeit gewidmet worden. Ich betreibe das Studium der Verpackungen seit 1884, wo ich bei Beginn meiner Tätigkeit als Dozent der Pharmakognosie mir durch Vermittelung der Großdrogenhäuser (besonders Gehe & Co.) eine ziemlich vollständige Sammlung der Originalpackungen verschaffte und diese dann hier und in Indien fortdauernd vermehrte. So konnte ich bei der Eröffnung des Museums des Berner pharmazeutischen Institutes (1893) eine Gruppe vorführen, die alles Wesentliche enthielt (Taf. XXX u. XXXI). Wie neuere Mitteilungen (von Weigel 1905) zeigen, hat sich in letzter Zeit in den Packungen fast nichts geändert.

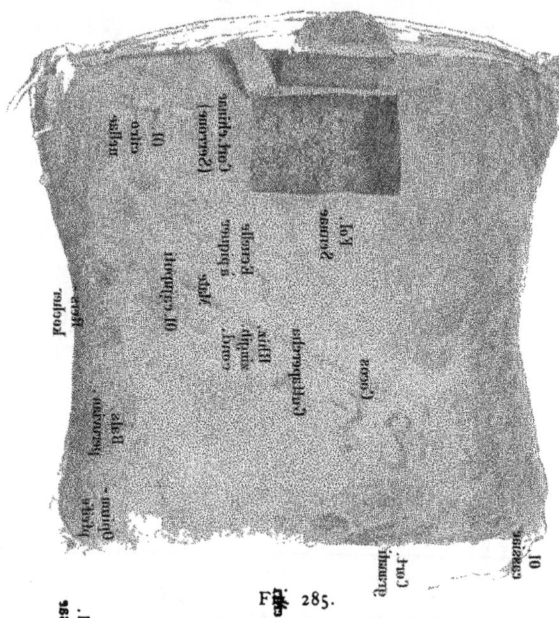

Fig. 285.
Verpackung von *Mate* (Paraguaytee). [Tschirch phot.]

In der Literatur findet man wenig über Verpackungen und meist nur ganz gelegentliche Notizen darüber. Die mannigfaltigen Verpackungen der *Sarsaparille*, die ehedem im Handel anzutreffen waren, sind abgebildet in Pereira, Elements of materia medica 1855 II, p. 277—284, die eigenartigen Kisten, in denen die *Cajeputöl*flaschen verpackt werden, in meinen Indischen Heil- und Nutzpflanzen (Taf. 75). Die älteste Drogenpackung, von der eine Abbildung auf uns gekommen ist, ist die des *Silphium* auf der berühmten Arkesilasschale aus dem VI. Jahrh. v. Chr. (Fig. 273), auf der das Abwiegen und Verstauen der *Silphium*ballen im Schiffsraum dargestellt ist.

Ich gebe im folgenden ein Verzeichnis der hauptsächlichen Packungen, wie dieselben sich 1907 im Großhandel fanden, bemerke jedoch, daß namentlich das Gewicht und die Dimensionen wechseln, und auch andere vorkommen. Im Verpackungstyp hat sich aber in den letzten 20 Jahren wenig geändert. In diesem Punkte ist der Großhandel ziemlich konservativ.

Als Packmaterial bedient man sich sehr verschiedener Dinge: der *Rumex*früchte beim *Opium*, der *Lorbeer*blätter beim *Succus liquiritiae*, der nach der Destillation aus der Destillierblase entfernten und getrockneten *Melaleuca*blätter bei den Flaschen des *Cajeputöls*. Auch Reisspelzen finden hie und da Verwendung, z. B. beim *Lemongrasöl*.

Ich unterscheide drei Verpackungstypen: den Kistentyp, den Ballentyp und den Kanister-Flaschentyp. Nach diesen geordnet sollen im folgenden die Packungen vorgeführt werden.

Da die Dimensionen der Kisten usw. wechseln, habe ich sie, um die Form zu fixieren, nach den mir vorliegenden, in meiner Sammlung befindlichen angegeben.

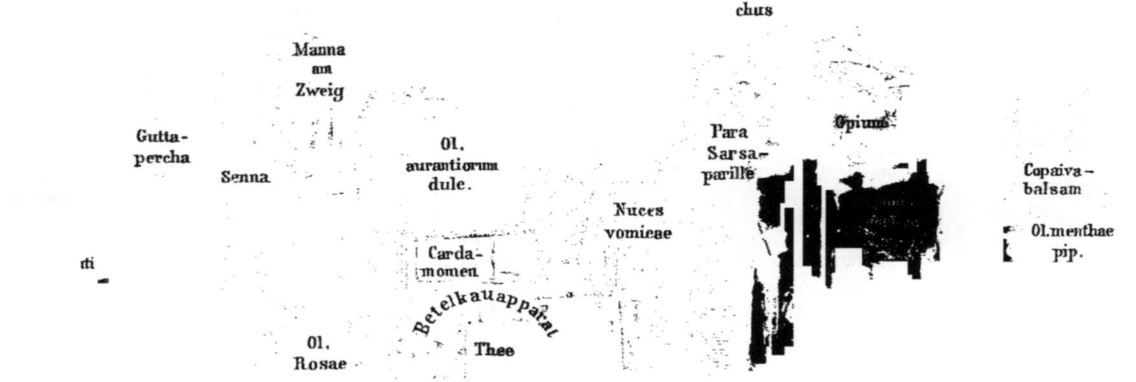
chus
Manna
am
Zweig
Gutta-
percha
Senna
Ol.
aurantiorum
dulc.
Para
Sarsa-
parille
Opium
Copaiva-
balsam
Nuces
vomicae
Ol. menthae
pip.
Carda-
momen
Betelkauapparat
Ol.
Rosae
Thee

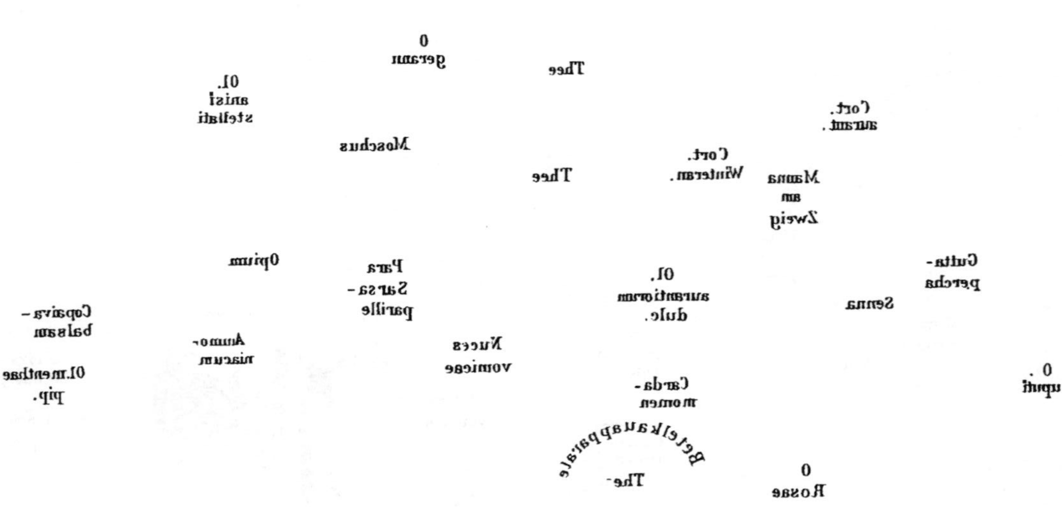

Cocos
0 geranı
Thee
01. anisi stellati
Moschus
Thee
Cort. Winteran.
Cort. aurant.
Manna am Zweig
Opium
Para Sarsa-parille
01. aurantiorum dulc.
Gutta-percha
Senna
Copaiva-balsam
Ammo-niacum
Nuces vomicae
01.menthae pip.
Carda-momen
0. Ca jeput
Betelkauapparate
The-
0 Rosae

1) Kisten, Chests.

Opium, kleinasiatisches und türkisches, in Broten. Mit Zinkblech ausgeschlagene, rechteckige Kisten (Länge c. 87 cm, Tiefe c. 45 cm, Höhe c. 30 cm). Packmaterial: *Rumexfrüchte*. Gewicht 50 oder 75 kg (Taf. XXXI u. Fig. 274).

Ammoniacum. Quadratische Kisten mit Eisenblech ausgeschlagen (60 cm breit, 53 cm tief, 55 cm hoch), die größten von c. 120 kg (Taf. XXXI).

Asa foetida. Kisten von 50—150 kg.

Barbadosaloë. Kalebassen (Kürbisse) von verschiedener Größe, vollständig mit der *Aloë* erfüllt, meist mitten durchgeschlagen (Fig. 275). Mehrere solcher Kürbisse zum Export in Fässer zusammengepackt (Fig. 278).

Curaçaoaloë. Quadratische, roh zusammengeschlagene Kisten (von meist 35 cm im Quadrat), Gewicht 50—55 kg.

Capaloë. Rechteckige Kisten von 100—220 kg, die mit der zusammengeflossenen *Aloë* nahezu ganz erfüllt sind. Die *Aloë* muß mit Hammer und Meißel herausgestoßen werden.

Crown-(Uganda-)Aloë. In rechteckigen Stücken von c. 450 g, in rotes Papier gewickelt und in Kisten verpackt.

Drachenblut. Große Blöcke mit Sackabdrücken (Fig. 276) oder in Stangen von c. 20 cm Länge, in *Licuala*blätter eingewickelt. In Kisten von c. 100 kg.

Cardamomum (Malabar). Quadratische Kisten 40 zu 40 cm (Taf. XXXI).

Flores cassiae. In Kisten mit Bastumhüllung (Fig. 277).

Cinnamomum Cassia. Rinden-Röhren in Kisten (Fig. 277).

Chinesischer Rhabarber. Quadratische Kisten, die außen meist gelb angestrichen oder mit gelbem Papier beklebt sind, innen mit Blech ausgeschlagen, das bisweilen innen mit Papier beklebt ist (Tiefe 50, Breite 70, Höhe 60 cm). *Canton-Rhabarber* in Kisten à 75—90 kg. *Shanghai-Rhabarber* in Kisten à 100 kg. *Shensi* in Kisten à 110 kg.

Vanille. Blechdosen, Früchte in Bündeln. Bei der *Vanille* werden Bündel von 50 Früchten (mazos) hergestellt, je 60 mazos (= 3 Millares) werden in eine Blechkiste verpackt (Fig. 274 u. 279).

Tee. Quadratische, mit Bleifolie ausgeschlagene und verlötete, bunt beklebte Kisten sehr verschiedenen Durchmessers (Taf. XXX u. XXXI, Fig. 275 u. 280).

Araroba. Kisten von 70 kg.

Canthariden, chinesische: Kisten von c. 30 kg; russische: Fässer von 50 oder 100 kg.

Coloquinthen, Palästina. Säcke von 50—100 kg.

China-Succirubra. in Röhren, Kisten von 45—50 kg (Fig. 269).

Benzoë, Palembang. Kisten à 8 Dosen, c. 8—10 kg.

Benzoë, Siam. Kisten von 30—115 kg.

Benzoë, Sumatra. durchgesägt, in Sackleinwand, in Kisten von 40 50 kg, (London).

Resina guajaci. Kisten von 40 kg.

Gutti in Röhren. Kisten von 100 kg.

Kino. Kisten von 70 kg.

Mastix. Kisten von 50 kg.

Olibanum. Kisten von 110—125 kg oder Säcke à 90 kg.

Kamala. Kisten von c. 30 kg.

Manna. Kisten von c. 30 oder 90 kg.
Guarana in Stangen. Kisten von c. 65 kg.
Sternanis, chinesischer. Kisten von c. 60 kg.
Succus liquiritiae. Kisten von c. 100 kg (Fig. 274), Packmaterial Lorbeerblätter.

Fig. 286.
Alte Verpackungsart des *Mate* in die Haut des großen Ameisenbärs. [Tschirch phot.]

Catechu, in Blöcken à 50 kg.
Galläpfel, chinesische. Kisten von 60—100 kg.
Traganth. Kisten von c. 75 kg.
Castoreum, canad. Dosen von c. 5 kg.

Moschus. Zierliche, mit gemusterter Seide überzogene Pappkästchen, die innen mit dicker Bleifolie ausgelegt sind und außen mit zwei kleinen Beinriegeln verschlossen sind (Taf. XXX u. XXXI, Fig. 274 u. 275). Die *Moschus*beutel sind in Papier gewickelt, auf dem mit roter Farbe die Jagd des Moschustieres dargestellt ist (Fig. 281). Die Darstellung ist aber kaum authentisch, da das Moschustier mit einem Geweih ausgestattet ist und die Verfolgung zum Teil zu Pferd erfolgt, was kaum möglich sein dürfte. — Dosen à $^1/_2$ Catty = $302^1/_2$ g. — *Assammoschus*, ex vesicis. In Gläsern à 100 g.

Zibeth. Grade Hörner, die oben und unten abgeschnitten, unten mit einem Holzverschluß versehen, oben mit Leder zugebunden und meist noch in Haut eingenäht sind, à c. $1^1/_2$ kg (Taf. XXXI).

2) Ballen,

Seronen (Serons), Packen, Säcke, Körbe, Matten, Fardelen, Gonges, Bales, Packages, Bags, Robbins, Cases, Baskets.

China Calisaya plana (Monopol), amerikanische Seronen aus Tierfellen mit der Haarseite nach außen, die mittelst Hautstreifen verbunden sind (Fig. 276 u. Taf. XXX). Breite c. 60, Tiefe c. 45, Höhe c. 45 cm. Die Häute umschließen den Inhalt vollständig. c. 30 kg schwer. Gelegentlich ist die Verpackung noch sorgfältiger: Leinen, Öltuch, Teertuch und schließlich Rindshaut — oder in Kisten von c. 30 kg.

Sarsaparille, Honduras. Seronen von c. 60—90 kg; aus Tierfellen, die Haarseite nach außen, die Haut umschließt die Droge nicht vollständig, sondern es sind nur oben und unten zwei Hautkappen von 55 cm Breite und 45 cm Tiefe angebracht, die durch breite Hautbandstreifen miteinander verbunden sind, so daß in der Mitte der Serone die Droge frei sichtbar ist (Fig. 275, 276). Die Droge in Puppen (Fig. 275, Taf. XXXI), 80—85 in einer Serone.

Sarsaparille, Veracruz. In Ballen von 60—100 kg, mit Eisendraht (Fig. 275) umwickelt. Ware oberflächlich gereinigt.

Ipecacuanhawurzel. Rio. Seronen aus Tierfellen. Haare nach außen. Länge c. 80 cm, Breite c. 45 cm. Die Ränder sind mit Hautbandstreifen vernäht und oft auch mit grober Sackleinwand verklebt (Taf. XXX). Das Fell umschließt die Droge ganz.

Cinnamomum ceylanicum. Die auf gleiche Länge gebrachten Rindenröhren des Ceylon-Kaneels mit Bast zu zylindrischen Bündeln zusammengebunden, von c. 45 kg, mit Sackleinwand umnäht, «Fardehl» [Fardele] (Fig. 277, 282).

Euphorbium, Schilfseronen, sehr sauberes Geflecht, sogar mit Griffen versehen (Marokko), c. 130 kg (Fig. 276).

Gummi arabicum, Cordofan. Schilfmatten von pyramidenförmiger Gestalt, mit Sack einen umnäht oder in Kisten von c. 100 oder 180 kg. *Gummi arabicum*, Senegal. Ballen von c. 100 kg.

Granatwurzelrinde. Zylindrische aus breiten Stuhlrohrbändern dicht geflochtene Körbe von rundem Querschnitt, von c. 1,20 m Höhe und c. 60 cm Durchmesser, flachem Boden und flachem oder gewölbten Deckel (Taf. XXX).

Fig. 287.

Einfüllen des *Perubalsams* in die Kanister in San Salvador. [Preuß phot.]

Guttapercha. Aus dünnen, runden Stuhlrohrstengeln sehr locker geflochtene, zylindrische Körbe mit rundem Querschnitt und flachem Deckel, die in Sackleinwand eingenäht sind. Durchmesser c. 50—60 cm, Höhe c. 65—75 cm (Fig. 275).

Senf. Zylindrische Fässer von rundem Querschnitt, c. 50 cm Durchmesser und c. 60—65 cm Höhe, in Bastmatten eingenäht. *Bombay-Senf*, in Säcken von c. 75 kg.

Nux vomica. Aus dünnen, flachen Rotangstreifen dicht geflochtene Körbe von

Fig. 288.

In der Mitte ein moderner *Perubalsam*kanister, rechts und links davon früher gebräuchliche Krüge. [Tschirch phot.]

rundem Querschnitt, die in feingeflochtene Bastmatten eingenäht sind (Taf. XXXI). Durchmesser c. 50—60, Höhe c. 60 cm oder in Säcken.

Koso in Bündeln. Blütenstände straußartig zusammengebunden. In Säcken.

Cassiabruch in Ballen (Fig. 277).

Caryophylli (Penang) in Kisten von c. 150 kg (rot) oder in Basthüllen (die Bastmatten übereinandergeschlagen und verschmiert), «Gonges» (Fig. 277) von c. 80 kg.

Lycopodium in Säcken à c. 50 kg von ziemlich feiner Leinwand, die in groben Hanfsäcken stecken; umgeben von aus Schilf geflochtenen Bastmatten mit starken Tauen verschnürt oder in Kisten à 10 Pack à 10 kg.

Cortex Aurantii Malaga. Große, oft über 1,30 m lange, aus Halfagras dicht geflochtene «Matten» von c. 140—170 kg. Sizilianische, Säcke von c. 50 kg. Curaçao, Ballen von c. 65 kg.

Cortex Winteranus. Ovale Körbe mit Deckel aus Rotangstreifen geflochten, Höhe c. 45 cm, Breite c. 65 cm, Tiefe in der Mitte c. 35 cm (Fig. 275).

Russisches Süßholz. Große c. 1,20 m lange Bastmatten (Fig. 275), 70, 90, 120 kg. *Spanisches Süßholz*. Pack von c. 60 kg. *Spanisches Süßholz*. Tortosa (2 Bots) Ballen von 29—30 cm, à 24 Bund à 5 kg. *Griechisches Süßholz*. Pack von c. 150 kg.

Muscatnüsse (Banda) ungekalkt in Fässern (oder Kisten) von c. 100 kg.

Sennesblätter (alexandrinische). Große, aus dünnen Streifen eng geflochtene Matten von etwa 85 cm Breite, außen noch in Sackleinwand eingehüllt, von c. 150 kg. Tinevelli. Ballen von c. 170 kg.

Sabadillsamen, in Säcken.

Galgant. Etwa meterlange, feingeflochtene Bastmatten oder Bastballen, mit dünnem Rohr verschnürt. Ballen 90—120 kg (Fig. 276).

Bengaleningwer, in Säcken von c. 100 kg. *Jamaicaingwer.* Enggeflochtene Körbe von rundem Querschnitt, mit flachem Boden und flachem Deckel. Durchmesser c. 60, Höhe c. 75 cm. Die Körbe sind in Bastmatten eingenäht und meist noch mit derben Stuhlrohrstreifen umflochten.

Sassafrasrinde. Ballen von c. 100 kg.

Sassafrasholz, geraspelt in Säcken à 100 kg.

Strophantus. Säcke von c. 30 kg.

Baccae Juniperi. Säcke von c. 50 kg.

Curcuma. Säcke von 50—80 kg.

Arrowroot, St. Vincent. Fässer von c. 100 kg.

Toncobohnen, Angostura. Fässer von c. 200—500 kg.

Arecasamen. Säcke von c. 60 kg.

Jaborandi. Ballen von 100—170 kg.

Mate. Ballen von c. 100 kg oder in sehr eigenartigen Taschen (Fig. 285 u. 286).

Matico. Ballen von c. 40 kg.

Grana Paradisi. Ballen von c. 75 kg.

Galbanum. Ballen von c. 80—90 kg.

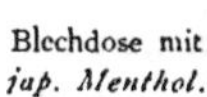

Fig. 289.
Originalverpackungen von Drogen. [Weigel phot.]

Myrrha Ballen von c. 80 kg, in Bastkörben (London).

Herba Cannabis Indicae. Ballen von c. 50 kg.

Carrageen. Ballen von c. 50 oder 100 kg.

Agar-Agar in Fäden. Packen von c. 90—120 kg; Schnitzel- und Linealform Packen von c. 90 kg.

Fungus Laricis. Ballen von c. 75 kg.

Oleum Cacao. Blöcke von 10—16 kg und Ballen von 70—90 kg.

Oleum Myristicae, in Riegeln von $^1/_2$ oder 1 kg.

Cassia Fistula, ostindische. Körbe, aus derben Spänen geflochten, oft mit Sackleinwand übernäht, von 50—60 kg (Fig. 278).

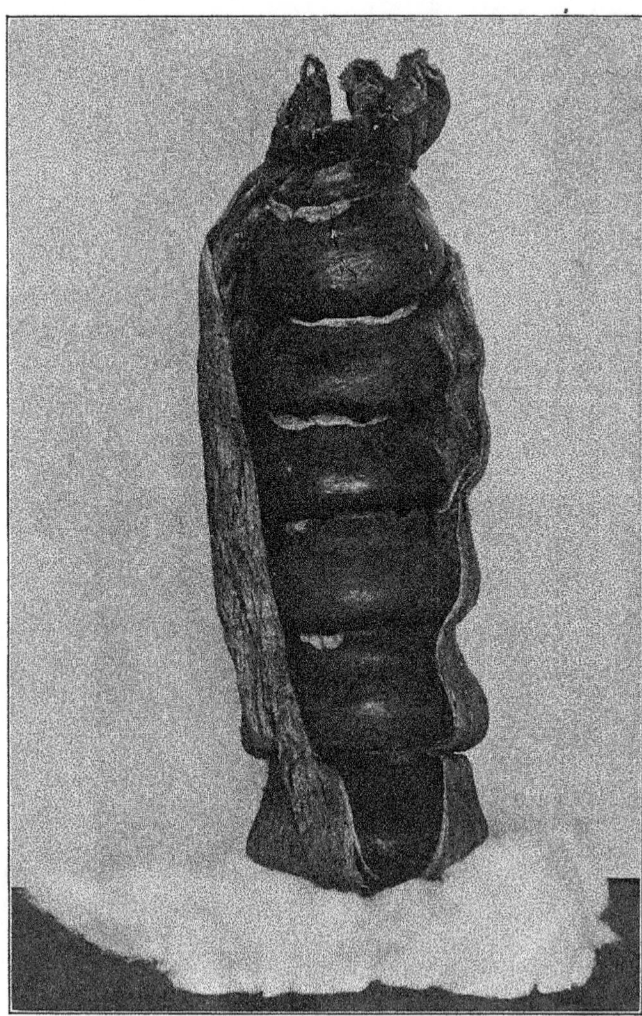

Fig. 290.
Sechs Töpfe von *Tubocurare* in einer Enveloppe vereinigt. [Tschirch phot.]

Cocculi Indici. Säcke von c. 55 kg.

Cortex Angosturae. Ballen von c. 70 kg.

Cortex Canellae. Ballen von c. 70 kg.

Cascara Sagrada. Ballen von c. 30 kg.

Cortex Cascarillae. Ballen von c. 70 kg.

China flava, Cartagena. Ballen von c. 60 kg. *China flava*, Maracaibo. Ballen von c. 60 kg. *China flava*, Puerto Cabello. Ballen von c. 40 kg.

China fusca Loxa. Ballen oder Kisten von c. 50 kg.

China Calisaya (Kulturrinde). Ballen von c. 25 kg.

Condurangorinde. Ballen oder Säcke von c. 50 kg.

Quassiaholz. Ballen von 50 kg.

Quebracho blanco. Ballen von c. 30 kg.

Quilayarinde. Ballen von c. 60—80 kg.

Simarubarinde. Ballen von c. 50 kg.

Cubeben. Säcke von c. 50 kg.

Calabarbohnen. Ballen von c. 70 kg.

Buccublätter. Ballen von c. 130 kg.

Cocablätter, Cuzco. Ballen à 4 Ballots à 11 kg. Trujillo. Ballen à 25—50 kg.

Für den Transport wird die peruanische Kultur-*Coca* in den Pflanzungen in Wollstoffe gehüllt und an der Spitze in Bananenblätter gewickelt und mit Agaveblättern zugeschnürt. 5 solche je 1 Arroba haltende Bündel werden in Cuzco in Jutestoff eingepackt.

Sem. Strychni. Säcke von 25 oder 70 kg.

Rad. Colombo. Säcke von 50—55 kg.

Tub. Jalappae. Ballen à 90 kg.

Radix Ratanhiae, Payta. Ballen von c. 45—60 kg.

Radix Senegae. Ballen von c. 80 kg.

Rhizoma Calami. Säcke von c. 100 kg.

Rhiz. Zedoariae. Ballen à c. 60 kg.

Rhiz. chinae. Ballen (Fig. 278).

Crocus, spanisch. Beutel, in Blechdosen verpackt, à c. 5 kg.

Secale cornutum. Säcke à c. 75 kg.

Anis, russisch. Säcke à c. 100 kg.

Fenchel, Bombay. Säcke à c. 50 kg.

Cina. Säcke à c. 30—100 kg.

Faenum graecum. Säcke à c. 100 kg.

Sabadilla. Säcke à c. 50 kg.

Die frischen *Colanüsse,* die in ziemlicher Menge nach Europa exportiert werden, werden in Körben versandt (Fig. 283), die trockenen in Säcken à 80 kg.

Die französische *Absinth* wird in an Gerüsten aufgehängte große Säcke mit den Füßen eingestampft (Fig. 284).

Eine sehr eigenartige Gruppe bilden die komprimierten Drogen Amerikas, die jenseits des Atlantischen Ozeans sehr beliebt sind, von denen aber fast nur *Herba lobeliae* in Paketen von $^1/_4$, $^1/_2$ und 1 Pfund englisch mit Aufdruck (Fig. 276) sich bei uns eingeführt hat.

Von diesen Pressed herbs sind unter anderem im amerikanischen Handel:

	Style of Package
Parsley leaves . . . Carum Petroselinum B. u. H.	ozs.
Pennyroyal leaves . . . Hedeoma pulegioides Pers.	ozs.
Pink-root . . . Spigelia marylandica L.	lbs.
Pitcher-plant root . . . Sarracenia purpurea L.	lbs.
Pleurisy-root . . . Asclepias tuberosa L.	lbs.
Polypody leaves . . . Polypodium vulgare L.	ozs.
Pomegranate, bark of root . . . Punica Granatum L.	lbs.
Poppy leaves . . . Papaver somniferum L.	ozs.
Prickly Ash bark . . . Xanthoxylum americanum Mill.	lbs.
Privet leaves . . . Ligustrum vulgare L.	ozs.
Pulsatilla herb . . . Anemone Pulsatilla L.	ozs.
Red Clover tops . . . Trifolium pratense L.	ozs.
Red Cohosh root . . . Actaea spicata L., var. rubra Ait.	lbs.

	Style of Package
Red Poppy flowers . . . Papaver Rhoeas L.	ozs.
Rhatany root . . . Krameria triandra R. u. P.	lbs.
Rose petals, pale . . . Rosa centifolia L.	ozs.
Rosemary flowers . . . Rosmarinus officinalis L.	ozs.
Rosin-weed leaves . . . Silphium laciniatum L.	ozs.
Rue leaves . . . Ruta graveolens L.	ozs.
Safflower . . . Carthamus tinctorius L.	ozs.
Sage leaves, Italian . . . Salvia officinalis L.	ozs.
Sampson Snake-root . . . Gentiana ochroleuca Froel.	lbs.
Sarsaparilla, Honduras . . . Smilax officinalis B. H. K.	lbs.
Silkweed root . . . Asclepias syriaca L.	lbs.
Skunk Cabbage root . . . Symplocarpus foetidus Salisb.	lbs.
Soapwort leaves . . . Saponaria officinalis L.	ozs
Salomon's-seal root . . . Polygonatum officinale All.	lbs.

	Style of Package
Southern-Wood herb . . . Artemisia Abrotanum L.	ozs.
Spearmint leaves . . . Mentha viridis L.	ozs.
Spikenard root . . . Aralia racemosa L.	lbs.
Star-grass . . . Aletris farinosa L.	lbs.
Stillingia root . . . Stillingia silvatica L.	lbs.
Stone-root . . . Collinsonia canadensis L.	lbs.
Stramonium leaves . . . Datura Stramonium L.	ozs.
Sweet Basil leaves . . . Ocimum Basilicum L.	
Sweet Clover herb . . . Melilotus officinalis Desr.	ozs.
Sweet Fern leaves . . . Myrica asplenifolia Banks	lbs.
Sweet Flag root . . . Acorus Calamus L.	lbs.
Sweet-gum bark . . . Liquidambar styraciflua L.	ozs.
Sweet Majoram leaves . . . Origanum Majorana L.	lbs.
Tag Alder bark . . . Alnus serrulata Willd.	ozs.
Tamarac bark . . . Larix americana Michx.	ozs.
Tansy leaves . . . Tanacetum vulgare L.	ozs.
Thimble-weed herb . . . Rudbeckia laciniata L.	
Thyme leaves . . . Thymus vulgaris L.	lbs.
Tormentilla root . . . Potentilla Tormentilla Scop.	
Turkey-corn root . . . Dicentra canadensis DC.	lbs.
Twin-leaf root . . . Jeffersonia diphylla Pers.	
Valerian root . . . Valeriana officinalis L.	lbs.
Virginia Snake-root . . . Aristolochia Serpentaria L.	lbs.
Wahoo, bark of root . . . Evonymus atropurpureus Jacq.	lbs.
Wahoo, bark of tree . . . Evonymus atropurpureus	lbs.
White Bryony root . . . Bryonia alba L.	lbs.
White Clover tops . . . Trifolium repens L.	ozs.
White Hellebore root . . . Veratrum album L.	lbs.
White Indian Hemp root . . . Asclepias incarnata L.	lbs.
White Oak bark . . . Quercus alba L.	lbs.
White Snake-root . . . Eupatorium aromaticum L.	lbs.
Wild Cherry bark . . . Prunus serotina Ehrh.	lbs.
Wild Ginger . . . Asarum Canadense L.	lbs.
Wild Indigo root . . . Baptisia tinctoria R. Br.	lbs.
Wild Lettuce leaves . . . Lactuca canadensis L.	ozs.

3) Flaschen, Kanister,

Ramièren, Blechdosen, Estagnons (Blechkannen), Barrels, Oxhofte, Tonnen (puns), Fässer, Fässchen (kegs), Drums, Casks, Tins, Cans, Pots, Bottles.

Perubalsam. Rechteckige Metallkanister mit verschraubbarer Öffnung und quadratischem Querschnitt (20 cm). Höhe 30 cm. Oben Handgriff (Taf. XXX, Fig. 274 u. 275, 287, 288). 2 Kanister (à 25 kg) in einer Kiste. (Die Kanister kommen mit Maschinenöl aus England nach Zentralamerika, werden dort gereinigt und zum Transport des *Perubalsams* verwandt.)

Tolubalsam. Zylindrische Kanister aus dünnem Blech mit rundem Querschnitt, 15 cm, Höhe 25 cm. Meist 2 in einer Kiste. Selten kleine Kalebassen.

Copaivabalsam. Zylindrische Metallkanister mit rundem Querschnitt (c. 28 cm), c. 45 cm Höhe (Taf. XXX u. XXXI), meist 2 Kanister von c. 18 kg, in einer Kiste. (Bisweilen auch leere Petroleumkanister noch mit den entsprechenden Etiketten, Balsam daher vielfach trübe.)

Oleum citri und *Oleum aurantii.* Kupferne Kanister (Ramièren) von rundem Querschnitt, Durchmesser c. 45 cm, Höhe ohne Deckel c. 35 cm. Abgerundeter Boden, kleine zentrale Öffnung im Deckel (Taf. XXX u. XXXI, Fig. 275 u. 289). Die Ramièren von *Oleum citri* halten 25 und 50 kg.

Oleum geranii. Zinkblechkanister in Form einer Destillierblase, c. 45 cm Durchmesser, mit rundem Querschnitt, verjüngtem oberen Teil. Mit dicken Schnüren umzogen (Taf. XXX u. XXXI, Fig. 275 u. 258), oder 15 Flaschen à 850 g in einer Kiste; oder Töpfe von c. 100 kg, oder Trommeln von c. 20 kg.

Oleum cassiae und *Oleum Anisi Stellati*. Bleikanister von zylindrischer Form und rundem Querschnitt (21 cm), Höhe 24 cm, mit chinesischem Pflanzenpapier überklebt und mit gelbem Firniß überzogen. In der Mitte des Deckels runde, leichtverschließbare Öffnung von 3 cm Durchmesser. Am Deckel zwei Handhaben (Taf. XXX). Inhalt c. $7^1/_2$ kg. 4 Kanister in einer Kiste (Fig. 289).

Citronellöl (Ceylon). Rechteckige Blechkanister von quadratischem Querschnitt (15 cm), Höhe 36 cm. Verlötbare Öffnung im oberen Deckel. Aufgeklebtes Etikett: Citronella-oil Singapore, Strait Settlements (Taf. XXX, Fig. 275), oder in Kanistern à 18 kg, oder großen eisernen Trommeln von 500 kg. In London gesehen in eisernen Fässern (Barrels) à 350—400 kg.

Fig. 291.
Mit *Aloësaft* gefüllte Gärfässer vor der Faktorei (Capland).

Rosenöl (bulgarisches). Runde, flache Blechflaschen von verschiedenem Durchmesser: 14, 16, 23 cm usw., oben mit kleiner runder Öffnung, die verschlossen und versiegelt ist. Siegel: Kezanlik oder and. Die Blechflaschen sind oft in dicken Filz eingenäht. Inhalt $^1/_4$, $^1/_2$ oder 1 kg (Taf. XXX u. XXXI, Fig. 275).

Pfefferminzöl englisches. Große zylindrische Flaschen aus blauem Glas (Taf. XXX u. XXXI).

Pfefferminzöl amerikanisches. Kleinere Flaschen aus blauem Glas (Fig. 275), mit breiter Etikette: H. G. Hotschkiss, Lyons, Vayne County n. y. New York (U.S.A). Verpackung der Flaschen in archeartigen Kisten mit dachförmigem Deckel (c. 75 cm lang und in der Mitte c. 45 cm hoch) (Taf. XXX, Fig. 289). Kisten à 18 Flaschen. Oder in Blechflaschen (tins oder cans) in gleichen Kisten. A. M. Todd, Kisten à 3 Can. à 20 lbs.

Japan. Pfefferminzöl in Blechdosen mit origineller Trade-Marke. Kisten à 12 Can à 12 lbs (Fig. 289).

Ylang-Ylang-Öl. Glasstöpselflaschen mit Etikett à $^1/_2$ oder 1 kg.

Cajeput-Öl. In allen möglichen leeren (Rotwein-, Rum-, Kognak-) Flaschen, die in eigenartige quadratische Behälter verpackt sind, welche aus den nebeneinandergelegten Abschnitten der Blattstiele der *Sagopalme* (*Metroxylon*) hergestellt sind. Breite und Tiefe des Behälters c. 55 cm, Höhe c. 45 cm. Oben und unten zwei hölzerne Riegel, die durch Rotangstreifen miteinander verbunden sind (Taf. XXXI u. Fig. 275). Packmaterial: die destillierten und dann getrockneten Blätter der *Cajeput*pflanze. Jetzt oft in Kisten à 50 Flaschen à 0,6 Liter = 552 g.

Campher in Broten von c. $2^1/_2$ kg.

Kanadabalsam. Kanister, zu zwei in Kisten vereinigt, c. 20 kg.

Manilaelemi. Kanister à 18 kg, zu zwei in einer Kiste.

Styrax liquidus. Kanister à 20 kg, zu zwei in einer Kiste oder in Fässern à 200 kg.

Gurjunbalsam in Kanistern à 18 kg, zu zwei in einer Kiste.

Oleum Anisi vulgaris, russisch. Blechflaschen von c. 15 kg, 6 in einer Kiste.

Oleum Bergamottae. Kisten à 1 Ramière = $12^1/_2$ kg.

Zimtöl, Ceylon. Kisten à 12 Flaschen à 25 Oz, oder à 20 Flaschen à 26 Oz.

Fig. 292.

*Sandelholz*lager in Bangalore. [Aus Roure-Bertrand fils Berichte.]

Oleum Rosmarini und *Oleum Lavandulae* in Blechkannen (Estagnons) à 25 kg (Fig. 289).

Lemongrasöl in leeren Weinflaschen, Packmaterial Reisstroh, je 12 in einer Kiste, c. 7,5 kg (Fig. 289).

Ricinusöl. Kisten à 4 Can à 20 kg oder Barrels à c. 180 kg.

Tamarinden. Oxhofte à c. 350 kg, Barrels à c. 180 kg.

Teer. Tonnen à c. 160 kg.

Galipot. Fässer à c. 350 kg.

Orlean, Guadeloupe. Oxhofte von c. 200 kg.

Terpentin, französ. Barrels von c. 130 kg oder Kisten à 2 Can von c. 120 kg.

Terpentinöl, amerikanisches. Barrels von c. 180 kg.

Rhiz. zingiber. condit. Runde Porzellantöpfe mit blauer Bemalung, oben mit runder Öffnung, mit Stuhlrohrstreifen umschnürt und zwei Handhaben aus Stuhlrohr (Fig. 275).

Curare findet sich entweder in kleinen, oft zu mehreren in einer Enveloppe vereinigten Töpfen (*Tubocurare*) oder in kleinen Calebassen (*Calebassencurare*) oder in Bamburöhren (*Bambucurare*) (Fig. 290).

4) Unverpackt.

Lose und unverpackt werden einige Hölzer, z. B. *Sassafras Sandelholz* (Fig. 292), wohl auch *Guajacholz*, *Quassia* versandt, die direkt in den Schiffsraum geworfen und auch später ohne Emballage verstaut werden. Auch *Hausenblase* (in drei Formen als: Tongues, Oysters und plates) ist lose im Handel (Fig. 274).

Verpackungen sind auch auf den Fig. 209—212, 218—220, 242, 248, 250 251, 256—260, 265—267 zu finden.

Alle Einteilungen, alle Systeme sind nur Notbehelfe. Natura non facit saltus.

VI. Pharmakognostische Systeme.

Bibliographie der Hand- und Lehrbücher der Pharmakognosie, sowie verwandter Zweige von Pomet an.

Die Frage, wie man den Stoff anzuordnen habe, ist vielfach ventiliert worden und es sind ziemlich verschiedene Systeme hierfür benutzt worden. Ich halte die Wahl des Systems für ziemlich gleichgültig. Ich bevorzuge jedoch, da eine in allen Punkten befriedigende chemische Einteilung zurzeit noch unmöglich ist (s. weiter hinten), die Anordnung nach den natürlichen Familien, da diese eine chemische Einteilung vorbereitet, die das letzte Ziel aller pharmakognostischen Einteilungen ist.

Pereira, der bekanntlich die Pharmakognosie noch nicht von der Pharmakologie trennt und auch noch die chemischen Arzneimittel einbezieht, zählt in seinen Elements of materia medica (2. Aufl. 1842—43, deutsch von Buchheim) folgende Einteilungsmöglichkeiten auf, die ich, durch einige weitere vermehrt, hier zugrunde legen will.

Zunächst die **alphabetische Anordnung**, die in folgenden Werken benutzt wurde:

Nic. Lémery, Traité universel des drogues simples, mises en ordre alphabétique. Ou l'on trouve leurs differens noms, leur origine, leur choix, les principes qu'elles renferment. leurs qualitez, leur étimologie et tout ce qu'il y a de particulier dans les Animaux, dans les Végétaux et dans les Minéraux. Ouvrage dépendant de la Pharmacopée universelle Paris 1698 und 1714, Amst. 1716. Paris 1723 par B. de Jussieu, 3 Edit. 1733. 4 Edit. 1782 avec 24 pl. (Die erste Auflage ohne Abbild.) Deutsch von Chr. Fr. Richter, Vollst. Materiallexikon, Leipzig 1721.

Dann: Dictionnaire général des drogues simples et composées de Lémery (zuerst Rotterdam 1727), revu par S. Morelot, 2 Vol. Paris 1807, mit zahlreichen Tafeln. Holländisch: Woordenboek of algemeene verzameling der enkele droogeryen 1743.

Jos. Miller, Botanicum officinale. London 1722. Das erste englische Lehrbuch der Pharmakognosie.

Joh. Jac. Manget, Bibliotheca pharmaceutica s. thesaurus refertissimus materiae medicae. Genev. 1703.

M. DE LA BEYRIE et M. GOULIN, Dictionnaire raisonné-universel de matière médicale. 8 Vol. Paris 1773.

J. RUTTY, Materia medica antiqua et nova repurgata et illustrata. Rotterdam 1775.

KRUITMANN, Lexicon exoticorum oder Beschr. d. ostindisch. u. westind. Materialien. 1730.

W. LEWIS, An experimental history of materia medica 1761 und 1791 (by Aikin).

J. A. PARIS, Pharmakologie 1820, 1833, 1838, 1842.

W. T. BRANDE, Manual of pharmacy, London 1825 und a dictionnary of materia medica, London 1839. Deutsch (von FR. WOLFF), Handb. d. Materia medica und Pharmacie.

MART. NIC. BEETS: Woordenboek van Droogeryen. Amsterd. 1825.

CHEVALLER, RICHARD et GUILLEMIN, Dictionnaire des drogues simples et comp. Paris 1827/29.

L. MARTINET, Manuel de thérapeutique et de matière médicale. Paris 1828.

F. V. MÉRAT et A. J. DE LENS, Dictionnaire universel de matière médicale et de thérapeutique génér. 6 B. 1829—34.

F. P. DULK und SACHS, Handwörterbuch der prakt. Heilmittellehre. Königsberg 1832.

E. F. ANTHON, Handwörterbuch der chemisch-pharmazeutischen und pharmakognostischen Nomenklaturen. Nürnberg 1833 u. 1861.

W. L. BACHMANN, Handwörterbuch der prakt. Apothekerkunst. Nürnberg 1836—39.

RICHARD, Dictionnaire des drogues simples et composées. Paris 1827—29. 5 B.

E. WINKLER, Vollständiges Reallexikon der medizinisch-pharmazeut. Naturgesch. und Rohwaarenkunde. 2 B. Leipzig 1838—42.

ED. (Arzt) und JUL. (Apotheker) MARTINY, Enzyklopädie der medizin.-pharmazeut. Naturalien- und Rohwaarenkunde. 2 B. Quedlinburg 1843—1854.

G. C. WITTSTEIN, Handwörterbuch der Pharmakognosie des Pflanzenreiches. (II. Abt. 2 T. der Enzyklopädie der Naturwissenschaften.) Breslau 1883. Alphabetisch nach den deutschen Namen. Auch etymologisch, aber mit Vorsicht zu benutzen.

C. HARTWICH, Die neuen Arzneidrogen aus dem Pflanzenreiche. Berlin 1897.

Auch das vorzügliche Werk:

CASPAR NEUMANN, Chymiae medicae dogmatico-experimentalis, Tom. X oder der gründlichen und mit Experimenten erwiesenen medizinischen Chymie 10 B. ed. ZIMMERMANN, Schneeberg 1740 und ed. KESSEL, Züllichau 1749—55 (englisch [von LEWIS] London 1760 und 1773), wagt noch keine Einteilung auf chemischer Grundlage, sondern führt die Drogen alphabetisch auf. Es erstrebt keine Vollständigkeit, sondern enthält nur die Drogen und Pflanzen, die bereits chemisch — besonders von NEUMANN selbst — untersucht wurden.

Alphabetisch sind die Drogen auch abgehandelt in den Universalpharmakopöen, den Kommentaren, den Handbüchern der pharmazeutischen Praxis usw., z. B. in:

N. LÉMERY, Pharmacopée universelle. Paris 1697 und 1754.

PH. L. GEIGER, Pharmacopoea universalis. Heidelberg 1835.

H. HAGER, B. FISCHER und C. HARTWICH, Kommentar zum Arzneibuch für das Deutsche Reich. Berlin 1891. Die Drogen von C. HARTWICH.

B. FISCHER und HARTWICH, Hagers Handbuch der pharmazeut. Praxis. Berlin 1902. Die Drogen gut illustriert und vorzüglich bearbeitet von C. HARTWICH.

G. F. BERGH, TH. DELPHIN, A. BLOMQUIST und R. WESTLING, Kommentar till Svenska Farmakopén. Stockholm 1905—1908. Die Drogen gut illustriert.

Realenzyklopädie der gesamten Pharmazie. Herausg. v. GEISSLER und MOELLER, 1885—1891. 2. Aufl. herausg. von MOELLER und THOMS. Die Drogen, gut illustriert, von T. F. HANANSEK, HARTWICH, MOELLER, TSCHIRCH u. and. bearbeitet.

Der Realenzyklopädie entspricht das National standard dispensatory by HARE, CASPARI and RUSBY. Philadelphia 1907. Die Drogen von RUSBY.

Kings American dispensatory by H. W. FELTER and JOHN URI LLOYD. 3 Revis. 2 Vol. Cincinnati 1898.

Diese alphabetische Einteilung ist nun aber gar keine Einteilung, sondern ein Notbehelf, zudem, wenn in Lehrbüchern angewendet, die Bankerotterklärung der Pharmakognosie als Wissenschaft, wie SCHLEIDEN bemerkt. PEREIRA führt als Grund für eine derartige Gruppierung an, daß man bei ihr jede Substanz leicht auffinden könne und Fehler in der Einteilung vermeide.

Von systematischen Einteilungen führt PEREIRA an:

1. Einteilung nach den sensiblen Eigenschaften.

Diese Klassifikation, die sich auf Farbe, Geschmack und Geruch der Drogen gründet, ist natürlich sehr unvollkommen, hat aber auch ihre Vertreter gefunden. FLÜCKIGER benutzte sie gern für die Unterabteilungen (S. 226).

JON. OSBORNE, On the indications afforded by the sensible qualities of plants with respect to their medical properties 1828.

A. F. A. GREEVES, An essay on the varieties and distinctions of tastes and smells and on the arrangement of the materia medica (in DUNCAN, Suppl. to the Edinb. new dispensatory 1829).

PEREIRA teilt GREEVES Einteilung mit.

2. Einteilung nach den naturhistorischen Eigenschaften.

(Systematisch-botanische Systeme)

«Sie bezieht sich meist auf die äußere Form und Struktur, bei Pflanzen und Tieren auf die Organisation, bei den mineralischen Körpern auf die Kristallisation», d. h. mit anderen Worten: die pflanzlichen und tierischen Drogen werden nach den künstlichen oder natürlichen Familien angeordnet. Die ersten, die diese Anordnung, die man die systematisch-botanische nennen kann, wählten, waren DALE und MURRAY.

SAMUEL DALE, Pharmacologia. London 1693.

J. A. MURRAY, Apparatus medicaminum tam simplicium quam praeparatorum et compositorum. 5 Vol. Göttingen 1776—1789. Vol. 6, post mort. ed. ALTHOF. 1792, von diesem auch die Edit. altera in 6 B. 1793—94. Deutsche Übersetzung von SEEGER, MURRAYS Arzneivorrath. Braunschw. 1778—1791 (B. 6 1792 von ALTHOF). Der zweite Teil des Werkes: Regn. minerale von J. F. GMELIN, 1795—96.

Ihm folgten:

JO. DAV. SCHOEPF, Materia medica americana potissimum regni vegetabilis. Erlang. 1787. (Neudruck in Bulletin of the Lloyd Library in Cincinnati).

A. RICHARD, Botanique médicale. Paris 1823. (Übers. v. KUNZE und KUMMER, Berlin 1824—26), und Elemens d'histoire naturelle médicale. Bruxelles 1831.

P. I. SMYTTÈRE, Phytologie pharmaceutique et médicale. Paris 1829.

J. F. L. NEES VON ESENBECK und L. N. EBERMAIER, Handbuch der medizinisch-pharmazeut. Botanik. 3 T. Düsseldorf 1830—32.

N. J. B. G. GUIBOURT, Histoire abregée des drogues simples, später: Histoire naturelle des drogues simples. Paris 1820. (Deutsch v. BISCHOFF: Pharmazeut. Warenkunde 1823). 2. Ed. 1826. 3. Ed. 1836 (deutsch v. MARTIUS). 4. Ed. 1839. 5. Ed. 1849, mit 600 Figuren, 6. Ed. von G. PLANCHON: Histoire naturelle des drogues simples. 4 Vol. Paris 1869—70. 7 Ed. 1876. 4 Vol. mit 1077 vorwiegend morphologischen Figuren. Die wichtigste französische Pharmakognosie aus früherer Zeit.

Nachtrag zu GUIBOURTS Warenkunde: TH. W. C. MARTIUS, Das neueste aus dem Gebiete der Pharmakognosie. Nürnberg 1830.

V. Fr. KOSTELETZKY, Allgem. mediz.-pharmazeut. Flora. 6. B. Prag und Mannheim 1831—36.

WIGGERS (und CARL MÜLLER), Grundriß der Pharmakognosie. Göttingen 1840. 5. Aufl.: Handbuch der Pharmakognosie 1864.

G. W. BISCHOFF, Medizin.-pharmazeut. Botanik. Erlangen 1843. 2. Ausg. 1847.

ENDLICHER, Die Medizinalpflanzen der österreichischen Pharmakopoee. Wien 1842.

K. F. PH MARTIUS, Systema materiae medicae vegetabilis brasiliensis. Lips. 1842.

SCHROFF, Lehrbuch der Pharmakognosie. Wien 1853. 2. Aufl. 1869.

Sehr wichtig sind die beiden folgenden Werke:

JONATHAN PEREIRA, The clements of materia medica and Therapeutics. London, (1. Aufl. 1837 [unter anderem Titel], 2. Aufl. 1842, 3. Aufl. 1849—1853, 4. Aufl. 1854—1857). Neue Aufl. von BENTLEY AND REDWOOD. London 1874. Wichtigstes Werk der englischen Pharmakognosie aus früherer Zeit. Die erste Aufl. deutsch von BEHREND 1838, die zweite deutsch von BUCHHEIM unter dem Titel: Handbuch der Heilmittellehre. Leipzig 1842.

D. A. ROSENTHAL, Synopsis plantarum diaphoricarum. Systemat. Übersicht der Heil-, Nutz- und Giftpflanzen aller Länder. Erlangen 1861.

Dies System ist in späterer Zeit wohl hauptsächlich deshalb verlassen worden, weil es SCHLEIDEN 1857 schlecht machte. Er sagt in seinem Handbuch der botanischen Pharmakognosie: «Diese Systeme (d. h. die systematisch-botanischen), die auf den ersten Anblick den Schein großer Wissenschaftlichkeit haben, sind gleichwohl die allerunwissenschaftlichsten und unbrauchbarsten. Zunächst enthalten sie das stillschweigende Eingeständnis, daß es gar keine Pharmakognosie als selbständige wissenschaftliche Disziplin gebe und geben könne. Jede wissenschaftliche Disziplin muß die systematische Verteilung ihres Stoffes eben diesem Stoff und seiner Natur entlehnen, sonst ist sie entweder keine selbständige Wissenschaft oder ihr System ist ein falsches. Gegenstand der Pharmakognosie sind aber nicht die Pflanze als solche, sondern die Droguen als solche. Von ihnen allein dürfen also die Grundsätze für ihre systematische Anordnung entlehnt werden.»

Das ist gewiß richtig. Aber die systematisch-botanische Einteilung gewinnt im Lichte der Ergebnisse der neueren Pharmakochemie doch an Bedeutung, wenn man berücksichtigt, daß die Pflanzen derselben Familie nicht nur, wie die besonders unter

RADLKOFERS Einfluß entwickelte anatomisch-systematische Richtung (SOLEREDER u. a.) zeigte, durch ähnliche anatomische Verhältnisse, sondern, wie die vergleichende Pharmakochemie lehrt, auch durch ähnliche chemische Eigenschaften, durch gleiche oder verwandte Bestandteile miteinander verbunden sind.

Daß zwischen der systematischen Stellung einer Pflanze, oder wie man damals sagte, «der Form» oder «Fruktifikation» und ihren (natürlich auf den Bestandteilen fußenden) Heilwirkungen (vires) Beziehungen bestehen müssen, betonten schon der geistvolle RUD. JAC. CAMERARIUS (de convenientia plantarum in fructificatione et viribus, Tübing. 1699) und JAMES PETIVER (Philosoph. transact. 1699), der durch den Versuch beweisen wollte, «daß Pflanzen von demselben Bau oder derselben Klasse im allgemeinen die gleiche Kraft (vertue) besitzen». «Denn da die Organe und der Bau aller Pflanzen von derselben Familie oder Klasse meist dieselben Gefäße und Gänge besitzen müssen, um die ihnen zukommende Bildung zu erreichen, können auch die darin enthaltenen und zirkulierenden Säfte nicht so sehr verschieden sein; und da meistens auch Geruch und Geschmack eine große Übereinstimmung zeigen, so können doch wohl auch die Kräfte nicht sehr heterogen sein.» Als Beispiele führt PETIVER bereits die Klassen an, die wir heute *Labiaten* und *Umbelliferen* nennen.

Auch LINNÉ bemerkt in den Amoenitates: «Plantae quae genere conveniunt, etiam virtute conveniunt; quae ordine naturali continentur, etiam virtute proprius accedunt; quae classe naturali congruunt, etiam viribus quodammodo congruunt.» Ähnlich äußert sich CAESALPINI: «Plantae quae generis societate junguntur, plerumque et similes possident facultates.»

Später haben dann ISENFLAMM (Methodus plantarum medicinae clinicae ad miniculum, Erlang. 1764), WILKE (de usu systematis sexualis in medicina, Gryphiswald. 1764), GMELIN (Botanica et chemla ad medicam applicatae Tüb. 1755), WILLEMET (An vires plantarum ex characteribus botanicis sunt inferendae, Nancy 1782); JUSSIEU (Mém. d. l. Soc. de Méd. 1786), BARTON (Collection for an Essay towards a materia medica of the unit. stat. 1801), CASSEL (Versuch über die natürl. Familien der Pflanzen mit Rücksicht auf ihre Heilkraft. Köln 1810) u. and. den Gedanken weiter verfolgt, der sich zu einem System verdichtete in der interessanten Schrift von:

AUG. PYR. DE CANDOLLE, Essai sur les propriétes médicales des plantes comparées avec leurs formes extérieures et leur classification naturelle. Paris 1804 u. 1816. (Deutsch v. K. J. PERLEB. Aarau 1818.)

Widerspruch erfuhr die Theorie besonders von VOGEL (Mat. med.), PLAZ (de plantarum virtutibus ex ipsarum charactere botanico nunquam cognoscendis 1762) und GLEDITZSCH (de methodo botanica dubio et fallaci virtutum in plantis indice. 1742).

Später sind dann diese Gedanken vielfach weiter gesponnen worden in den Schriften:

MALY, De analogis plantarum affinium viribus. Prag 1823.

H. H. DIERBACH, Abhandl. über die Arzneikräfte der Pflanzen, verglichen mit ihrer Struktur und ihren chemischen Bestandteilen. Lemgo 1831.

CALVERT ET FERRAND, Mém. sur la végétation considerée sous le point de vue chimique 1844.

HERLANT, Etude sur les rapports entre les principes actifs et les caractères botan. des plantes officinales. Brux. 1878.

DRAGENDORFF, Über d. Bezieh. zwischen chem. Bestandt. u. botan. Eigentümlichk. d. Pflanz. Petersburg 1879.

GRESHOFF, Gedanken über Pflanzenkräfte und phytochemische Verwandtschaft. Ber. d. pharmazeut. Ges. 1893.

ROSENTHALER, Bezieh. zwischen Pflanzenchemie u. Systematik. Naturforschervers. Stuttgart 1906.

Durch eine systematisch-botanische Zusammenstellung treten die Ähnlichkeiten, die man sonst leicht übersehen hatte, oft geradezu erst hervor. So besitzt dies von SCHLEIDEN geschmähte System sogar heuristischen Wert. Es besitzt aber auch didaktischen, da es eine lebensvolle Verknüpfung zusammengehöriger Drogen in der Vorlesung ermöglicht, und deshalb hat sich seiner auch noch in neuerer Zeit FLÜCKIGER in seinem «Grundriß der Pharmakognosie» (Berlin 1883, 2. Aufl. 1894) bedient. Deshalb bediene ich mich seiner in der Vorlesung und deshalb habe ich dies System auch der Anordnung des Drogenmuseums des Berner pharmazeutischen Instituts zugrunde gelegt.

Bereits in den «Grundlagen der Pharmakognosie» reden FLÜCKIGER und ich der Anlehnung an die natürlichen Pflanzenfamilien das Wort. «Die Benutzung eines auf diese gegründeten Systems eignet sich schon deshalb, weil die Kenntnis der Pflanzenfamilien vorausgesetzt werden darf, kaum noch im Zweifel läßt über die jeder Droge gebührende Stelle und nicht die Trennung der Teile oder Produkte gestattet, welche eine und dieselbe Pflanze liefert. Diese Vorzüge sind größer als der Nachteil, welcher darin erblickt werden mag, daß sich bei dieser Anordnung Dinge nahe gerückt finden, welche weder morphologisch noch in betreff der Heilwirkung irgend zusammengehören.»

Für Pflanzen und Tiere ist es benutzt in:

J. J. VIREY, Histoire naturelle des médicaments des alimens et des poisons. Paris 1820. 2 cd. 1826.

A. L. A. FÉE, Cours d'histoire nat. pharmaceut. ou histoire des substances usitées dans la thérapeutique, les arts et l'économie domestique. Paris 1828.

A. RICHARD, Elements d'histoire nat. med. Paris 1831—35.

J. JOHNSTONE, A therapeutic arrangement and syllabus of materia medica. London 1835.

E. SOUBEIRAN, Nouveau traité de pharmacie théoret. et prat. 1836. 2. Aufl. 1840.

Für Tiere in:

J. F. BRANDT und J. T. C. RATZEBURG, Medizin. Zoologie. Getreue Darst. u. Beschreib. d. Tiere, die in der Arzneimittellehre in Betracht kommen. 3 B. 1827—33, mit 60 vorzügl. Kupfertafeln.

P. L. GEIGER, Handb. d. Pharmazie. Heidelb. 1829

JOHN STEPHENSON, Medical zoology and mineralogy. London 1832.

J. W. C. MARTIUS, Lehrb. d. pharmazeut. Zoologie 1838.

MARTINY, Naturgeschichte der für die Heilkunde wichtigen Tiere. Gießen 1854, m. 30 Taf.

MOQUIN-TANDON, Eléments de zoologie médicale. Paris 1860. 2 Edit. 1882 avec Fig.

Des künstlichen LINNÉschen Systems bedienen sich:

C. LINNÉ, Materia medica 1749, 4. Aufl. Erlang. 1782, 5. Aufl. 1785 (ED. SCHREBER).

SCHÖPF (s. oben).

P. J. BERGIUS, Materia medicâ e regno vegetabili, sistens simplicia officinalia pariter atque culinaria. 2 B. Stockholm 1778. 2. Aufl. Stockholm 1782.

P. L. GEIGER, Handb. d. Pharmazie. 3. Aufl. 1830, 5. Aufl. 1837/39. Bearb. von N. v. ESENBECK, DIERBACH und CL. MARQUART.

Auch der pharmakognostische Teil von C. G. HAGEN, Lehrbuch der Apothekerkunst, Königsberg 1778—82 (bis 1821 8. Aufl.), ordnet die Drogen nach dem LINNÉschen System.

In neuerer Zeit bedienten sich des systematisch-botanischen Systems:

C. A. J. A. OUDEMANS, Aanteekeningen op het systematisch- en pharmacognostisch-botanische gedeelte der Pharmacopoea Neerlandica. Rotterdam 1854—56.

W. DYMOCK, The vegetable Materia medica of Western India. Bombay s. a. (1884).

F. A. FLÜCKIGER and DAN. HANBURY, Pharmacographia a history of the principal drugs of vegetable origin, met with in great britain and british India. London 1874. 2. Ed. (by FLÜCKIGER) 1879. Das wichtigste Werk der englischen Pharmakognosie, leider ohne Abbildungen. Französische Übersetzung (nach der 1. Aufl.) von J. L. DE LANESSAN, Histoire des drogues d'origine végétale. 2 Vol. Paris 1878. avec 320 Fig. (par HUGON).

Als Ergänzung dazu: DAN. HANBURY, Science papers, chiefly pharmacological and botanical. London 1876 (Edit. J. JUCE), mit Abbild.

G. PLANCHON, Traité pratique de la détermination des drogues simples d'origine végétale. 2 Vol. Paris 1875, mit Abbild.

W. DYMOCK, C. J. H. WARDEN und D. HOOPER, Pharmacographia indica, a history of the principal drugs of vegetable origin met with in British India. 3 Vol. London, Bombay, Calcutta 1890—1892, ohne Abbildungen.

GEORGE WATT, Dictionary of the economic products of India. 6 Vol. Calcutta 1889—1893, ohne Abbildungen.

LUCIUS E. SAYRE, A manuel of organic materia medica and pharmacognosy. Philadelphia 1895, with 543 Illustr.

G. PLANCHON et E. COLLIN, Les drogues simples d'origine végétale. 2 Vol. Paris 1896, mit 1379 Fig. (von COLLIN), die anatomischen etwas chematisiert. Das Hauptwerk der französischen Pharmakognosie.

G. DRAGENDORFF, Die Heilpflanzen der verschiedenen Völker und Zeiten. Stuttgart 1898. Vollständiges Verzeichnis der ungefähr 12700 Heilpflanzen.

Ähnliche Ziele wie DRAGENDORFFs Heilpflanzen verfolgt:

CH. PICKERING, Chronological history of plants, man's record of his own existence illustrated through their names uses and companionship. Boston 1879 (enthält 15000 Nummern der menschl. Nutzpflanzen, nach FLÜCKIGER [Botan. Zeit.] eine kritiklose Zusammenhäufung).

H. V. ROSENDAHL, Lärobok i Farmakognosi med 347 Fig. Upsala 1897 (schwedisch). Berücksichtigt alle drei Reiche.

B. A. TICHOMIROFF, Utschebnik Farmakognozii. Moskau 1900, mit 157 Abbild. (Russisch).

LOUIS PLANCHON, Précis de matière médicale. 2 Vol. Tom. I avec 170 Fig. 1904, Tom. II avec 314 Fig. 1906. Recht gut für Studierende brauchbar, berücksichtigt auch die Bestandteile ausreichend. PLANCHON legt das System von BENTHAM und HOOKER und DURANDS Index generum phanerogamarum zugrunde.

W. MITLACHER, Toxikologisch und forensisch wichtige Pflanzen und vegetabilische Drogen. Wien 1904.

E. GILG, Lehrbuch der Pharmakognosie. Berlin 1905.

Die Lehrbücher, welche nur den botanischen Teil der Pharma kognosie behandeln und den chemischen Teil entweder ganz unterdrücken oder nach anderen Lehrbüchern und nicht auf Grund eigener Erfahrung oder nach den Quellen behandeln, sind keine Lehrbücher der Pharmakognosie, sondern Lehrbücher der Pharmakobotanik oder botanischen Pharmakognosie, wie sie schon SCHLEIDEN richtig benennt.

3. Einteilung nach den in der Medizin gebräuchlichen Teilen.

(Morphologische Systeme.)

Dieser Einteilung wurden die äußeren morphologischen Charaktere der Drogen zugrunde gelegt, d. h. die Samen, Rinden, Wurzeln, Blätter usw. zusammengestellt, das morphologisch-gleichartige miteinander vereinigt.

Dies System benutzte zuerst, aber in sehr unvollkommener Weise

POMET, Histoire générale des drogues simples et comporés. Renfermant dans les trois classes des Végétaux, des Animaux et des Mineraux, tout ce qui est l'objet de la Physique, de la Chimie, de la Pharmacie et des Arts les plus utiles à la société des hommes. 2 Vol. Paris, mit Abbild. im Text. 1694. 2 Edit. (par POMET fils) mit zahlreichen Tafeln. 1735. Die erste Pharmakognosie in unserem Sinne (vgl. Geschichte).

Auch noch sehr unvollkommen ist das System in dem nur ausländische Drogen usw. behandelnden Werke:

MICH. BERNH. VALENTINI, Museum museorum oder vollständige Schaubühne aller Materialien und Spezereyen nebst deren natürlichen Beschreibung, Election, Nutzen und Gebrauch, aus anderen Material-, Kunst- und Naturalien-Kammern, Oost- und West-Indischen Reiß-Beschreibungen, curiosen Zeit- und Tag-Registern etc. 2 B. Frankfurt 1704—1714. Mit historisch interessanten «etlich hundert sauberen Kupfferstöcken» (und derselbe: Historia simplicium reformata sub Musei Museorum titulo antehac in vernacula edita p. C. BECKER, 1716 und 1723). Das Werk ist wissenschaftlich unbedeutend, die Abbildungen schlecht und zum Teil anderen Werken (POMET) entnommen.

STEPH. FRANC. GEOFFROY, Tractatus de materia medica sive de medicamentorum simplicium historia, virtute, delectu et usu. 3 Vol. Paris 1741. 1 B. de fossilibus, 2 B. de vegetabilibus exoticis, 3 B. de vegetabilibus indigenis. Franz.: Traité de la matière médicale ou de l'histoire, des vertus, du choix, et de l'usage des rémedes simples Paris 1757 (dazu: Les figures des plantes d'usage en médecine, décrits dans le matière médicale de GEOFFROY, dessinés par DE GARSAULT, 643 Tafeln); deutsch: 1760—1766. Der zweite Band ist nach den Pflanzenteilen geordnet und enthält die 9 Kapitel: de radicibus, de corticibus, de lignis, de plantis quibusdam maritimis, de surculis quibusdam, foliis et floribus, de fructibus et seminibus, de plantarum succis liquidis et concretis (de resinis liquidis, d. r. solidis, de succis gummosis, de gummi-resinis), de succis arte quadam e plantis extractis, de tuberibus, fungis et adnatis quibusdam vegetabilibus. Innerhalb dieser Kapitel sind die Drogen alphabetisch geordnet. Der dritte Band ist alphabetisch nach den Stammpflanzennamen geordnet.

GEOFFROY benutzt also ein gemischtes System. Das Werk, dessen lateinische Ausgabe nur die anorganischen und vegetabilischen Drogen behandelt, enthält auch Arzneivorschriften bei den einzelnen Drogen, wendet sich also wohl vornehmlich an Ärzte. Es ist von wissenschaftlichem Werte (siehe Geschichte).

R. A. VOGEL, Historia materiae medicae. Lugd. Bat. 1758, 1764, 1768.
C. ALSTON, Lectures on materia medica. 2 Vol. London 1770.
J. L. EBERMAIER, Taschenbuch der Pharmazie 1809.

J. B. TROMMSDORFF, Handbuch der pharmazeutischen Waarenkunde. Erfurt 1799. 2. Aufl. 1806. 3. Aufl. 1822. Die erste Pharmakognosie in deutscher Sprache.

TROMMSDORFF, der die Pharmakognosie als einen Teil der gesamten Warenkunde vortrug, und alle drei Reiche behandelt, ordnete die Drogen nach organographischen Prinzipien. Er begann mit den Cryptogamen, behandelte dann die Wurzeln, Stengel, Hölzer, Rinden usw.

F. GOEBEL und G. KUNZE, Pharmazeutische Waarenkunde. Eisenach 1827—1834. 2 B. mit zahlr. Taf.

J. W. C. MARTIUS, Grundriß der Pharmakognosie d. Pflanzenreiches. Erlangen 1832. Der Grundriß von MARTIUS ist nicht viel anderes als die Neubearbeitung des zweiten Teiles des Werkes von TROMMSDORFF (s. oben). MARTIUS beschränkt sich auf das Pflanzenreich.

J. W. und FR. DÖBEREINER, Deutsches Apothekerbuch, Abteilung: Pharmazeutische Technologie und Warenkunde. Stuttgart 1842.

Innerhalb der einzelnen Gruppen erfolgte dann die Anordnung meist nach dem Alphabet, so z. B. bei MARTIUS, GEOFFROY; was SCHLEIDEN das «unrein pharmakognostische oder pharmakognostisch-alphabetische System» nennt, später dann auch nach dem natürlichen Pflanzensystem.

Das «vollständig pharmakognostische System» wurde zuerst von BERG 1851 aufgestellt und besonders von SCHLEIDEN (1857) verteidigt. Es ist, wie SCHLEIDEN sagt, «durchweg den Drogen als solchen und ihrer eigentümlichen Natur entlehnt». SCHLEIDEN unterscheidet zunächst als erste Abteilung: Ganze Pflanzen oder Pflanzenteile mit den Strukturverhältnissen organischer Gewebe versehen. Die erste Unterabteilung umfaßt: Vollständige Pflanzen oder Drogen, die wenigstens alle diejenigen Organteile besitzen, welche zu einer vollständigen botanisch-systematischen Bestimmung der Pflanzen nötig sind. Diese Abteilung, die die Kräuter umfaßt, gliedert er nach dem natürlichen Pflanzensystem, «da wir die hierher gehörigen Pflanzen ganz wie Pflanzen behandeln dürfen». Die zweite Unterabteilung umfaßt: Teile der Pflanzen, welche zur vollständigen botanisch-systematischen Bestimmung der Pflanzen nicht hinreichend sind. Diese Unterabteilung enthält das Gros der Pflanzendrogen: die kryptogamischen Drogen, die Wurzeln, Stämme, Hölzer, Rinden, Blätter, Knospen, Blüten, Früchte, Samen, Teile von Früchten und Samen und Drogen mit organischer Gewebestruktur, die nicht als bestimmte Pflanzenteile erscheinen. Die weitere Einteilung dieser großen Klassen basiert SCHLEIDEN auf leicht erkennbare äußere Merkmale sowohl «empirische oder sinnliche» oder «wissenschaftliche», wie z. B. Farbe, Querbruch, Größe und Verteilung der Gefäße, Vorhandensein oder Fehlen von Korkwärzchen usw. Bei den Früchten, Blättern und Blüten legt er die botanisch-morphologische Einteilung derselben zugrunde, bei den Samen die Beschaffenheit des Keims, Vorhandensein und Fehlen von Endosperm u. a. m. Auch hier wird wieder die weitere Gliederung nach Pflanzenfamilien gemacht. Bei den Rinden dagegen benutzt er den Geschmack als Einteilungsprinzip.

Die zweite große Abteilung umfaßt die Stoffe, welche aus den Pflanzen abgeschieden sind und keine organisch-zellige Struktur zeigen. Und zwar zunächst die

Stoffe, welche in bestimmt geformten Körnern vorkommen (Stärke), dann Stoffe, welche als Gemenge verschiedener formloser oder körniger Substanzen unter dem Mikroskop erkannt werden können (*Traganth*) und endlich Stoffe, welche unter dem Mikroskop homogen erscheinen (Harze, Öle).

Daß dies System noch manche Mängel besitzt, ist klar und es wurde daher in der Folgezeit mannigfaltig, besonders im einzelnen modifiziert. Aber die allgemeinen Grundsätze desselben wurden doch ziemlich allgemein akzeptiert.

Schleiden verfolgte mit seinem Systeme einen praktischen Zweck. Es sollte zugleich ein Schlüssel sein für die Diagnose. Es sollte ermöglichen, eine unbekannte Droge aufzufinden, zu erkennen.

Auf pharmakognostisch-morphologischer, d. h. organographischer Grundlage bauten ihre Systeme auf:

Otto Berg, Pharmazeutische Waarenkunde. Pharmakognosie des Pflanzen- und Tierreiches. Berlin 1851 (als zweiter Band der 2. Aufl. der pharmazeut. Botanik). 2. Aufl. 1858. 3. Aufl. 1863. 4. Aufl. 1869. 5. Aufl. 1879 (von der 4. Aufl. an herausg. von A. Garcke). Ohne Abbildungen (der anatomische Atlas bildet die Ergänzung).

Berg bemerkt in der ersten Auflage (1851): «Um eine natürliche Methode der Klassifikation für die pharmazeutische Warenkunde zu erreichen, habe ich die Rohwaren nach ihrer organischen Bedeutung, wenn sie eine Struktur besitzen und nach ihrer chemischen Beziehung, wenn sie strukturlos sind, in Klassen gebracht, diese nach den wesentlichen Bestandteilen in Ordnungen geteilt und die einzelnen Arten jeder Ordnung nach ihrer Verwandschaft zusammengestellt.»

«Die Beschreibung des inneren Baues gehört bei den mit einer Struktur versehenen Droguen gleichfalls zur Naturgeschichte derselben, und um so mehr, als die äußere Beschaffenheit, Textur und durch diese der Bruch, von der Anordnung der Elementarorgane abhängen. Häufig läßt sich auch mit dem Mikroskop entweder unmittelbar oder auf mikrochemischem Wege der Sitz der wesentlichen Bestandteile entdecken, so daß dadurch ein Kriterium für die Güte der Handelssorten einer Drogue gewonnen werden kann.»

Berg, der also schon vor 58 Jahren die Bedeutung der Anatomie und Mikrochemie für die Pharmakognosie erkannte, zieht zur Einteilung mancherlei spezielle Merkmale herbei, bei den Wurzeln und Rhizomen z. B. Fehlen, Vorkommen und Verteilung der Balsambehälter und Milchgefäße, bei den Hölzern die Gefäße und Farbstoffe, bei den Rinden den Bruch und die Zeichnung des Querschnittbildes, bei den Blättern außer dem Umriß auch die Balsambehälter und Öldrüsen. Bei den Blüten und Früchten hält er sich an die botanisch-morphologische Einteilung. Auch ob ein Pflanzenteil frisch oder getrocknet verwendet wird, wird von ihm berücksichtigt.

M. J. Schleiden, Handbuch d. botanischen Pharmakognosie für Ärzte, Apotheker und Botaniker. Leipzig 1857. Mit 82 Holzschn. Schleiden behandelt nur die Pflanzendrogen, gibt aber schon einige anatomische Abbildungen.

Albert Wigand, Lehrbuch der Pharmakognosie. Berlin 1863. 2 Aufl. 1874. 3. Aufl. 1879. 4. Aufl. 1887. Mit 188 Holzschn. Wigand behandelt alle drei Reiche. Er bevorzugt bei der Diagnose der Pflanzendrogen das Lupenbild.

F. A. Flückiger, Lehrbuch der Pharmakognosie des Pflanzenreiches. 1. Aufl. 1867. 2. Aufl. 1883. 3. Aufl. 1891. Mehr Handbuch wie Lehrbuch, daher schon auf dem Titelblatte der II. Auflage als Pharmakognosie des Pflanzenreiches bezeichnet. Keine Abbildungen.

FLÜCKIGERS Pharmakognosie ist epochal für die Entwicklung der Drogenkunde. Die moderne wissenschaftliche Pharmakognosie datiert vom Erscheinen dieses Buches (vgl. S. 12 und den Abschnitt Geschichte).

FLÜCKIGER gibt in der ersten Auflage seines Lehrbuches (1867) eine «Übersicht nach praktischen Merkmalen», die auch das Mikroskop berücksichtigt, sonst aber besonders auf Geruch, Geschmack, Farbe, Form, Dicke, Bruch der nach organographischen Grundsätzen angeordneten Drogen abstellt. Er benutzt jedoch diese Einteilung selbst nicht, sondern macht sich ein einfacheres System zurecht, bei dem allerdings auch wieder Geruch und Geschmack neben morphologischen Merkmalen die Hauptrolle spielen. FLÜCKIGER teilt z. B. folgendermaßen ein:

Halb oder ganz unterirdische Organe.

I. Rhizome und Wurzeln der Monocotylen: a) nicht aromatische, b) aromatische.

II. Rhizome und Wurzeln der Dicotylen: a) Wurzeln und Ausläufer von schleimigem und süßem Geschmacke, b) adstringierende Wurzeln, c) bitterliche oder bittere Rhizome, Wurzeln und Knollen: 1. nicht mit besonderen Saftschläuchen versehen, 2. von besonderen Schläuchen durchzogen; d) Wurzeln von kratzendem Geschmacke, e) aromatische Wurzeln und Rhizome: 1. amylumhaltige, 2. amylumfreie; f) Knollen von scharf brennendem Geschmacke.

Daß diese eines klaren einheitlichen Prinzipes entbehrende Einteilung besonders glücklich wäre, könnte man nicht behaupten. Sie ist wohl aus praktischen Bedürfnissen entsprungen.

FLÜCKIGER beschränkt sich nicht nur auf die Pharmakognosie des Planzenreiches, sondern behandelt auch nur eine relativ kleine Zahl von Drogen, diese aber nach allen Richtungen, besonders auch chemisch und historisch und nach den Handelsverhältnissen, alles auf Grund von Quellenstudium und eigener Anschauung.

FLÜCKIGER bemerkt (1867): «Die Pharmakognosie kann nicht anders gefaßt werden denn als eine gleichzeitige Anwendung verschiedener wissenschaftlicher Disziplinen zum Zwecke einer allseitigen Kenntnis der Arzneistoffe. Welche Zweige der Naturgeschichte zunächst herbeizuziehen sind, springt in die Augen; zur Vervollständigung des Bildes einer Droge gehören aber auch noch die hervorragendsten Züge der Geschichte und der Handelsverhältnisse.»

«Mit nicht geringerem und nicht größerem Rechte beansprucht die Pharmakognosie eine Selbständigkeit als z. B. die Geographie, welche zu ihren Zwecken und auf ihre Weise in noch weit ausgedehnterem Maße sammelt, bearbeitet und erweitert, was andere Wissenszweige ihr zuführen. Die Pharmakognosie findet leicht ihre Grenzen da gesteckt, wo eine einzelne andere Disziplin ebensogut und besser eintreten kann.»

HENKEL, Handbuch der Pharmakognosie. Tübingen 1867 (vom gleichen Autor: Merkmale der Echtheit und Güte der Arzneistoffe, Tübingen 1864).

A. VOGL, Arzneikörper aus den drei Naturreichen. Pharmakognostischer Teil des Kommentars zur österreich. Pharmakopoee. Wien 1869. 3. Aufl. 1879. 4. Aufl. 1892 mit 215 Abbild. VOGL behandelt die Dogen aus allen drei Reichen.

VOGL bemerkt: «Überall dort, wo es mir passend schien, habe ich die besonders charakteristischen Gewebselemente hervorgehoben und die Resultate der mikrochemischen Untersuchung mitgeteilt. Auf diesem Wege ist es möglich, manche wertvolle Anhaltspunkte zu gewinnen zur Beurteilung der betreffenden Arzneikörper im zerkleinerten Zustande, abgesehen davon, daß durch den mikrochemischen Befund die Ergebnisse der makrochemischen Untersuchung vervollständigt und kontrolliert werden. Das ist auch der Grund, weshalb die histologischen Verhältnisse auch bei solchen Arzneikörpern erörtert wurden, die wie z. B. offizinelle Blätter auch auf einem einfacheren Wege hinreichend leicht erkannt und unterschieden werden können, wenn sie uns in toto oder in größeren Bruchstücken vorliegen. So lassen sich selbst gepulverte *Belladonna-*, *Hyoscyamus-*, *Digitalis-*, *Thea-*, *Senna-* usw. Blätter mikroskopisch sicher erkennen. Gerade in diesem Punkte, in der Auffindung charakteristischer Gewebselemente und eines bezeichnenden mikrochemischen Verhaltens, bewährt sich der praktische Wert der mikroskopischen Untersuchungsmethode ganz besonders, und es ist vorauszusehen, daß die ausgedehntere Benutzung des Mikroskops in nächster Zukunft auch diese noch wenig betretene Richtung des pharmakognostischen Studiums mächtig fördern werde.»

OUDEMANS, Handleiting tot de Pharmacognosie van het Planten- en Dierenrijk. Haarlem 1865. 2. Aufl. Amsterd. 1880; mit Karten. Das wichtigste Werk der holländischen Pharmakognosie. Von demselben Verfasser auch: Aanteekeningen op het systematisch- en pharmacognostisch-botanische gedeelte der Pharmacopoea Neerlandica. Rotterdam 1854—56; mit 37 Taf.

MARMÉ, Lehrbuch der Pharmakognosie des Pflanzen- und Tierreiches. Leipzig 1886.

OUDEMANS und MARMÉ beschränken sich auf das Pflanzen- und Tierreich.

JOHN M. MAICH, A manuel of organic Materia medica. Philadelphia 1882. 4 Edit. 1890; mit 259 Abbild. (for the use of students).

JOS. MOELLER, Lehrbuch der Pharmakognosie. Wien 1888. 2. Aufl. 1906 mit 373 recht guten Abbild. Behandelt Pflanzen- und Tierdrogen nur botanisch (und zoologisch), die chemischen Bestandteile werden nur gestreift oder ganz übergangen.

ARTHUR MEYER, Wissenschaftliche Drogenkunde. Ein illustriertes Lehrbuch der Pharmakognosie und eine wissenschaftliche Anleitung zur eingehenden botanischen Untersuchung pflanzlicher Drogen für Apotheker. Berlin. 1. T. 1891, mit 269 Abbild. 2. T. 1892, mit 387 Abbild. Vorwiegend botanisch. Die Zahl der behandelten Drogen, die ausschließlich dem Pflanzenreich angehören, beschränkt, aber die Beschreibung sehr eingehend, auch die Entwicklungsgeschichte und die (moderne) Morphologie, sowie auch die Biologie werden berücksichtigt. Die Abbildungen werden auch allen botanischen Ansprüchen gerecht. «Die Form der botanischen Beschreibung der Droge ist so gewählt, daß sie voraussetzt, der Leser habe während des Studiums dieser Beschreibung die betreffende Droge bei der Hand und betrachte sie, je nach Erfordernis mit dem bloßen Auge, der Lupe oder dem Mikroskope.»

MEYER unterscheidet in seinem streng wissenschaftlichen Werke Wurzeldrogen, Achsendrogen, Blattdrogen, Blütendrogen, Fruchtdrogen, Samendrogen, Ausdrücke, die sich überall jetzt eingebürgert haben. Die Unterabteilungen sind ziemlich willkürlich gemacht.

A. MEYER sagt in seiner Drogenkunde, die Pharmakognosie solle lehren: «1. wie man eine Droge in ganzem, zerschnittenem und pulverisiertem Zustande von allen anderen Körpern unterscheiden kann und 2. welche Eigenschaften die Droge besitzen muß, damit ihre Qualität als gut bezeichnet werden darf.»

Das sind nach meiner Auffassung Aufgaben der angewandten Pharmakognosie.

H. KRAEMER, A course in botany and pharmacognosy. Philadelphia 1902. 2. Edit. als Text book of botany and pharmacognosy 1907. Mit 321 Fig.

G. KARSTEN, Lehrbuch der Pharmakognosie des Pflanzenreiches. Jena 1903. Mit 528 Abbild., zum Teil nach Photographien. Nur botanisch, aber zuverlässig, auch in den Abbildungen.

RABOW, WILCZEK und REISS, Die offizinellen Drogen und ihre Präparate. Straßburg 1903. Mit 43 schwarz. Lichtdrucktafeln nach Photogr. Text deutsch und französ., auch die Drogen selbst sind zum Teil abgebildet.

Neuerdings hat LINDE (Apothek.-Zeit. 1906, S. 186 u. 1907, S. 699) den Versuch gemacht, das morphologische System weiter auszubilden. Die Gruppen sind zwar dieselben wie bei FLÜCKIGER, BERG, MOELLER, VOGL u. a., er vereinigt jedoch die pflanzlichen und tierischen Drogen und macht zwei große Abteilungen: Drogen mit organischer Struktur und Drogen ohne solche, und verwendet innerhalb der Gruppen den didaktischen Grundsatz vom Einfachen zum Verwickelten vorzuschreiten. Er benutzt zunächst morphologische, dann erst, wenn diese nicht ausreichen, anatomische Eigentümlichkeiten zur weiteren Einteilung. Jeder Drogengruppe sind allgemeine Bemerkungen vorausgeschickt.

Alle drei Reiche schlossen ein: HAGEN, TROMMSDORFF, GUIBOURT, WIGGERS, SCHROFF, WIGAND und VOGL, während BERG, HENKEL, OUDEMANS und MARMÉ die Pharmakognosie auf die der Pflanzen und Tiere, SCHLEIDEN, FLÜCKIGER und HANBURY, A. MEYER, PLANCHON und COLLIN auf die der Pflanzen allein einschränkten.

Der Canon Medicinae LINNÉS lautet: Regnum vegetabile praestantissima, lapideum durissima, animale paucissima producit medicamina.

4. Einteilung nach den chemischen Bestandteilen.

(Chemische Systeme.)

Die Einteilung nach den Bestandteilen würde, wie aus den Ausführungen auf S. 6 und aus denen im Abschnitt Pharmakochemie hervorgeht, dem mir vorschwebenden Ziele der wissenschaftlichen Pharmakognosie am nächsten kommen. Denn wegen ihrer Bestandteile benutzen wir die Drogen in der Heilkunde und das Ziel der wissenschaftlichen Pharmakognosie ist die Verknüpfung der Drogen auf Grund ihrer Bestandteile. Die Versuche, die Drogen nach ihren Bestandteilen zu gruppieren, gehen denn auch weit zurück. Der erste derartige Versuch war:

JOH. FRID. CARTHEUSER, Fundamenta materiae medicae tam generalis quam specialis. Francf. 1767.

CARTHEUSER unterscheidet folgende Sectiones: de insipidis terreis et terreo gelatinosis, de insipidis et subdulcibus Mucilagineis et Gelatinosis, de dulcibus subdulcibus, leniter amaricantibus, austeriusculis atque balsamicis Unguinoso-oleosis et Pinguibus, de Acidis et Acidulo-dulcibus, — de austeris stypticis, de dulcibus, de Acribus alterantibus, de amaris et amaricantibus, de acribis et amaris Purgantibus, tam Emeticis quam Catharticis, de Vaporosis, Inebriantibus et Narcoticis, de Balsamicis et Aromaticis, de Amaricantibus, Austeriusculis, blandis Balsamicis, Acriusculis, Subdulcibus, Terreo- aut mucilagineo-subadstringentibus, aliisque sapore mixto donatis — die übrigen sind rein mineralisch — (von CARTHEUSER auch: Pharmacologia theoretica-practica 1745, 1763 und 1770).

Dies gemischt-chemisch-pharmakologische System ist natürlich eine sehr rohe Einteilung, aber historisch interessant. Dann folgten:

DONALD MONROE, A treatise of medical and pharmaceutical chymistry and the materia medica. 3 Vol. London 1788, ein Werk, das HAHNEMANN 1791 (und 1794) ins Deutsche übersetzte.

BATSCH, Versuch einer Arzneimittellehre nach den Verwandtschaften der wirkenden Bestandteile, Jena 1790. In ihm werden Säuren, Schärfen, zusammenziehende Mittel, Süßigkeiten, Schleime, Fettigkeiten und geistige Mittel unterschieden.

F. A. C. GREN, System (Handbuch) der Pharmakologie oder der Lehre von den Arzneimitteln. Halle 1790—1792. 2. Aufl. 1798—99. 3. Aufl. (von BERNHARDI und BUCHOLZ) 1813.

GREN unterschied in diesem wertvollen Buche: die schleimigen, die mehligen und stärkeartigen, die gallertartigen, die eiweißartigen, die zuckerartigen, die fettigen, die ätherischöligten, die bitteren, die adstringierenden, die harzigen, die scharfen, die narkotischen, die campherartigen Arzneidrogen und die mit vegetabilischen Säuren. BUCHOLZ vermehrte dann die Klassen.

Bedeutung gewannen solche Einteilungsversuche aber erst, als die Chemie weiter vorgeschritten war, d. h. im XIX. Jahrh. PFAFF war der erste, der hier Bahn brach in dem Werke:

C. H. PFAFF, System der Materia medica nach chemischen Prinzipien mit Rücksicht auf die sinnlichen Merkmale und die Heilverhältnisse der Arzneimittel. 7. B. Leipzig 1808—1824.

PFAFF bemerkt: «Die chemische Arzneimittellehre erhält nur dadurch eine wissenschaftliche Form, daß sie die Arzneimittel nach ihren wesentlichen Ähnlichkeiten und Verschiedenheiten in ihrer Grundmischung und davon abhängigen Qualitäten in ein so viel mögliches natürliches System ordnet.»

«Es kommt nämlich bei der systematischen Anordnung der Arzneimittel nach chemischen Prinzipien vorzüglich darauf an, die Arzneimittel nach denjenigen chemischen Verhältnissen und Beschaffenheiten zusammenzustellen, welche in der nächsten und unmittelbarsten Beziehung mit ihrem Heilverhältnisse stehen. Es entsteht dadurch die Aufgabe, in den Arzneimitteln die wirklichen Heilstoffe oder Heilgrundlagen chemisch auszumitteln, um dieselben zum Einteilungsgrunde bei der Klassifikation zu gebrauchen.»

PFAFF unterscheidet: Schleimige Arzneimittel, — Stärkeartige A., — Gallertartige A., — Zuckerartige A., — A. mit süßem Extraktivstoff, — Fettige A., — A. mit bitterem Extraktivstoff, — A. mit kratzendem Extraktivstoff, — A. mit starkfärbendem Extraktivstoff, — A. mit vorwaltendem zusammenziehendem Grundstoffe, sog. Gerbestoffe, — A. mit Chinastoff und Gerbestoff in inniger Verbindung, — Kaffeestoffhaltige A., — Rhabarberstoffhaltige A., — Aloëstoffhaltige A., — Pikromelhaltige A., — Harze und harzstoffhaltige A., — Gummiharze, — Natürliche Balsame,

Ätherische Öle und ätherisches Öl als vorzüglich wirksamen Bestandteil enthaltende A., — Campherhaltige A., — A. mit Anemonenstoffen, — A. mit narkotischem Stoffe, — Blausäurehaltige A., — A. mit flüchtiger Schärfe, die nicht als ätherisches Öl darstellbar ist.

Dies System enthält schon fast alles Wesentliche und kann mit geringen Modifikationen und unter Modernisierung der Nomenklatur beinahe auch heute noch als Grundlage dienen.

Eines chemischen Systems bediente sich auch:

J. F. JOHN, Chem. Tabellen der Pflanzenanalysen oder Versuch eines systematischen Verzeichnisses der bis jetzt zerlegten Vegetabilien nach den vorwaltenden näheren Bestandteilen geordnet. Nürnberg 1814.

J. C. EBERMAIER, Tabellarische Übersicht der Kennzeichen der Ächtheit und Güte sämtlicher bisher gebräuchlicher Arzneymittel 1802. 2. Aufl. 1810. 3. Aufl. 1815. 4. Aufl. 1819 (mit wechselndem Titel). 5. Aufl. Pharmakognostische Tabellen 1827 (von G. W. SCHWARTZE) und:

G. W. SCHWARTZE, Pharmakologische Tabellen oder systematische Arzneimittellehre in tabellarischer Form. Leipzig 1819—25. 2. Aufl. 1833.

Ferner:

F. G. VOIGTEL, Vollständiges System der Arzneimittellehre, herausg. v. KÜHN. 4 B. Leipzig 1816—17.

C. W. HUFELAND, Conspectus materiae medicae. Berol. 1816. 2. Aufl. 1820. 3. Aufl. 1828. 4. Aufl. 1835.

G. A. RICHTER, Ausführliche Arzneimittellehre. 5 B. 1826—32.

L. A. KRAUS, Wissenschaftliche Übersicht der gesamten Heilmittellehre. Göttingen 1831.

Das System von FERD. AUG. FALCK, welches derselbe in dem Heftchen: Übersicht der speziellen Drogenkunde, Berlin 1883 (1. Aufl. 1877) mitteilt, und das einen weiteren Fortschritt bedeutet, enthält folgende Abteilungen:

I. Alkaloide: 1. Sauerstofffreie Alkaloide. 2. Sauerstoffhaltige Alkaloide: A. nicht spaltbar; B. spaltbar, als Produkte liefernd: α) Glykokoll, Base und Säure. β) Base und Säure. γ) Base und Zucker = N-haltige alkalische Glukoside.

II. Glukoside: 1. N-haltige Glukoside. A. neutrale; B. saure. 2. N- und S-haltige Glukoside: A. neutrale; B. saure. 3. N-freie Glukoside: A. neutrale; B. saure.

III. Säuren und Anhydride: 1. Pflanzensäuren: A. allgemeiner verbreitete; B. vereinzelt vorkommende. 2. Säureanhydride.

IV. Gerbstoffe: 1. Brenzcatechin liefernd. 2. Pyrogallol liefernd.

V. Indifferente Stoffe: 1. Bitterstoffe. 2. Scharfe Stoffe. 3. Farbstoffe.

VI. Kohlenhydrate: 1. Amylum. 2. Inulin. 3. Triticin. 4. Schleim. 5. Arabinsäure. 6. Zuckerarten: A. Milchzucker; B. Rohrzucker; C. Invertzucker. 7. Mannit.

VII. Ester: 1. des Glyzerins: Fette. A. Fette Öle. α) trocknende Öle; β) nichttrocknende Öle. B. Butter und Talgarten. 2. einwertiger Alkohole: Wachsarten.

VIII. Ätherische Öle: 1. Sauerstofffreie; Kohlenwasserstoffe. 2. Sauerstoffhaltige; Kohlenwasserstoffe und: A. Hydrate derselben; B. Campher und Campher ähnliche; C. Phenole. D. Aldehyde; E. Ester. 3. Schwefelhaltige äther. Öle. 4. Ungenügend untersuchte äther. Öle.

IX. Harze. X. Mechanica. XI. Anorganica.

BUCHHEIM hat alsdann 1879 in dem Aufsatze: Über pharmakognostische Systeme (Arch. d. Pharm. 1876, S. 481) ein anderes chemisches System aufgestellt. Er unterscheidet:

Gruppe der Kohlehydrate — Stärkemehl — Zucker — Gummi und Pflanzenschleim.

Gruppe des Eiweißes und seiner Derivate — Eiweißkörper — Albuminoide — putride Stoffe.

Gruppe der Glyzeride — Gr. d. Olivenöls — Gr. d. Crotonöls.

Gruppe des Cardols.

Gruppe des Senföls.

Gruppe des Cantharidins.

Gruppe der Säureanhydride — Gr. d. Euphorbinsäureanhydrids — Gr. d. Convolvulinanhydrids.

Gruppe des Aloetins.

Gruppe der Cathartinsäure.

Gruppe der Filixsäure.

Gruppe der Gerbsäuren.

Gruppe der Alkaloide — Gr. d. Piperin — Chinin — Kaffeïn — Coniin — Strychnin — Morphin — Atropin — Pilocarpin — Physostigmin — Nikotin — Aconitin — Veratrin Colchicin.

Gruppe der Glykoside — Digitalin — Saponin.

Gruppe der Bitterstoffe.

Gruppe der ätherischen Öle.

Gruppe der (indifferenten) Harze.

Gruppe der Farbstoffe.

Auch Buchheim, der Begründer des ersten pharmakologischen Universitätsinstitutes, betont, daß die wirklich natürliche und wissenschaftliche Einteilung der Drogen nur die nach den wirksamen Bestandteilen ist, da die Drogen Arzneistoffe sind und nur wegen der in ihnen enthaltenen Stoffe angewendet werden.

Pöhl hat einen ähnlichen Versuch veröffentlicht: Klassifikation der pharmakognostischen Stoffe auf die chemische Beschaffenheit ihrer Bestandteile gegründet. St. Petersburg 1877.

Das System, das Fonssagrives in dem Traité de matière médicale ou Pharmacographie, physiologie et technique des agents médicamenteux, Paris 1885, benutzt, ist ein gemischt botanisch-chemisches. Er macht pharmakologische Gruppen, z. B. eine pharmakologische Gruppe der Harze, eine der Gummata, der Aldehyde usw., dann Gruppen nach den Pflanzenfamilien, z. B. eine Gruppe der *Aurantiaceen*, eine der *Balsamifluae* usw. und ordnet diese Familien alphabetisch. Das bedeutet keinen Fortschritt.

Der einzige, der bisher ein chemisches System einem ausführlichen modernen Lehrbuche der Pharmakognosie zugrunde legte, ist J. Hérail in dem Traité de Pharmacologie et de matière médicale. Paris 1901 avec 483 Fig.

Hérail, der tierische und pflanzliche Drogen abhandelt, bildet folgende Gruppen:

1. Médicaments mécaniques (z. B. *Lycopodium*, *Blutegel*).
2. Matières sucrées. — Glucose droit ou dextrose — Saccharides. — Alcools hexabasiques.
3. Principes amylosiques. — Amidon — Mucilages (M. simples — [M. cellulosiques — M. pectosiques] — M. mixtes — M. indeterminés) — Gommes.
4. Matières grasses. — Huiles (H. animales — H. végétales) — Matières grasses solides (M. g. s. d'origine animale — M. g. s. d'orig. végétale) — Cires (C. animales C. végétales).
5. Médicaments à Glucosides. Glucosides ternaires — G. azotés (G. azotés poprement dits — G. sulfo-azotés).
6. Médicaments à tannoides s. adstrigents.
7. Médicaments à alcaloides.
8. Produits anthracéniques, d. i. meine Gruppe der Oxymethylanthrachinondrogen (*Aloë*, *Senna*, *Rheum*, *Frangula*).
9. Médicaments ä composés aromatiques.
   a. Produits terpèniques.
      1. Terpènes·
         Groupe des Terpènes et Sesquiterpènes,
         G. des Polyterpènes.
      2 Alcools terpèniques et leurs éthers:
         Groupe du Bornéol,
         G. du Linalol,

G. du Géraniol et du Citronellol,
G. du Menthol.

3. Alcools sesquiterpèniques.

5. Aldéhydes aromatiques:
Groupe de l'aldéhyde benzoique,
G. de l'aldéhyde cuminique,
G. de l'aldéhyde cinnamique,
G. du Citral et du Citronellal.

5. Cétones aromatiques:
Groupe de la Méthylnonylcétone,
de l'Irone,
de la Carvone,
de la Pulégone,
de la Thuyone,
de la Fénone,
G. du Camphre,
G. de la Cantharidine.

6. Lactones.

7. Phenoles et de dérivés phenoliques:
Groupe du Thymol et du Carvacrol,
G. de l'Eugénole et de Chavibétol,
G. de l'anéthol et de l'Estragol,
G. du Safrol,
G. de l'Apiol.

8. Aldéhydes-phénols:
Groupe de l'Aldéhyde salicylique,
G. du Diosphénol,
G. de l'Aldéhyde protocatéchique.

9. Cineol (Eucalyptol).

10. Éthers d'Alcools de la série grasse.

b. Matières résineuses. Résines — Oleo résines (O. r. proprement dites Médicaments à essence et à résine) — Gommes résines.

10. Liquides et sucs organiques. Liquides organiques — Serums thérapeutiques — Organes et sucs animaux.

11. Matières colorantes.

Das System Falcks (s. oben), das aus dem Jahre 1877 (resp. 1883) stammt und damals ein verdienstlicher Versuch war, ist jetzt natürlich veraltet. Aber auch wenn wir heute ein neues aufstellen, wird dies ebenfalls in kurzer Zeit veraltet sein, — wir sehen dies bei dem System Hérails aus dem Jahre 1901, das schon jetzt stark modifiziert werden müßte, — denn die Entwicklung der Pharmakochemie ist in vollem Fluß. Es ist unmöglich, schon jetzt etwas irgendwie bleibendes für das Gesamtgebiet der Drogen zu schaffen. Es bleibt nichts anderes übrig, als vorläufig die sichergestellten Gruppen herauszunehmen und abzuwarten, bis auch in den übrigen Teilen etwas mehr Klarheit geschaffen ist.

Vorläufig lassen sich zurzeit (1908) folgende Gruppen bilden:

1. **Alkaloiddrogen.**
   a) Hauptalkaloid vom Pyridin abzuleiten (*Faenum graecum*, *Conium*, *Nicotiana*, *Piper*).
   b) Hauptalkaloid vom Pyrrolidin abzuleiten (*Atropa*, *Hyoscyamus*, *Datura*, *Coca*, *Cort. granati*).
   c) Hauptalkaloid von Chinolin abzuleiten (*China*).

d) Hauptalkaloid vom Isochinolin abzuleiten (*Berberis, Hydrastis*).

e) Hauptalkaloid von Phenanthren abzuleiten (*Opium*).

f) Hauptalkaloid vom Glyoxalin abzuleiten (*Pilocarpus*).

g) Hauptalkaloid vom Purin abzuleiten (Purindrogen: *Kola, Guarana, Mate, Kaffee, Tee, Cacao*).

h) Alkaloide unbekannter Konstitution (*Aconit*).

2. **Glukosiddrogen** (meist bitter) mit Ausschluß der Tanniddrogen, die Tannoglukoside enthalten.

a) Anthrachinondrogen, enthalten Anthraglukoside, d. h. Zuckeräther von Oxymethylanthrachinonen (*Rheum, Senna, Aloë, Frangula*), neben freien Oxymethylanthrachinonen.

Anhang: Flavon- u. Flavonoldrogen.

b) Cyanwasserstoffdrogen, enthalten ein Glukosid, das Blausäure abspaltet (*Amygdalus*).

c) Senföldrogen, enthalten ein Glukosid, das ein Senföl abspaltet (*Sinapis*).

d) Saponindrogen (*Senega, Sarsaparilla, Quillaja, Saponaria, Digitalis*).

I. enthalten ein Saponin der Formel $C_nH_{2n-8}O_{10}$.

α) Gruppe: $C_{16}H_{24}O_{10}$

β) „ $C_{17}H_{26}O_{10}$

γ) „ $C_{18}H_{28}O_{10}$

δ) „ $C_{19}H_{30}O_{10}$

ε) „ $C_{20}H_{32}O_{10}$.

Andere Saponine der Formel $C_nH_{2n-8}O_{10}$.

II. enthalten ein Saponin der Formel $C_nH_{2n-10}O_{18}$.

e) Glukuretindrogen (*Jalape, Scammonium, Turpethum*).

f) Hesperidindrogen (*Aurantieen*).

g) Salicindrogen (*Salix*).

h) Drogen, die andere Glykoside enthalten.

3. **Bitterstoffdrogen**, deren Bitterstoff kein Glykosid ist (*Coccelskörner*).

4. **Riechstoffdrogen**, d. h. solche, die ätherische Öle oder andere riechende Substanzen enthalten.

I. Wichtigster Bestandteil ein Kohlenwasserstoff:

a) aliphatische Kohlenwasserstoffe, z. B. Heptan (*Pinus, Sabiniana*),

b) olefinische Kohlenwasserstoffe,

c) zyklische Terpenkohlenwasserstoffe, z. B. Pinen, Phellandren (*Ol. terebinth, Phellandrium, Angelica*).

II. Wichtigster Bestandteil ein Alkohol:

a) olefinische Terpenalkohole z. B. Linalool, Geraniol (*Lavendel, Flor. aurantii, Coriander, Ol. bergamottae, Ol. rosae*),

b) zyclische Terpenalkohole, z. B. Menthol, Borneol, Terpineol (*Mentha, Rosmarinus, Levisticum*),

c) Sesquiterpenalkohole.

III. Wichtigster Bestandteil ein Phenol oder Phenoläther, z. B. Anethol, Chavicol, Eugenol, Safrol, Myristicin, Apiol, Thymol, Diosphenol, Carvacrol (*Anis, Sternanis, Betel, Caryophyllus, Sassafras, Macis, Petroselinum, Ajowan, Buccu, Thymus, Origanum*).

IV. Wichtigster Bestandteil ein Aldehyd:
a) olefinische Terpenaldehyde, z. B. Citral, Citronellal (*Citrus*, *Melissa*),
b) zyklische Altdehyde, z. B. Benzaldehyd, Vanillin, Piperonal, Zimtaldehyd, Cuminaldehyd (*Ol. amygdal. aether.*, *Vanille*, *Cinnamomum*, *Cuminum*).

V Wichtigster Bestandteil ein Keton:
a) aliphatische Ketone, z. B. Methylnonylketon (*Herb. rutae*),
b) olefinische Terpenketone, z. B. Methylheptenon (*Lemongrasöl*),
c) zyklische Terpenketone, z. B. Fenchon, Carvon, Thujon, Iron, Campher (*Foeniculum, Carum, Carvi, Anethum, Salvia, Tanacetum, Artemisia Absinthium, Iris, Chines. Campher*).

VI. Wichtigster Bestandteil ein Lacton oder Anhydrid, z. B. Cineol, Sedanolid, Alantolacton (*Ol. cajeput., Laurus, Eucalyptus, Cina, Apium, Inula Helenium, Melilotus, Tonco, Faham*).

VII. Wichtigster Bestandteil eine Säure oder ein Ester (*Anthemis nobilis*).

5. **Farbstoffdrogen.**
a) Orcingruppe (*Lackmus*),
b) Pyrongruppe (*Galanga, Gemmae populi, Lign. Campech., Lign. Fernamb.*),
c) Anthrachinongruppe (*Rubia tinctor., Alkanna, Chrysarobin*),
d) Naphthalingruppe (*Lapachoholz*),
e) Indolgruppe (*Indigo*),
f) Chromoretine (siehe unter Harze).

6. **Kohlehydratdrogen** (mit Ausschluß der Zuckerdrogen).
I. Stärkedrogen (*Cerealien, Leguminosen*—Stärkemehle).
II. Inulindrogen (*Kompositenwurzeln*).
III. Schleim- und Gummidrogen, enthalten Hemicellulosen:
a) Schleimdrogen *Malvaceen, Linaceen, Sterculiaceen, Traganth, Salep, Meeresalgen*),
b) Pektindrogen (pektinliefernde Früchte),
c) Lichenindrogen (*Cetraria*),
d) Gummidrogen (*Gummi arabicum*).

7. **Süßstoffdrogen.**
a) Solche, die Körper der Zuckergruppe (Aldosen oder Ketosen) enthalten (*Zucker*),
b) solche, die süßschmeckende Alkohole (z. B. Mannit) enthalten (*Manna*),
c) solche, die süße Äther der Glukuronsäure (z. B. Glycyrrhizin) enthalten (*Glycyrrhiza*).

8. **Tanniddrogen,** d. h. Drogen, die Körper der Gerbstoffgruppe enthalten — frei oder als Tannoglukoside.
a) Enthalten nicht glukosidische Verbindungen.
I. Enthalten Tannogene: Protocatechusäure, Kaffeesäure, Gallussäure.
II. Enthalten nicht glukosidische Tannide.
1. Protocatechutannide,
2. Gallotannide.

b) Enthalten glukosidische Verbindungen.
1. Protocatechu-Glukotannide,
2. Gallo-Glukotannide.

c. Enthalten Phloglukotannide.

1. Protocatechu-Phloroglukotannide,
2. Gallo-Phloroglukotannide.

d. Catechingruppe.

e. Drogen, die Phloroglucinderivate enthalten: *Filix*, *Kamala*, *Embelia*. (Taenicide Drogen.)

f. Drogen, die andere gerbstoffartige Substanzen (z. B. Maklurin) enthalten.

9. **Fettdrogen**, d. h. solche, die in erster Linie wegen des in ihnen enthaltenen Fettes oder fetten Öles angewendet werden.

10. **Säuredrogen**, d. h. solche Drogen, deren wichtigste Bestandteile Pflanzensäuren oder saure Salze sind.

11. **Harzdrogen.**

A. Resinretine oder Esterharze, enthalten Harzester (Resine).

I. Resinotannolresinretine, Harze, die Tannolresine enthalten (Resinotannolharze).

1. Benzharze (*Benzoë*, *Perubalsam*, *Akaroïd*),
2. Umbelliferen- (Gummi-)Harze (*Asa foetida*).

II. Resinolresinretine, Harze, die Resinolresine enthalten (*Styrax*).

B. Resenretine oder Resenharze, charakteristischer Bestandteil: Resene.

I. Burseraceenharze (*Olibanum*, *Myrrha*).

II. Anacardiaceenharze (*Mastix*).

III. Dipterocarpeenharze (*Gurjunbalsam*).

C. Resinosäureretine oder Resinosäureharze, Hauptbestandteil: Eine oder mehrere Harzsäuren.

I. Koniferenharze (*Terpentine*, *Colophonium*).

II. Caesalpinioideenharze (*Copaivabalsam*).

D. Resinolretine oder Resinolharze, Hauptbestandteil: Harzalkohole (Resinole) (*Guajac*).

E. Aliphatoretine oder Fettharze, enthalten Körper der Fettreihe (*Stocklack*, *Agaricum*).

F. Chromoretine oder Farbharze, Harzkörper gefärbt (*Gutti*).

G. Enzymoretine, enthalten eine Gummase (*Japan. Lack*).

(H. Glukoretine — werden besser zu den Glukosiden gestellt, s. oben.)

I. Laktoretine, Milchsäfte.

I. Guttaperchagruppe.

II. Kautschukgruppe.

III. Euphorbiumgruppe.

IV. Lactucariumgruppe.

(K. Pseudoretine.)

Dies System ist natürlich unvollkommen und muß unvollkommen sein, da nach meiner Schätzung nur ungefähr ein Prozent aller Drogen bisher so untersucht sind, daß man sagen kann, welches ihr Haupt- oder wichtigster Bestandteil und wohin dieser zu stellen ist.

Oft ist auch die sog. chemische Einteilung keine rein chemische gewesen, sondern man zog auch die pharmakologische Wirkung mit herbei, so daß gemischte Systeme entstanden, wie ja schon das CARTHEUSERS (s. oben) ein solches ist.

Diese leiten dann hinüber zu den eigentlichen physiologisch-pharmakologischen Systemen.

5. Einteilungen nach den physiologischen Wirkungen der Arzneimittel.

Da ich die Pharmakologie aus der Pharmakognosie ganz eliminiere, könnte ich diese Systeme übergehen. Doch mag derselben — aus historischen Gründen — mit einigen Worten gedacht werden. Ich verweise im übrigen auf PEREIRAS Heilmittellehre (S. 216). PEREIRA gliedert diese Systeme in folgende (veraltete) Klassen: 1. Einteilung nach der allgemeinen Beschaffenheit der Arzneiwirkungen, 2. nach der BROWNschen Theorie, 3. nach der Lehre vom Contrastimulus, 4. nach BROUSSAIS Theorie, 5. nach physiologisch-chemischen Prinzipien, 6. nach den einzelnen affizierten Teilen, 7. physiologische Einteilung nach PEREIRA. Doch folgt PEREIRA selbst einem anderen System (vgl. S. 219).

Endlich hat man auch:

6. Einteilungen, welche sich auf die therapeutischen Eigentümlichkeiten der Arzneimittel gründen,

versucht. Auch diese können hier übergangen werden.

Doch mögen an dieser Stelle aus Gruppe 5 und 6, da auch pharmakognostisch und chemisch interessant, genannt sein:

CHOMEL, Catalogus plantarum officinalium secundum facultates. Paris 1730. — J. R. SPIELMANN, Institutiones materiae medicae praelectionibus academicis accomodatae Argentor. 1766, 1774 u. 1784 (innerhalb der pharmakologischen Gruppen alphabetisch). BENJAMIM SMITH BARTON, Collections for an essay towards a Materia-medica of the United States. Phil. 1798 and 1804 (in Bulletin of the Lloyd library). — K. F. BURDACH, System der Arzneimittellehre. 3 B. 1807—09, 2. Aufl. 4 B. 1817—19. — C. H. E. BISCHOFF, Die Lehre von den chem. Heilmitteln. 3 B. 1825—31. — W. GRABAU, Chemisch. physiolog. System d. Pharmakodynamik. Kiel 1837—38. — JOH. H. DIERBACH, Synopsis materiae medicae. 2 Vol. Heidelb. 1841. — BUCHHEIM, Lehrb. d. Arzneimittellehre. 1856 u. 1859. — BUCHHEIM-HARNACK, Lehrbuch der Arzneimittellehre. Hamburg 1883. — HUSEMANN, Handbuch der gesamten Arzneimittellehre. 1883. — CANTANI, Manuale di Farmacologia clinica, materia medica e terapeutica. Neapel 1890. — BERNATZIK u. VOGL, Lehrbuch der Arzneimittellehre. Wien 1886. — BINZ, Vorlesungen über Pharmakologie. Berlin 1886 und Grundz. d. Arzneimittellehre. 13. Aufl. 1901. — CLOËTTA-FILEHNE, Lehrb. d. Arzneimittellehre. 10. Aufl. 1901. — SCHMIEDEBERG, Grundr. d. Pharmakologie. 5 Aufl. 1906. — TAPPEINER, Lehrb. d. Arzneimittellehre. 6. Aufl. 1907. — FRÄNKEL, Kurzgefaßte Arzneimittellehre 1906 u. Arzneimittelsynthese, 1906. — PENZOLDT, Lehrb. d. klin. Arzneibehandl. 5. Aufl. 1900. KOBERT, Lehrb. der Pharmakotherapie. 1897 und 1908. — R. HEINZ, Lehrb. d. Arzneimittellehre. 1907. — M. ELFSTRAND, Läkemedelslära med särskild hänsyn till svenska farmakopéen. Upsala 1905.

7. Geographisch-pharmakologisches System.

Ein sehr merkwürdiges System hat 1833 DIERBACH in Heidelberg in der Abhandlung: Chloris medica oder Übersicht der Arzneipflanzen nach ihrer geographischen Verteilung und nach ihren Heilkräften. Ein botanisch-pharmakologischer Versuch (TROMMSDORFFS N. Journ. d. Pharm. 1833 u. 1834) aufgestellt. Man kann es ein geographisch-pharmakologisches nennen. Es fußt auf dem Gedanken: ubi morbus ibi remedium (siehe S. 20), der gerade damals in SCHNURRERS Geographischer Nosologie, Stuttgart 1813, zum Ausdrucke gebracht worden war, übrigens viel älter ist (vgl. S. 20). DIERBACH unterscheidet:

1. Hyperboräische Arzneipflanzen:
   a) hyperboräische Ceres,
   b) hyperboräische Pomona,
   c) Brech- und Purgiermittel,
   d) scharfe Mittel,
   e) auflösende, schleimausführende Mittel,
   f) diaphoretische und diuretische Mittel,
   g) bittre und adstringierende Mittel,
   h) ätherisch-ölige aromatische Mittel,
   i) beruhigende Mittel,

und führt diese Gruppen dann durch auch bei den folgenden Reichen:

2. Europäische Arzneipflanzen. 3. Scythische Arzneipflanzen. 4. Orientalische Arzneipflanzen. 5. Chinesische und japanische Arzneipflanzen. 6. Ostindische Arzneipflanzen. 7. Arzneipflanzen des nördlichen Afrika. 8. Arzneipflanzen des tropischen Afrika. 9. Arzneipflanzen des südlichen Afrika.

(Vgl. auch DIERBACH, Die Endogenen, betrachtet nach ihren Bestandteilen und Eigenschaften, TROMMSDORFF, N. Journ. 1832.)

Anhang.

Lehr- und Handbücher der Materia medica unbekannter Zugehörigkeit (nicht gesehen): J. PRAEVOTII, de remed. simpl. et comp. 1656, 1666 und 1676. — FR. HOFFMANN, Clavis pharmaceutic. Halle 1675. — MARGGRAV, mat. med. contract. exhib. medicament. simpl. et comp. Ed. sec. Amst. 1682. — WEDEL, Amoenitates materiae medicae. Jen. 1684. — S. DALE, Pharmacologia. Lond. 1693. — RIVINUS, Censura medicamentorum officinalium. Lips. 1707. — TOURNEFORT, Traité de la matière médicale. Paris 1717. 2 B. — BOERHAVE, Libellus de materia medica. 1740. — D. DE GORTER, Mater. med. Amst. 1740. — LINNÉ, Censura medicamentorum simplicium vegetabilium. Ups. 1753. — H. J. N. CRANZ, Mat. med. et chirurg. Ed. alt. Vienn. 1765. — ALSTON, Materia medica. London 1770. — A. C. ERNSTINGIUS, Nucleus totius medicinae quinque partitus oder des vollkommenen und allezeit fertigen Apothekers. 2. B. Lemgo 1770. — NIC. WINCKLER, Chronica herbarum, s. quo tempore colligendae sint. Aug. Vind. 1771. — MELLIN, Pract. mat. med. 2. Aufl. 1778. — CULLEN, Materia medica oder Lehre v. d. Nahrungs- und Arzneymitteln. Deutsch von COUSBRUCH, Leipzig. 2. Aufl. 1790. — HACKEL, Vollständ. prakt. Abhandl. von d. Arzneim., nach deren Ursprunge, Unters., Güte, chem. Bestandt. 3 B. Wien 1793. — SAVI, Materia medica vegetabile toscana. Florenz 1805. 60 Taf. — A. VON HALLERS Arzneimittellehre von SAM. HAHNEMANN, Leipzig 1806, ist eine Übersetzung des Werkes von VICAT, Matière médicale, Bern 1776, das VICAT, ein Lausanner Arzt, aus HALLERS Historia Stirpium ausgezogen. — CHEVALIER et RICHARD, Dictionnaire des drogues simples. Paris 1827. — THEILE, Pharmaz. Warenkunde. 1831/32. — ROQUES, Phytographie médicale. 1835. — ROYLE, A manual of materia medica and therapeutics. London 1847. — SCHWARZKOPF, Lehrbuch der Droguenwarenkunde. Leipzig 1854. — BOUCHARDAT, Matière medicale. 1873. — FRISTED, Lärobok i organisk Pharmacologi. Upsala 1873. — VAN HEURCK, Notions succinctes sur l'origine et l'emploi des drogues simples. Bruxelles 1876. — DUNIN WASOWICZ, Farmakognozya. Podrcznik dla lekarzy powiatowych, aptekarzy i stuchaczy nauk farmaceutycznych napisat ze szczególném uwzglgdnieniem lekospisów niemieckiego, rakuskiego i rossyjskiego. We Lwowie 1883. — CAUVET, Nouveaux éléments de matière médicale comprenant l'histoire des drogues simples d'origine animale et végétale. 3 Ed. Paris 1886, avec 701 Fig. — GEORGE J. DAVIS, The pharmacology of the newer mater. med., embracing the botany, chemistry, pharmacy and therapeutics of new remedies. Detroit (Mich.) 1892. — JOHN B. SHOEMAKER, Materia medica and therapeutics. 2 Vol. Philadelphia 1893. — SAMUEL O. L. POTTER, Materia medica, Pharmacy and Therapeutics. 5 ed. Philadelph. 1894. — W. H. WHITE and REYNOLD W. WILCOX, Materia med. and therapeutics. 2 ed. Philadelph. 1894. — BRISSEMORET et JOANIN, Les drogues usuelles. Paris 1898. — CZIRIKOFF, Pharmakognosie. Charkow (russisch).

Auf chemischer Grundlage: C. A. GERHARD, Materia medica oder Lehre von den rohen Arzneimitteln. Berlin 1766 und 1772. — J. R. SPIELMANN, Institutiones materiae medicae. Argentor. 1766, 1774, 1784. — SPIELMANNS Anleit. z. Kenntn. d. Arzneimittel. Straßburg 1775, 1778, 1785. — JOH. G. GLEDITSCH, Wissensch. d. Arzneimittel. Berlin 1779—1781. — VON DEM SANDE und SAM. HAHNEMANN, Die Kennzeichen der Güte und Verfälsch. d. Arzneimittel. Dresden 1787. — DONNED MONRO, Treatise on medical and pharmaceutical chemistry and materia medica. London 1788. Deutsch von HAHNEMANN: D. MONROS chemisch-pharmazeutische Arzneimittellehre. Leipzig 1791—1794. — CONR. MOENCH, Systemat. Lehre von den einfach. u. gebräuchlichsten zusammengesetzt. Arzneimitteln. Marburg 1789, 1792 und 1795. — STORR, Sciagraphia methodi materiae medicae qualitatum aestimationi superstructae. Tübingen 1792—1799. — JOH. CLEM. TODE, Arzneimittellehre. Copenhagen 1797—1799. — C. H. TH. SCHREGER, Tabellarische Charakteristik der echten u. unechten Arzneikörper. Fürth 1804. — G. A. BERTELE, Handbuch der dynamischen Arzneimittellehre. Landshut 1805.

Die Abbildungswerke siehe Pharmakosystematik, die anatomischen Werke siehe Pharmakoanatomie, die morphologischen siehe Pharmakomorphologie. Die Werke, welche für die Geschichte der Pharmakognosie wichtig sind, werden im Abschnitt Pharmakohistoria aufgeführt.

Grundrisse, Repetitorien, Tabellen usw. der Pharmakognosie.

WEDEL, Syllabus materiae medicae select. Jenae 1735. — J. L. L. LÖSEKE, Materia medica. 4. Aufl. von ZÜCKERT. Berlin 1773. — HERMBSTÄDT, Katechismus der Apothekerkunst. Berlin 1792. — C. H. CALMEYER, Lehrbuch der Roharzneywaarenkunde. Hamburg 1808. — SEYDLER, Analecta pharmacognostica. Halae 1815. — J. CHR. EBERMAIER, Tabellar. Übers. d. Kennzeichen d. Echtheit u. Güte, sowie d. fehlerhaft. Beschaffenh. d. Verwechsl. u. Verfälsch. sämtl. bis jetzt gebräuchl. einfachen, zubereitet. u. zusammenges. Arzneimittel. Leipzig 1820. — Ders.: Pharmakognost. Tabellen 1827 (vgl. S. 3). — WALTHER, Pharmakogn.-pharmakolog. Tabellen. Mainz 1838. — DIETRICH, Taschenb. d. pharmaz.-vegetab. Rohwarenk. 1842—1846. — W. ARTUS, Repetitorium u. Examinatorium über pharmazeutische Waarenkunde. Weimar 1843. — SCHMIDT, Taschenb. d. pharmaz.-vegetab. Rohwarenk. Jena 1847. — WINKLER, Pharmakogn. Tabellen 1849. — CAUVET, Elements d'histoire nat. méd. 1868 u. 1887. — FREYBERGER, D. organ. Drog. d. neuen deutsch. Reichspharmakop. 1874 (Tabell.). — G. PLANCHON, Traité pratique 1875. — SAYRE, Conspectus of organic mater. med. 1880. — FLÜCKIGER, Grundriß der Pharmakognosie 1883, 2. Aufl. 1894. — HUGO SCHULZ, Die offiziellen Pflanzen u. Pflanzenpräparate 1885. P. GIACOSA, Elementi di farmacognosia con aggiunte. Torino 1886. — C. KREUZ, Pharmk. für den Erstunterricht. Wien 1886. — A. F. W. SCHIMPER, Taschenb. der medizin.-pharmazeut. Botan. und pflanzlichen Drogenkunde. Straßburg 1886 und derselbe: Syllabus der Vorlesungen über pflanzliche Pharmakognosie. Straßburg 1887. 3. Aufl. (1901) als Repetitorium der pflanzlichen Pharmakognosie und offizinellen Botanik. — WILLS, Manual of vegetable materia medica. 9 edit. 1886. — LOJANDER, Repetitor. i botanisk farmacognosie 1888. — L. CHABRUN, Manual de drogas. Barcelona 1897. — HANSEN, Drogenkunde 1897. — STEPHAN, Pharmakognost. Tabellen, 3. Aufl. 1897. — GREENISH, Introduction to the study of materia medica. London 1899. — C. JEHN, Repetitor. d. Chem. u. Pharmakogn., o. Aufl. 1899. — WALTER LAURÉN, Suomen Farmakopean Kasvirohdokset (finnisch) und Finska Farmakopéns Växtdroger (schwedisch). Helsingfors 1900. — PIETSCH u. FUCHS, Katechismus d. Drogenkunde. 2. Aufl. Leipzig 1900. — Anonym: The students columns, Mat.

med. of the pharmac. Mat. med. of the B. P. addendum. Extra official materia medica. Fortlaufende Beschreibung von Drogen in Pharm. Journ. 1900 u. flgd. — BIECHELE, Pharmakognosie in Verbind. m. spez. Botan. in tabellarischer Form. 2. Aufl. 1901. — Ders.: Mikroskop. Prüf. d. offizinellen Drogen 1904. — LÜCKER, Pharmakognost. Tabellen. 1901. — MOOR, Suggested standards of purity for foods and drugs. London 1902. — SCHLICKUM, Ausbild. d. jungen Pharmazeuten. 10. Aufl. 1902. — BERENDES, der angehende Apotheker, II. Band Pharmakogn. Stuttgart 1904. — M. BIECHELE, Mikrosk. Prüf. d. offizin. Drog. Regensb. 1904. — F. SCHMITTHENNER, Pharmakognos. d. Pflanzen- und Tierreiches (Samml. Göschen, Leipzig 1905). — THOMS und GILG, Warenkunde (in Schule der Pharmazie). 3. Aufl. Berlin 1905. Mit 216 Abbild. — O. LINDE, Repetitor. d. Pharmakognosie in Tabellenform mit 46 Abbild. Göttingen 1906. — H. ZÖRNIG, Tabellen für das pharmakognostische Praktikum. München 1906. — In BREITENSTEINS Repetitorien: Kurzes Repetitor. d. Pharmakogn. — COLLIN, Précis de matière medicale. Paris. — HOROWITZ, Repetit. d. Pharmak. — KREUZ, Materia medica. Berlin. — SOUTHALL, Materia medica. — HUMPHREY, Pharmacopedia.

Monographien.

F. VON MÜLLER, Eucalyptographia. Melbourne 1879—84.

MOENS, Kinacultuur in Azië. Batavia 1882.

G. E. HAARSMA, Der Tabakbau in Deli. Amsterdam 1890.

TICHOMIROW, die Kultur u. Gewinn. des *Tees* auf Ceylon, Java und in China. Petersburg 1893.

WARBURG, die *Muskatnuß*, ihre Geschichte, Botanik, Kultur, Handel und Verwertung. Leipzig 1897.

BUSSE, Studien über die *Vanille*, aus Arbeit. des kais. Gesundheitsamtes. Berlin 1898.

E. F. A. OBACH, Guttapercha, Cantor lectures. Soc. for the Encouragement of arts etc. London 1898 (auch holländ. und deutsch erschienen).

TSCHIRCH, Studien über den *Rhabarber* und seine Stammpflanze. Wien 1904.

In dem Beschrijvende Catalogus van het Koloniaal Museum in Haarlem finden sich (einzeln im Handel erhältliche) populär geschriebene Monographien von *Kaffee*, *Tee*, *Cacao*, *Vanille*, *China*, *Zucker*, *Tabak*, *Reis*, *Kautschuk*, *Guttapercha* u. a. Über die gleichen Gegenstände finden sich auch eine Menge anderer Monographien im Handel.

Ebenso gab das Scientific department von FRED. STEARNS & Co. in Detroit Monographien heraus, z. B. von *Kola* (1894).

Das Kaiserliche Gesundheitsamt in Berlin gibt populär geschriebene Monographien heraus; so erschien 1903: der *Kaffee*. Weitere Literatur S. 245 u. 255.

Medizinisch-pharmazeutische Botanik.

Die medizinisch-pharmazeutische Botanik, der A. F. W. SCHIMPER auf dem Titel eines seiner Bücher (s. oben S. 238) den verkehrt gebildeten Namen «offizinelle Botanik» gibt (nur die Drogen, nicht die Botanik sind «offizinell»), ist zwar schon im vorhergehenden gestreift worden. Speziell ihr sind außer den bereits erwähnten die folgenden Werke gewidmet.

WALDSCHMIEDT, De vegetabilium usu in medicina. Hiliae 1707. — CHOMEL, Abrégé de l'histoire des plantes usuelles. Paris 1712. — ib. 1803. — CAMERARIUS, Biga botanica. Tubingae 1712. — ZORN, Botanologia medica. Berlin 1714. — FEUILLÉE, Hist. des plantes médicales de Perou et Chile. Paris 1714—1725. — VALENTINI, Historia simplicium reformata. Francofurti a./M. 1716. fol. — TOURNEFORT, Traité de la matière médicale. Paris 1717. —

MÄLLER, Botanicum officinale. London 1722. — KNOWLES, Materia medica botanica. Londini 1723. — BLAIR, Pharmaco-botanologia. London 1723—28. — MONTI, Exoticorum simplicium varii indices. Bononiae 1724. — (MARTYN), Tabulae synopticae plantarum officinalium. Londini 1726 fol. — HERMANN, Cynosura materiae medicae. Argentorati 1726—31. — H. BOERHAVE, Historia plantarum, quae in horto academico Lugduni Batavorum crescunt cum earum characteribus et medicinalibus virtutibus. Rom 1727, 2 Ed. Lond. 1731, 3 Ed. 1738 («Maculosissimum et confusissimum opus ab Anonymo quodam conscriptum», PRITZEL). — KRAEUTERMANN, Compendiöses Lexicon exoticorum et materialium. Arnstadt 1730. — ALLEYNE, New english dispensatory. London 1733. — MALOUIN, Chymie médicinale. Paris 1734. — ALBRECHT, De aromatum exoticorum noxa. Erfordiae 1740. — MORANDI, Historia botanica practica. Mediolani 1744. fol. — HILL, A history of the materia medica. London 1751. — HALLER, De praestantia remediorum vegetabilium. Goettingae 1752. — LINNÉ, Plantae officinales. Upsaliae 1753. — LINNAEUS, Censura medicamentorum simplicium vegetabilium. Upsaliae 1753. — BANAL, Catalogue des plantes usuelles. Montpellier 1755. — SHELDRAKE, Botanicum medicinale. London s. a. fol. — CRANTZ, Materia medica. Viennae 1762. — AKEN, Svenska Medicinal Växterna. Örebro 1764. — SCHWENCKE, Kruidkundige beschrijving etc. Gravenhage 1766. — ARNAULD et SATERNE, Description des plantes usuelles. Paris 1767. — DAGOLY, Collection des plantes usuelles. Paris 1767. fol. — J. G. GLEDITSCH, Verzeichnis der gewöhnlichsten Arzneigewächse, ihrer Teile und rohen Produkte, welche in den größeren teutschen Apotheken gefunden werden. Berl. 1769. — GARDENERS Dictionary. 6 edit. 1771. — J. F. GMELIN, Abhandl. von giftigen Gewächsen, welche in Teutschland und vornehmlich in Schwaben wild wachsen. Ulm 1775. — VICAT, Matière médicale tirée de Halleri Historia stirpium Helvetiae. Bern 1776. — ib. 1791. — BANAL, Catalogue des plantes médicinales. Montpellier 1780. — ib. 1784. — LICHTENSTEIN, Anleitung zur medizinischen Kräuterkunde. Helmstedt 1782—86. — HAPPE, Botanica pharmaceutica. Berolini 1788 (—1806). fol. — CULLEN, Treatise of Materia medica. Edinburgh 1789. — W. WOODVILLE, Medical botany. 3 Vol. 1790. — SCHRADER, Die norddeutschen Arzneipflanzen. Berlin 1792. — COSTE et WILLEMET, Matière médicale indigène. Nancy 1793. — J. CHR. EBERMAIER, Vergleich. Beschreib. derjenigen Pflanzen, welche in d. Apotheken leicht miteinander verwechselt werden. Braunschweig 1794. — GRINDEL, Pharmazeutische Botanik. Riga 1802. — HOFFMANN, Syllabus plantarum officinalium. Goettingen 1802. — NOEHDEN, Entwurf zu Vorlesungen über pharmakologische Botanik. Göttingen 1802. — VITET, Matière médicale. Lyon 1803. — ALIBERT, Matière médicale. Paris 1804. — ib. 1826. — SCHWILGUÉ, Traité de matière médicale. Paris 1805. — ib. 1818. — DUBUISSON, Plantes usuelles indigènes et exotiques. Paris 1809. — BODARD, Analyse de cours de botanique médicale comparée. Paris 1809. — J. CHR. F. GRAUMÜLLER, Handbuch der pharmazeut. medizin. Botanik. 5 B. 1813—1818 (auch pharmakogn. und chem. interessant). — J. BIGELOW, American medical botany. 3 Vol. 1817—1820. — P. C. BARTON, Vegetable materia medica of the United States or medicinal botany. London 1818. — GOETZ, Descriptio plantarum exoticarum officinalium. Viennae 1818. — J. H. DIERBACH, Handb. d. medizin. pharmazeut. Botanik. Heidelberg 1819. — POIRET, Flore médicale. 1820. — A. RICHARD, Botanique medicale. 2 B. 1823. Medizin. Botanik, deutsch von KUNZE und KUMMER. 2 B. Berlin 1824—26. — J. STEPHENSON and J. M. CHURCHILL, Medical botany. 4 Vol. 1827—31. 2 ed. (von BURNET) 1834—36. — THOMSON, Botanique du droguiste. Paris 1827. — D. WAGNER, Pharmaz.-medizin. Botanik. 2 B. Wien 1828—30. — SMYTTÈRE, Tableaux d'histoire naturelle médicale. Paris 1829. — SMYTTÈRE, Phytologie pharmaceutique et médicale. Paris 1829. — NEES VON ESENBECK und EBERMAIER, Handb. d. pharmazeut. Botanik. 2 B. 1830—31. — ANSLIJN, Handleiding der Botanie . . . tot de Artzenijmeng-Kunde. Amsterdam 1831. — Leijd. 1835—38. — ASCHERSON, Pharmazeutische Botanik. Berlin 1831. — SCHLICHTKRULL, De officinelle planter. Kjöbnhavn 1831. — EHRMANN, Pharmazeutische Botanik. Wien 1832. — GRAVES, Hortus medicus. London 1833. — WINKLER, Abbildungen (und Beschreibungen) der homöopathisch geprüften Arzneigewächse. Leipzig 1834—36. — VRIESE, Plantenkunde voor Apothekers en Artsen. Leiden 1835—38. — VAVASSEUR, Dictionnaire universel de botanique . . . médicale etc. Paris 1836. — CASTLE, Introduction to the medical botany. London 1837. — MALY, Systematische Beschreibung der deutschen Arzneigewächse. Grätz 1837. — BARTON et CASTLE, The British Flora medica. London 1837—38. — MIQUEL, Leerboek tot de Kennis der artsenjigewassen. Amsterdam 1838. — PH. LOR. GEIGER, Pharmazeut. Botanik. 2. Aufl. von NEES VON ESENBECK und DIERBACH. Heidelberg 1839—43. — KATZER, Übersicht der offizinellen Pflanzen der östreichischen Pharmacopoee. Wien 1840. — STUPPER, Medizinisch-pharmazeutische Botanik. Wien 1841—43. — DIETRICH, Taschenbuch der pharmazeutisch-vegetabilischen Rohwarenkunde. Jena 1842—46. — BISCHOFF, Medizin.-pharmazeut. Botanik. Erlangen 1843. 2. Aufl. 1847. — CASSONE, Flora medico-farmaceutica. Torino 1846—52. — WINKLER, Handbuch der medizinisch-pharmazeutischen Botanik. Leipzig 1846 sqq.. — SCHMIDT, Taschenbuch der pharmazeutisch-vegetabilischen Rohwarenkunde. Jena 1847 sqq. — VRIESE, Chloris medica. Amsterdam 1847 sqq. — TARGIONI-TOZZETTI, Corso di botanica medico-pharmaceutica. 2. Aufl. Firenze 1847. — LINDLEY, Medical and economical botany. London 1849.

OTTO BERG, Handbuch d. pharmazeutischen Botanik (für Pharmazeuten und Mediziner). Berlin 1845. 2. Aufl. 1850. 3. Aufl. 1855. — O. BERG, Charakteristik d. f. d. Arzneikunde u. Technik wichtigsten Pflanzen-Genera. Berlin 1845. — M. J. SCHLEIDEN, Handbuch d. medizin.-pharmazeut. Botanik zum Gebrauch bei Vorlesungen und zum Selbststudium. Leipzig 1852. — K. MARTIUS, Syllabus de botanica pharmaceutico-medica. Monachii 1852. — HARTIG, Naturgesch. d. forstlichen Kulturpflanzen Deutschlands 1852. — BOSSU, Plantes médicales. Paris 1854. — GÖPPERT, Die offizinellen u. techn. wichtig. Pflanzen unserer Gärten 1857. Nachtrag: Uns. offizinellen Pflanzen. Görlitz 1883. Ferner: Katalog d. botan. Museen d. Univers. Breslau. Görlitz 1884. — HENKEL, Atlas z. medizin.-pharm. Botan. 1863. 2. Aufl. 1873. — MALY, Beschreibung der Medizinalpflanzen. Wien 1863. — LUERSSEN, Medizin.-pharmazeut. Botanik oder Handbuch der systematischen Botanik mit besonderer Berücksichtigung der Arzneipflanzen. 2 B. 1879—1882. Mit Abbild. — Jos. HERZ, Synopsis d. pharmazeut. Botanik. Ellwangen 1883. — LUERSSEN, Die Pflanzen d. Pharmakop. germ. 1883. — LEUNIS, Synopsis; Botanik von FRANK. 3. Aufl. 1883. — BAILLON, Traité de botanique médicale. 2 vol. Paris 1884—89. Mit zahlr. Abbild. — HUGO SCHULZ, Die offizinellen Pflanzen und Pflanzenpräparate. Wiesbaden 1885. — H. KARSTEN, Illustriertes Repetitorium der pharmazeut.-medizin. Botanik. Berlin 1886. Mit 477 Fig., und Flora von Deutschland, pharmaz.-med. Botan. 2. Aufl. 1895. — DUJARDIN-BEAUMETZ et EGASSE, Plantes médicinales. Paris 1889. — C. MÜLLER, Medizinalflora. Berlin 1890. — L. TRABUT, Précis de botanique médicale 1891. — SCHIMPFKY, Unsere Heilpfl., ihr Nutzen und ihre Anwend. 1893, m. Ergänzungsb. 1894 (m. farb. Abb.). — HÉRAUD, Nouveau dictionnaire des plantes médicinales. 3 Ed. 1895 avec 294 Fig. — H. BAILLON, Traité de Botanique médicale cryptogamique, suivi du tableau du Droguier de la Faculté de médecine de Paris. Paris 1897, 370 Fig. — A. VOIGT, Pharmazeutisch-technische Botanik. 1894—1896 Hamburg 1897/99. — PLACK, Repetitor. d. Botanik m. bes. Berücks. d. offizinellen Pflanz. 1899. — HANSEN, Systemat. Charakterist. d. mediz. wicht. Pflanzenfam. 2. Aufl. 1907. — A. ENGLER, Syllabus der Pflanzenfamilien. Eine Übersicht über das gesamte Pflanzensystem mit Berücksicht. d. Medizinal- und Nutzpflanzen nebst einer Übersicht über d. Florenreiche u. Florengebiete d. Erde, z. Gebr. bei Vorlesungen u. Studien über spezielle u. medizin.-pharmazeut. Botanik. 5. Aufl. 1907 (Fortsetzung von EICHLERS Syllabus). — GIESENHAGEN, Unsere wichtigsten Kulturpflanzen. 2. Aufl. 1907.

Vgl. auch W. TRELEASE, Medical Botany (J. Am. med. Ass. Sept. 1897). — WARBURG, Gesch. u. Entwickl. d. angew. Botanik. Ber. d. bot. Ges. 1901.

Kolonialbotanik.

J. VON WARSZEWICZ, Handelspflanzen, welche für Ostindische Colonisten wichtig und von großem Wert sein können. Bull. du Congrès Intern. de Botan. et de Hortic. 1865. — C. A.

J. A. OUDEMANS, De Handelsplanten. 36 gekleurde platen met bijschrift voor Nederland. Amsterdam 1883. — J. L. DE LANESSAN, Les plantes utiles des Colonies françaises. Paris 1886. — G. S. BOULGER, The uses of plants: a manual of economic botany, with special reference to vegetable products introduced during the last fifty years. London 1889. — G. HEUZÉ, Les plantes industrielles. Paris 1893. — R. SADEBECK, Die wichtigeren Nutzflanzen und deren Erzeugnisse aus den deutschen Colonien. Jahrb. d. Hamb. Wissenschaftl. Anstalten 1896. H. JUMELLE, Les cultures coloniales. Plantes alimentaires. Paris 1901. — H. JUMELLE, Les cultures coloniales. Plantes industrielles. Paris 1901. — P. DE JANVILLE, Atlas de poche des plantes utiles des pays chauds les plus importantes pour le commerce. Paris 1902. — AD. DAMSEAUX, Les plantes de la grande culture. Namur-Bruxelles 1905. — P. ANEMA, Plantkunde, ten dienste van de lagere school in Ned.-Indie. Groningen 1906. — E. DE WILDEMAN, Les plantes tropicales de grande culture. T. 1. Caféier, Cacaoyer, Colatier, Vanillier, Bananiers. Bruxelles 1908. (Vgl. auch die im Kapitel Pharmakoërgasie S. 73, 74 u. 239 aufgeführten Werke, die von HECKEL herausgegebenen Annales de l'institut colonial in Marseille (S. 254) und das Kapitel Pharmakosystematik.)

Giftpflanzen.

Ein vielfach gesondert behandeltes Kapitel der Pharmakobotanik, das eine ziemlich große Literatur besitzt, ist das der Giftpflanzen. Es fällt aber nur zum Teil mit der Pharmakobotanik zusammen, denn nicht alle giftigen Pflanzen sind auch Heilmittel. Ich verweise z. B. auf die giftigen Pilze.

Ein Verzeichnis der älteren Publikationen über die Giftpflanzen (bis 1847) findet sich in PRITZELS Thesaurus litterat. botanic. 1877.

PETRUS DE ABANO, Tractatus de venenis. Mantuae 1472. fol. — ARDOYNIS, Liber de venenis. Venetiis 1492. fol. — Basileae 1562. fol. — ARMA, Opus de venenis. Taurini 1558. — PONZETTI, De venenis libri tres. Basileae 1562. fol. — GREVIN, Deux livres des venins. Anvers 1568. — BACCI, Prolegomena de venenis. Romae 1586. — BUECHNER, De venenis. Halae 1746. — GMELIN, De materia toxicorum vegetabilium in medicamentum convertenda. Tubingae 1765. — GMELIN, Abhandlung von den giftigen Gewächsen. Ulm 1775. — VICAT, Histoire des plantes vénéneuses de la Suisse. Yverdun 1776. — BULLIARD, Histoire des plantes vénéneuses et suspectes de la France. Paris 1784. fol. — HALLE, Die deutschen Giftpflanzen. Berlin 1784—93. — ib. 1801—5. — PLENCK, Toxicologia. Viennae 1785. — PUIHN, Materia venenaria regni vegetabilis. Lipsiae 1785. — SCHULZE, Toxicologia veterum. Halae 1788. — KOLBANI, Ungarische Giftpflanzen. Preßburg 1791. — DUNKER, Beschreibung der Giftpflanzen. Brandenburg 1796—97. — FREGE, Anleitung zur Kenntnis der Giftpflanzen. Kopenhagen 1796. — KERNER, Deutschlands Giftpflanzen. Hannover 1798. — KOHLHAAS, Giftpflanzen. Regensburg 1805. — ORFILA, Traité des poisons, ou Toxicologie générale. Paris 1813—15. — Ed. III: ib. 1826. — GOETZ, Abbildungen deutscher Giftpflanzen. Weimar 1817. — JUCH, Die Giftpflanzen. Augsburg 1817. fol. — LJUNGBERG, De plantis venenatis. Upsaliae 1822. — Die Giftpflanzen des Elsasses (m. 37 Taf.). Straßburg 1825. — DIETRICH, Deutschlands Giftpflanzen. Jena 1826. — WINKLER, Sämtliche Giftgewächse Deutschlands. Berlin 1831. — TADDEI, Repertorio dei veleni e contravveleni. Firenze 1835. — HENRY, Die Giftpflanzen Deutschlands. Bonn 1836. — MICHEL, De noordneederlandsche vergiftige gewassen. Amsterdam 1836. fol. — SCHOTTLAENDER, Giftpflanzen Deutschlands. Ulm 1837. — BRANDT, PHOEBUS et RATZEBURG, Abbildung und Beschreibung der deutschen Giftgewächse. Berlin 1838. — PHOEBUS, Deutschlands kryptogamische Giftgewächse. Berlin 1838. — GUENTHER et BERTUCH, Pinakothek der deutschen Giftgewächse. Jena 1840. — HERGETSCHWEILER und LABRAM, Die Giftpflanzen d. Schweiz (m. 38 Taf). Zürich 1843. — BERGE und RIECKE, Giftpflanzenbuch. Stuttgart 1845. — DUCHESNE, Repertoire des plantes utiles et des plantes vénéneuses du globe. 2 Ed. Brux. 1846. — SCHIMPFKY, Deutschlands wichtigste Giftgewächse (m. farb. Abb.). 1894. — SCHLITZBERGER, Die Gift- und Heilpflanzen, m. 136 farb. Abb. 1899. — GRESSLER, Deutschlands Giftpflanzen, bearb. v. ANDRAE (m. 8 farb. Taf.) 17. Aufl. 1904. — AHLES, Unsere wichtigeren Giftgewächse. 4 Aufl. 1904. — MITLACHER, Toxikolog oder forens. wichtige Pflanzen u. vegetabilische Drogen usw. Berlin-Wien 1904.

Wichtigste Publikationen über eßbare und giftige Pilze

(zusammengestellt von B. STUDER).

KROMBHOLZ, Naturgetreue Abbildungen und Beschreibung der eßbaren, schädlichen und verdächtigen Schwämme (78 farbige Foliotafeln). Prag 1831.

SECRETAN, Mycologie suisse. 3 Vol. Genève et Paris 1831.

TROG, Verzeichnis schweiz. Schwämme. Bern 1844.

TROG, Die eßbaren, verdächtigen und giftigen Schwämme der Schweiz (36 farb. Foliotafeln gemalt von BERGUN). Bern 1845—50.

TROG, Die Schwämme des Waldes. Bern 1848.

BOUDIER, Die Pilze in ökonomischer, chemischer und toxikologischer Hinsicht (deutsch von HUSEMANN). Berlin 1867.

F. W. LORINSER, Die wichtigsten eßbaren, verdächtigen und giftigen Schwämme (12 farb. Tafeln). Wien 1876.

LOUIS FAVRE, Les champignons comestibles (48 farb. Tafeln). Paris-Neuchâtel 1876.

AHLES, Allgemein verbreitete eßbare und schädliche Pilze. II. Aufl. (40 farb. Tafeln). Eßlingen b. Stuttgart 1876.

O. WÜNSCHE, Die Pilze. Leipzig 1877.

H. O. LENZ, Nützliche, schädliche und verdächtige Schwämme. VI. Aufl. (20 farb. Tafeln). Gotha 1879.

W. MEDICUS, Unsere eßbaren Schwämme (23 farb. Bilder). Kaiserslautern 1882.

ELIAS FRIES, Hymenomycetes europaei. Upsala 1884.

RABENHORST, Kryptogamen. Bd. I: Pilze. Leipzig 1884.

SCHRÖTER, Pilze Schlesiens. 1889.

LEUBA, Die eßbaren Schwämme und die giftigen Arten, welche zur Verwechslung geeignet (54 farbige Tafeln). Zürich 1892 (franz. Ausgabe: Neuchâtel 1890).

O. WÜNSCHE, Die verbreitetsten Pilze Deutschlands. Leipzig 1896.

EDM. MICHAEL, Führer für Pilzfreunde. Zwickau i. S. 1902.

Ausgabe A für Schulen. 2 Teile. 175 Pilzgruppen auf 16 farb. Tafeln.

„ B für Pilzsammler und Pilzfreunde. 3 Bde. mit 278 farb. Pilzgruppen.

„ C Volksausgabe mit 29 farbigen Pilzgruppen.

G. HAHN, Der Pilzsammler oder Anleitung zur Kenntnis der wichtigsten Pilze Deutschlands und der angrenzenden Länder. Aufl. III (mit 32 farb. Tafeln). Gera 1903.

BLÜCHER, Praktische Pilzkunde (mit 32 farb. Bildern). Miniaturbibliothek. Berlin 1904.

MATERN, Die am häufigsten vorkommenden eßbaren, bezw. giftigen Pilze. MÜCKS praktisches Taschenbuch. Wien 1904.

Pilzmerkblatt des Kaiserl. Gesundheitsamtes (1 farb. Tafel mit 21 Pilzen). Berlin 1904.

P. SYDOW, Eßbare und giftige Pilze (m. 64 farb. Tafeln). Heidelberg 1905.

KATH, Pilzbuch (mit 14 farb. Tafeln). Langensalza 1905.

HENINGS, LINDAU, LINDNER, NEGER, Pilze. Leipzig 1905.

UNGER, Unsere wichtigsten Pilze (m. 4 farb. Tafeln). MÖLLERS Bibliothek für Gesundheitspfl. Oranienburg 1906.

B. STUDER, Die wichtigsten Speisepilze der Schweiz. III. Aufl. (m. 12 farb. Tafeln). Bern 1906.

W. RASCHKE, Tafel eßbarer Pilze. Tafel giftiger und verdächtiger Pilze. Annaberg im Erzgeb.

CONSTANTIN et DUFOUR, Nouvelle flore des champignons. ed. II. Paris.

J. RÖLL, Unsere eßbaren Pilze. Tübingen.

MAGNUS, Die Pilze von Tirol. Insbruck.

SACCARDO, Sylloge fungorum omnium hujusque cognitor. Padua.

Bei den vielfachen Beziehungen, die die Nahrungsmittelkunde und die technische Rohstofflehre zur Pharmakognosie besitzen, seien auch die hauptsächlichsten Werke dieser Wissenszweige, soweit sie uns hier angehen, aufgeführt. In vielen derselben sind auch Drogen erwähnt.

Technische Rohstofflehre.

CHOMEL, Abrégé de l'histoire des plantes usuelles. Paris 1712 (und 1803).

SAVARY, Dictionnaire de commerce. 1750.

KERNER, Handelsprodukte aus dem Pflanzenreiche. Sechs Hefte mit illuminierten Kupfern. Stuttgart 1783—1786.

G. R. BÖHMER, Technische Geschichte der Pflanzen, welche bey Handwerken, Künsten und Manufakturen bereits in Gebrauch sind oder noch gebraucht werden können. 2 B. Leipzig 1794.

J. BECKMANN, Vorbereitung zur Warenkunde oder zur Kenntnis der vornehmsten ausländischen Waren. 6 Stücke. Göttingen 1795 u. 1800.

P. A. NEMNICH, Warenlexikon in 12 Sprachen. 3 T. 1797, und Neues Warenlexikon in 12 Sprachen. Hamburg 1820.

G. H. BUSE, Vollständ. Handbuch der Warenkunde. 10 B. Erfurt 1798—1820.

G. CHR. BOHNS, Warenlager oder Wörterbuch der Produkten- und Warenkunde. Neu von NORRMANN. 2 B. Hamburg 1805.

J. D. WAGENER, Allgem. Warenlexikon. 2 B. Hamburg 1811.

J. S. WINTERSCHMIDT, Naturgetreue Darstellung aller in- und ausländ. Material-Samen und getrockneten Früchte, wie sie gewöhnlich im Handel vorkommen. Nürnberg 1818.

J. M. LEUCHS, Allgemeines Warenlexikon. Nürnberg 1825—1826.

G. THON, Ausführliches und vollständiges Warenlexikon. Ilmenau 1829.

ZENKER, Merkantilische Warenkunde. Jena 1829—1835.

J. C. SCHEDEL, Neues und vollständiges allgemeines Warenlexikon. 4. Aufl. von POPPE. 2 B. Leipzig 1830.

ERDMANN-KÖNIGS Grundriß der allgemeinen Warenkunde unter Berücksichtigung der Technologie, 1. Aufl. 1833, von der 12. Aufl. (1895) an von ED. HANAUSEK, 14. Aufl. 1906 mit 416 Abb. Leipzig u. Wien.

KARL NOBACK, Lehrb. d. Warenkunde. Leipzig 1842.

DUCHESNE, Répertoire des plantes utiles et des plantes vénéneuses du globe. 2 ed. Brux. 1846.

HENKEL, Warenlexikon für Drogisten, Apotheker und Kaufleute. 3. Aufl. 1873.

WIESNER, Die Rohstoffe des Pflanzenreiches. Leipzig 1873. 2. Aufl. (in Gemeinsch. mit zahlr. Mitarbeitern) 1900.

PASPALE, Compendio di Botanica ordinato specialmente alle conescenza della piante utili più comuni. Napoli 1878.

H. GROSS, Die wichtigeren Handelspflanzen in Bild und Wort. Eßlingen 1880.

EGER, Technolog. Wörterbuch. Braunschweig 1882.

SEUBERT, Handbuch d. allgemeinen Warenkunde. Stuttgart 1883.

K. MÜLLER, Prakt. Pflanzenkunde für Handel, Gewerbe und Hauswirtschaft. Stuttg. 1884.

DAMMER, Illustr. Lexikon der Verfälschungen. Leipzig 1887.

O. JAEGER, Leitfaden zur Einführung in das Studium der allgemeinen organischen Warenkunde. Stuttgart 1888.

H. BRAUN und T. F. HANAUSEK, Materialienkunde. Wien 1891.

WEIDINGERS Warenlexikon, herausg. von T. F. HANAUSEK. 2. Aufl. Leipzig 1892.

WARBURG, Die aus den deutsch. Kolonien exportierten Produkte u. deren Verwertung in der Industrie. Berlin 1896.

M. PIETZSCH, Katechismus der Waarenkunde. 6. Aufl. 1900.

O. LUEGER, Lexikon der gesamten Technik und ihrer Hilfswissenschaften. Stuttgart u. Leipzig. 2. Aufl. 1906 (im Erscheinen begriffen). Groß angelegtes Riesenwerk.

A. MENTZ og C. H. OSTENFELD, Planteverdenen i Menneskets Tjeneste. Kjöbenhavn-Kristiania 1906 (m. viel. Abbild.).

D. DIETRICH, Taschenbuch der Warenkunde.

Monographien:

Allgemeine Warenkunde und Rohstofflehre, bearbeitet von R. BENEDIKT, H. BRAUN,

C. COUNCLER, F. H. HAENLEIN, T. F. HANAUSEK, F. v. HOEHNEL, JOS. MOELLER, ED. VALENTA und WITTMACK. Kassel, Fischer.

ED. HANAUSEK, Technologie der Drechslerkunst.

FR. VON HOEHNEL, Die Stärke- und die Mahlprodukte. Kassel 1882. Derselbe, Die Gerberinden. Berlin 1880. Derselbe, Die Mikroskopie d. techn. verwendeten Faserstoffe. Wien 1887. 2. Aufl. 1905.

J. MOELLER, Die Rohstoffe des Tischler- und Drechslergewerbes. Kassel.

E. VALENTA, Die Klebe- und Verdickungsmittel. Kassel 1884.

BOÉRY, Les plantes oléagineuses huiles et tourteau et les plantes alimentaires des pays chauds. Paris 1889.

BEAUVISAGE, Les matières grasses. Paris 1891.

BRÉVANS, Les légumes et les fruits. Paris 1893.

CHARABOT, Les parfums artificiels. Paris 1899.

P. D'AYGALLIERS, l'Olivier et l'huile d'olive. Paris 1900.

PIESSE, Chimie des parfums et fabrication des essences etc. Paris 1903.

EUG. COLLIN et EM. PERROT, Les Residus industriels, utilisés par l'agriculture comme aliments et comme engrais. Paris 1904.

F. ZETZSCHE, Die wichtigsten Faserstoffe der europäischen Industrie. 1904. Mit 46 Mikrophot.

LAFAR, Handbuch der technischen Mycologie. 4. B. Jena, Fischer.

(Bez. der Literatur über Harze, Fette und ätherische Öle vgl. Pharmakochemie.)

Einen Überblick über die geschichtliche Entwicklung der Warenkunde gab GIULIO MORPURGO, La Merciologia nelle sue origini e nella sua evoluzione. Trieste 1907. Vgl. ferner: WIESNER, Über d. Bedeutung der techn. Rohstofflehre als selbständige Disziplin und deren Behandl. als Lehrgegenstand. Dingl. polyt. Journ. 1880.

J. COLLINS, Study of economic botany and its claims educationally and commercially considered. London 1872.

Nahrungsmittelkunde.

L. NONNI, Diaeteticon s. de re cibaria. Antw. 1646.

M. SEBITZ, de alimentorum facultatibus. Argent. 1650.

J. F. ZÜCKERT, Materia alimentaria. Berlin 1768, und: Von den Nahrungsmitteln. Berl. 1775.

REICH, Die Nahrungs- und Genußmittel. 1860.

A. E. VOGL, Nahrungs- und Genußmittel aus dem Pflanzenreich. Anleitung zum Erkennen der Nahrungsmittel, Genußmittel und Gewürze mit Hilfe des Mikroskops. Prag 1872. Mit 116 Holzschn. Derselbe, Die wichtigsten vegetabilischen Nahrungs- und Genußmittel, mit besonderer Berücksichtigung der mikroskop. Untersuchung. Berlin-Wien 1899. Mit 271 Holzschn.

F. ELSNER, Untersuch. von Lebensmitteln und Verbrauchsgegenständen, Berlin 1878, und die Praxis d. Chemik. b. Unters. von Nahrungsmitteln. 8. Aufl. 1907.

O. DIETZSCH, Die wichtigsten Nahrungs- und Genußmittel. 3. Aufl. Zürich 1879.

CAPAUN-KARLOWA, Unsere Lebensmittel. 1879.

J. BELL, Analyse d. Verfälsch. d. Nahrungsmittel. Deutsch v. MIRUS. 1882 u. 1884.

T. F. HANAUSEK, Die Nahrungs- und Genußmittel aus dem Pflanzenreich. Kassel 1884.

JOS. MOELLER, Mikroskopie der Nahrungs- und Genußmittel aus dem Pflanzenreiche. Berlin 1886. 2. Aufl. 1905 (mit WINTON, m. 599 Fig.).

A. F. W. SCHIMPER, Anleitung zur mikroskop. Untersuchung der vegetabilischen Nahrungs- und Genußmittel. Jena 1886. 2. Aufl. 1900. Mit 134 Abbild.

BONNET, Précis d'analyse microscopique des denrées alimentaires. Paris 1890.

H. MOLISCH, Grundriß einer Histochemie der pflanzlichen Genußmittel. Jena 1891.

E. MACÉ, Les substances alimentaires. Paris 1891. Mit 24 Taf. und 408 Fig.

CLAES et THYES, Histologie et morphologie des tests des graines composant les tourteaux alimentaires (m. 7 Taf.). Paris 1893.

H. THOMS u. E. GILG, Einführung in die praktische Nahrungsmittelchemie. Leipzig 1899.

BUJARD und BAIER, Hilfsbuch f. Nahrungsmittelchemiker. 2. Aufl. 1900.

MARION et MANGET, Tableaux synoptiques pour l'analyse des farines. Paris 1901.

E. SEEL, Gewinnung u. Darstellung der wichtigsten Nahrungs- und Genußmittel. Stuttgart 1902.

MOOR, Suggested standards of purity for foods and drugs. 1902.

KÖNIG, Chemie der menschlichen Nahrungs- und Genußmittel. 3 B. 4. Aufl. 1903—1907.

MANSFELD, Die Unters. v. Nahrungs- u. Genußm. 1905.

BRETEAU, Falsifications et alterations des substances alimentaires. Paris 1906.

A. L. WINTON (and JOS. MOELLER) the microskopy of vegetable foods. New York 1906.

H. RÖTTGER, Kurzes Lehrb. d. Nahrungsmittelchemie. 3. Aufl. 1907.

VARGES, Nahrungsmittelchemie. 1907.

DAMMER, Lexikon der Verfälschungen.

H. G. GREENISH, The microscopical examination of foods and drugs. London.

SOUBEIRAN, Dictionnaire des falsifications (m. 218 Fig.).

«Nur aus ihren Zeitschriften, nicht aus ihren Lehrbüchern kann man die Entwicklung einer Wissenschaft wirklich kennen lernen.»
SUDHOFF.

VII. Die für die Pharmakognosie in Betracht kommenden Zeitschriften, Jahresberichte, Institutspublikationen, Handels-, Ausstellungs- und Kongressberichte.

Im folgenden gebe ich die Titel der Zeitschriften, Institutspublikationen und Jahresberichte, in denen sich pharmakochemische, pharmakobotanische oder pharmakohistorische Arbeiten befinden oder in denen über solche referiert wird. Angefügt sind die wichtigsten Handelsberichte, Ausstellungs- und Kongreßberichte und die allgemeine bibliographische Literatur. Die Lehr- und Handbücher der Pharmakognosie und pharma zeutischen Botanik sind im Kapitel Systeme der Pharmakognosie, die pharmakogeo graphischen Publikationen im Kapitel Pharmakogeographie, die anatomischen im Ka pitel Pharmakoanatomie, die linguistischen und Abbildungswerke, sowie die Floren im Kapitel Pharmakosystematik, die pharmakochemischen im Kapitel Pharmakochemie zu finden.

1. Zeitschriften.

Almanach oder Taschenbuch für Scheidekünstler und Apotheker, gegr. 1780 von GÖTTLING. 1780—1829. 50 Bändchen. 1803—1819 als Taschenb. f. Sch. u. Ap. Red.: BUCHOLZ, BRANDES 1820—1829. Red.: J. B. TROMMSDORFF.

Trommsdorffs Journal der Pharmacie für Ärzte und Apotheker. B. I—XXVI 1793—1816; fortgesetzt: Neues Journ. d. Pharm. I—XXVII 1817—1834. Red.: JOH. BARTH. TROMMSDORFF (s. auch Ann. d. Ph.).

Berlinisches Jahrbuch für die Pharmacie und die damit verbundenen Wissenschaften, gegr. 1795 als Berl. Jahrb. d. Pharm. 1796—1840. Von 1815 an: Deutsches Jahrb. f. d. Pharm.

Chemisches Archiv (CRELL), gegr. 1783. Neues chem. Arch. 1784—1791, neuestes 1798. Vorher ging: CRELLS Chem. Journal 1778—1781; dann: Die neuesten Entdeckungen der Chemie 1781—1786.

Chemische Annalen für die Freunde der Naturlehre, gegr. 1784 von LORENZ CRELL, «CRELLS Annalen» 1784—1803. 40 B.

Magazin für Pharmacie, Botanik und Materia medica 1782—1784. Red.: PFINGSTEN.

Journal für praktische Chemie (ERDMANNS), gegr. 1798 als Allgemeines Journ. d. Chem. (Red.: SCHERER) 1798—1803; dann: Neues allgem. Journ. d. Ch. 1803; dann: Journal für d. Chemie, Physik und Mineralogie 1806—1810. Red.: GEHLEN; dann: Journal für Chemie und Physik 1811—1833. Red.: SCHWEIGGER; dann: Journal für praktische Chemie. 108 B. 1834—1869. Red.: ERDMANN und SCHWEIGGER-SEIDEL. Die neue Folge Red.: KOLBE, ERNST MEYER beginnt 1870. Wird fortgesetzt.

Magazin für die neuesten Erfahrungen, Entdeckungen und Berichtigungen im Gebiete der Pharmacie, gegr. 1823; dann von 1824 an: Magazin für Pharmacie und die dahin einschlagenden Wissenschaften; von 1829: Magazin für Pharmacie und Experimentalkritik. Red.: HÄNLE, GEIGER. B. 1—36. 1823—1831 (s. auch Annal. d. Ph.).

[Ein Magazin für Apotheker, Chemisten und Materialisten erschien 1785—1787, fortgesetzt bis 1790 als Repertorium für Chemie, Pharmacie und Arzneimittelkunde. Red.: ELWERT.]

Pharmaceutisches Centralblatt (u. Chem. Centralblatt), gegr. 1830. 20 B. 1830—1849. Red.: WEINLIG, BUCHHEIM, KNOP. Fortgesetzt als: Chemisch-pharmazeut. Centralblatt 5 V. (XXI—XXV) 1850—1855; dann von 1856 an als Chemisches Centralblatt. Red.: KNOP, ARENDT. Neue Folge (XXVI—XXXIX) 1856—1869, dritte Folge (XL—LIX) 1870—1888, vierte Folge (LX—LXVII) 1889—1896. Von 1897 an von der deutschen chemischen Gesellschaft herausgegeben (Red.: A. HESSE) unter dem Titel: Chemisches Zentralblatt. Vollständiges Repertorium für alle Zweige der reinen und angewandten Chemie. B. I (1897) ist der fünften Folge erster Band.

Archiv der Pharmazie, als Archiv des Apothekervereins im nördlichen Teutschland (Fortsetzung der Pharmaz. Monatsblätter, die nur zwei Jahre bestanden), 1822 gegründet. Red.: R. BRANDES. Erste Reihe B. I—L. 1822—1834. Dann: Archiv der Pharmacie d. Apothekervereins im nördlichen Teutschland und Arch. d. Ph. Eine Zeitschrift des allgem. deutschen Apotheker-Vereins, Abt. Norddeutschland. Zweite Reihe B. LI—CC. 1835—1872. Red.: BRANDES, WACKENRODER, BLEY. Dann (seit 1874): Arch. d. Ph., Zeitschrift des deutschen Apothekervereins. Dritte Reihe B. CCI—CCXVII. 1872—1889. Red.: LUDWIG, E. REICHARDT. Vom Band CCXVIII wird nicht mehr nebenher auch in Reihen gezählt, sondern fortlaufend. Red.: E. SCHMIDT und BECKURTS. 1907 ist B. CCXXXXV erschienen. Jetziger Titel: Archiv der Pharmazie, herausg. vom deutschen Apothekerverein (s. auch Annal. d. Pharm.).

Annalen der Pharmazie (vereinigt aus Archiv d. Pharm. und Magazin d. Pharm.). Red.: BRANDES, GEIGER, LIEBIG. B. I—X. 1832—1834. Fortgesetzt als:

Annalen der Pharmazie (vereinigt aus TROMMSDORFFS N. Journ. d. Pharm., Arch. d. Pharm. und Magazin für Pharmacie und Experimentalkritik). Red.: TROMMSDORFF, BRANDES, GEIGER, LIEBIG, MERCK, MOHR. B. XI—XXXII 1834—1839. Fortgesetzt als:

Annalen der Chemie und Pharmacie. Red.: WÖHLER und LIEBIG. B. XXXIII—CLXVIII 1840—1873 Dann: JUSTUS LIEBIGS A. d. Ch. u. Pharm. B. CLXIX—CLXXII (1873). Seit 1874: JUSTUS LIEBIGS Annalen der Chemie. 1907 ist der 353. Band erschienen.

BUCHNERS Repertorium, gegr. 1815 als Repertorium für die Pharmacie, begonnen von GEHLEN. Red.: J. A. BUCHNER. 50 B. 1815—1834, zweite Reihe 50 B. 1835—1848, dritte Reihe 10 B. 1849—1851. Im Ganzen 110 Duodezbändchen. Fortgesetzt in größerem Format als: Neues Repertorium für Pharmacie. 25 B. 1852—1876.

Vierteljahrsschrift für prakti che Pharmacie, gegr. 1852. Red.: G. C. WITTSTEIN. B. I—XXII 1852—1873.

Berichte der pharmazeutischen Gesellschaft (Berlin), gegr. 1891; von 1896 an: Ber. d. deutsch. pharmazeut. Gesellschaft, herausg. vom Vorstande. 1907 erschien der 17. Jahrg. Die Gesellschaft gibt seit 1895 auch Berichte über die pharmakognostische Literatur aller Länder heraus (s. S. 252).

Journal de pharmacie et de chimie (Paris), gegr. 1815 unter dem Titel: Journal de pharmacie et des sciences accessoires. B. I—XXVII 1815—1841. Wird, da ein Bulletin de pharm. et des scienc. access. 1809—1814 voranging, jetzt meist als zweite Serie gezählt, obwohl dies nicht auf dem Titel steht. Dann von 1842 an als: Journal de pharmac. et de chimie, dritte Serie, B. I—XLVI 1842—1864; vierte Serie, B. I—XXX 1865—1879; fünfte Serie, B. I—XXX 1880—1894; sechste Serie (B. I 1895) noch laufend. 1907 erschien B. XXV und XXVI. Red.: BOURQUELOT.

Bulletin des sciences pharmacologiques (Paris), gegr. 1899. Jährl. 2 Bände. 1907 erschien T. XV u. XVI. Red.: PERROT. (Berücksichtigt die Pharmakognosie eingehend.)

Pharmaceutical Journal and Transactions, gegr. 1841 von JACOB BELL. Erste Serie 1841—1859 18 B.; zweite Serie 1859—1870 11 B.; dritte Serie 1870—1895 25 B. Von 1895 an lautet der Titel: Pharmaceutical Journal. Vierte Serie von 1895 an. 1907 erschien der 25. B. (d. 79. B. der ganzen Folge). Official Organ of the Pharmaceutical Society in London. Red.: J. HUMPHREY.

Nederlandsch Tijdschrift voor Pharmacie en Toxicologie, gegr. 1849 als: Tijdschrift voor wetenschappelijke Pharmacie benevens mededeelingen over Chemie, Pharmacie en Pharmacognosie van het planten-en dierenrijk («HAAXMANNS Tijdschr.»). Red.: P. J. HAAXMANN. 19 B. 1849—1867 (in vier Serien). Dann: Nieuw Tijdschr. voor de Pharmacie in Nederland 1868—1888. 21 B. Dann: Nederl. Tijdschr. voor Pharmacie, Chemie en Toxicol. 1889—1901. Red.: WEFERS BETTINCK und GULDENSTEEDEN EGELING. 1902 mit Pharmac. Weekbl. (s. d.) verschmolzen.

Pharmaceutisch Weekblad, gegr. 1863 von OPWIJRDA. Bis 1901 38 Jahrgänge. Dann (1902) mit Ned. Tijdschr. (s. d.) verschmolzen. 1907 erschien der 44. Jahrg. Titel: Pharmeutisch Weekblad voor Nederland. Tijdschrift voor Apothekers en Apotheekhondende Geneeskundigen. Red.: VAN ITALLIE, seit 1907 VAN DER WIELEN.

Zeitschrift des Allgem. Österreichischen Apotheker-Vereins (Wien), gegr. 1846 als Österreich. Zeitschr. für Pharmazie (bis 1862). 1907 erschien der 45. Jahrg. (der ganz. Serie 61 B.). Red.: SICHA.

Die Abhandlungen und Vorträge daraus, die oft pharmakobotanische Themata behandeln, erscheinen auch seit 1900 gesondert als Österreichische Jahreshefte für Pharmazie und verwandte Wissenszweige.

Pharmazeutische Praxis (Wien), gegr. 1902. Red.: LONGINOVITS. 1907 erschien der 5. Jahrg. (berücksichtigt die Pharmakognosie eingehend).

Schweizerische Wochenschrift für Pharmazie, gegr. 1848 als Mitteil. d. Schweiz. Apothekerver. 4. Jahrg. 1848—1854, fortgesetzt als Schweiz. Zeitschrift für Pharmazie, B. I—VII (oder XI d. Mitteil.) 1856—1862. Dann von 1863 an: Schweiz. Wochenschrift für Pharmazie, B. I—XXIX (oder XL d. Mitteil.) 1863—1891. Von 1892 an: Schweiz. Wochenschrift für Chemie und Pharmazie. 1907 erschien der B. XLIV (d. sämtl. Vereinspublikat. LIV. B.).

Pharmazeutische Zeitschrift für Rußland, gegr. 1861 von CASSELMANN, herausg. von d. pharmaz. Ges. in St. Petersburg, von 1898 an russisch unter dem Titel: Russki Pharmazewticeski Journal Peterburg. Red.: KLINGE.

Pharmazewt Moskau.

Pharmaçewtiçeski Westnik. Moskau.

Giornale di Farmacia, chemica e scienze accessore, gegr. 1824, bis 1834 19 B. Fortgesetzt als: Biblioteca di farmacia 1834—1845 und als: Annali di chimica applicata 1845—1884 und Annali di chimica medico-farmaceutica 1885 und endlich (von 1885 an) als: Annali di chimica e di farmacologia.

Bolletino Chimico farmaceutico (Milano), gegr. 1861 von PIETRO VISCARDI. 1907 erschien Vol. 46. Direktor: VITALI. Red.: CASTOLDI.

l'Orosi, Bolletino (Giornale) di chimica, farmacia e scienze affini, gegr. 1878, herausg. von der Associazione chimico-farmaceutica fiorentina.

Giornale di Farmacia (Triest), gegr. 1895.

Journal de pharmacie d'Anvers, gegr. 1844.

Bulletin de la société royale de Pharmacie de Bruxelles, gegr. 1856.

Annales de Pharmacie (Louvain), gegr. 1894. Red.: RANVEZ.

American Journal of pharmacy (Philadelphiá), publ. by the Philadelph. college of pharm., gegr. 1829. 1907 erschien der 79. Band. Red.: KRAEMER.

Drugs and Medicines of North America, a Quarterly, Cincinnati, gegr. 1885. Red.: J. U. LLOYD und C. G. LLOYD.

Journal of pharmacology (New York), gegr. 1893.

Pharmazeutische Rundschau (New York), gegr. 1882. Red.: FR. HOFFMANN, von B. XIV (1896) an englisch als Pharmaceutical Review. Red.: E. KREMERS.

The Pacific Pharmacist (San Francisco), gegr. 1907.

Revista Sud-Americana de Cicucias Médicas y farmacéuticas (Buenos Aires), gegr. 1903. Red.: DESSY.

Archiv for Pharmaci og Chemi (Dänisches), gegr. 1844 als Archiv for Pharmaci, später 1868: Ny Pharm. Tidende, seit 1893 als Archiv for Pharm. og chemi. 1907 erschien B. 14 (d. 64 B. der ganzen Serie). Red.: KLÖCKER.

Farmaceutisk Tidskrift (Stockholm).

Den norske Apotheker forenings Tidsskrift.

Upsala läkare forenings Förhandlingar.

Tidsskrift for Apothekervaesen, gegr. 1892.

Nordisk Farmaceutisk Tidskrift (Copenhagen), gegr. 1893.

Archiv for Pharmaci ag technisk Chemi.

Farmaceutiskt Notisblad (Helsingfors), gegr, 1891.

Tidsskrift for Kemi, Farmaci og Terapi. Pharmacia (Kristiania), gegr. 1904. Red.: KOREN.

Buletinul farmaceutic (Bukarest), gegr. 1896.

Journal of the pharmaceutical society of Japan (nur der Titel und der Index englisch, sonst japanisch).

Jahrbuch für praktische Pharmacie und verwandte Fächer, herausg. von d. Pfälzischen Ges. f. Pharm. und Technik und deren Grundwissenschaften, gegr. 1838. Red.: HERBERGER und WINCKLFR. (Zweite Folge von 1841 an.) Vom B. XVIII an: Zeitschr. d. allgem. teutschen Apotheker-Vereins, Abt. Süddeutschland. Red.: HOFFMANN und WINCKLER. Abgeschlossen mit B. XXVII (der neuen Folge B. XXIV), fortgesetzt von 1854 an als: Neues Jahrbuch für Pharmacie und verwandte Fächer. Red.: WALZ und WINCKLER, von 1863—1874. Red.: VORWERK. (Zuletzt als: Zeitschr. d. Allgem. Deutsch. Apothekervereins.) 1874 eingegangen.

Allgemeine pharmazeutische Zeitschrift, gegr. 1843 von ARTUS; von 1862—1864: Allgem. Zeitschr. f. Pharmazie, Pharmakologie u. Toxikologie. 1864 eingegangen.

Pharmazeutische Zentralhalle für Deutschland, gegr. 1859. Red.: H. HAGER; von 1880 an Red.: HAGER und GEISSLER. 1880 erschien der neuen Folge erster Band (= XXXI. Jahrg.); von 1896 an Red.: SCHNEIDER, dann SCHNEIDER und SÜSS. 1907 ist der B. XLVIII (der neuen Folge B. XXVIII) erschienen.

Zeitschrift für Nahrungsmittel-Untersuchung, Hygiene und Warenkunde (Wien), gegr. 1886. Red.: HEGER. Eingegangen.

Forschungsberichte über Lebensmittel und ihre Beziehungen zur Hygiene, über forense Chemie und Pharmakognosie, gegr. 1894. Red.: HILGER. Fortgesetzt als: Zeitschr. f. Unters. der Nahrungs- und Genußmittel, sowie der Gebrauchsgegenstände, gegr. 1898. 1907 erschien der X. Band. Red.: BÖMER.

Pharmazeutische Zeitung (Berlin), gegr. 1855 von H. MÜLLER in Bunzlau. Jetzt in Berlin. Red.: BÖTTGER. 1907 erschien der 52. Jahrg. Die Pharmazeutische Zeitung brachte früher wertvolle pharmakognostische Berichte aus dem Auslande (HUSEMANN), jetzt berücksichtigt sie auch die Pharmakognosie in den «Pharmazeut. Monatsberichten».

Pharmazeutische Post (Wien), gegr. 1868 von A. HELLMANN. 1907 erschien der 40. Jahrg. Red.: HEGER.

Süddeutsche Apotheker-Zeitung (Stuttgarter) seit 1886, begr. 1860 als Pharm. Wochenbl. Red.: FR. KOBER. 1907 erschien der 37. Jahrg.

Pharmaceutische Wochenschrift, begr. 1883.

Apotheker-Zeitung (Berliner), mit gutem Repertorium (BECKURTS), herausg. vom deutschen Apotheker-Verein, gegr. 1885. Red.: WOBBE. 1907 erschien der 22. Jahrg.

Journal der Pharmazie von Elsaß-Lothringen, gegr. 1873 als Journal de pharmacie d'Alsace-Lorraine. 1907 erschien der 34. Jahrg.

Répertoire de Pharmacie, Archives de Pharmacie et journal de chimie médicale réunis, gegr. 1844, neue Serie 1874. 1876 wurde das Repert. de Pharm. mit dem 1825 gegründeten Journal de chimie médicale, de pharm. et de toxicologie vereinigt. Red.: CRINON. 1907 erschien der 3. Serie 19. B.

Les nouveaux remèdes (Paris), gegr. 1884.

Chemist and Druggist (London), gegr. 1859. 1907 erschien Vol. LXX. Red.: MAC EWAN. (Wichtig für die englischen Handelsverhältnisse der Drogen.) Chemist and Druggist of Australasia (seit 1878).

Western Druggist (Chicago), gegr. 1868 als Pharmacist and chemical record, 1873 1887 Pharmacist.

American Druggist and Pharmaceutical Record. Americas Leading Drug Journal, New York, gegr. 1871. 1908 erschien der 37. Jahrg. Vol. LII. (Darin viele Mitteil. über den amerikan. Drogenmarkt).

New Remedies (New York).

Bulletin of the Lloyd-library of botany, pharmacy and meteria medica, seit 1900 zwanglose Bulletins. In drei Serien: Reproduction S. (historisch), Mycological S. und Pharmacy S., bis 1907 sind 9 Bulletins erschienen.

Gyógyszerészi Folyóirat. A magyar országi gyògyszerészegylet értesitöje. (Pharmazeutische Zeitschrift, Berichte der ungar. pharm. Gesellschaft.) Budapest, seit 1906. Red.: DEÉR.

Gyógyszerészi Hetilap (Pharmazeutische Wochenschrift). Budapest, seit 1862. Red.: VARSAGH.

Gyógyszerészi Közlöny (Pharmazeutische Mitteilungen). Budapest, seit 1885. Red.: KARLOWSZKY.

Gyógyszerészi Értesitö (Pharmazeutische Berichte). Budapest, seit 1893. Red.: LUKÁCS.

A Gyógyszerész (Der Apotheker). Budapest, seit 1898. Red.: GROSZ.

Berichte der deutschen chemischen Gesellschaft («Berliner Berichte»), gegr. 1868. 1907 erschien B. 40.

Bulletin de la Société chimique de Paris, gegr. 1861 als Bulletin des séances de la sociéte chimique de Paris. Die dritte Serie des Bulletin de la soc. chim. beginnt 1889.

Proceedings of the chemical society of London, gegr. 1843. Von 1862 an: Journal of the chemical society.

Proceedings of the american chemical Society, gegr. 1877. Von 1879 an: Journal of the american chemical Society.

Journal of the Society of chemical industry (London), gegr. 1882.

American chemical journal, gegr. 1870. Red.: IRA REMSEN.

Chemiker-Zeitung (Cöthener), gegr. 1877 als Allgem. Chemiker-Zeitung von G. KRAUSE. 1907 erschien der 30. Jahrg.

Österreichische Chemiker-Zeitung (Wien) [Dr. HEGER], früher: Zeitschr. f. Nahrungsmittelunters. usw. (s. oben).

Annales de chimie et physique, gegr. 1789 als Annales de chimie. Red.: LAVOISIER, BERTHOLLET, FOURCROY usw. Von 1817 an: Annales de chimie et physique.

POGGENDORFFS Annalen, gegr. 1790 als Journal der Physik von GREN, dann 1794—1798: Neues Journal der Physik, dann 1798—1818 als Annalen der Physik. Red.: GILBERT. 1819—1824 als Annalen der Physik und physikalischen Chemie (GILBERTs Annalen) geführt. Von 1824 an (Red.: POGGENDORFF; dann WIEDEMANN): Annalen der Physik und Chemie.

Zeitschrift für angewandte Chemie, gegr. 1887. 1907 erschien der 20. Jahrg. Red.: RASSOW.

Zeitschrift für analytische Chemie, gegr. 1862 von R. FRESENIUS. 1907 erschien der 46. Jahrg.

Annales de Chimie analytique appliquée à la Pharmacie etc., gegr. 1896. Red: CRINON.

Monatshefte für Chemie und verw. Teil. and. Wissensch. (Aus den Sitzungsber. d. Wien. Akad.), gegr. 1880.

HOPPE-SEYLERS Zeitschrift f. physiologische Chemie, 1907 erschien B. 49.

Biochemische Zeitschrift (Berlin), gegr. 1906. Red.: NEUBERG.

Biochem. Centralblatt (Centralbl. f. d. Ges. Biologie). Vollständiges Sammelorgan für die Grenzgebiete d. Medizin und Chemie. Red.: OPPENHEIMER. 1908 erschien d. Band VII.

Chemical News, gegr. 1843 als Chemical Gazette. Von 1860 an: Chemical News.

Gazetta chimica italiana, gegr. 1871 von PATERNO.

DINGLERS polytechnisches Journal, gegr. 1820 von JOH. GOTTF. DINGLER. 1831 trat E. M. DINGLER in die Redaktion, später: ZEMAN, FERD. FISCHER, HOLLENBERG, KAST.

ED. HANAUSEKS Zentralorgan für Warenkunde und Technologie. Stuttgart 1891.

Die Warenkunde. Zeitschr. f. Handel, Industrie und Gewerbe, gegr. 1906. WANGEN, STANGE.

Botanisches Zentralblatt, gegr. 1879 von UHLWORM, jetzt nur referierend, Organ der Association internationale des botanistes. 1907 erschien der 104. B.

Jahresberichte der Vereinigung für angewandte Botanik, gegr. 1902. Jährlich ein Band.

Zeitschrift f. angewandte Mikroskopie, gegr. 1894. Red.: MARPMANN.

Zeitschr. f. wissenschaftl. Mikroskopie.

ENGLERS botan. Jahrbücher.

Zentralblatt für Bakteriologie.

Chemische Revue über die Fett- und Harzindustrie, gegr. 1893.

Auch andere Spezialgebiete haben ihre Zeitschriften, wie Kautschuk und Guttapercha (Zeitschr. f. Chem. und Industrie d. Kolloide, Gummizeitung [Dresden] u. and.), der Zucker, die Stärke usw. Die den tropischen Kulturen gewidmeten Zeitschriften sind im Kapitel Pharmakoergasie (S. 74) zu finden.

Vielfach findet man pharmakognostisch Interessantes auch in den Berichten, Mitteilungen, Abhandlungen, Transactions, Journals, Proceedings, Bulletins der verschiedenen geographischen Gesellschaften, in PETERMANNS Geograph. Mitteilungen, dem Globus, den Journalen der einzelnen Zweige (branches) der Royal Asiatic Society, im Geographical Magazine u. a.

Zeitschriften, in denen sich die Geschichte der Pharmakognosie betreffende Arbeiten finden.

Ältere Zeitschriften:

Arch. f. d. Geschichte d. Arzneykunde von WITTWER 1790.

Beitr. z. Gesch. d. Arzneiwissensch. von SPRENGEL 1794—1796.

JANUS, Zeitschr. f. Geschichte u. Literat. d. Medizin (HENSCHEL) 1846—1853.

Deutsch. Arch. f. Gesch. d. Med. v. ROHLFS 1878—1885.

Neuere Zeitschriften:

Mitteil. z. Geschichte d. Medizin u. d. Naturwissenschaften, seit 1901. Red.: KAHLBAUM u. SUDHOFF, jetzt GUNTHER u. SUDHOFF.

JANUS, Arch. internat. pour l'histoire de la médecine etc., seit 1896. Red.: NIEUWENHUIS und VAN LEERSUM.

Abhandl. z. Geschichte d. Medizin von MAGNUS, NEUBURGER und SUDHOFF.

Bulletin de la soc. franc. pour l'histoire de la médicine Paris.

La Revue historique et médicale Paris, seit 1904.

Medical Library and Historical Journal New York, seit 1903.

Archiv für Geschichte der Medizin, herausgegeb. von der PUSCHMANN-Stiftung. Red.: SUDHOFF, in zwanglos. Heften seit 1907.

Studien zur Geschichte der Medizin, herausgegeb. von der PUSCHMANN-Stiftung. Red.: SUDHOFF, in zwanglos. Heften seit 1907.

KOBERT, Histor. Studien. Zwanglose Hefte, erschienen sind 1—4.

In VIRCHOWS Jahresber. d. ges. Medizin befindet sich ein ständiger Abschnitt: Geschichte d. Medizin (z. Z. Red.: PAGEL).

Ferner werden historische Arbeiten publiziert besonders in: Pharmaz. Post (Wien), Apotheker-Zeitung (Berlin), Pharmac. Zeit., Süddeutsche Apotheker-Zeitung, Pharmaceutical Review, Journ. de pharm. et de chimie, France médicale, Pharmacia (Christiania), Schweiz. Wochenschr. f. Chem. u. Pharm., REBERS Fortschritt (eingegangen) u. a.

2. Jahresberichte.

Jahresbericht der Pharmazie, gegr. 1841 als Jahresber. über d. Fortschritte d. ges. Pharmacie u. Pharmakologie im In- und Auslande. Red.: DIERBACH und MARTIUS. Separatabdr. für Pharmazeuten aus CANSTATTS Jahresber. über d. Fortschr. d. ges. Med. Fortgesetzt als: Jahresber. über d. Fortschr. d. Pharmacie in allen Ländern. B. II—IX 1842—1849. Dann: C. CANSTATTS Jahresber. über d. Fortschr. in d. Pharmacie. B. X—XXV 1849—1865. Red.: SCHERER, WIGGERS, HEIDENREICH, EISENMANN u. a. Dann: Jahresber. über d. Fortschritte der Pharmakognosie, Pharmazie und Toxikologie. B. I—XXIV 1866—1889. Red.: WULFSBERG, DRAGENDORFF, MARMÉ, BECKURTS. Seit 1890: Jahresber. d. Pharmazie, herausg. vom deutschen Apothekerverein. Red.: BECKURTS.

Bericht über die pharmakognostische Literatur aller Länder (Jahresbericht), herausg. von der deutschen pharmazeut. Gesellschaft (als Beilage zu den Berichten). 1907 erschien der Bericht für 1905. Eine Zeitlang (z. B. 1898) berichtete SIEDLER in den Sitzungen der Pharm. Ges. «über neu eingegangene Drogen».

Year-Book of pharmacy (British Pharm. Conference). A practical summary of researches in pharmacy, materia medica and pharmaceutical chemistry, gegr. 1865. Red.: WOOD and SHARP. 1907 erschien der 42. Band (für 1906).

Proceedings of the American Pharmaceutical Association, von 1856 an mit wissenschaftl. Mitteilungen. Jetzt ein starker Band mit wissenschaftl. Originalarbeiten und einem Report of progress of pharmacy (Jahresbericht). 1907 erschien B. 54 (für 1906).

Jahresbericht der Botanik (JUST), gegr. 1873 unter dem Titel: Botanischer Jahresbericht. Systematisch geordnetes Repertorium der botanischen Literatur aller Länder. Red.: LEOP. JUST. Unter wechselnder Redaktion als JUSTS botanischer Jahresbericht jetzt bis B. XXXIII (1905) vorgerückt. Enthält auch Abschnitte: Chemische Physiologie und Bericht über die pharmakognostische Literatur aller Länder.

Progressus rei botanicae seit 1907. Red.: LOTSY.

Jahresbericht der Chemie, gegr. 1822 als: Jahresber. über d. Fortschritte der physischen Wissenschaften. Red.: BERZELIUS. Übers.: GMELIN. B. I—XX 1822—1841. Fortgesetzt als: Jahresber. über d. Fortschritte der Chemie und Mineralogie. B. XXI—XXX 1842—1851 (die letzten Bände nach BERZELIUS' Tode von SVANBERG) — meist als BERZELIUS' Jahresber. zitiert. Mittlerweile erschien seit 1847 der Jahresbericht über die Fortschritte der reinen, pharmazeutischen und technischen Chemie. Red.: LIEBIG und KOPF. B. I—IX 1847—1856, der von 1858 an den Titel Jahresbericht über die Fortschritte der Chemie und verwandter Teile anderer Wissenschaften führt und zunächst von KOPP und WILL herausgegeben wurde, dann unter wechselnder Redaktion bis heute fortgeführt wird. 1907 erschien der Bericht über 1900 von BODLÄNDER, KERF und TROEGER — meist als LIEBIG-KOPPS Jahresber. zitiert.

Jahrbuch der Chemie (RICH. MEYERS), gegr. 1890. Red.: RICH. MEYER. 1907 erschien 17. Jahrg. Jährlich ein Band.

SCHMIDTS Jahrbücher d. ges. Medizin enthalten auch Referate über Drogen.

3. Institutspublikationen.

Untersuchungen aus dem pharmazeut. Institute der Universität Dorpat. 1864—1894. Dir.: DRAGENDORFF (vorwiegend pharmakochemisch). In verschiedenen Zeitschr., z. B. Arch. d. Pharm., Pharm. Zeitschr. f. Rußl. Verzeichnis der Arbeiten in letzterem Journal 1895 und in KOBERT, Histor. Studien III 1893.

Arbeiten aus dem pharmazeut. Laboratorium d. Universität Moskau. Dir. TICHOMIROFF. Ausschließlich pharmakobotanisch.

Arbeiten aus dem pharmazeut.-chemischen Institut der Universität Marburg (Sep.-Abd. aus Arch. d. Pharm.) seit 1886. Dir.: ERNST SCHMIDT. Ausschließlich chemisch, aber auch für die Pharmakognosie wertvoll.

Arbeiten aus dem pharmazeutischen Institut in Straßburg. Dir.: SCHÄR (meist im Arch. d. Pharm. u. anderwärts). Pharmakobotanisch und pharmakochemisch.

Arbeiten aus dem pharmazeut. Institut Berlin. Dir.: THOMS. Seit 1904 4 B. (vorwiegend chemisch).

Mitteil. aus dem pharmazeut. Institut der techn. Hochschule Braunschweig. Dir.: BECKURTS. Vertreter der Pharmakognosie: LINDE.

Mitteilungen aus dem pharmazeutischen Institut der Universität Breslau. Dir.: (POLECK, jetzt:) GADAMER.

Arbeiten aus dem pharmazeut. Institut der Universität Bern seit 1890. Dir.: A. TSCHIRCH. Sowohl pharmakochemisch wie pharmakobotanisch. Die chemischen als Sep.-Abdr. aus d. Arch. d. Pharm. 4 B. Die botanischen (reich illustriert) erscheinen separat, bis 1907 7 B. Die «Indischen Fragmente» erschienen im Arch. d. Pharm. 1890 u. flgd. Die «Kleinen Beiträge zur Pharmakobotanik und Pharmakochemie» in der Schweiz. Wochenschr. 1897 u. flgd. (bis 1908 XVI).

Arbeiten aus der pharmazeut. Abteilung des eidgenöss. Polytechnikums in Zürich. Dir.: HARTWICH. In verschiedenen Zeitschriften. Pharmakobotanisch und pharmakochemisch.

Museum of the Pharmaceutical Society of Great Britain. (London.) Der Curator HOLMES veröffentlicht (meist im Pharm. Journ.) Berichte über die Eingänge und wissenschaftlichen Arbeiten. Der letzte Museum Report (London 1903) umfaßt 1903—1906.

Wellcome chemical research laboratories (London). Dir.: POWER. In zwanglosen Heften, wertvolle pharmakochemische Arbeiten. 1907 erschien Nr. 61.

Mitteil. aus dem pharmakologisch-pharmakognost. Institut der K. K. Universität Wien. Ehem. Dir.: VOGL. Meist in der Zeitschr. d. Österr. Apotheker-Ver. Nur pharmakobotanisch.

Chemisches Laboratorium der K. K. Miltär-Sanitäts Komitees in Wien. Dir.: KRATSCHMER (Mitteil. bes. von EM. SENFT).

Mitteil. aus d. pharmakologisch-pharmakognost. Institut der Universität Graz. Dir.: MOELLER. Meist in der Zeitschr. d. Österr. Apotheker-Ver. Nur pharmakobotanisch.

Mitteil. aus d. Laboratorium f. Warenkunde an d. Wiener Handelsakademie. Dir.: ED. HANAUSEK.

Pharmakognostisches Institut der deutsch. Universität Prag. Dir.: POHL.

Annales de l'institut colonial de Marseille, gegr. 1892. Jedes Jahr ein Band mit Abbild. Bis jetzt (1906) 14 Bände. Red.: ED. HECKEL. Pharmakobotanisch, reich illustriert. Wichtig für die Kolonialbotanik.

Ecole supérieure de pharmacie Paris, Travaux du laboratoire de matière médicale de l'école supérieure de pharmacie de Paris. Dir.: PERROT. Bis 1907 4 B. mit vielen Figuren. Ausschließlich pharmakobotanisch, reich illustriert.

, Travaux du laboratoire de chimie galenique. Dir.: BOURQUELOT (im Journ. de pharm. chim. u. anderwärts). Ausschließlich pharmakochemisch.

Thèses de l'école supérieure de pharmacie (Université de Paris).

Die älteren sind aufgeführt in: P. DORVEAUX, Catalogue des thèses soutenues devant l'école de pharmacie de Paris 1815—1889. Paris 1891 und P. DORVEAUX, Catalogue des thèses de pharmacie soutenues en province 1803—1894 (mit Anhang zu vorstehendem Katalog der Pariser Thesen).

Ecole supérieure de pharmacie Montpellier Thèses et Travaux. (Jetzt besonders: LOUIS PLANCHON).

Laboratoire de matière médicale, Université de Toulouse. Dir.: BRAEMER.

Laboratoire de matière médicale. Nancy (früher: SCHLAGDENHAUFFEN).

Travaux du laboratoire de chimie appliquée à l'industrie des résines à l'Université de Bordeaux. Dir.: VÈZES (meist in der Rev. commerc.).

Arbeiten des pharmazeut. Institutes der medizin. Fakultät der kaiserl. Univers. Tokyo in Japan, werden teils in Journal of the Tokyo Chemical Society, teils im Arch. d. Pharm., teils anderwärts publiziert.

K. botan. Garten und Museum Berlin, Notizblatt, in zwanglos. Heften seit 1895 und Jahrbuch des botan. Gartens u. botan. Museums zu Berlin. Bisweilen auch pharmakobotanisch.

Kais. Gesundheitsamt Berlin gibt aufklärende Schriften über Nahrungs- und Genußmittel heraus. In den «Mitteilungen» und «Arbeiten» auch pharmakognostisches (z. B. von BUSSE).

Berichte über Land- und Forstwirtschaft in Deutsch-Ostafrika (biolog.-landwirtsch. Institut Amani), gegr. 1905.

Arbeiten der biologischen Abteilung für Land- und Forstwirtschaft, früher (seit 1900) am Kais. Gesundheitsamte, jetzt: Reichsamt für Land- und Forstwirtschaft. Berlin. 1906 erschien B 5.

Annales du Musée du Congo (Bruxelles-Tervueren) publié par ordre du secrétaire d'état seit 1903. Fol. mit schönen Tafeln.

Recueil de l'institut botanique de l'université de Bruxelles. Ehem. Dir.: ERRERA (enthält auch pharmakogn. Interessantes).

Bulletin van het Koloniaal Museum te Haarlem, begr. von VAN EEDEN. Herausgeb.: GRESHOFF. Mit Abhandlungen und wertvollen Monographien.

Auch die Maatschappij van Nijverheid gibt (durch das Koloniaal Museum) Monographien (Beschrijvende Catalogus) heraus (vgl. S. 239).

Gouvernements Kina Onderneming in de Residentie Preanger-Regentschappen (Java). Jaarverslag, jährlich ein Heft mit Tafeln. Quartalsberichte über den Stand der Chinaunternehmungen im Javasche Courant.

Depart. van Landbouw, Batavia, gibt Berichte und Mededeelingen heraus. Dir.: TREUB.

Slands plantentuin Buitenzorg. Dir.: TREUB (steht jetzt unter dem Dep. van Landbouw). Annalen, Verslag und Mededeelingen des botanischen Institutes und botan. Gartens in Buitenzorg (Java). Von den Annales du Jardin botan. de Buitenzorg erschien 1907 der 6. B. der 2. Serie. In Buitenzorg besteht auch ein phytochemisches und ein agrikulturchemisches Laboratorium. Daraus: Pharmakochemische Arbeiten aus den Laboratorien des Buitenzorger Gartens (GRESHOFF, BOORSMA, ROMBURGH, TROMP DE HAAS).

Kew Gardens (London), Bulletin of Royal Kew Gardens, Bulletin of miscellaneous information. — «Kew Bulletin».

Imperial Institute, London. Gibt Bulletins heraus. 1906 erschien Vol. III.

Departement of Land Rec. and Agric., Allahabad (Indien) gibt Bulletins heraus, ebenso zahlreiche andere Provinzial Departments of Agriculture in Vorderindien.

Museum of economic products and arts in Calcutta, Reporter on economic products. Dir.: HOOPER, — Agricultur Ledger.

Bulletin économique de l'Indo-Chine. Hanoï.

United States Department of Agriculture, Washington. Annual. Report. Das Bureau of chemistry, das B. of forestry, das B. of plant industry, das B. of botany u. a. geben in zwangloser Folge Bulletins heraus, die oft pharmakognostisch Interessantes enthalten.

Instituto agronomico do Estado de S. Paulo (Brazil) em Campinas, gibt ein Relatione annual heraus, das auch pharmakognostisch Interessantes enthält.

Bulletin of the College of Agriculture Tokyo (Japan). Englisch und deutsch, enthält oft pharmakogn. Interessantes.

Den Zucker betreffen: Mededeelingen und Jaarverslag, Proefstation Midden Java. Proefstation West Java. Kagok Pekalongan. — Proefstation Oost Java. — Archiev voor de Java Suikerindustrie. — Jaarboek voor suikerfabrikanten Ost Java.

4. Handelsberichte u. dgl.

Handelsbericht von GEHE & CO., Dresden, gegr. 1872 unter dem Titel «Droguenberichte»; früher jährlich zweimal, jetzt jährlich einmal erscheinend.

Monatliche Liste von JULIUS GROSSMANN, Hamburg, mit angehängten Notizen (wichtig für die Großhandelsverhältnisse).

Geschäftsbericht von CAESAR & LORETZ in Halle a./S.; jährlich ein Heft (wichtig besonders für die Wertbestimmungen).

Bericht von SCHIMMEL & CO., Fabrik ätherischer Öle, Leipzig (jetzt Miltitz bei Leipzig); jährlich 2 Hefte, seit dem Anfang der achtziger Jahre mit wissensch. Mitteil.

Bericht von HEINRICH HAENSEL, Fabrik äther. Öle, Pirna; jährlich 4 Hefte.

Wissenschaftliche und industrielle Berichte von ROURE-BERTRAND fils in Grasse, gegr. 1900; jährlich 2 Hefte mit Abbildungen (deutsch und französisch).

E. MERCK (Darmstadt), Jahresbericht, gegr. 1886; jährlich ein Heft.

HELFENBERGER Annalen, gegr. 1886 von E. DIETERICH; jährlich ein Heft (wichtig bes. für die Wertbestimmungen).

SQUIBBS Ephemeris of materia medica, pharmacy and therapeutics. Brooklyn.

Jahresberichte der ZIMMERschen Chininfabrik in Frankfurt a./M.

BRÜCKNER, LAMPE & CO., Jahres-Marktbericht über den Drogenhandel (in der Pharm. Zeit.). Jährlich ein Heft.

RIEDELS Berichte (Berlin). Ausgew. Arbeit. aus d. wissensch. Laborator.

EVANS SONS, LESCHER & WEBB (London), Analytical Notes (Wertbestimmungen).

CHRISTY & CO. (London), New Commercial plants in illustrierten Heften seit 1878.

PARKE DAVIS & CO. (Detroit), Working Bulletin; kurze illustrierte Monographien.

Vgl. auch S. 239.

5. Ausstellungsberichte.

1. Weltausstellungen: Berichte über die Wiener Weltausstellung 1873 (durch die österreichischen Gelehrten); über die Pariser 1867 (durch FLÜCKIGER). FLÜCKIGER, Schweiz. Wochenschr. f. Pharm. Pharmaz. Reiseeindrücke (London, Paris) 1867. Pharmakogn. Umschau in der Pariser Ausstellung 1878 und Arch. d. Pharm. 1879. — PAUL, HOLMES and PASSMORE, Univ. internat. Exhibition Paris 1878 (London 1878). — SCHÄR, Ausst. pharmaz. wichtig. Pflanzenprod. Amsterdam 1877. Arch. d. Pharm. 1878. — WITTMACK, Nutzpfl. aller Zonen auf d. Pariser Weltausstellung 1878 (Berl. 1879). — Über die Weltausstellung Paris 1878 ferner: Österreichischer Bericht über d. Weltausstellung in Paris 1878. — MATSUGATA, Le Japon à l'Exposit. univ. Paris 1878. — COLLIN, Exposit. internat. Paris 1900, in Journ. pharm. chim. 1900.

2. Kleinere Ausstellungen: Report of the Madras exhibition 1855. — Katalog der pharmakognostischen, pharmazeut. und chemischen Sammlung aus d. brasilian. Flora zur National-Ausstellung in Rio de Janeiro 1866. Wien 1868. — H. ZIPPEL, Siamese exhibits of the Amsterdam exhibition of 1877. — T. N. MUKHARJI, A descriptive catalogue of Indian produce, contributed to the Amsterdam exhibition 1883. Calcutta 1883. — ERNST, Exposicion nacional de Venezuela en 1883, Carácas 1886. — Reports of the Colonial and Indian Exhibition London 1886. — TSCHIRCH, Die auf der südamerikan. Ausstellung in Berlin ausgestellten Drogen, Pharm. Zeit. 1887. — M. GÜRKE, Bericht über die Kolonialausstellung zu Berlin 1896. — Catalogus der Nederlandsche West-Indische Tentoonstelling te Haarlem 1899. — Descriptive catalogue of the exhibit of the Wellcome Chemical Research Laboratories at the internat. exposit. St. Louis 1904. London 1904. — PERROT, Les produits naturels du sol à l'exposition coloniale de Marseille. Rev. gén. d. sc. 1906.

Auch die internationalen pharmazeutischen Ausstellungen enthielten oft viel wertvolles Material. Über die Wiener 1883 berichteten PAUL und PASSMORE.

Selbst die Kataloge der Ausstellungen sind schon interessant, z. B.: Catalogue of the contributions from India to the London exhibition 1862, Calcutta 1862. — Catalogue der Cap-Ausstellung auf der Pariser Weltausstellung 1867 (engl.). — FORBES WATSON, Catalogue of the Indian department Vienna exhibition 1873. — GUZMAN, République de Salvador. Catalogue des Objects exposés etc. Paris 1878. — Chine, Douanes maritimes impér. Catalogue spec. Expos. Paris 1878. — Catalogue des prod. des colon. franç. (Expos. univers. Paris 1878). — Queensland, Catalogue of exhibits. Expos. Paris 1878. — Catalogus der Tentoonstelling van geneeskrachtige en nuttige planten te s'Gravenhage 1895. — Catalogue général des produits exposés de l'exposition coloniale de Marseille 1906.

Diese Ausstellungsberichte bilden eine wichtige Quelle der Pharmakognosie. Einige der lehrreichsten der pharmakognostischen Ausstellungskollektionen sind der Ecole supérieure de pharmacie in Paris und dem Museum der Pharmaceutical society of Great Britain in London erhalten geblieben.

6. Kongressberichte.

Internationaler botan. Kongreß London 1866. Eine gewisse Berühmtheit hat für uns dieser Kongreß (und die International horticultur exhibition in London 1866) erlangt, da auf ihm der Name «Cinchona» statt «Tschintschona», wie MARKHAM wegen der Aussprache des Namens der Gräfin Anna von Chinchon [spr. Tschintschon] zu schreiben wünschte, definitiv festgesetzt wurde.

Actes du Congrès international des botanistes à Amsterdam 1877 (hatte eine Sektion Chinarinden). —

F. HEIM, Compte rendu des travaux de la première Réunion internationale d'Agronomie coloniale provoquée par la Société française de colonisation. Paris 1906.

Ferner: die Berichte über die internationalen pharmazeutischen Kongresse (Braunschweig 1865, Paris 1867, Wien 1869, Petersburg 1874, London 1881, Brüssel 1885, Chicago 1893, Brüssel 1898, Paris 1900 — besonders die zwei letzten) und die Sektionen Pharmazie, Pharmakologie, Pharmakognosie einiger medizinischer Kongresse (z. B. Moskau 1897).

Sodann sind wichtig: Die Verhandlungen der Sektion Pharmazie der Versammlung deutscher Naturforscher und Ärzte, früher im «Tageblatt» jetzt in den «Verhandlungen» publiziert (über sie berichtet auch die pharm. Fachpresse eingehend). Zum ersten Male finden wir eine selbständige Sektion Pharmazie — JOH. BART. TROMMSDORFF war ihr Begründer — auf der Versammlung in Hamburg 1830, zum zweiten Male in Jena 1836, dann 1837 in Prag, 1839 in Pyrmont, zuletzt 1841 in Braunschweig. Nach 43jährigem Schlafe wurde sie dann 1884 in Magdeburg neu in den Kreis der Sektionen eingefügt und ist seitdem zuerst in der medizinischen, dann in der naturwissenschaftlichen Gruppe dauernd erhalten geblieben. Sie trägt jetzt meist den Namen «Sektion Pharmazie und Pharmakognosie».

7. Bibliographie.

Ansätze zu einer Bibliographie der Pharmakognosie finden sich bei BLUMENBACH, SPRENGEL, GRÄSSE, JÖCHER und besonders in PEREIRA, Elements of Materia medica 1857 (vgl. S. 219), dann in FLÜCKIGERS Pharmakognosie (vgl. S. 225) und der Pharmakographia (vgl. S. 222). Eine handschriftliche Bibliographie der Pharmazie (von PIPER 1883) liegt in der Bibliothek der Pharmaceutical Society of Great britain in London. Besonders wertvoll ist der Jahresbericht der Pharmazie (S. 253) und der Pharmakognostische Bericht der pharmazeut. Ges. in Berlin (S. 248 u. 253).

Das im Abschnitt «Systeme der Pharmakognosie» (S. 216—245) mitgeteilte kann als ein Versuch gelten, eine Bibliographie der Pharmakognosie, soweit die selbständigen Werke in Betracht kommen, zu schaffen (weiteres im historischen Teile) und was die in periodischen Zeitschriften usw. erschienenen Publikationen betrifft, anzubahnen.

Wichtig für uns ist ferner: Catalogue of scientific papers publ. in Periodicals and Transactions 1800—1873. Comp. by the Royal Soc. London 8 vol. and New Series for the years 1874—1883. 3 Vol. and supplement. 1867—1902. Wichtig besonders für die ältere Literatur, gibt aber nur die Titel. Die Ergänzung dazu ist: BOLTON, A select Bibliography of chemistry 1492—1892.

International catalogue of scientific literature publ. for the internat. council by the Royal soc. London I. 1901. Bibliographie d. deutsch. naturwiss. Literatur, herausg. im Auftr. d. Reichsamt d. Innern vom deutsch. Bureau d. internat. Bibliogr. in Berlin I 1902 u. flgd.

PRITZEL, Thesaurus litteraturae botanicae. 2. Aufl. Lips. 1872. — JACKSON, Guide to the literature of botany, including nearly 6000 titles not in PRITZEL. 1881. — JACKSON, Vegetable technology, a bibliographie of economic botany founded upon the collections of G. J. SYMONS. 1882. — LINDAU et SYDOW, Thesaurus litteraturae mycologicae et lichenologicae. Lips. 1907.

Fig. 293.
Cosmas und Damianus, die Schutzheiligen der Pharmazie.
Ausschnitt aus einem Gemälde Tizians in Santa Maria della Salute in Venedig.

Spezialbibliographien erscheinen besonders in Amerika häufig in den Publikationen der Lloyd Library, in Pharmaceutical Review u. and. (In letzterem 7 B über Morphin, Santonin, Apiol usw.)

Bibliothekkataloge: Katalog der Flückigerbibliothek im pharmazeut. Institut der Universität Straßburg. 1904. — (Katalog der) Bibliothek der deutsch. pharmazeut.

Gesellschaft. 1903. — Catalogue of the library of the Pharmaceutical Society of Great Britain by Knapman. London 1901 (enthält auch den der Hanbury-Bibliothek). — Katalog der Bibliothek des Koloniaal-Museums. Haarlem 1908. — The Lloyd Library of Botany, Pharmacy and Materia Medica. Bulletin n°. 1 (1906). Cincinnati, Ohio.

Die älteste Universitätsbibliothek ist die von THOMAS BODLEY 1617 gestiftete Bodleian library in Oxford.

Die beste Bibliothek pharmakognostischer Werke findet sich in der 1570 gegründeten Bibliothek der Ecole supérieure de pharmacie in Paris (Bibliothekar: DORVEAUX). Viele ältere Werke finden sich auch in Straßburg (pharmazeut. Institut und Landesbibliothek), London (Pharmac. Society of Grea tbritain), in der Bibliothek der Faculté de Médecine in Paris, im Koloniaal Museum in Haarlem, in Bern (pharmazeut. Institut) und Zürich (pharmazeut. Abteil. des Polytechnikums), sowie in der Sammlung REBER in Genf.

Wirken — Leben und Kräfte wecken ist das Ziel!

VIII. Der Unterricht in der Pharmakognosie.

Der erste Lehrer der Pharmakognosie war der Arzt FRANCESCO BUONAFEDE, der, Ende des XV. Jahrh. geboren, in Rom Medizin studiert hatte und 1533 nach Padua gekommen war. Er war der erste, der den pharmakognostischen Unterricht an einer Universität organisierte (um 1549). Er hielt nicht nur eine Lectura simplicium, eine theoretische Vorlesung, sondern auch an der Hand einer Drogensammlung und an dem frischen Material eines botanischen (besonders Arzneipflanzen-) Gartens eine Ostensio simplicium, ein Demonstrationskolleg (siehe auch Pharmacomorphologia). In Padua war dann 1550—1562 der vortreffliche Pharmakognost GABRIELE FALLOPIO Lector simplicium, dann am gleichen Orte PROSPERO ALPINO (geb. 1553, † 1617) «Ostensore dei Semplici» (ROB. DE VISIANI, Memoria dell' origine ed anzianità dell' orto botanico di Padova, Venezia 1839). Vornehmlich pharmakologische Vorlesungen «de simplicibus» finden wir schon früher. So las z. B. LUCA GHINI bereits 1534—1544 in Bologna de simplicibus.

In der Folgezeit scheint das Beispiel BUONAFEDES nicht überall befolgt worden zu sein. Doch finden wir im XVII. und XVIII. Jahrh. überall Ärzte, die schlecht und recht bei Gelegenheit der Besprechung der Arzneimittel auch die Drogen in den Vorlesungen behandelten, aber nicht immer mit Zuziehung von Demonstrationsmaterial in Gestalt einer Drogensammlung. Die «Vires», die «virtus» der Droge, d. h. das pharmakologische, waren die Hauptsache, die Droge selbst trat zurück. Erst N. LÉMERY (geb. 1635, † 1715) und STEPH. FRANC. GEOFFROY (geb. 1673, † 1731) können wir wieder als eigentliche Professoren der Pharmakognosie ansprechen und noch lange nach ihnen blieb die Pharmakognosie in den Händen der Ärzte und der Chemiker (NEUMANN). Erst gegen Ende des XVIII. Jahrh. nehmen Apotheker (GUIBOURT, TROMMSDORFF) den Unterricht in der Pharmakognosie in die Hand, der dann in die Hände der Botaniker überging, um bei diesen bis auf FLÜCKIGER und darüber hinaus zu bleiben (vgl. das Kapitel Pharmakohistoria).

Der Unterricht in der Pharmakognosie wird jetzt nach sehr verschiedenen Methoden erteilt.

In Frankreich, wo der akademische Unterricht der Pharmazeuten in den «Ecoles de pharmacie» erteilt wird, die den Universitäten entweder direkt (Paris) oder den Facultés mixtes (de médicine et de pharmacie) eingegliedert sind, oder aber als selbständige Anstalten (Fachschulen) fortbestehen, gibt es einen meist aus der

Pharmazie hervorgegangenen «Professeur de matière médicale», der meist von Fach Botaniker ist. Die Pharmakochemie liegt in den Händen von Chemikern. Doch macht sich neuerdings eine pharmakochemisch-pharmakobotanische Schule bemerkbar (GORIS).

In England, wo der gesamte höhere Unterricht bekanntlich — mit wenigen Ausnahmen — Sache nichtstaatlicher Korporationen oder privater Unternehmungen ist, findet man an den «schools of pharmacy», die außerhalb der Universitäten stehen, ebenfalls Professoren der materia medica, die die Pharmakognosie vom botanischen Standpunkte betreiben. Pharmakochemie wird nicht gelesen und wissenschaftlich von einigen Vertretern der organischen Chemie getrieben.

Ähnliches gilt von Deutschland, in dem jahrzehntelang der Unterricht in der Pharmakognosie darniederlag. Die pharmazeutischen Universitätsinstitute, die sich in Deutschland rasch zu hoher Blüte entwickelt haben, sind mit wenigen Ausnahmen (Straßburg) pharmazeutisch-chemische.

«Den idealen Anforderungen, welche an eine zeitgemäß ausgestattete pharmakognostische Anstalt zu stellen wären, entsprechen die pharmazeutischen Institute an den Universitäten Deutschlands sehr wenig» (FLÜCKIGER).

Das erste pharmazeutische Universitätsinstitut in Deutschland wurde von JOH. BART. TROMMSDORFF 1795 in Erfurt gegründet. Es war mit einer Pension für die Zöglinge verbunden. Später errichteten auch SCHWEIGGER-SEIDEL (1829) in Halle, GÖBEL (1825) in Jena, MARTIUS (1850) in Erlangen, BUCHNER (1828) in Landshut u. and. pharmazeutische Institute. Das von MARTIUS hieß «Pharmakognostisch-pharmazeutisches Institut». Die Entwicklungsgeschichte der pharmazeutischen Universitätsinstitute habe ich in der Festrede zur Einweihung des pharmazeutischen Institutes in Bern 1893 geschildert (Pharm. Post 1894).

Als GARCKE 1904 in Berlin starb, habe ich auf die Notwendigkeit hingewiesen, auch der Pharmakognosie mehr Aufmerksamkeit zu widmen. Das Mahnwort hat ein Echo gefunden. Die Hauptversammlung des deutschen Apothekervereins in Hamburg 1904 nahm folgende Resolution an:

«Der deutsche Apothekerverein bedauert, daß dem für den Apothekerberuf außerordentlich wichtigen Studium der Pharmakognosie auf den deutschen Hochschulen viel zu wenig Beachtung geschenkt wird, und beauftragt den Vorstand, bei den Regierungen dahin vorstellig zu werden, daß auf allen deutschen Hochschulen Lehrstühle für Pharmakognosie errichtet und mit aus der Pharmazie hervorgegangenen Lehrkräften besetzt werden.»

Die allen deutschen Regierungen übermittelte Resolution hat keinen sichtbaren Erfolg gehabt; obwohl der Vorstand des D. A. V. seine Bemühungen 1907 fortsetzte, ist alles beim alten geblieben. Die Pharmakognosie befindet sich mit einigen Ausnahmen in den Händen nicht aus der Pharmazie hervorgegangener Botaniker; obwohl schon BUCHHEIM (1879) bemerkte: «So lange der Unterricht der Pharmazeuten in der Drogenkunde von einem botanischen Standpunkte ausgeht und vorzugsweise in den Händen von Fachbotanikern liegt, ist ein erheblicher Fortschritt dieser Disziplin nicht zu erwarten».

In der Schweiz ist an einigen Orten wenigstens (Bern, an der Universität, Zürich, am Polytechnikum) der aus der Pharmazie hervorgegangene Professor der Pharmakognosie zugleich Professor der pharmazeutischen Chemie und Direktor des pharmazeutischen Institutes (wie in Straßburg). An diesen Orten findet also die Pharmakognosie eine ausreichende Berücksichtigung und das Vorhandensein eines Institutes gibt die Möglichkeit zu selbständiger Forschung auf beiden Gebieten, sowohl der Pharmakobotanik wie der Pharmakochemie.

In Österreich, dem ebenso wie Ungarn pharmazeutische Institute gänzlich fehlen, ist die Pharmakognosie an mehreren Stellen (wie auch in Leipzig) mit der Pharmakologie verbunden, liegt also in den Händen von Ärzten. Die Institute tragen meist die Bezeichnung Pharmakologisch-pharmakognostische (Wien, Graz), in Prag besteht ein pharmakognostisches Institut.

In Schweden (Stockholm) ist in dem Farmaceutiska Institutet die Pharmakognosie mit der Botanik verbunden.

In Nordamerika wird das Fach ähnlich wie in England an den ebenfalls privater Initiative ihre Entstehung verdankenden, sehr zahlreichen Instituten — colleges of pharmacy — vorwiegend vom botanischen Standpunkte betrieben. In Amerika ist also der Lehrer der Pharmakognosie Botaniker, z. B. KRAEMER am Philadelphia College of pharmacy, der ältesten Anstalt dieser Art in Amerika (1821 gegründet). Die School of pharmacy in Ann Arbor ist der Universität eingegliedert. Ihr Decan SCHLOTTERBECK ist, wie die Mehrzahl meiner Schüler, die akademische Lehrstellen innehaben, Pharmakobotaniker und Pharmakochemiker.

Pharmakoanatomische Kurse werden jetzt wohl an den meisten Universitäten abgehalten.

Über die Drogenmuseen vgl. das Kapitel Pharmakomorphologie.

Meine Forderung lautet:

Die Pharmakognosie muß an den höheren Lehranstalten als ein selbständiges Lehrfach durch einen aus dem Apothekerstande hervorgegangenen, pharmakochemisch und pharmakobotanisch durchgebildeten ordentlichen Professor gelehrt werden, dem ein Institut mit Laboratorien und Sammlungsräumen zur Verfügung zu stellen ist. Die Professur für Pharmakognosie kann entweder mit der für pharmazeutische Chemie und der Leitung des pharmazeutischen Institutes verbunden oder als koordinierte Professur neben der für pharmazeutische Chemie in einer koordinierten Institutsabteilung eingerichtet werden. Lehrstuhl und Institut sind womöglich der medizinischen Fakultät der Universität einzugliedern.

Bei der Forschung kann entweder an dem monistischen Standpunkte festgehalten werden oder ein Dualismus eintreten, d. h. Zusammenarbeit eines Pharmakobotanikers mit einem Pharmakochemiker, wie es z. B. in der Zusammenarbeit von HECKEL und SCHLAGDENHAUFFEN so schön in die Erscheinung trat.

Durch Beschränkung der Doktorpromotion auf solche Kandidaten, welche die Maturitätsprüfung bestanden haben, ist im Beginn des XX. Jahrh. der wissenschaftlichen Pharmakognosie, wie auch der pharmazeutischen Chemie in Deutschland, das ja zum Eintritte in das Fach die Maturität nicht fordert, ein schwerer Schlag versetzt worden. Dadurch wurde eine große Menge tüchtiger Apotheker vom weiteren Studium abgehalten. Denn die Aussicht auf Erwerbung des Doktorgrades veranlaßte viele, sich wissenschaftlichen Fragen zu widmen, die sonst weder Zeit noch Geld dazu verwendet hätten. So bleiben jetzt eine Menge von Kräften ungenutzt, die früher zur Förderung der Wissenschaft herangezogen werden konnten.

Der Unterricht in der Pharmakognosie beginnt in der Lehrzeit. Er beginnt damit, daß der Eleve mit dem Aussehn der Drogen bekannt gemacht wird. Jede

Apotheke ist ja eine Drogensammlung und der Eleve braucht also nur die Schubladen aufzuziehen oder die Deckel von den Gefäßen zu nehmen, um die Drogen kennen zu lernen. Da aber viele Drogen in den Schubladen sich in geschnittenem Zustande befinden (*Lignum guajaci*, *Rad. althaeae*, *Rhiz. graminis* u. a.), wird er doch gut tun, sich eine kleine Drogensammlung anzulegen, die mit Hilfe der Großdrogenhäuser leicht komplettiert werden kann. Es ist besser, sich selbst die Sammlung anzulegen, denn das erweckt mehr Freude am Gegenstand als eine fertige Sammlung zu kaufen. Aber man kann zur Not auch eine der im Handel angebotenen Sammlungen erwerben. Das ist immer noch besser als gar keine zur Hand zu haben. Die Betrachtung der Drogen mit bloßem Auge und mit der Lupe und die Vergleichung derselben lehrt beobachten. Und eigene Beobachtung ist die Basis aller Naturforschung. Es ist Pflicht des Chefs, den jungen Fachgenossen zum Beobachten anzuhalten, ihn beobachten zu lehren. Ein Apotheker, der nicht beobachten kann, ist ein schlechter Apotheker. Dann muß der Praktikant sich auch die Namen der Stammpflanzen einprägen. Das ist Gedächtnissache. Aber das Gedächtnis ist auch ein Instrument, das man im Fache braucht, und zwar ein solches, das durch Übung besser wird. Man muß es also üben.

Die Beobachtung der morphologischen und physikalischen Eigentümlichkeiten einer Droge führen ganz von selbst zur Unterscheidung der Droge von anderen und zur Erkennung von Verwechslungen und Verfälschungen. Auch auf diesem Gebiete muß sich der Eleve die Anfangsgründe aneignen, damit er nicht einmal *Herb. artemisiae absinthii* abgibt, wenn *Herb. artemisiae vulgar.* verlangt wird.

Die chemischen Bestandteile kann der Anfänger noch beiseite lassen, oder sich doch nur das allerwesentlichste aneignen.

Dagegen muß er auch außer den gemeinen Pflanzen der Heimat die lebenden Arznei- und Nutzpflanzen kennen lernen — im Garten und auf Exkursionen in die Umgegend. Gar viele Apotheker gibt es auch heute noch, die den Grund zu ihren botanischen Kenntnissen während ihrer Lehrzeit gelegt haben, die ein verständiger Chef beobachten, d. h. sehen gelehrt hat.

Das pharmakognostische Studium auf der Universität hat zwei Voraussetzungen: Kenntnis der pharmazeutischen Praxis und genügende Vorkenntnisse in der Chemie und Botanik. Es sollte daher nicht in das erste Semester gelegt werden.

Der Unterricht in der Pharmakognosie an der Universität zerfällt in einen theoretischen und einen praktischen Teil.

Der theoretische Teil besteht in der Vorlesung über Pharmakognosie. Diese Vorlesung soll das Gesamtgebiet der Pharmakognosie in einem Semester behandeln, muß daher mindestens 4—6 stündig sein. Aber auch dann wird man den umfangreichen Stoff nicht bewältigen. Es empfiehlt sich daher, in den alternierenden Semestern Ergänzungsvorlesungen zu halten, die ausgewählte größere Kapitel, wie die Harze, die Purindrogen, die Anthrachinondrogen, *Chinarinde* u. and., behandeln und besondere Vorlesungen über Pharmakochemie und pharmazeutische Botanik einzuschieben oder von Hilfskräften halten zu lassen. In der Vorlesung über Pharmakognosie muß die Droge nach allen Richtungen behandelt werden, nicht nur in botanischer. Man wird gut tun, um den Unterricht anregender zu gestalten und Gelegenheit zu zusammenfassenden Auseinandersetzungen zu finden, die Drogen nach dem natürlichen Pflanzensystem geordnet vorzutragen. Das chemisch zusammengehörige läßt sich bei Wahl dieses Systems oft gut miteinander verbinden (s. S. 220) und jeder wichtigen

Familie kann eine allgemeine Übersicht über die anatomischen und chemischen Besonderheiten vorausgeschickt werden. Ich ziehe dies System für die Vorlesung vor und erörtere lieber die morphologisch-anatomischen Eigentümlichkeiten der morphologischen Gruppen im Praktikum (S. 269) und der Vorlesung über angewandte Anatomie. Erst derartige zusammenfassende Übersichten mit vergleichenden Ausblicken auf benachbarte Gebiete machen die Vorlesung interessant und wertvoll, ja rechtfertigen sie eigentlich erst. Denn eine Aufzählung der Merkmale findet man in jedem einschlägigen Werke und man kann sie sich selbst an der Droge aufsuchen — dazu braucht man keinen Lehrer. Zudem: gibt es etwas Geisttödenderes als das Hersagen von Merkmalen?: «Die Wurzel ist braun und runzlig, und hat einen dunklen Cambiumring». Ich kenne solche Vorlesungen über Pharmakognosie, aber ich schätze sie nicht. Sie sind es, die die Pharmakognosie in Mißkredit gebracht haben. Das «Enzyklopädische» soll in der Vorlesung zurücktreten gegenüber der Erörterung des Verbindenden, des Allgemeinen, des Charakteristischen. Die Vorlesung soll das allgemeine Verständnis wecken. Sie muß durch ein möglichst umfassendes, dem Drogenmuseum (siehe das Kapitel Pharmakomorphologie) entnommenes Demonstrationsmaterial illustriert werden. Die in der Vorlesung behandelte Droge in ihren Handelssorten, die Verfälschungen, die Bestandteile, die Packungen, in Rahmen aufgestellte oder als Wandtafeln aufgehängte Abbildungen und Karten, sowie historisch wichtige Publikationen müssen im Hörsaal zu einer Ausstellung vereinigt werden, zu deren eingehender Betrachtung vor und nach der Vorlesung die Studierenden einzuladen sind. Einiges davon kann nach der Vorlesung noch besonders demonstriert werden. Bei der Beschreibung der Droge muß jeder der Studierenden das Objekt in Händen haben. Die Beschreibung wird durch möglichst zahlreiche Skizzen mit bunter Kreide an der Wandtafel erläutert, die die Studierenden mit Buntstiften an den Rand ihres Heftes abzeichnen müssen. Eine solche, mit wenigen Strichen das allerwesentlichste heraus arbeitende Wandtafelskizze ist wichtiger als eine lange Beschreibung und auch als die aufgehängten (und zu näherer Betrachtung acht Tage hängen bleibenden) Wandtafeln, oder gar die zu schnell wieder verschwindenden, mittelst des Skioptikons projizierten, meist sehr detailreichen Abbildungen, die man erst «lesen» lernen muß, um sie ganz zu verstehen. Dagegen kann die Demonstration mikroskopischer Präparate und die Anstellung von Experimenten unterbleiben, da der Studierende diesen Teil im Praktikum selbst zu übernehmen hat.

Denn die Vorlesung muß durch Übungen ergänzt werden und zwar sowohl morphologisch-anatomischen wie pharmakochemischen. Um diese erfolgreich abhalten zu können ist es nötig, daß der Dozent ein Institut zur Verfügung hat, also entweder selbst der Leiter des pharmazeutischen Universitätsinstitutes ist oder einer selbständigen, der chemischen koordinierten Abteilung desselben vorsteht. Die morphologisch-anatomischen Übungen in Pharmakognosie werden am besten über drei Semester verteilt und vierstündig abgehalten mit zwei zusammenhängenden Stunden, so daß das Praktikum zwölfstündig ist. Im ersten oder den ersten zwei Semestern soll der Studierende das botanische Praktikum besuchen, um botanisch vorgebildet zu werden.

Das pharmakognostische Praktikum soll nicht ein rein anatomisches sein, sondern muß mit einer Besprechung der Morphologie der Droge beginnen, die der Studierende in der Hand hält (vgl. auch Pharmakomorphologie). Dann wird zunächst (mit Hilfe der Lupe oder des zerlegten Okulars des Mikroskopes) das Lupenbild studiert und dann erst zum Rasiermesser gegriffen, um Schnitte für das Mikroskop zu machen.

Es ist unbedingt erforderlich, daß der Studierende vom ersten Tage an die Schnitte, die er beobachten soll, selbst herstellt. Er lernt es schnell. Wenn man in den ersten Stunden Geduld hat und dem Anfänger öfter die Führung des Messers zeigt, merkt man bald Fortschritte und sieht nach kurzer Zeit brauchbare Schnitte aus den Händen der Praktizierenden hervorgehen. Das Mikrotom ist für das Praktikum überflüssig, die Verteilung von mit ihm vor dem Praktikum durch den Assistenten hergestellten Schnitten unter die Studierenden schädlich. Der Studierende soll selbst präparieren. Die Präparate gelangen nun zur Beobachtung, Skizzen an der Wandtafel erläutern den Schnitt, auch können anatomische Abbildungen der Atlanten (s. Pharmakoanatomie), die jeder neben sein Mikroskop legt, oder Wandtafeln, die aufgehängt werden und die möglichst lange hängen bleiben müssen, zur weiteren Orientierung herangezogen werden. Die Hauptsache bleibt aber, daß der Beobachter das Beobachtete selbst und zwar freihändig ohne Zeichenapparat — aber mit Benutzung der Buntstifte — zeichnet. Zeichnen heißt beobachten. Zeichnen können heißt also beobachten können. Nur wenn man etwas zeichnen kann, hat man es recht beobachtet. Für gewöhnlich erklären sämtliche Praktikanten nicht zeichnen zu können. Sie lernen es aber mit ganz verschwindenden Ausnahmen rasch. Oft werden dabei wahre Zeichentalente entdeckt, die gar nicht wissen, daß sie es sind.

In drei Semestern läßt sich die Materie bewältigen. Im ersten gibt man einen kurzen Überblick über die gesamte Angewandte Anatomie, d. h. man hält ein anatomisches Praktikum ab, bei dem nur Drogen als Objekte benutzt werden (S. 266). Man legt also wie in der Vorlesung die natürlichen Pflanzenfamilien hier das System der Pflanzenanatomie zugrunde, beginnt mit den Zellinhaltsbestandteilen, behandelt dann die Membran und endlich die Gewebe und Gewebesysteme. Zu diesem ersten Praktikum gehört ein halbstündiges Theoretikum, in dem ein ganz kurzer Grundriß der Angewandten Pflanzenanatomie vorgetragen wird, der sich eng an das im Praktikum gesehene anschließt — gewissermaßen das Skelett, zu dem das Praktikum Fleisch und Blut liefert. Im zweiten Semester werden dann die noch nicht behandelten Drogen nach morphologischen Gruppen durchgenommen (S. 269), im dritten folgen die Nahrungs- und Genußmittel und einige technischen Drogen, wie z. B. die Gespinst fasern (S. 271).

Die gepulverte Droge kann man im Praktikum an die Droge selbst anschließen. Besser jedoch werden die Drogenpulver, Mehle und gemahlenen Genuß mittel in einem besonderen einstündigen Praktikum am Schlusse der Studienzeit durch genommen (S. 271). Die Untersuchung der Drogenpulver ist bereits angewandte Pharmakognosie. Für den, der die Droge, das Nahrungs- oder Genußmittel selbst anatomisch gut kennt, bietet die Pulveranalyse keine besonderen Schwierigkeiten mehr. Nach kurzer Übung kann der Praktikant nicht nur einfache Drogenpulver erkennen, sondern auch Beimischungen diagnostizieren. Ich gebe als Aufgaben in der Staatsprüfung Mischungen von 3—4 feingepulverten Drogen. In 3—4 Stunden sind die Analysen gemacht.

Das morphologisch-anatomische Praktikum (s. hinten) ist ein vorzügliches Mittel, um beobachten und die naturwissenschaftliche Methode kennen zu lernen und sich im naturwissenschaftlichen Denken zu üben.

Weniger ist dies bei dem parallel mit dem mikroskopischen einhergehenden pharmakochemischen Praktikum (s. hinten S. 272) der Fall, in dem unter anderem die chemischen Wertbestimmungen der Drogen geübt werden. Da diese Wertbestimmungen nach bestimmten Rezepten, die auf Vereinbarungen beruhen und die nicht zu absoluten Zahlen führen, ausgeführt werden müssen, muß sich der Praktikant streng, ja sklavisch an diese Vorschriften halten. Er gewöhnt sich bei diesen Untersuchungen zwar an peinliche Genauigkeit, findet aber wenig Spielraum für eigenes Denken und Kombinieren, wie z. B. im toxikologischen Praktikum, das nach meinen Erfahrungen eine ganz ausgezeichnete Schule naturwissenschaftlich denken und beobachten zu lernen ist. Immerhin muß sich der Praktikant auch in den Wertbestimmungen die nötige Übung und Fertigkeit erwerben.

Schließlich muß jeder Praktikant mindestens einen Pflanzenstoff isolieren. Das kann sehr gut in dem Semester geschehen, in dem die präparativen, organisch-chemischen Arbeiten im Institut vorgenommen werden. Man wählt natürlich nur einfachere Aufgaben, wie Amygdalin, Aloïn, Chrysophansäure, Kaffein, Morphin, Pimarsäure, Ölsäure, Amyrin oder dergl. (s. S. 272).

So ausgebildet tritt der Pharmakognost dann in die Praxis. Er ist durch diesen Gang der Ausbildung befähigt, die unzerkleinerten Drogen sicher zu erkennen und eventuelle Verfälschungen leicht aufzufinden und zu diagnostizieren, die Drogenpulver, die er aus der Fabrik kauft, auf Identität und Reinheit zu prüfen und die Wertbestimmungen der Drogen in exakter Weise durchzuführen, d. h. angewandte Pharmakognosie kunstgerecht auszuüben. Er ist befähigt, sich vor Betrug zu schützen und in die Lage versetzt, nur tadellose Drogen dem Arzte und dem Publikum zur Verfügung zu stellen. Ein wissenschaftlich gut geschulter Apotheker ist also auch wirtschaftlich besser ausgerüstet, als ein schlecht geschulter.

Der oben geschilderte Ausbildungsgang ist nun keineswegs etwa eine Utopie. Er ist von mir 1890 in Bern organisiert worden und eine achtzehnjährige Erfahrung hat seine Durchführbarkeit und Brauchbarkeit erwiesen, auch wenn das akademische Studium nur vier Semester dauert. Ich will aber natürlich nicht behaupten, daß man die Sache nicht auch anders organisieren kann.

Jedenfalls geht aber daraus hervor, daß die Pharmakognosie kein Fach ist, das man als Lehrer «im Nebenamt» betreiben kann. Es erfordert einen ganzen Mann in unabhängiger Stellung, der eine gute Vorbildung in Chemie und Botanik besitzt und aus der Pharmazie hervorgegangen ist. Es erfordert aber auch die nötigen chemischen und mikroskopischen Laboratorien sowie Sammlungsräume, d. h. ein pharmazeutisches Institut oder eine selbständige Abteilung desselben.

Für Belohnung wissenschaftlicher Arbeit vorwiegend auf dem Gebiete der Pharmakognosie bestehen zwei Medaillen, die 1881 gestiftete HANBURY-Medaille, die die Inschrift trägt: «Awarded for original research in the natural history and chemistry of drugs», und die 1892 (auf meine Anregung hin) gestiftete FLÜCKIGER-Medaille, die die Inschrift trägt: «Scientia non unius populi sed orbis terrarum».

Die goldene HANBURY-Medaille wird alle zwei Jahre verliehen (zum ersten Male 1881). Es haben sie erhalten: FLÜCKIGER, J. E. HOWARD, G. DRAGENDORFF, W. DYMOCK, G. PLANCHON, J. O. HESSE, J. M. MAISCH, A. VOGL, J. E. DE VRIJ, A. LADENBURG, G. WATT, E. COLLIN, ERNST SCHMIDT, HOOPER.

Die FLÜCKIGER-Medaille erhielten: ATTFIELD, BECKURTS, DRAGENDORFF, FRITZSCHE, GIACOSA, HANBURY-LA MORTOLA, HECKEL, HILGER, HOFFMANN, HOLMES, HUSEMANN, NAGELVOORT, NYEGAARD, PECKOLT, G. PLANCHON, SCHÄR, E. SCHMIDT, TSCHIRCH. Sie wird seit 1897 nur in Gold und nur alle fünf Jahre verliehen.

Anhang.

Schema für ein mikroskopisch-pharmakognostisches Praktikum.

(Unter Zugrundelegung des Anatomischen Atlas von TSCHIRCH und OESTERLE und der Angewandten Anatomie von A. TSCHIRCH.)

I. Kurs in der allgemeinen angewandten Anatomie (Anfängerkurs).

Die Zelle: Grundgewebe des *Mais*stengels.

1. Zellinhaltsbestandteile.

a) Eiweißartige.

Zellkern und Protoplasma: Epidermis der inneren *Zwiebelschalen.*

Aleuron: *Sem. lini, Sem. amygdalae, Sem. sinapis.*

Diagnostische Bedeutung des Aleurons: Unterscheidung der Futtermittel (s. d.) nach den Aleuronkörnern.

Chlorophyllkörner: *Belladonnablatt.*

Chromatophoren: *Fruct. capsici.*

Leukoplasten: *Rhiz. iridis.*

b) Stärke.

α) Intakte: *Kartoffel, Cerealien, Leguminosensamen, Arrowroot, Sago.*

Diagnostische Bedeutung der Stärke: Unterscheidung der Mehle nach den Stärkekörnern.

β) Verkleisterte: *Curcuma, Salep, Jalape.*

γ) Dektrinierte: *Dextrin.*

δ) Amylodextrinstärke: *Macis.*

c) Inulin: *Rad. taraxaci, Rhiz. enulae.*

d) Öl und Ölplasma: *Sem. lini, Secale cornutum.*

e) Gerbstoff: *Cort. quercus, Fruct. ceratoniae, Rhiz. tormentillae.*

f) Calciumoxalat.

α) Raphiden: *Bulb. scillae, Vanille.*

β) Prismen: *Rhiz. iridis, Vanille.*

γ) Zwillinge: *Fol. hyoscyami.*

δ) Drusen: *Rhiz. rhei, Cort. granati, Fol. stramonii.*

ε) Kristallsand: *Fol. belladonnae.*

ζ) Kristalle in Taschen: *Fol. aurantii.*

η) Kristalle in Sclereïden: *Bacc. juniperi, Rad. colombo.*

Diagnostische Bedeutung der Calciumoxalatkristalle: Differentialdiagnose zwischen *Belladonna, Datura, Hyoscyamus* und *Digitalis.*

ϑ) Andere Kristalle: *Pulpa Tamarindi.*

Anhang. Sekrete: *Barbadosaloë, Styrax liquid., französ. Terpentin, Euphorbium, Manilaelemi, Indigo.*

2. Zellmembran.

a) Morphologie der Zellwand.

α) Dünnwandige Zellwände mit einfachen Tüpfeln: Mark von *Rad. sarsaparillae.*

β) Stärker verdickte Zellwände mit einfachen Tüpfeln: Endodermis von *Rad. sarsaparillae.*

γ) Stark verdickte Zellwände mit Spaltentüpfeln: Libriform von *Rad. sarsaparillae.*

δ) Wände mit behöften Tüpfeln: Holz von *Pinus.*

ε) Gefäße mit Ring-, Spiral-, Leisten- und Netzleistenverdickungen: Stengel von *Conium.* Getüpfelte Gefäße: *Rad. sarsaparillae.*

Diagnostische Bedeutung der Gefäßwandskulptur: Differentialdiagnose zwischen *Feigenkaffee* und *Cichorie.*

b) Chemismus der Zellwand (Reaktionen!).

α) Cellulose: *Baumwolle,* Collenchym des *Mentha*stengels.

β) Lichenin: *Lichen islandic.*

γ) Amyloid: Pergamentpapier.

δ) Schleimmembran: *Rad. althaeae, Sem. lini, Sem. foenugraeci, Flos tiliae, Traganth.*

ε) Verholzte Membran: Holz von *Pinus.*

ζ) Korkmembran: *Kartoffel, Cort. condurango.*

η) Cuticula: *Fol. digitalis, Fol. sennae,* Stengel von *Conium.*

Diagnostische Bedeutung der Faltung, Streifung und Warzenbildung auf der Cuticula: *Mate, Coca.*

ϑ) Interzellularsubstanz: Holz von *Pinus.* Pectin: *Fruct. sambuci, Fruct. cydoniae.* Schleim: *Carrageen.*

3. Gewebe.

a) Bildungsgewebe.

α) Cambium: *Rad. angelicae.*

β) Meristem: Plumula und Radicula des *Mandel*samens.

γ) Procambiumstränge: Cotyledonen des *Strychnos-* und *Coffea*samens.

δ) Phellogen: *Cort. quercus.*

b) Epidermalgewebe.

α) Epidermis: *Fol. belladonnae, Fol. sennae.*

Diagnostische Bedeutung der Epidermis in der Flächenansicht: *Senna* und *Bella donna* — Malabar- und Ceylon-*Cardamomen.*

β) Kork: *Rad. colombo, Rhiz. zingiberis.* Phelloderm: *Cort. canellae.*

γ) Haare: *Fol. digitalis, Fol. althaeae, Fol. absinth., Flos verbasci, Flos lavendulae, Baumwolle,* Paleae von *Rhiz filicis.*
Haare mit Cystolithen: *Herb. cannabis.*

Diagnostische Bedeutung der Haarorgane: *Malva-* und *Verbascum*blätter in *Digitalis.* — *Senna-* und *Arghel*blätter. — Paleae der *Filiceen*rhizome.

c) Assimilationsgewebe.

α) Bifaciales Blatt: *Fol. menthae.*

β) Zentrisches Blatt: *Fol. sennae.*

γ) Blattnerven: *Fol. nicotianae.*

δ) Blattzähne: *Tee* (ganz junges und älteres Blatt), *Fol. digitalis.*

Diagnostische Bedeutung der Blattzähne: *Fol. digitalis* und Verfälschungen.

d) Leitungsgewebe.

α) Bestandteile des Gefäßbündels (Gefäße, Siebröhren): Stengel von *Zea Mais* und *Conium maculatum.*

β) Obliteration der Siebröhren: *Rad. liquiritiae.*
Verstopfung der Gefäße, Kernholz: *Lign. guajaci.*

γ) Arten der Gefäßbündel:
1. monokotylische: *Zea Mais*;
dikotylische: *Rhiz. podophylli, Rhiz. hydrastidis*;
2. kollaterale: *Zea Mais*;
bikollaterale: Stengel von *Hyoscyamus*;
radiale: *Rad. sarsaparillae*;
konzentrische: *Rhiz. calami, Rhiz. filicis.*

δ) Holzkörper und Rinde: *Lignum quassiae, Cort. frangulae.*
Jahresringe und Markstrahlen: *Pinusholz, Stipit. dulcamarae, Lign. quassiae.*

Diagnostische Bedeutung der Markstrahlen: *Lign. quassiae jamaicens.* und *surinamens.*

e) Durchlüftungssystem.

α) Spaltöffnungen und Nebenzellen: *Fol. belladonnae, Fol. sennae.*

Diagnostische Bedeutung der Spaltöffnungen und der Zahl der Nebenzellen: *Mate, Coca, Belladonna, Mentha, Citrus.*

β) Lentizellen: *Cort. frangulae.*

γ) Luftführende Interzellularen: *Rhiz. calami.*

f) Mechanisches Gewebe.

α) Collenchym: Stengel von *Mentha piperita.*

β) Bastzellen: *Rad. liquiritiae, Rad. althaeae, Cort. chinae, Cort. cinnamom, Linum*stengel.

Diagnostische Bedeutung der Bastzellen: *Chinarinde, Zimt, Nelke.*

γ) Libriform: *Lign. guajaci.*

δ) Sklereïden: *Fruct. amomi, Sem. phaseoli, Cascara Sagrada.* Astrosklereïden: Fruchtstiel von *Illicium anisatum*, Blatt von *Thea.*

Diagnostische Bedeutung der Sklereïden: Echter und giftiger *Sternanis.*

ε) Endodermis: *Rad. sarsaparillae, Rhiz. calami.*

g) Sekretbehälter.

α) Ölzellen: *Rhiz. zingiberis, Rhiz. calami, Fol. lauri, Cubebe.*

β) Schizogene Sekretbehälter: *Rad. angelicae, Fruct. foeniculi*, Blatt von *Pinus.*

Diagnostische Bedeutung der schizogenen Sekretbehälter: *Angelica, Levisticum, Pimpinella.*

γ) Oblitoschizogene Sekretbehälter: *Caryophylli.*

δ) Schizolysigene Sekretbehälter: *Fruct. aurantii.*

ε) Drüsenhaare: *Flos chamomillae, Fol. menthae, Herb. cannabis, Rhiz. filicis, Kamala, Lupulin.*

Diagnostische Bedeutung der Drüsenhaare: Kompositen- und Labiaten-Drüsen.

ζ) Milchröhren: *Cort. condurango, Feige, Rad. taraxaci.*

Diagnostische Bedeutung der Milchröhren: *Feigenkaffee* und *Cichorie.*

h) Fortpflanzungssystem.

1. Blüte.

α) Ganz junge Entwicklungsstadien der Blüte: *Flos. cinae.*

β) Kelch, Corolle, Stamina, Griffel: *Flos chamomillae, Flos lavandulae, Flos malvae, Flos verbasci, Flos koso, Caryophylli.*

Diagnostische Bedeutung der Pollenkörner: *Crocus, Calendula, Carthamus* — *Honig.*

2. Frucht: *Fruct. aurantii immatur., Fruct. papaveris, Fruct. foeniculi.*

3. Samen.

α) Samenschale: *Faenum graecum, Mandel* (Nährschicht).

β) Samen ohne Endosperm: *Kola, Sem. quercus, Sinapis.*

Samen mit Endosperm: *Ricinus, Triticum.*

Samen mit Perisperm: *Piper, Cardamomen.*

γ) Der Keimling: *Sem. strychni, Coffea, Amygdalus.*

δ) Arillus und Caruncula: *Myristica, Cardamomum, Ricinus, Colchicum.*

Die öfter gebrauchten Präparate werden in Glyzerin aufgehoben.

II. **Morphologisch-anatomischer Kurs der speziellen Pharmakognosie** (für Vorgerücktere). Ergänzt, erweitert und vertieft den ersten Kurs. Bei jeder Droge wird zunächst die Morphologie, dann die Anatomie durchgenommen.

1. Wurzeldrogen.

a) Primärer Bau bei Monokotylen: junge Wurzel von *Iris.*
Sekundärer Bau bei Monokotylen: *Rad. sarsaparillae.*

b) Primärer Bau bei Dikotylen: zarte Wurzeln von *Valeriana.*
Übergang des primären in den sekundären Bau: etwas ältere Wurzeln von *Valeriana.*
Sekundärer Bau bei Dikotylen: *Rad. levistici, Rad. colombo, Rad. ipecacuanhae, Rad. althaeae, Rad. belladonnae.*

c) Ernährungswurzeln und Befestigungswurzeln: *Valeriana.*

d) Speicherwurzeln: *Tub. aconiti, Tub. salep, Rad. belladonnae.*

e) Besonderheiten im Bau: *Rad. senegae, Rad. ononidis, Tub. jalapae, Rad. gentianae, Rad. scammoniae.*

2. Achsendrogen.

A. Unterirdische Achsen.

a) Rhizome (auch mit Rücksicht auf die Verzweigungsarten): *Rhiz. galangae, Rhiz. zingiberis, Rhiz. curcumae, Rhiz. veratri, Rhiz. hydrastidis.*

b) Zwiebeln: *Scilla, Allium Cepa.*

c) Knollen: *Colchicum.*

d) Wandersproß: *Rhiz. graminis*; Wandersproß und Speichersproß: *Rhiz. imperatoriae, Rhiz. valerianae.*

e) Besonderheiten im Bau: *Rhiz. rhei.*

B. Oberirdische Achsen.

a) Krautige Stengel: *Mentha, Conium.*

b) Hölzer: *Lign. fernambuci, Lign. campechian., Lign. quassiae, Lign. guajaci.*

c) Rinden: *Cort. frangulae, Cort. mezerei, Cort. cinnamomi zeylanici, Cort. quercus, Cort. chinae, Cort. cascarillae.*

3. Blattdrogen.

Unbehaarte: *Fol. cocae, Fol. menyanthidis, Fol. uvae ursi.*

Behaarte: *Fol. althaeae, Fol. hamamelidis, Fol. hyoscyami.*

Mit Drüsenhaaren: *Fol. menthae, Fol. melissae, Fol. rosmarin, Fol. salviae.*

Mit Sekretbehältern: *Fol. aurantii, Fol. rutae, Fol. eucalypti, Fol. jaborandi.*

4. Blütendrogen.

Knospen: *Caryophylli, Flos aurantii.*

Einzelblüten: *Flos sambuci, Flos verbasci, Flos tiliae.*

Blütenkörbe (Pappus): *Flos arnicae, Flos chamomillae.*

5. Fruchtdrogen.

Umbelliferenfrüchte: *Foeniculum, Carum Carvi, Anis, Conium, Coriander*

Aurantieenfrüchte: *Citrus* (in allen Entwicklungsstadien).

Piperaceenfrüchte: *Piper, Cubeba.*

Papaveraceenfrüchte: *Papaver* (und *Opium*).

Magnoliaceenfrüchte: *Illicium anisatum.*

Orchideenfrüchte: *Vanille.*

Koniferenfrüchte: *Baccae juniperi.*

6. Samendrogen.

Samen, bei denen die Cotyledonen Speicherorgan:

mit Aleuron: *Amygdalus,*

mit Stärke: *Bohne.*

Samen, bei denen das Endosperm Speicherorgan:

mit Stärke: *Triticum, Mais,*

mit Aleuron: *Ricinus, Sabadilla,*

mit Schleim: *Faenumgraec., Fruct. sennae,*

mit Reservezellulose: *Strychnos, Areca.*

Samen, bei denen das Perisperm Speicherorgan: *Piper.*

Samen, bei denen der Keimling blattartige zarte Cotyledonen hat: *Strychnos.*

Samen mit gekrümmtem Keimling: *Papaver, Cannabis.*

Samen mit nicht differenziertem Keimling: *Colchicum, Sabadilla.*

Samen mit Saugorganen: *Cardamomen, Zea Mais.*

Samen mit Flugorgan: *Strophantus.*

Samen mit gefalteten Cotyledonen: *Cacao, Caryophyllus.*

Samen mit ruminiertem Endosperm: *Sem. arecae, Sem. myristicae.*

Samen mit Schleimepidermis: *Sinapis, Cydonia, Linum.*

Samen mit hartem Endosperm und zarter Samenschale: *Colchicum.*

Samen mit zartem Endosperm und harter Samenschale: *Cardamomum, Linum.*

Samen mit obliterierter Samenschale, die in harter Fruchtschale eingeschlossen bleiben: *Piper.*

7. Kryptogamen-Drogen.

Rhiz. filicis.

Lycopodium und Fälschungen (*Pinus-*, *Corylus-*Pollen, Schwefel, Talcum, Stärke).

Lichen Islandicus.

*Kieselguhr, Agar-Agar-*Diatomeen.

Carrageen, Laminaria.

Saccharomyces (*Faex compressa*).

Secale cornutum, Fungus igniarius, Fungus laricis.

Ustilago Maidis.

8. Gallen.

Kleinasiatische und chinesische Gallen.

Die mehrmals gebrauchten Präparate werden in Glyzerin aufgehoben.

III. Kurs der angewandten Pharmakoanatomie.

Analyse gemischter *Tees*.

Analyse einfacher und zusammengemischter Drogenpulver, Diagnose von Verfälschungen in Drogenpulvern, Abschätzung der Menge der fremden Beimischungen.

IV. Spezialkurs für Nahrungs- und Genußmittel und Gebrauchsgegenstände.

A. Nahrungsmittel (ganz und gemahlen).

1. Die Cerealienfrüchte und ihre Mehle: *Triticum*, *Secale*, *Hordeum*, *Avena*, *Mais*, *Oryza*.
   Verfälschungen: *Mutterkorn*, Brandpilzsporen, *Rade*, *Taumellolch*, ausgewachsenes Getreide, verdorbenes Mehl.
2. Die *Leguminosen*samen und ihre Mehle: *Phaseolus*, *Pisum*.

B. Genußmittel (ganz und gemahlen).

1. Die Purindrogen.
   α) *Tee* und Verfälschungen (*Epilobium*).
   β) *Cacao* und Verfälschungen (*Cacao*schalen).
   γ) *Kaffee* und Verfälschungen (*Cichorie*, *Feigenkaffee*, *Eichelkaffee*, *Saccakaffee*, *Carobben*, *Lupinen*, *Rübe*).
   δ) *Mate*.
   ε) *Cola*.
   ζ) *Guarana*.
   η) *Tabak*.

C. Gewürze (ganz und gemahlen).

1. Blüten und Blütenteile.
   α) *Kappern*.
   β) *Safran* und Verfälschungen (*Calendula*, *Carthamus*, *Curcuma*, *Santel Campeche* — mit Reaktionen).
   γ) *Gewürznelken*, *Anthophylli*, *Nelkenstiele*.
   δ) *Zimtblüten*.
2. Früchte und Samen.
   α) *Pfeffer* und Verfälschungen (*Palmkerne*, *Oliventrestern*, *Kleie*, *Leinkuchen*, *Copra*).
   β) *Piment*.
   γ) *Paprika*.
   δ) *Cardamomen*.
   ε) *Vanille*.
   ζ) *Sternanis* und *Sikimi*früchte.
   η) *Muskatnuß* und Verfälschungen (*Papuanüsse*).
   ϑ) *Macis* und Verfälschungen (Bombay-*Macis*).
   ι) *Schwarzer Senf* und Verfälschungen (*Brassica Rapa* und *Napus*).
   κ) *Weißer Senf*.
   λ) Umbelliferenfrüchte: *Kümmel*, *Coriander*, *Anis*, *Fenchel*.
3. Rinden.
   α) *Zimt*, chinesischer und ceylanischer, *Canella*, *Nelkenzimt*.
   Verfälschungen: *Häselnuß*schalen, *Zimt*matta.

4. Rhizome.
   α) *Ingwer* und Verfälschungen.
   β) *Curcuma.*
   γ) *Zedoaria* und *Galgant.*
   δ) *Kalmus.*

D. Futtermittel.
   Preßkuchen von *Lein*, *Raps*, *Mandel*, *Baumwollsamen*, *Hanf*, *Ricinus*, *Sesam.*

E. Gebrauchsgegenstände.
   1. Gespinstfasern.
      Baumwolle, *Lein*, *Hanf*, *Wolle*, *Seide.*
      Analyse von Gespinsten und Geweben.
   2. Hölzer.
   3. Papier, Holzschliff.
   4. Insektenpulver und Verfälschungen.

Schema für ein pharmakochemisches Praktikum.

1. **Präparative Arbeiten**, Darstellung von Pflanzenstoffen; reine Pharmakochemie.
   Amygdalin aus *Sem. amygdal. amar.*
   Barbaloin aus *Barbadosaloë.*
   Glycyrrhizinsäure aus *Rad. liquiritiae.*
   Glycyrrhetinsäure aus Glycyrrhizinsäure.
   Kaffein aus *Fol. Theae.*
   Cumarin aus *Tonkobohnen.*
   Emodin aus *Cort. frangulae.*
   Chrysophansäure aus *Rhiz. rhei.*
   Ölsäure aus *Ol. amygdalae.*
   Strychnin aus *Sem. strychni.*
   Piperin aus *Piper album.*
   Abietinsäure aus *Colophonium*
   Pimarsäure aus *franz. Terpentin.*
   Euphorbon aus *Euphorbium.*
   Amyrin aus *Manila-Elemi.*
   Benzoësäure aus *Benzoë.*
   Zimtsäure aus *Styrax.*
   Zimtaldehyd aus *Zimtöl.*

2. **Wertbestimmungen**; angewandte Pharmakochemie.
   a) Bei Alkaloiddrogen (gravimetrisch und titrimetrisch): *Cort chinae, Opium, Guarana, Sem. arecae, Sem. strychni, Fol. belladonnae, Fruct. conii, Rhiz. hydrastidis, Rad. belladonnae.*
   b) Bei Harzdrogen (Säurezahl, Verseifungszahl usw.): *Colophonium, Perubalsam, Copaivabalsam, Benzoë, Styrax.*
   c) Bei ätherischen Ölen (Aldehyd-, Menthol-, Santalol-Bestimmung): *Ol. cinnamomi, Ol. menthae, Ol. santali.*
   d) Bei Fetten und fetten Ölen (Säurezahl, Jodzahl, — Refraktion): *Ol. amygdalae, Ol. olivae, Ol. Cacao.* Schmelzpunkt: *Ol. cacao, Adeps.*

e) Bei Wachsen (Säurezahl): *Cera flava.*

f) Bei *Flor. cinae* (Santonin) und *Senf* (Senföl).

g) Trockengewicht- und Aschebestimmungen: *Crocus, Kamala.*

h) Kolorimetrische Bestimmungen: *Crocus, Rhiz. rhei.*

Lit. Jon. Pereira, Introductory lecture on mat. medica delivered at the establishment. of the pharm. soc. Pharm. Journ. Transact. I. (1842) p. 565. — A. T. Thomson, Intr. lect. to a course of general and med. botany etc. Ebenda p. 620. — Buchheim, Über die Aufgaben der jetzigen Vertreter der Pharmazie an den Universitäten. Arch. Ph. 1879. XI. 289. — Flückiger, Der pharmazeut. Unterricht in Deutschland. Arch. Pharm. 1885. — Derselbe, Universität oder Fachschule. Pharm. Zeit. 1888. — Tschirch, Die Pharmakognosie als Wissensch. u. ihre Bedeut. f. d. pharmazeut. Studium. Pharm. Zeit. 1881. — Derselbe, Das pharmazeut. Universitätsinstitut u. d. akadem. Studium d. Pharmazeut. in der Schweiz, Deutschland u. Österreich. Bern 1891. — Derselbe, Die Entwicklungsgeschichte d. pharmaz. Universitätsinstitute. Pharm. Post. 1893. — Derselbe, Erinnerungen an August Garcke, Ber. pharm. Ges. 1904. — Derselbe, Pro pharmacognosia. Ebenda 1907. — Derselbe, Was ist eigentlich Pharmakognosie? Zeitschr. öster. Apoth.-Ver. 1896 und Pharmaz. Zentralhalle 1907. — Hartwich, Noch ein Wort über die Pharmakognosie in Deutschland. Apoth.-Zeit. 1907. Nr. 14. — Arthur Meyer, Professuren für Pharmakognosie an den deutschen Hochschulen. Apoth.-Zeit. 1907. Nr. 22.

Für das pharmakognostische Praktikum: Schär und Zenetti, Anleitung zu analytisch-chemischen Übungsarbeiten. Berlin 1897. — Rosenthaler, Grundzüge der chem. Pflanzenuntersuchung. Berlin 1904. Die Literatur für das pharmakoanatomische Praktikum siehe Pharmakoanatomie.

«Was soll man von dem vielfältigen arglistigen Betrug, gefährlichen Ränken und Schränken sagen, welche von Materialisten verderblicherweise geübt werden.»

LUDW. VON HORNICK 1645.

IX. Angewandte Pharmakognosie.

Von dem mitten in der Praxis stehenden Apotheker wird niemand verlangen, daß er reine Pharmakognosie wissenschaftlich betreibe, dazu fehlt es ihm an Zeit und meist auch an dem nötigen Rüstzeug, den notwendigen wissenschaftlichen Hilfsmitteln, aber er ist recht eigentlich der Vertreter der angewandten Pharmakognosie. Auch kann er sehr wohl die Bestrebungen der wissenschaftlichen Pharmakognosie von sich aus unterstützen, wie dies schon der Apotheker MATTHIAS BANSA (1641) getan, der JOH. SCHRÖDER mit Material versah, wie wir es von dem Hofapotheker der Königin Elisabeth, HUGO MORGAN, wissen, der (Ende des XVI. Jahrh.) CLUSIUS unterstützte und wie es auch der portugiesische Apotheker PIRES in seinen berühmten Briefen (1512—1516) tat. Ferner seien erwähnt der Apotheker JOH. HEINR. LINCK in Leipzig (um 1719), der treffliche Leipziger Apotheker JOH. RALLA, dem sein Neffe CORDUS die Anregung zu dem Dispensatorium verdankt und der, ebenso wie der Wittenberger Apotheker KASPAR PFRUEND, CORDUS mit Rat unterstützte, sowie endlich der um die Einführung der *Ipecacuanha* (1672) verdiente Apotheker CLAQUENELLE. Der Jesuit G. J. KAMEL (Camellus), der in Manila eine Apotheke errichtete, sandte von 1688 an viele Pflanzen und deren Produkte, sowie von ihm gezeichnete Abbildungen — unter anderem *Ignatiusbohnen* — an RAY und PETIVER in London.

Beispiele dafür, daß auch mitten in der Praxis stehende praktische Apotheker wissenschaftlich vollwertige Arbeit auf pharmakognostischem Gebiet zu leisten vermögen, bieten JAHNS (Göttingen) durch seine Untersuchungen über Trigonellin und die Arecaalkaloide, HARTWICH (damals Tangermünde) durch seine Studien über die Gallen, AWENO, GEROCK, TUNMANN, KREMEL und andere, die als Floristen, Pilzforscher oder dergl. tätig waren und sind.

Die Abgrenzung der angewandten Pharmakognosie von der reinen wurde von dem Zeitpunkt an notwendig, wo die letztere sich zu einer selbständigen reinen Wissenschaft entwickelt hatte. Der Ausdruck «angewandte Pharmakognosie» wurde von mir zuerst in dem auf dem XII. medizinischen Kongresse in Moskau 1897 gehaltenen

Vortrage: «Die Anwendung der vergleichenden Anatomie zur Lösung von Fragen der angewandten Pharmakognosie» benutzt.

Die angewandte Pharmakognosie umfaßt:

1. die Prüfung der Drogen auf Identität und Reinheit (Verfälschungen und Verwechslungen),
2. Aufbewahrung der Drogen.

1. Prüfung der Drogen auf Identität und Reinheit

(Verfälschungen und Verwechslungen).

Die Erkennung von Verfälschungen und Verwechslungen ist der wichtigste Teil der angewandten Pharmakognosie. Wissenschaftliche Pharmakognosie wird ja zum Teil nur deshalb getrieben, um den Apotheker in den Stand zu setzen, die Drogen richtig beurteilen zu lernen, sie also auf Identität und Reinheit prüfen zu können.

Verfälschungen erwähnt schon PLINIUS an verschiedenen Stellen. Im Artikel *Bdellium* z. B. bespricht er die Verfälschungen mit anderen Harzen und fährt fort: «Man erkennt sie aber alle (was auch in bezug auf die übrigen Räucherspezies ein für allemal hier gesagt sein mag) am Geruche, der Farbe, der Schwere, dem Geschmacke und dem Verhalten am Feuer». Auch bei *Weihrauch* und *Myrrhe* beschreibt PLINIUS die Verfälschungen und ihre Erkennung. SCRIBONIUS LARGUS, sowie auch DIOSCURIDES, CELSUS und PLINIUS berichten über Fälschungen des *Opiums*.

Auch DIOSCURIDES erwähnt oft die Verfälschungen und gibt die Zeichen für die Echtheit und Güte an, z. B. bei der *Keltischen Narde*, der *Cassia*, dem *Zimt*, dem *Balsam*. Beim *Safran* gibt er eine Anleitung zur Erkennung von ausgezogenem (Krokomagma) oder mit eingedicktem Moste, mit zerriebener Bleiglätte oder Molybdaina (Minium) verfälschtem *Safran*. Und PLINIUS bemerkt vom *Safran* «adulteratur nihil aeque» und vom *Pfeffer*, daß er mit *Wachholderbeeren* vermischt werde.

Schon im XI. Jahrh. wird in dem Buche: De simplicibus medicamin. ad Paternianum auf die Ähnlichkeit von *Anis*- und *Conium*früchten hingewiesen, die man so leicht verwechseln kann.

Ebenso gedenkt der Ricettario fiorentino (XV. Jahrh.) zahlreicher Verfälschungen.

ORIBASIUS (geb. c. 350) gibt bereits in den Synagogai bei einigen Drogen Reaktionen auf Identität und Reinheit an, und CRONENBURG empfiehlt in seinem Werke De compositione medicamentorum, Frankfurt 1555, eine genaue Prüfung aller Arzneimittel.

Die älteste uns erhalten gebliebene Verordnung gegen Verfälschung stammt aus dem XIII. Jahrh. (um 1277) und wurde in Marseille erlassen (Statut. Massiliens. 5. 21).

In Venedig bestand 1374 ein eigenes «Ufficio dello Zafferano» zur Überwachung des *Safran*handels.

1412 erließ Köln ein Verbot gegen gefälschten *Ingwer* (Liber registrationum senatus 1396—1440).

In Nürnberg mußten die Färber schwören, zum Färben nur *Waid* und nicht *Indigo* zu verwenden, und es stand Todesstrafe auf Übertretung des Gebotes (NÜBLING).

Besonders der *Safran* war von jeher der Verfälschung unterworfen. Eine Ordnung über «*Safran* und dessen Schau und Kauf» findet sich unter den Nürnberger Polizeigesetzen des XV. Jahrh. Schon in dieser wird verlangt, daß die Bezeichnung genau dem Befunde entsprechen müsse, also für «Ortsaffran und Lyonisch Saffran» nicht ein minderwertiger *Safran* gegeben werden dürfe, und daß «Föminelle und geverlichen Pulver» nicht beigemengt sein sollen. Die Strafen für *Safran*fälschung waren sehr hart. Aus den Nürnberger Annalen sehen wir, daß JOBST FRIEDENKERN, der gefälschten Safran für gut verkauft, «sammt dem Saffran lebendig verbrannt worden am 17. Jacobstag 1449». Ebenso sind HANNS KÖLBEL und LIENHARD FREY 1456 wegen Fälschung des *Safrans* und anderen Gewürzes «sammt ihrer gefälschten Waar lebendig verbrennet» die ELSE PFRAGNERIN, «die ihnen darzu geholfen», aber lebendig begraben worden! 1499 wurden HANNSEN BOCK in Nürnberg «wegen betrüglicher Arznei» beide Augen ausgestochen. Später, im XVI. und XVII. Jahrh., wurde dann nur die Ware verbrannt (PETERS), ja sogar ein Zusatz von 8 % Feminell zum *Safran* erlaubt. Besser davon kam in Venedig 1402 der Apotheker ZANONI DE ROSSI, der sich ertappen ließ, als er dem *Theriak* keinen *Rhabarber*, kein *Amomum*, *Opopanax* und *Safran* zusetzte, den *Safran* mit *Carthamus* verfälschte und falschen *Moschus* hielt. Die Avogaria di commun ließ seine Präparate über die Rialtobrücke in den Kanal werfen, den Sünder aus dem Berufe stoßen, gefangen setzen und mit einer Buße von 400 Golddukaten belegen — allerdings nur in contumaciam (FLÜCKIGER-TSCHIRCH, Grundlagen). Ein anderer Apotheker, der statt weißer rote *Korallen* benutzt hatte, wurde im XV. Jahrh. vom König von Aragonien zu einer Buße von 9000 Dukaten und einjährigem Ehrverluste verurteilt. Im Jahre 1456 wurden in Zofingen (Schweiz) zwei Bürger wegen Fälscherei des *Safrans* und anderer Gewürze lebendig verbrannt und eine Frau, welche dabei behilflich gewesen, lebendig begraben (REBER).

Auf dem Reichstage von Augsburg 1551 wurde sogar ein für das ganze deutsche Reich gültiges Polizeigesetz gegen geschmierten *Safran* erlassen. Aber schon im XIV. Jahrh. bestanden solche Verordnungen in Regensburg und München. Im Privilegium aromatariorum von Mailand (1573) werden Piperino und Zafloro als verwerfliche Surrogate des *Pfeffers* und *Safrans* bezeichnet.

Das Edikt Heinrichs II. von Frankreich bedrohte die *Safran*fälscher mit körperlicher Züchtigung (vgl. auch ELBEN, Die Lehre von der Warenfälschung. Diss. Tübingen 1881).

Auch der Fälschung der *Nelken* mit Stielen (Fusti) wird schon in einer Nürnberger Verordnung vom Jahre 1443 Erwähnung getan (BAADER, Nürnberger Polizeiverordn.) und 1721 werden als Fälschungen der *Nelken* und des *Zimt*: ausgezogene Droge, Baumrinde, braune Wurzeln, als Fälschungen des *Pfeffer*: faules Holz und scharfe Wurzeln, als solche des *Ingwer*: zerstoßene Erbsen aufgeführt (HÖNN). Gefärbter *Ingwer* wird auch in einer Verordnung Karls V. erwähnt.

Daß die amtliche Erlaubnis, Succedanea quid pro quo (vgl. S. 18) den echten Drogen zu substituieren, ebenfalls vielfach zu Betrug und Fälschung in den Apotheken führte, ersehen wir aus den beiden von PETERS mitgeteilten Schmähschriften: LISSETO BENANICO, Eröffnung aller betrüglicher Handgriffe und Irrsalen, so von den Apoteckern begangen werden, 1533, und ANTON LODETTO, Gespräch von den Betrügereien etlicher Apotheker 1569.

Die Einführung regelmäßiger Apothekenrevisionen und die Handhaben, welche die moderne Wissenschaft — Pharmakobotanik und Pharmakochemie — liefern, haben diesem Treiben fast ganz ein Ende gemacht. Auf diesem Gebiete wird kein

Laudator temporis acti seine Stimme erheben. Die «gute alte Zeit» war hier eine «schlechte alte Zeit». Und es ist in jeder Hinsicht besser geworden, trotzdem die Strafen für Fälschung nicht mehr so grausame sind wie ehedem und niemand mehr hingerichtet, lebendig verbrannt oder lebendig begraben, ertränkt oder der Augen beraubt, ja nicht einmal mehr körperlich gezüchtigt und höchstens mit «einem pfund Buß ohne Gnade» und «Strafe der Verlierung» belegt wird, wenn man ihn auf einer Fälschung ertappt.

Schon Hönn empfiehlt in seinem Buche: «Kurz eingerichtetes Betrugslexikon» (Leipzig 1720) die Scheidekunst zur Aufdeckung von Fälschungen, wie der Beimischung von Holzmehl und Erbsenmehl (im *Ingwer*), von extrahierten Gewürzen und Beschwerungsmitteln (im *Safran*).

Vorschriften zur Untersuchung des *Färberwaid* finden sich in der Schweidnitzer Tuchwebeordnung vom Jahre 1335 (Codex diplomaticus Silesiae).

Bereicherung unserer Kenntnisse über Drogenfälschungen und minderwertige Handelssorten verdanken wir in neuerer Zeit besonders Hartwich, Holmes und Perrot.

Die **Prüfung auf Identität und Reinheit** kann eine dreifache sein. Zunächst wird man die Droge immer morphologisch prüfen, dann mikroskopisch und endlich chemisch und physikalisch.

Die **morphologische Prüfung** erstreckt sich auf das äußere Aussehn, die Form der Teile und ihre gegenseitigen Beziehungen zueinander, sowie auf die Größenverhältnisse. Hier wird also das, was die Pharmakomorphologie lehrt, auf den praktischen Fall angewendet. Bei den Wurzeln wird man also ihre Form, Anheftung, äußere Skulptur (Runzeln), Dicke und Länge; bei den Rhizomen das Verzweigungssystem, die Oberflächengestaltung (Querrunzeln, Blattnarben) und den Durchmesser; bei den Blättern die Umrißgestaltung, die Skulptur des Randes (Blattzähne, Blattspitze), die Nervatur; bei den Blüten den allgemeinen Bau und die Form der Teile in Betracht ziehen. Schon diese morphologische Prüfung führt den pharmakobotanisch Geschulten schnell zur Feststellung der Identität und zur Auffindung etwaiger Beimischungen. Konnte ich doch z. B. zeigen, daß allein die Nervatur der Blattzähne genügt, um die gewöhnlichen Beimengungen der *Digitalis*blätter und des *Tee* zu ermitteln.

Im extremsten Falle ist die vorliegende Droge überhaupt nicht das verlangte Objekt. Das kommt selten vor. So besteht wohl einmal: *Rhiz. hellebori* nur aus den Rhizomen von *Actaea spicata*, *Rhiz. filicis* nur aus den Rhizomen von *Aspidium spinulosum* oder *montanum*, *Rad. Senegae* nur aus *Rad. Vincetoxici* oder *Rad. Serpentariae*, *Herba Sabinae* nur aus den Sprossen von *Juniperus phoenicea*, *Fol. belladonnae* aus der ganz wertlosen «*Belladonne d'Italie*».

Häufiger ist der Fall, daß fremde Beimengungen in größerer oder geringerer Menge sich der echten Droge beigemischt vorfinden. Das kann zufällig geschehen sein, indem der Sammler ein äußerlich ähnliches Objekt mit sammelte, bei *Helleborus* z. B. *Actaea spicata*, beim *Kalmus Iris Pseudacorus*. Dies dürfte der häufigere Fall sein. Oder es fand entweder am Produktionsorte oder beim Drogisten eine absichtliche, also betrügerische Beimengung minderwertiger oder wertloser Drogen statt. Beides kommt vor. Ja es werden sogar Kunstprodukte eigens hergestellt, um Drogenfälschungen vorzunehmen. Bekannt sind die Fälle, wo *Anis-*, *Kaffee-* und *Pfeffer*früchte aus Lehm geformt und den echten beigemischt worden waren, bekannt ist besonders die zu einer ganzen Industrie herangewachsene *Safran*fälschung, bei der nicht nur mit Teerfarbstoffen gefärbte *Calendula*blüten, sondern auch eigens präparierte Grasblattstreifen, Keimlinge von Leguminosen und Cerealien Verwendung finden. Künstliche *Muskatnüsse*, aus *Muskatnuß*pulver und Mineralsubstanzen gemischt und in Formen gepreßt, fanden RANVEZ und PLANKEN (1900). Natürlich wenden sich die Fälscher in erster Linie den teuren Drogen zu. Von der Beschwerung des *Opiums* mit Schrot- und Bleikugeln wird noch im Kapitel Pharmakophysik die Rede sein und auch beim *Crocus* «lohnt es sich» ja. Dann aber sind auch besonders die Drogen, die infolge von Mißernten nur in geringer Menge angeboten wurden, ganz besonders der Verfälschung unterworfen. Ist z. B. die *Cubeben*ernte schmal und ungleich ausgefallen, so treten sofort fremde Früchte und Samen, sowie Stiele in vermehrter Menge in den *Cubeben* auf und werden die *Cascarilla*zufuhren gering, so finden sich in der Droge mehr andere Rinden als sonst.

Ganz besonders gefährlich sind giftige Beimengungen. Niemals darf der Apotheker unterlassen, den *Anis* auf *Conium*früchte, den *Sternanis* auf *Sikimi*früchte zu untersuchen. Denn schon eine kleine Beimengung hat die schwersten Folgen.

Nicht immer reicht aber die morphologische Prüfung aus und es muß erst die **Lupe** und dann das **Mikroskop** zur Hand genommen werden. Besonders der Lupe möchte ich auf dem Gebiete der angewandten Pharmakognosie das Wort reden. Sie sollte ein rechter Apotheker, der auch ein rechter Pharmakognost sein muß, überhaupt immer in der Westentasche bei sich tragen. Wie viel sieht der Geübte schon mit diesem einfachen Instrumente! Immerhin hat die Leistungsfähigkeit auch dieses Instrumentes seine Grenzen und man muß zum **Mikroskope** greifen. Dies ist nur selten bei ganzen Drogen nötig, immer bei gepulverten. Hier ist der Ort, wo der Apotheker das, was er in der Pharmakobotanik, speziell der Pharmakoanatomie, gelernt hat, verwerten kann. Denn nur ein geschulter Pharmakognost findet sich in der **mikroskopischen** Analyse pulveriger oder gepulverter Drogen zurecht. Hier aber ist auch der Ort, wo die mikroskopische Methode über alle anderen triumphiert und ihre größten praktischen Erfolge erzielt. Ein Blick in das Mikroskop genügt z. B., um festzustellen, ob ein *Lycopodium*, eine *Kamala*, ein *Lupulin* verfälscht und womit es verfälscht ist. In vier Semestern kann der Studierende so weit gebracht werden, daß er ein Gemisch von 3—4 feinst gepulverten Drogen mit sicherem Erfolge analysiert, wenn es sich nicht gerade um besonders schwierige Objekte (Blattpulver, *Rad. gentianae* oder dergl.) handelt.

Ein besonderer Fall, wo die mikroskopische Diagnose einer Droge auf das Vorhandensein einer fremden Beimischung gegründet wird, ist der *Agar-Agar*, den man geradezu an den in ihm stets vorkommenden Diatomeen mikroskopisch erkennen kann.

In wünschenswertester Weise ergänzt wird aber die anatomische Methode durch die **chemisch-physikalische** (vgl. Pharmakochemie und Pharmakophysik). Schon BUCHHEIM bemerkt (1879): «Somit hat die botanische Pharmakognosie nur die Bedeutung eines Aushilfsmittels, an dessen Stelle wir sobald wie möglich etwas besseres setzen müssen. Die Bestimmung der Güte einer Droge läßt sich nur auf chemischem Wege erreichen». Dieser Ausspruch ist berechtigt, jedoch mit der Einschränkung, daß es auch Fälle gibt, wo die chemische Prüfung versagt und die mikroskopische allein oder doch besser und rascher zum Ziele führt (Stärke, Mehle, *Lycopodium*, *Kamala*). Ja gerade bei Drogenpulvern kommen wir mit der chemischen Untersuchung oft nicht vorwärts und müssen zum Mikroskope greifen.

Schon die Feststellung von **Geruch**, **Geschmack** und **Farbe** sind wichtig. Beträchtlich ist die Schwierigkeit sicherer Farbenbestimmung selbst bei Leuten, die nicht farbenblind sind. Ganz vernachlässigt ist die Übung unserer Nase und Zunge. Die Tea taster freilich und die Degustatoren der Weinhändler besitzen eine geübte Zunge und eine feine Nase, die Mehrzahl der Menschen aber vernachlässigen in einer unverantwortlichen Weise die Übung dieser beiden Sinnesorgane. In der angewandten Pharmakognosie spielen dieselben aber eine so wichtige Rolle, daß ich mich ernstlich gefragt habe, ob es nicht angezeigt sei, Riech- und Schmeck-Kurse für Apotheker einzurichten, um Zunge und Nase zu üben. Es steht mit der Verwahrlosung dieser Sinnesorgane fast so schlimm wie mit dem Zeichnen. Es gibt wahre Stümper im Riechen. Es ist mir einmal vorgekommen — es war allerdings im Examen — daß ein Praktikant Petroleum, auch nachdem er daran gerochen, für — *Pfefferminzöl* ausgab! Und doch kann man durch Übung Zunge und Nase so schärfen, daß man auch Substanzen, die allgemein für geruchlos gelten, schon durch ihren spezifischen Geruch voneinander unterscheiden kann, wie z. B. Kartoffelstärke und Calciumkarbonat.

Immerhin bleiben aber die Prüfungen nach Geruch, Geschmack und Farbe individuell. Der eine wird es in ihnen zu großer Virtuosität bringen, ein anderer bringt es darin zu nichts Rechtem, denn es gibt auch hier Talente und Stümper.

Vorzuziehen ist immer eine objektive Prüfung, die jeder durchführen kann, auch wenn er kein spezifisches Talent dazu hat. Das sind nun die chemischen, und zwar zunächst die qualitativen Reaktionen.

Bei den nicht organisierten Drogen stehen sie überhaupt im Vordergrund. Nicht daß man bei ihnen das Mikroskop nicht brauchen kann. Im Gegenteil. Auch *Aloë*, *Elemi*, *französ. Terpentin*, *Traganth* und *Styrax* bieten mikroskopische Bilder, die so charakteristisch sind, daß sie zur Feststellung von Identität und Reinheit brauchbar sind. Aber andere Drogen, wie die klaren Balsame, die ätherischen und fetten Öle, können ja nur chemisch-physikalisch geprüft werden. Hier spielen neben der Feststellung des spezifischen Gewichtes, des Schmelz- und Siedepunktes, des Aschengehaltes, der tinktorialen Kraft die chemischen Reaktionen die Hauptrolle. Aber auch bei den organisierten Drogen greift der Pharmakognost gern zu Identitätsreaktionen. Wie leicht läßt sich durch solche der echte vom falschen *Sternanis* unterscheiden, wie wirkungsvoll unterstützen chemische Reaktionen die mikroskopische Prüfung des *Crocus*, wie leicht ist es mit Hilfe einfacher Methoden nachzuweisen, ob die Oxymethylanthrachinondrogen extrahiert sind oder nicht, oder ob ein *Digitalis*blatt wirklich Digitoxin enthält.

Wo irgend möglich, wird man aber von der qualitativen Reaktion zur quantitativen Bestimmung vorschreiten. Schon die kolorimetrische Bestimmung und die Feststellung der Fluoreszenzgrenze sind ja quantitative Reaktionen. Die Feststellung der tinktorialen Kraft kann mit Erfolg bei den Oxymethylanthrachinondrogen (nach dem Ausschütteln der ätherischen Lösung mit Ammoniak), dann auch beim *Crocus* benutzt werden, der Feststellung der Sichtbarkeitsgrenze der Fluoreszenz kann man sich bei der *Aloë* bedienen; denn Aloin in Boraxlösung fluoresziert. Aber die kolorimetrischen Prüfungen mit und ohne Kolorimeter sind doch nicht ganz scharfe. Schärfer sind die titrimetrischen und besonders die gravimetrischen Bestimmungen. Und so haben denn auch diese quantitativen Methoden mehr und mehr die qualitativen verdrängt. Auch die Arzneibücher wenden ihnen mehr und mehr ihre Aufmerksamkeit zu. Die neue schweizerische Pharmakopoee (Edit. IV) gibt bei 35 Drogen quantitative Bestimmungen der wirksamen Bestandteile an. Es sind dies: gravimetrische oder titri metrische (oder kombinierte) Bestimmung des Gesamtalkaloidgehaltes oder einzelner Alkaloide, Säurezahl, Verseifungszahl und Jodzahl und Bestimmung einzelner wichtiger Bestandteile (z. B. des Cinnameïns).

Jedenfalls darf aber eine quantitative Bestimmung der sog. wirksamen Bestandteile nur dann eingeführt werden, wenn man die wirksamen Bestandteile kennt — bei *Secale cornutum* und *Rhiz. Filicis* hat sie zurzeit noch keinen Zweck — und immer muß sie den Erfordernissen der Praxis angepaßt sein, die von einer in der Praxis brauchbaren Methode verlangen, daß sie möglichst wenig umständlich, auch mit einer geringen Menge Material in nicht zu langer Zeit ausführbar und doch für die Praxis genügend genau — also: rasch, billig und zuverlässig ist. Diese Bedingungen erfüllen z. B. die titrimetrischen Bestimmungsmethoden in ausgezeichneter Weise.

Wie man einen Drogenartikel unter Berücksichtigung aller beobachteten Verfälschungsmittel und Benutzung aller Hilfsmittel (botanischer und chemischer) für ein Arzneibuch, das ja in seinen Drogenartikeln die besten Beispiele angewandter Pharmakognosie liefert — oder doch liefern soll — kurz und doch erschöpfend redigieren kann, möge der Artikel *Crocus* in der Pharmakopoea Helvet. IV zeigen. Er lautet (die Substanzen, auf welche sich die Prüfung bezieht, sind von mir in Klammer beigesetzt):

Die bisweilen noch durch ein sehr kurzes (minderwertige griffelreiche Sorten) helleres Griffelstück zusammengehaltenen drei Narben von *Crocus sativus L.*

Die charakteristisch riechenden Narbenschenkel der *Safran*blüte sind dunkelrot und, in Wasser aufgeweicht, 25—35 mm lang (andere *Crocus*arten). Sie bilden eine oben offene und dort gekerbte, lange, seitlich aufgeschlitzte Trichterröhre (*Carthamus*, *Calendula*, *Gramineenblätter* und *Keimlinge* usw.).

Das Gewebe der Narbe besteht aus zarten, gestreckten Zellen. Vom Griffel tritt in jede Narbe ein Gefäßbündel ein. Dasselbe gabelt sich im oberen breiteren Teile der Narbe in zahlreiche Äste. Der obere Rand der Narbe ist mit Papillen besetzt, zwischen denen sich bisweilen die großen, runden, 35—50 mik. messenden Pollenkörner mit derber, glatter Exine (die Pollenkörner von *Calendula* und *Carthamus* haben keine glatte Exine) finden.

Das Pulver zeige bei Betrachtung mit dem Mikroskop unter Öl vorwiegend tief orangerote und nur sehr wenig gelbe Partikel (Griffel) und keine Kristalle (beigemengte Salze, *Safran*surrogat). Die Fragmente zeigen, in Wasser betrachtet, zartwandige gestreckte Zellen und zarte Gefäßbündel mit engen Spiralgefäßen. Dazwischen liegen einige wenige Pollenkörner. Weder Haare noch Korollenfragmente mit Sekretschläuchen (*Carthamus*) noch Holzzellen und Libriform (*Santel*, *Fernambuc*, *Campeche*) noch gelbe Kleisterballen (*Curcuma*) dürfen sich darin finden.

Bringt man ein wenig des tieforangeroten Pulvers trocken auf den Objektträger, legt das Deckglas auf und läßt Schwefelsäure zufließen, so müssen von jedem Körnchen tiefblaue Streifen abfließen. Die zuerst tiefblau gefärbten Körnchen werden rasch rot, dann braunrot. Ammoniak färbt bei gleicher Behandlung gelb (Safransurrogat).

Mit Kalilauge erwärmt, entwickle *Safran* kein Ammoniak (Ammonsalze, die nicht in der Asche gefunden werden). Bei 100° getrocknet, verliere er höchstens 12% an Gewicht (zu viel Feuchtigkeit) und werde brüchig (Glyzerin). 100 T. *Safran* sollen an Petroläther höchstens 5 T. abgeben (Fette). Der getrocknete *Safran* hinterlasse nach dem Verbrennen höchstens 6% Asche (mineralische Beimengungen).

Man bringt 1 dg feingeschnittenen *Safran* in 1 Liter Wasser und läßt über Nacht stehen. 10 ccm dieses Auszuges, mit 1 Liter Wasser gemischt, sollen eine noch deutlich gelb gefärbte Flüssigkeit geben (extrahierter *Safran*). Der wässerige Auszug des *Safrans* schmecke schwach bitter, nicht süß (*Zucker*).

Dies Beispiel und die obigen Ausführungen zeigen auf das deutlichste, daß auch die angewandte Pharmakognosie keine rein botanische Disziplin, sondern daß sie zur guten Hälfte chemisch ist (vgl. S. 8).

Für einige Drogen, z. B. für *Fol. digitalis*, ist auch die **physiologische Prüfung** am Frosch oder an Warmblütlern zur Wertbestimmung herangezogen worden. Sie liegt schon außerhalb der Aufgaben der Pharmakognosie und gehört in das Gebiet der experimentellen Pharmakologie.

Die Droge endet, bevor sie in die Hände des Kranken kommt, in der Apotheke. Der Apotheker ist die einzige Instanz in der langen Reihe der Leute, durch deren Hände die Droge geht, dem die Pflicht der Drogenkontrolle überbunden und der ausreichend vorgebildet ist, sie sachgemäß durchzuführen. Keine Droge darf von ihm an das arzneibedürftige Publikum abgegeben werden, ohne daß er zuvor sie auf Identität und Reinheit geprüft hat.

Aber es dürfte sich doch auch empfehlen, daß schon im Einfuhrhafen eine bessere Drogenkontrolle eingeführt würde. Wenn sich die importierenden Firmen einer großen Hafenstadt vereinigten, könnten sie sehr wohl eine Kontrollstation einrichten und unterhalten, die von einem pharmakognostisch gut geschulten Apotheker geleitet, mit 3—4 Assistenten die gesamte Drogenkontrolle besorgen würde. Dann könnte man schon im Einfuhrhafen den *Perubalsam* nach seinem Cinnameïngehalte, die *Ipecacuanha* nach ihrem Gehalte an Emetin und Cephaëlin, das *Zimtöl* nach dem Zimtaldehyd- und das *Santelöl* nach dem Santalolgehalte handeln, wie man schon jetzt die *Chinarinde* nach ihrem Chiningehalte bezahlt (S. 179). Dort könnten auch Säure, Ester und Jodzahl der Harze, Balsame und Fette bestimmt werden. Und ich könnte mir sehr wohl einen jetzt als ideal empfundenen Zustand realisiert denken, wo kein größerer Posten einer wertvollen Droge die Speicher des Importhafens verläßt, um in den Kleinhandel einzutreten, ohne mit einem Zertifikat über seine Beschaffenheit versehn zu sein. Denn Drogen nur nach dem Aussehn kaufen, heißt die Katze im Sack kaufen. Ich will nur daran erinnern, daß es Drogen gibt, die prächtig aussehn und doch nichts taugen. Mir ist einmal eine wunderschöne *China regia plana* in die Hände gekommen, die keine Spur *Chinin* enthielt. Der Drogist von heute sieht noch zu sehr auf schönes Aussehn und zu wenig auf den Gehalt. Immerhin nimmt doch auch schon der Großdrogenhandel Rücksicht auf die Pharmakopoeen und bietet einige Waren (z. B. *Copaivabalsam*) in pharmakopoegemäßen Sorten an (vgl. S. 202).

Drogenprüfungsanstalten in den Handelszentren, besonders den Einfuhrhäfen, könnten auch den Fälschungen und Substitutionen steuern, so daß nicht erst in der Apotheke der giftige *Sternanis* erkannt wird, jahrelang falsche *Cascarilla* im Handel bleibt und aus *Aspidium spinulosum* bereitetes *Filix*extrakt verkauft wird. Sie würden freilich keineswegs den Apotheker von der Pflicht entbinden, seine Drogen anzusehn und die Drogenpulver zu mikroskopieren, könnten aber als zweites Schutzmittel sehr nützlich wirken.

In die Bresche getreten sind aus eigener Initiative und auf eigene Kosten einige große Drogenhandlungen des Binnenlandes, die übrigens zum Teil direkte Verbindungen mit den überseeischen Plätzen unterhalten und auch einige Importeure in Hafenplätzen. So unterwerfen z. B. GEHE & Co., CAESAR & LORETZ, SCHIMMEL & Co., HÄNSEL, MERCK, ROEDER, J. D. RIEDEL, BRÜCKNER, LAMPE & Co., JULIUS GROSSMANN u. and. die wichtigsten Waren einer sorgfältigen chemischen Kontrolle und die Handelsberichte dieser Firmen enthalten viele wertvolle Mitteilungen über bei der Prüfung erzielte Ergebnisse, die besonders für die angewandte Pharmakognosie von Wichtigkeit und längst ein Faktor geworden sind, mit dem der Praktiker und die Redakteure der Pharmakopoeen rechnen müssen.

Übrigens treffen, wie ich schon oben (S. 170) bemerkte, die Angestellten der Großdrogenhäuser, die als «taster» fungieren, auf Grund reicher Erfahrung auch ohne Analyse sehr oft das Richtige und beurteilen im allgemeinen schon nach dem Äußeren, nach Aussehn, Farbe, Geruch und Geschmack die Droge richtig nach ihrem Wert, wenigstens in den Fällen, wo das Äußere einen Schluß zuläßt.

Es ist für den der Praxis des täglichen Lebens ferner stehenden Pharmakognosten ziemlich schwierig, sich ein Bild davon zu machen, welche Verunreinigungen und Verfälschungen bei den Drogen wirklich auch heute noch vorkommen. Die Angaben der Lehrbücher über Verfälschungen stammen meist aus früherer Zeit, werden oft aus einem Lehrbuche ins andere kritiklos hinübergenommen und entsprechen nicht immer, ja nicht einmal häufig dem tatsächlich Vorkommenden. Die Leiter der Untersuchungslaboratorien der Großdrogenhandlungen und die Apothekenrevisoren sind fast die einzigen, welche einen Einblick erhalten in die Welt der Drogen «wie sie ist», die von den Verfälschungen und Beimischungen der Drogen, wie sie heute vorkommen, Kenntnis erhalten. Es wäre sehr wünschenswert, wenn diese regelmäßige Berichte ihrer Befunde veröffentlichen würden. In den Handels- und Drogenberichten einiger Großdrogenhäuser wird bisweilen von Fälschungen berichtet, aber meist nur, wenn es sich um besonders flagrante Fälle handelt. Diese werden dann wohl auch in der Fachpresse besprochen, wie z. B. der neulich vorgekommene Fall von giftigem *Sternanis*. Die wichtigsten Auskünfte aber vermögen die Apothekenrevisoren zu geben, die an Stelle der «Beschauer», «Prüfer», «Merkarte» Nürnbergs (im XV. Jahrh.) und der «Signori sopra le merci» Venedigs (im XIV. Jahrh.) getreten sind.

Es ist sehr dankenswert, daß dann und wann ein Apothekenrevisor, wie z. B. MITLACHER in Wien (1904) «die Ergebnisse der Apothekenvisitation bezüglich der Arzneidrogen» veröffentlicht. Es wäre sehr wünschenswert, wenn dies regelmäßig geschähe.

Ein schlagendes Beispiel für die außerordentliche Bedeutung, die die angewandte Pharmakognosie für die Praxis des Apothekers und die allgemeine Gesundheitspflege besitzt, ist in neuester Zeit uns entgegengetreten. Es ist gelungen, mit giftigen *Sikkimi*früchten vermischten *Sternanis* rechtzeitig abzufangen, ohne daß Vergiftungen vorgekommen sind. Was das bedeutet, geht schon daraus hervor, daß das Sikkimin giftiger ist als Pikrotoxin. Ebenso gelang es in neuester Zeit, mit *Conium*früchten vermischten *Anis* rechtzeitig zu erkennen, so daß es auch hier nicht zu Vergiftungen kam. Andererseits hätte jener bedauerliche, durch beigemengten *Aconit* verursachte Vergiftungsfall, der tödlich verlief (1898), vermieden werden können, wenn das fragliche *Tormentillrhizom* sorgfältig durchmustert worden wäre.

Lit. Schelenz, Geschichte d. Pharmazie. — Flückiger-Tschirch, Grundlagen. Georg Paul Hönn, Kurz eingerichtetes Betrugslexikon. Leipz. 1720. — A. Bussy et A. F. Boutron-Charlard, Traité des moyens de reconnaitre les falsifications des drogues simples et composées. Paris 1829. — Favre, De la Sophistication des substances médicamenteuses et des moyens de la reconnaitre. Paris 1812. — Desmarest, Traité des falsifications relatives ä la médecine etc. Paris 1828. — Walchner, Verfälschung der Droguen. Karlsruhe 1842. — K. Elben, Zur Lehre der Warenverfälschungen in geschichtl. Hinsicht. Diss. Tübingen 1881. — Peters, Aus pharmazeut. Vorzeit. 1 Band (2. Aufl.) 1891. Neue Folge 1889. — Kraemer, What is Pharmakognosie? Pharm. Journ. 1899, Nr 1526. — La Wall u. Pursel (Verfälschungen u. Substitutionen gebräuchlicher Drogen im nordamerikanischen Handel). Amer. Journ. pharm. 1899 p. 393. — Villiers et Collin, Traité des altérations et falsifications des substances alimentaires. Paris 1900 avec 633 Fig. — Wardleworth (Neue Drogen auf dem englischen Markt u. Substitutionen exotischer Drogen), Pharm. Journ. Nov. 1900 p. 512. — Mitlacher, Zeitschr. d. Österr. Apothekerv. 1904. — Perrot, Substitutions et falsifications de quelques drogues medicament. Bull. sc. pharmacolog. 1907. p. 346.

2. Aufbewahrung der Drogen.

Auch die Aufbewahrung der Drogen gehört in das Gebiet der angewandten Pharmakognosie. Nur der wird eine Droge sachgemäß aufbewahren und zur richtigen Zeit erneuern können, der ihre Eigenschaften kennt. Es ist also pharmakognostische Schulung erforderlich, um den praktischen Erfordernissen einer richtigen Aufbewahrung gerecht zu werden.

Bereits bei DIOSCURIDES finden sich Angaben über Aufbewahrung. «Für die flüssigen Arzneien eignet sich ein durch und durch dichter Behälter aus Silber, Glas oder Horn verfertigt, auch ein irdener, nicht poröser ist dazu passend und ein hölzerner, wie er besonders aus Buchsbaum verfertigt wird. Die erzenen Gefäße sind angebracht für Augen- und feuchte Mittel, besonders für solche, die aus Essig, aus Teer und Cedernharz bereitet sind. Fette und Mark müssen in Zinngefäßen aufbewahrt werden.» — «Weiterhin muß man wissen, daß einige Pflanzenmittel viele Jahre sich halten, wie die weiße und schwarze *Nießwurz*, die übrigen zumeist auf drei Jahre hin brauchbar sind.» — «Man muß die reinen Wurzeln sofort an nicht feuchten Orten trocknen, die mit Erde oder Lehm behafteten in Wasser abwaschen, die Blüten aber und was Wohlgerüche enthält in trockenen Kästen von Lindenholz aufbewahren. Manches gibt es, was vorteilhaft in Papier oder Blätter eingehüllt wird zur Erhaltung der Samen.»

Auch in SUSRUTAS Ayur-Veda (siehe Geschichte) befinden sich Angaben über die Beschaffenheit der Räume, in denen die Drogen aufbewahrt werden sollen.

SALADIN sagt in dem um die Mitte des XV. Jahrh. verfaßten Compendium aromatariorum: «In primis igitur debet quilibet aromatarius sibi locum aptum eligere, in quo apothecam aptissimam ad res medicinales conservandas tenere valeat, ita, quod sit a ventis et a Sole defensa et quod non sit humida, nec fumosa, aut pulverulenta, quia praedicta omnia habent tam simplices, quam compositas medicinas corrumpere aut alterare.» — «Et quia fiores herbarum sunt rarioris et subtilioris substantiae quam herbae ideo minori tempore conservantur et ideo usque ad annum conservantur et non ultra.» Und auch der Ricettario fiorentino enthält bereits ein Kapitel: «Del pro vedere eleggere e conservare le medicine semplici.»

Sehr genaue und bestimmte Vorschläge macht BRUNFELS in seiner Reformation der Apotecken (Straßb. 1536):

«In was geschirren, eine yede Artzney soll bewaret werden»: «Blümlin unn was wolriechenden samens, soll bewaret werden in zarten büchsen oder lädlinen, oder was sonst zart, damit sie nit allein nit ersticken, sonder auch nit verriechen, und zu gar dürre werdent, was aber von früchten artzneyen ist, soll in Silber, glaß, horn, oder krüg, die nit durchschlahen verfaßt werden. Artzneyen zugehörent den augen, oder die do gemacht, von weichem bäch (Pech) oder Cedersaft, sollen in Eerinen geschirren erhalten werden, Marck, Unschlyt, und was der feyste seind in zynenen büchsen. Die Rob werden am allerbasten behalten in erdenen Leonischen oder niderlendischen krüglin, desgleichen die Conserve. Aber die öle wärent am allerbasten in gläsinen geschirren, solten auch woll verstopfft sein. Species Aromatice in goldt, silber oder sonst guten züg. Alles was Sur, in verbichten, oder verwächsten geschirren. Der Thiriacks, so er gerecht, were auch woll einer güldinen büchßen werdt, aber yetzundt so mag er in einer zynenen oder bleyen büchßen, auch woll bleyben.»

Von vielen Drogen wissen wir, daß sie durch längere Aufbewahrung an Wert verlieren. Es kommt dies daher, daß die Stoffumsetzung innerhalb einer Arzneipflanze oder einem Teile derselben nicht mit dem beim Trocknen eintretenden Absterben erlischt, sondern daß auch in der trocknen Droge noch mannigfache Umsetzungen stattfinden. Der Alkaloidgehalt vieler Drogen geht mit der Zeit zurück (Alkaloiddrogen), auf Veränderungen in der Zusammensetzung deutende Geruchsänderungen treten ein (*Lupulin*), die Farbe verändert sich (z. B. von grünlich in rot: *Filix*), der Geruch verschwindet oder geht zurück (Riechstoffdrogen). Sehr merkwürdig ist es, daß die meisten Riechstoffdrogen rascher ihren Geruch verlieren und «dumpfig» werden, wenn sie dicht übereinander geschichtet in hermetisch verschlossenen Gefäßen aufbewahrt werden. Es geschieht dies besonders dann, wenn die Dogen nicht ganz trocken sind. Auch *Herb. cannabis* darf nicht in festverschlossenen Gefäßen aufbewahrt werden, sondern (am besten) in perforierten Holzbüchsen. Für Aufbewahrung von Drogen eignen sich am besten Holzfässer, Hartpappe-Kisten oder -Fässer oder Blechbüchsen.

Sehr bemerkenswert ist die Tatsache, daß eine an sich und im freien Zustande nicht sehr zersetzliche Substanz dadurch in die Zersetzung mit hineingezogen wird, daß sie sich in Gesellschaft leicht zersetzlicher und in Zersetzung begriffener Verbindungen befindet. So sehen wir, daß in ölreichen Drogen zu der Zeit, wo dieselben ranzig werden, auch andere Substanzen sich zu zersetzen beginnen. Für solche postmortalen Umsetzungen ist die Gegenwart von Wasser immer förderlich, für viele direkt notwendig. Das Trocknen der Droge konserviert also die Bestandteile und das Trockenhalten wird für viele zur Notwendigkeit.

Um Drogen dauernd trocken zu halten, empfiehlt sich die Anwendung der sogenannten Kalkkiste, d. h. einer Blechkiste mit gut schließendem Deckel und doppeltem durchbrochenem Boden, unter welchem sich eine Schicht gebrannten Kalkes befindet. Bei Drogen, die nur in kleineren Mengen vorrätig gehalten werden, tritt an Stelle der Kiste ein Porzellangefäß. «Über Kalk» aufbewahrte Drogen halten sich jahrelang unverändert. Deshalb fordert die neue Pharmacopoea helvetica (Edit. IV) bei zahlreichen empfindlichen Drogen, die starkwirkende Substanzen enthalten und in gleichmäßiger Beschaffenheit erhalten werden müssen — wie *Fol. Digitalis* und *Secale cornutum* — direkt die Aufbewahrung über Kalk. Auch die holländische Pharmakopoee kennt diese Aufbewahrung über Kalk. In der Tat hält sich z. B. *Secale cornutum* jahrelang unverändert, wenn man Sorge trägt, daß es trocken aufbewahrt wird. Und auch bei anderen Drogen wird die jährliche Erneuerung überflüssig, wenn sie über Kalk aufbewahrt werden.

Ganz besonders bewährt sich aber die Aufbewahrung über Kalk bei Drogen, die leicht Feuchtigkeit aus der Luft anziehen, wie z. B. *Bulbus Scillae*, und solchen, die gepulvert leicht zusammenfließen (*Galbanum*, *Ammoniacum*).

Da *Vanille* oft geschimmelt in Europa eintrifft, sollte auch den Pflanzern die Kalkkiste empfohlen werden. Wenn nur über Kalk getrocknete *Vanille* verpackt wird, kann sie nicht schimmeln. GRESHOFF hat die Brauchbarkeit der Kalkkiste in den Tropen erprobt und empfiehlt sie warm.

Die jetzt meist als «LEHMANN-HAGERscher Kalktrockenkasten» bezeichnete Kalkkiste (bezw. das Kalkglas) findet man übrigens schon in einer Handschrift aus der Wende des XVI. Jahrh. erwähnt, die LEROY DE LA MARCHE (1887) und neuerdings GUARESCHI (1905) herausgegeben hat (SCHELENZ).

Wie außerordentlich Trockenhalten konserviert, zeigen die Pflanzenfunde in altägyptischen Gräbern. Wie SCHWEINFURTH zeigte, sind bei den Pflanzenbinden der Mumien oft noch die Blätter (z. B. *Mentha piperita*) grün und die Blüten (z. B. *Carthamus tinctorius*) in ihren natürlichen Farben erhalten, trotzdem sie 3—5000 Jahre alt sind.

X. Die Beschreibung der Droge.

Die ausführliche Beschreibung der Droge nach allen Richtungen hin ist die erste und vornehmste Aufgabe der wissenschaftlichen Pharmakognosie. Sie sollte bei Pflanzendrogen folgende Punkte umfassen:

1. Name der Droge, Synonymie und Etymologie.
2. Name der Stammpflanze, Synonymie und Etymologie — Abbildungen.
3. Systematische Stellung der Stammpflanze.
4. Systematisch-morphologische Beschreibung der Stammpflanze.
5. Vorkommen und Verbreitung derselben.

5a. (event.) Kultur der Arzneipflanze. Schädlinge der Kulturen.

6. Gewinnung der Droge. Einsammlung und Erntebereitung.
7. Handelswege.
8. Handelssorten. Verpackung.
9. Beschreibung der Droge:
   a) Morphologische Beschreibung.
   b) Anatomie der Droge.
   c) Chemische Bestandteile.
   d) Pharmakochemische Klassifikation. Stellung im pharmakochemischen System.
   e) Geruch und Geschmack.
10. Beimischungen und Verfälschungen.

10a. (event.) Tierische Schädlinge der Droge.

18. Prüfung und Wertbestimmung.
19. Geschichte.
20. Verwendung.
21. Paralleldrogen.